P9-DGN-634
ALTIN
KİTAPLAR

KİTABIN ORİJİNAL ADI
DECEPTION POINT

YAYIN HAKLARI
DAN BROWN ©
AKCALI TELİF HAKLARI AJANSI
ALTIN KİTAPLAR YAYINEVİ
VE TİCARET A.Ş.©

KAPAK DÜZENİ
SELÇUK ÖZDOĞAN

BASKI
1. BASIM / NİSAN 2005
2. BASIM / NİSAN 2005
3. BASIM / MAYIS 2005
4. BASIM / MART 2006
5. BASIM / TEMMUZ 2006
6. BASIM / OCAK 2007

AKDENİZ YAYINCILIK A.Ş.
Matbaacılar Sitesi No: 83
Bağcılar - İstanbul

BU KİTABIN HER TÜRLÜ YAYIN HAKLARI
FİKİR VE SANAT ESERLERİ YASASI GEREĞİNCE
ALTIN KİTAPLAR YAYINEVİ VE TİCARET A.Ş.'YE AİTTİR.

ISBN 975 - 21 - 0573 - 4

ALTIN KİTAPLAR YAYINEVİ
Celâl Ferdi Gökçay Sk. Nebioğlu İşhanı
Cağaloğlu - İstanbul

Tel: 0.212.513 63 65 / 526 80 12
0.212.520 62 46 / 513 65 18

Faks: 0.212.526 80 11

http://www.altinkitaplar.com.tr
info@altinkitaplar.com.tr

Da Vinci Şifresi yazarı

İHANET NOKTASI

TÜRKÇESİ
PETEK DEMİR

Yazarın Yayınevimizden Çıkan Kitapları:

DA VINCI ŞİFRESİ
MELEKLER VE ŞEYTANLAR

TEŞEKKÜR

Üstün rehberliği ile hünerli editör Jason Kaufman'a, dur durak bilmez araştırmaları ve yaratıcı katkıları için Blythe Brown'a, Wieser&Wieser'dan dostum Jake Elwell'a, Ulusal Güvenlik Arşivi'ne, NASA Kamu İşleri Bürosu'na, her konuda bilgi kaynağı olmaya devam eden Stan Planton'a, Ulusal Güvenlik Örgütü'ne, buzul uzmanı Martin O. Jeffries'e; ve üstün zekâlı üç insan Brett Trotter, Thomas D. Nadeau ile Jim Barrington'a en içten teşekkürlerimi sunarım. Ayrıca Connie ve Dick Brown'a, ABD Haberalma Politikası Belgeleme Projesi'ne, Suzanne O'Neill'a, Margie Wachtel'a, Morey Stetner'a, Owen King'e, Alison McKinnell'a, Mary ile Stephen Gorman'a, Dr. Karl Singer'a, Scripps Denizbilim Enstitüsü'nden Dr. Michael I. Latz'e, Micron Electronics'den April'a, Esther Sung'a, Ulusal Hava ve Uzay Müzesi'ne, Dr. Gene Allmendinger'a, Sanford J. Greenburger Associates'dan Heide Lange'a, Amerikan Bilim Adamları Federasyonu'ndan John Pike'a teşekkür ederim.

YAZARIN NOTU

Delta Gücü, Ulusal Keşif Bürosu ve Uzay Sınırları Vakfı gerçek kurumlardır. Bu romanda konu edilen bütün teknolojiler mevcuttur.

İhanet Noktası

Eğer bu keşif onaylanırsa, bilimin şimdiye dek dünyamızda perdesini açtığı en şaşırtıcı kavramlardan biri olacaktır. Tahmin edilebileceği gibi, olası etkileri geniş kapsamlı ve ürkütücüdür. En eski sorularımıza yanıt vermeyi vaat etse de, daha önemli başka soruları içinde barındırmaktadır.

Başkan Bill Clinton, 7 Ağustos 1996'da, ALH84001 diye bilinen bir keşfin ardından verdiği basın toplantısından.

ÖNSÖZ

Ölüm, bu ıssız yerde, sayısız biçimlerde gelebilirdi. Jeolog Charles Brophy bu arazinin acımasız ihtişamına yıllarca katlanmış olmasına rağmen, yine de hiçbir şey onu yaşayacağı insanlık dışı felakete hazırlamış olamazdı.

Brophy'nin dört köpeği, jeolojik algılama aygıtları kızağını tundra üzerinde çekerken, birden bakışlarını gökyüzüne çevirerek yavaşladı.

Kızaktan inen Brophy, "Ne oldu kızlar?" diye sordu.

Toplanmaya başlayan fırtına bulutlarının ardındaki çift pervaneli bir nakliye helikopteri, buzul zirvelerini askeri maharetle kucaklayarak, kavis çizerek alçalıyordu.

Bu tuhaf, diye düşündü. Bu kadar kuzeyde hiç helikopter görmemişti. Helikopter, toz gibi kardan bir kümeyi havaya savurarak elli metre kadar uzağa indi. Tetikte duran köpekler hırladılar.

Helikopterin kapısı kayarak açıldığında, iki adam aşağı indi. Soğuk hava şartlarına uygun beyaz giysiler içindeki adamlar, ellerinde tüfekleriyle aceleleri varmış gibi Brophy'ye doğru ilerlediler.

İçlerinden biri, "Dr. Brophy?" diye seslendi.

Jeolog bocaladı. "İsmimi nerden biliyorsunuz? Siz kimsiniz?"

"Telsizinizi çıkarın lütfen."

"Anlayamadım."

"Dediğimizi yap."

Şaşkınlık içindeki Brophy telsizini parkasının cebinden çıkardı.

"Acil bir resmi bildiri iletmeni istiyoruz. Telsiz frekansını yüz kilohertze indir."

Yüz kilohertz mi? Brophy'nin aklı tamamen karışmıştı. *Bu kadar düşük frekanstan hiç kimse hiçbir şey alamaz.* "Bir kaza mı oldu?"

Diğer adam tüfeğini kaldırarak, Brophy'nin başına doğrulttu. "Açıklamaya zaman yok. Dediğimizi yap."

Brophy titreyerek ileti frekansını ayarladı.

İlk konuşan adam, üzerine birkaç satır yazılı bir not kâğıdını ona uzattı. "Bunu ilet. Hemen."

Brophy kâğıda baktı. "Anlamıyorum. Bu bilgi doğru değil. Ben yapmadım..."

Adam tüfeğini sertçe Brophy'nin şakağına bastırdı.

Tuhaf mesajı iletirken Brophy'nin sesi titriyordu.

Birinci adam, "Güzel," dedi. "Şimdi sen ve köpeklerin helikoptere binin."

Namlunun ucundaki Brophy isteksiz köpeklerini yönlendirerek, paten demirinden helikopterin yük bölümüne çıktı. Onlar yerleşir yerleşmez helikopter havalanarak batıya döndü.

Parkasının içinde ter basan Brophy, "Siz de kimsiniz?" diye sordu. *Ve o mesajın anlamı neydi öyle!*

Adamlar hiçbir şey söylemediler.

Helikopter irtifa kazanırken, rüzgâr açık kapıdan içeri doluyordu. Brophy'nin, yük kızağına bağlı duran dört köpeği inlemeye başlamıştı.

Brophy, "En azından kapıyı kapatın," dedi. "Köpeklerimin ürktüğünü görmüyor musunuz?"

Adamlar yanıt vermediler.

Helikopter bin üç yüz metreye çıkarken, buzul kanyonları ve yarıkları üstünden dikine yükseliyordu. Adamlar birden ayağa kalktılar. Tek bir söz söylemeden yüklü kızağı tutarak, açık kapıdan dışarı ittiler. Brophy köpeklerinin muazzam ağırlığa karşı acıyla mücadele edişlerini dehşet içinde seyretti. Uluyarak helikopterden dışarı sürüklenen hayvanlar bir anda gözden kayboldular.

Adamlar onu yakaladıklarında, Brophy çoktan ayağa kalkmış çığlık atıyordu. Onu kapıya doğru çektiler. Korkudan kaskatı kesilen Brophy yumruklarını savurarak, onu dışarı iten güçlü ellere karşı kendini savunmaya çalıştı.

Hiç yararı yoktu. Saniyeler sonra aşağıdaki buzul kanyonlarına doğru düşmeye başlamıştı.

1

Capitol Hill'e komşu olan Toulos Restoranı'nın gururla sunduğu süt danası ve karabiberle dövülmüş at eti günün modasına hiç uygun değildi. Ama bu mönü sayesinde sabah kahvaltısında Washington siyasilerinin uğrak yeriydi. Bu sabah Toulos, birbirine çarpan gümüşler, espresso makineleri ve cep telefonu görüşmelerinden yükselen seslerin oluşturduğu ahenksiz yankılarla oldukça yoğundu.

Kadın içeri girdiğinde şefgarson gizlice sabah Bloody Mary'sinden bir yudum çekiyordu. Yapmacık bir tebessümle yüzünü döndü.

"Günaydın," dedi. "Size yardımcı olabilir miyim?"

Pilili, bol paçalı gri pantolon, gösterişsiz topuksuz ayakkabılar ve krem rengi Laura Ashley bluz giyen otuzlu yaşlarının ortalarındaki kadın çekici biriydi. Sağlam bir tavrı vardı -çenesi hafifçe yukarı kalkmıştı- küstah değil, sadece güçlü görünüyordu. Kadının omuzlarına dek inen iri dalgalı açık kahverengi saçları, Washington'da en revaçta olan tarzda taranmıştı. "Haber spikeri kadın" seksi görünecek kadar uzun, ama sizden daha akıllı olduğunu gösterecek kadar kısa.

Kadın çekingen bir sesle, "Biraz geciktim," dedi. "Senatör Sexton'la kahvaltı randevum vardı."

Şefgarson birden sinirlerinin gerildiğini hissetti. *Senatör Sedgewick Sexton.* Senatör buranın devamlı müşterisi ve ülkenin en ünlü adamlarından biriydi. Geçen hafta Süper Salı'da[*] on iki Cumhuriyetçi adayı arkada bıraktıktan sonra, partisinin Amerika Birleşik Devletleri Başkan adayı olmayı neredeyse garantilemişti. Pek çok kişi senatörün gelecek kış Beyaz Saray'ı güç durumdaki Başkan'dan koparma şansına sahip olduğuna inanıyordu. Son zamanlarda Sexton'ın yüzü tüm ulusal dergilerde görünmeye, kampanya sloganı tüm Amerika'yı kaplamaya başlamıştı: "Harcamayı bırakın. İyileştirmeye başlayın."

Şefgarson, "Senatör Sexton her zamanki locasında," dedi. "Peki siz kimsiniz?"

"Rachel Sexton. Kızıyım."

Ne kadar aptalım, diye düşündü. Benzerlik aşikârdı. Kadında senatörün delici bakışları ve nazik tavrı -şu terbiyeli asalet havası- vardı. Rachel Sexton doğuştan sahip olduğu nimetleri, babasının örnek alması gereken bir zarafet ve tevazu ile taşısa da, senatörün klasik iyi görünümünün bir sonraki nesle geçtiği belli oluyordu.

"Sizi ağırlamaktan zevk duyarız Bayan Sexton."

Şefgarson senatörün kızını yemek salonundan geçirirken, onu arkasından takip eden erkeklerin bakışlarından -bazıları usturuplu, bazıları pek değil- mahcup oldu. Toulos'da çok az kadın yemek yer, daha da azı Rachel Sexton gibi görünürdü.

Yemek yiyenlerden biri, "Güzel vücut," diye fısıldadı. "Sexton kendine yeni bir eş bulmuş bile."

Diğeri, "O kızı, salak," diye yanıtladı.

Adam kıkırdadı. "Ben Sexton'ı iyi tanırım, o kızını bile becerir."

Rachel, babasının masasına gittiği sırada, senatör cep telefonunda yüksek sesle son başarılarından biri hakkında konuşuyordu. Başını kaldı-

---

[*] Farklı eyaletlerde yapılan önseçimler.

rıp sadece Cartier saatine hafifçe vurarak geç kaldığını ifade eder bir şekilde Rachel'a baktı.

Ben de seni özledim, diye düşündü Rachel.

Babasının ilk adı Thomas'dı ama göbek adını uzun zaman önce kendi ilave etmişti. Rachel bunu, babasının ses yinelemesinden hoşlanmasına bağlıyordu. Senatör Sedgewick Sexton. Ak saçlı ve tatlı dilli adam, arkası yarın dizilerinden fırlamış doktor görüntüsüyle kutsanmış bir siyaset kurduydu ki, taklit yeteneği dikkate alındığında bu görüntüsü hiç de yadırganmıyordu.

"Rachel!" Babası telefon görüşmesini bitirip onu yanağından öpmek için ayağa kalktı.

"Merhaba baba." Babasını öpmedi.

"Bitkin görünüyorsun."

Demek başlıyoruz, diye düşündü. "Mesajını aldım. Ne oldu?"

"Kızımı kahvaltıya çağıramaz mıyım?"

Rachel, babasının gizli bir amacı olmaksızın ondan kendisine eşlik etmesini istemeyeceğini uzun zaman önce öğrenmişti.

Sexton kahvesinden bir yudum aldı. "Anlat bakalım, nasıl gidiyor?"

"Yoğun. Kampanyanın iyi gittiğini görüyorum."

"Ah, işten bahsetmeyelim." Sexton sesini alçaltarak masada öne doğru eğildi. "Dışişleri Bakanlığı'ndan sana ayarladığım şu adam nasıl?"

Rachel saatine bakmamak için kendini güç tutarak içini çekti. "Baba, gerçekten onu aramaya vaktim olmadı. Ayrıca bu konuda çabalamayı bıraksan iyi..."

"Önemli şeylere zaman ayırmalısın Rachel. Aşk yoksa, geri kalan her şey anlamsızdır."

Aklına pek çok anı gelmiş olsa da, Rachel sessiz kalmayı yeğledi. Babası söz konusu olduğunda daha olgun davranmak güç değildi. "Baba, beni görmek istememiş miydin? Önemli olduğunu söyledin."

"Öyle." Babası, onu dikkatle inceledi.

Rachel, onun bakışları altında savunma kalkanının bir parçasının eriyip gittiğini hissedince, içinden adamın gücüne küfretti. Senatörün gözleri Allah vergisiydi. Rachel bu özelliğinin onu Beyaz Saray'a götüreceğini tahmin ediyordu. Yeri gelince gözleri yaşlarla dolar, ama sonra, hemen sonra yaşlar gider ve her şeye karşı güven telkin ederek, coşkulu bir ruha kapı açardı. Babası daima, *sadece itimat meselesi,* derdi. Senatör, Rachel'ın güvenini yıllar önce kaybetmişti ama ülkeninkini hızla kazanıyordu.

Senatör Sexton, "Sana bir teklifim var," dedi.

Kendini yeniden toparlamaya çalışan Rachel, "Bırak tahmin edeyim," diye cevap verdi. "Ünlü bir dul kendine genç bir hanım arıyor."

"Kendini küçük düşürme hayatım. Artık o kadar genç değilsin."

Rachel, babasıyla buluşmalarında sıklıkla duyumsadığı o tanıdık aşağılanma hissine yeniden kapıldı.

"Sana can simidi atmak istiyorum," dedi.

"Boğulduğumun farkında değildim."

"Sen değil, Başkan boğuluyor. Çok geç olmadan gemiye atlamalısın."

"Bu konuşmayı daha önce yapmamış mıydık?"

"Geleceğini düşün Rachel. Benim için çalışabilirsin."

"Umarım beni kahvaltıya çağırma sebebin bu değildir."

Senatörün soğukkanlılığı çok zor bozulurdu. "Rachel, onun için çalışmanın beni kötü etkilediğini anlayamıyor musun? Ve tabi kampanyamı."

Rachel içini çekti. O ve babası daha önce bu konuyu tartışmışlardı. "Baba, ben Başkan için çalışmıyorum. Başkan'la *karşılaşmadım* bile. Tanrı aşkına, ben Fairfax'de çalışıyorum!"

"Siyaset algılama meselesidir Rachel. Başkan için çalışıyormuşsun gibi *görünüyor.*"

Rachel dinginliğini bozmamaya çalışarak içini çekti. "Bu işi almak için çok çalıştım baba. Bırakmayacağım."

Senatör gözlerini kıstı. "Biliyor musun, bazen bencil tavırların gerçekten..."

"Senatör Sexton?" Masanın yanında bir muhabir belirmişti.

Senatörün tavrı hemen değişti. Rachel homurdanarak masanın üstündeki sepetten bir kruvasan aldı.

Muhabir, "Ralph Sneeden," dedi. "*Washington Post*. Size birkaç soru sorabilir miyim?"

Senatör ağzını peçeteyle silerek gülümsedi. "Memnuniyetle Ralph. Yalnız çabuk ol. Kahvemi soğutmak istemiyorum."

Muhabir tam zamanında güldü. "Elbette efendim." Ufak bir kayıt cihazı çıkararak, kayda başladı. "Senatör, televizyonlardaki reklamlarınız işyerlerinde kadınlara eşit maaşlar verilmesi... ve aynı zamanda yeni evlilere vergi indirimi uygulanması için kanun çıkarılması çağrısında bulunuyor. Bunun mantığını açıklayabilir misiniz?"

"Elbette. Ben güçlü kadınların ve güçlü ailelerin hayranıyım."

Rachel kruvasanı adeta boğazına tıktı.

Muhabir, "Ve aileler konusunda," diye devam etti. "Sıkça eğitimden bahsediyorsunuz. Ülkemizdeki okullara daha fazla fon ayrılması için hayli ihtilaflı bütçe kesintileri teklif ettiniz."

"Çocukların bizim geleceğimiz olduğuna inanıyorum."

Rachel, babasının pop şarkılardan alıntılar yaptığına inanamıyordu.

Muhabir, "Efendim, son olarak," dedi. "Geçtiğimiz son birkaç hafta içinde kamuoyu araştırmalarında muazzam bir sıçrama yaptığınız belirlendi. Başkan endişeye kapılmış olmalı. Bu başarınız hakkında bir söyleyeceğiniz var mı?"

"Sanırım bunun itimatla ilgisi var. Amerikalılar, ülkenin karşısına çıkan zor kararları vermekte Başkan'a güvenemeyeceklerini anlamaya başladılar. Kontrolden çıkmış hükümet harcamaları bu ülkeyi her gün biraz daha borca sokuyor ve Amerikalılar artık harcamayı bırakıp iyileştirmeye başlama zamanının geldiğini fark etmeye başlıyorlar."

Rachel'ın çantasındaki çağrı cihazı, babasının infaz söylevine erteleme emri gelmiş gibi çalmaya başladı. Aslında şiddetli elektronik çınlama, konuşmaları rahatsız edici bir şekilde bölerdi ama şu anda kulağa melodik geldiği bile söylenebilirdi.

Senatör lafı kesildiği için öfkeli bir bakış fırlattı.

Çantasından el yordamıyla çağrı cihazını bulan Rachel, cihazı elinde bulunduran kişinin gerçekten kendisi olduğunu teyit etmek için sırayla beş düğmeye bastı. Cihazın sesi kesildi ve LCD yanıp sönmeye başladı. On beş saniye sonra gizli bir mesaj metni alacaktı.

Sneeden, senatöre sırıttı. "Kızınızın çok meşgul bir kadın olduğu anlaşılıyor. Sıkışık programınız arasında ikinizin birlikte yemeğe vakit bulduğunu görmek oldukça heyecan verici."

"Dediğim gibi, önce aile."

Sneeden başını evet anlamında salladı, sonra bakışları sertleşti. "Sizin ve kızınızın çıkar çatışmalarınızı nasıl çözdüğünüzü sorabilir miyim efendim?"

"Çatışmalar mı?" Senatör Sexton masum bir şaşkınlık ifadesiyle başını ileri uzattı. "Nasıl çatışmalardan bahsediyorsunuz?"

Rachel, babasının tepkisine yüzünü buruşturarak, başını kaldırıp baktı. Hangi amaçla sorulduğunu kesinlikle biliyordu. *Lanet muhabirler*, diye düşündü. Bu meslektekilerin yarısı politikadan para kazanıyordu. Muhabirin sorusu, gazetecilerin *greyfurt* dediği türden -senatöre zor bir soru görünümünde sunulan üstü kapalı bir kıyak- babasının kolayca yetişip smaç yaparak sahanın dışına gönderebileceği yavaş bir atıştı.

"Şey, efendim..." Muhabir öksürerek, sorusundan dolayı endişeleniyormuş gibi bir hava verdi. "Kızınızın rakibiniz için çalışıyor olmasından kaynaklanan çatışma."

Senatör Sexton kahkahaya boğularak soruyu bir anda saf dışı bıraktı. "Ralph, öncelikle Başkan ve ben *rakip* değiliz. Bizler sadece, sevdiğimiz ülkeyi nasıl yöneteceğimiz konusunda farklı fikirlere sahip iki vatanseveriz."

Muhabirin yüzü sevinçle parladı. İstediğini almıştı. "Peki ikinci olarak?"

"İkinci olarak, kızım Başkan için çalışmıyor: istihbarat teşkilatında görev yapıyor. İstihbarat raporlarını derleyip Beyaz Saray'a gönderiyor. Oldukça alt seviyede bir pozisyonu var." Durup Rachel'a baktı. "Doğrusunu istersen hayatım, Başkan'la *tanıştığını* bile sanmıyorum, tanıştın mı?"

Gözleri yuvalarından fırlayan Rachel bakmakla yetindi.

Çağrı sinyali cırlayınca, Rachel'ın bakışları LCD ekranına gelen mesaja çevrildi.

-DRL UKODIR RPRV-

Kısaltmayı hemen çözdü ve kaşlarını çattı. Beklenmedik bir mesajdı ve kesinlikle kötü haber veriyordu. Ama en azından kaçmak için bahanesi hazırdı.

"Beyler," dedi. "Kalbim elvermiyor ama gitmek zorundayım. İşe geç kaldım."

Muhabir bir çırpıda, "Bayan Sexton," dedi. "Gitmeden önce, bu kahvaltıya babanızın kampanyasında çalışmak için mevcut işinizden ayrılma ihtimalinizi tartışmak üzere geldiğiniz konusundaki söylentiler hakkında bir yorum yapabilir misiniz acaba?"

Rachel suratına sıcak kahve fırlatılmış gibi hissetti. Soru onu tamamen hazırlıksız yakalamıştı. Babasına bakınca, onun yapmacık tebessümünde sorunun önceden hazırlandığını hissetti. Masanın üstüne çıkıp onu çatalla delik deşik etmek istedi.

Muhabir kayıt cihazını burnuna uzatmıştı. "Bayan Sexton?"

Rachel bakışlarını muhabire dikti. "Ralph ya da her kimsen, şunu iyi bil: Senatör Sexton adına çalışmak için işimi bırakmaya hiç niyetim yok ve eğer bunun aksini ima edecek herhangi bir şey yazarsan, o kayıt cihazını kıçından ancak tirbuşonla çıkarırsın."

Muhabirin gözleri büyüdü. Sırıttığını onlara göstermeden kayıt cihazını kapattı. "Her ikinize de teşekkür ederim," diyerek gözden kayboldu.

Rachel o an birdenbire köpürmesinden dolayı pişman oldu. Babasının öfkeli mizacı ona geçmişti ve bu yüzden ondan nefret ediyordu. *Yumuşa Rachel. Çok sakin ol.*

Babasının onaylamayan gözleri hiddetle parlıyordu. "Kendine hâkim olmayı öğrensen iyi edersin."

Rachel eşyalarını toplamaya başlamıştı. "Toplantı sona erdi."

Senatörün her halükârda onunla işinin bittiği belli oluyordu. Cep telefonunu çıkarıp bir numara çevirdi. "Güle güle tatlım. Bir ara ofise uğrayıp bir merhaba de. Ve Tanrı aşkına evlen. Otuz üç yaşındasın."

"Otuz *dört,*" diye atladı. "Sekreterin kart göndermişti."

Senatör kederle kesik kesik güldü. "Otuz dört. Yaşlı bir genç kız denebilir. Biliyorsun ben otuz dört yaşımdayken çoktan..."

"Annemle evlenmiş, komşuyu becermiştin değil mi?" Sesi Rachel'ın düşündüğünden daha yüksek çıkınca, kelimeler geçici bir süre boşlukta asılı kaldı. Etrafta yemek yiyenler yan gözle onu süzdüler.

Senatör Sexton'ın gözleri hiç kıpırdamadan öfkeyle ona bakıyor, adeta iki buz kristali onu delip geçiyordu. "Kendine dikkat et, genç bayan."

Rachel kapıya yöneldi. *Asıl sen kendine dikkat et, senatör.*

2

Üç adam ThermaTech fırtına çadırının içinde sessizce oturuyorlardı. Dışarıda, bağlama demirlerini yerinden sökecek gibi esen soğuk rüzgâr, çadırı sallıyordu. Adamlardan hiçbiri bunu ciddiye almadı; her biri çok daha tehlikeli durumlarla karşı karşıya kalmışlardı.

Bembeyaz çadır, gözlerden uzakta düzlük bir alana kurulmuştu. Haberleşme ve ulaşım aygıtlarıyla silahlarının tümü son modeldi. Grup liderinin kod adı Delta-Bir idi. Adaleli, çevik bir vücuda ve üzerinde bulunduğu topografya kadar boş gözlere sahip biriydi.

Delta-Bir'in bileğindeki askeri kronograf, tiz bir sinyal sesi yaydı. Bu ses, diğer iki adamın taktığı kronografların çıkardığı sinyal sesiyle mükemmel bir ahenkle birbirine karıştı.

Otuz dakika daha geçti.

Vakit gelmişti. Yine.

Delta-Bir iki ortağını bırakarak, çadırdan dışarı çıktı. Zifirikaranlıkta rüzgâr uguldayarak esmeye devam ediyordu. Kızılötesi dürbünüyle ay ışığının aydınlattığı ufku taradı. Her zamanki gibi yapıya odaklandı. Bin metre ötedeydi: kıraç arazinin üstünde yükselen devasa ve benzersiz görkemli yapı. O ve ekibi yapıldığından beri, yani on gündür orayı izliyorlardı. Delta-Bir'in içerideki bilginin dünyayı değiştireceğinden hiç şüphesi yoktu. Onu korumak uğruna bazı hayatlar çoktan kaybedilmişti bile.

Şu anda yapının dışında her şey sakin görünüyordu.

Ama asıl sınav, *içeride* olanlarda saklıydı.

Delta-Bir çadıra geri girerek iki asker arkadaşına seslendi. "Alçak uçuş vakti geldi."

Adamlar evet anlamında başlarını salladılar. İçlerinden daha uzun olanı, Delta-İki, dizüstü bilgisayarını açarak çalıştırdı. Ekranın karşısında yerine iyice yerleşen Delta-İki, elini mekanik bir idare koluna koydu ve hafifçe geri çekti. Bin metre ötede, binanın derinliklerinde saklanan sivrisinek büyüklüğündeki bir teftiş robotu, iletiyi alınca hayata geçti.

3

Beyaz Integra'sını Leesburg Otoyolu'nda süren Rachel Sexton hâlâ ateş püskürüyordu. Falls Church eteklerindeki yaprakları dökülmüş akçaağaçlar mart ayındaki açık gökyüzüne doğru uzanıyor, ama bu huzurlu manzara onun öfkesini dindirmeye yetmiyordu. Babasının son kamuoyu yoklamalarındaki ani yükselişi ona, kendine güvenden kaynaklanan bir nebze nezaket kazandırmış olmalıydı, ama kendini beğenmişliğini artırmaktan başka bir işe yaramadığı anlaşılıyordu.

Adamın yalancılığı iki kat acı veriyordu, çünkü Rachel'ın hayatta kalan tek yakını oydu. Annesi üç yıl önce ölmüştü ve bu, Rachel'ın kalbindeki duygusal yaraları hâlâ kapanmayan kahredici bir kayıptı. Rachel'ın biraz tuhaf da olsa tek tesellisi, ölümün annesini senatörle yaptığı mutsuz evliliğin yol açtığı derin çaresizlikten kurtarmış olmasıydı.

Rachel'ın çağrı cihazının yeniden çalan sinyali, düşüncelerini önünde uzanan yola geri döndürdü. Gelen mesaj aynıydı.

-DRL UKODIR RPRV-

Derhal UKO direktörüne rapor ver. İçini çekti. *Geliyorum işte, Tanrı aşkına!*

Rachel artan kararsızlık duygusuyla, arabasını her zamanki kavşağa doğru sürdü. Özel giriş yoluna saparak ağır silahlı nöbetçilerin kulübesinin önünde durdu. Burası 14225 Leesburg Otoyolu, yani ülkedeki en gizli adreslerden biriydi.

Nöbetçi arabadaki gizli mikrofonları ararken Rachel ilerideki devasa yapıya göz gezdirdi. Doksan üç bin metrekarelik tesis, Fairfax Virginia'daki D.C.'nin hemen dışında bulunan altmış sekiz dönüm ormanlık arazinin üstüne kurulmuştu. Binanın ön cephesi, uydu çanaklar, antenler ve çevredeki rayadomların zaten ürkütücü olan görünümünü iki katı gösteren tek taraflı yansıtmalı camla kaplı bir kaleydi.

İki dakika sonra Rachel arabasını park etmiş, biçilmiş çimlerin üstünden ana girişe yürüyordu. Girişteki granit levhanın üstünde şöyle yazıyordu.

ULUSAL KEŞİF OFİSİ (UKO)

Kurşun geçirmez döner kapının iki yanında duran silahlı deniz piyadeleri, Rachel aralarından geçerken dimdik karşıya bakıyorlardı. Bu kapıdan geçerken kapıldığı her zamanki duyguyu hissetti... uyuyan bir devin midesine indiğini.

Rachel kelimeler sanki yukarıdaki ofislerden süzülüyormuşçasına, kubbeli lobide her taraftan yükselen fısıltılı konuşmaların yankılarını hissetti. Dev bir çini mozaik UKO beratını ilan ediyordu:

SAVAŞTA VE BARIŞTA
ABD'YE KÜRESEL BİLGİ ÜSTÜNLÜĞÜ SAĞLAMAK

Buradaki duvarlar, sadece göklere çıkarılan başarıların fotoğraflarıyla -fırlatılan füzeler, denizaltı suya indirme törenleri, radyo sinyali tesisleri- donatılmıştı.

Şimdi Rachel her zaman olduğu gibi, dış dünyaya ait sorunların ardında kaldığını hissediyordu. Karanlıklar dünyasına giriyordu. Sorunların yük vagonları gibi gümbürtüyle geldiği ve çözümlerin güç duyulan fısıltılarla paylaştırıldığı bir dünyaya.

Rachel son kontrol noktasına yaklaşırken, geçen otuz dakika içinde çağrı cihazının iki kez çalmasına neyin yol açmış olabileceğini düşünüyordu.

"Günaydın Bayan Sexton." Rachel çelik kapı girişine yaklaşırken görevli gülümsedi.

Görevli alması için ona ufak bir salgı numunesi pamuğu uzatırken, Rachel tebessümle karşılık verdi.

"Nasıl yapılacağını biliyorsun," dedi.

Rachel hava geçirmez mühürlü pamuğu alarak, plastik koruyucuyu açtı. Ardından, ağzına termometre gibi yerleştirdi. İki saniye süresince dilinin altında tuttu. Sonra, öne doğru eğilerek görevlinin ağzından almasına yardımcı oldu. Güvenlik görevlisi nemli pamuğu, arkasında duran makinedeki yuvaya yerleştirdi. Rachel'ın tükürüğündeki DNA dizilişini çözmek, makinenin dört saniyesini aldı. Daha sonra ekran açılarak Rachel'ın fotoğrafını ve güvenlik iznini gösterdi.

Görevli göz kırptı. "Hâlâ sizmişsiniz gibi görünüyor." Kullanılmış pamuğu makineden çıkarıp anında imha edileceği bir delikten aşağı attı. "İyi günler." Bir düğmeye basınca, dev çelik kapılar geriye doğru açıldı.

Rachel işlek koridorlar labirentine girerken, burada geçirdiği altı yıldan sonra bile bu operasyonun devasa boyutlarının gözünü korkutmasına şaşıyordu. Bu iş, on binden fazla görevli çalıştıran altı ABD tesisini daha kapsıyordu ve işletme maliyeti yılda on milyar doların üstündeydi.

UKO tam gizlilik içinde, hayret verici bir casusluk teknolojileri cephaneliği kurmuştu: dünya çapında radyo sinyali yakalayıcıları; telekomünikasyon ürünlerinde kullanılan, saklanabilir sessiz ileti mikro devreleri; Classic Wizard diye bilinen küresel bir deniz dinleme şebekesi, dünyanın herhangi bir yerinde gemi hareketlerini gözlemleyebilen, deniz tabanlarına yerleştirilmiş 1456 hidrofondan(*) oluşan gizli bir ağ.

UKO teknolojileri Birleşik Devletler'in askeri sürtüşmelerde galip gelmesine yardım etmekle kalmıyor, aynı zamanda CIA, NSA ve savunma bakanlığı gibi teşkilatlara barış zamanında sonsuz veri akışı sağlayarak, terörizmi engellemelerine ve çevreye karşı işlenen suçların yerini tespit etmelerine yardımcı oluyor, kanun koyucuların sayısız başlık altındaki konular hakkında karar vermeleri için gerekli verileri temin ediyordu.

Rachel burada "özetçi" olarak çalışıyordu. Özetlemek ya da veri azaltmak, karmaşık raporları tahlil etmeyi, içeriğinin özünü çıkarmayı veya tek sayfalık, kısa özetlere dönüştürmeyi gerektiriyordu. Rachel bu konuda doğuştan yetenekli olduğunu kanıtlamıştı. *Ne de olsa, onca yıl babamın yalanlarını ayıkladım,* diye düşündü.

Rachel artık UKO'da özetlemenin en şanlı masasında kıdem sahibiydi; -Beyaz Saray'ın istihbarat irtibatı. UKO'nun günlük istihbarat raporlarını elemek, hangi makalelerin Başkan'la ilgili olduğuna karar vermek, bu raporları bir sayfalık özetlere dönüştürmek ve sonra özet belgelerini Başkan'ın milli güvenlik danışmanına göndermekten sorumluydu.

(*) Denizaltı dinleme cihazı.

UKO lisanında Rachel Sexton "nihai ürünü imal ediyor ve müşteriye hizmet veriyordu".

İş zor olmasına ve uzun çalışma saatleri gerektirmesine rağmen, sahip olduğu mevki onun için bir gurur nişanı, babasından bağımsız olduğunu beyan eden bir yoldu. Senatör Sexton, görevden istifa etmesi durumunda Rachel'a destek olmayı defalarca teklif etmişti, ama Sedgewick Sexton gibi bir adama mali açıdan bağımlı kalmaya Rachel'ın hiç niyeti yoktu. Onun gibi bir adamın elinde gereğinden fazla koz bulunduğunda neler olacağına en iyi örnek annesiydi.

Rachel'ın çağrısından gelen ses mermer koridorda yankılandı.

Yine mi? Mesaja bakmaya gerek bile duymadı.

Neler döndüğünü merak ederek asansöre bindi, kendi katını geçerek doğruca en üst kata çıktı.

4

UKO direktörüne sıradan bir adam demek bile abartıydı. UKO Direktörü William Pickering kolay unutulan bir yüze sahip soluk benizli, çıplak kafalı, ülkenin en derin sırlarına vakıf olmasına rağmen iki sığ birikinti gibi görünen elâ gözlere sahip miniminicik biriydi. Yine de altında çalışanlar için Pickering bir devdi. Nefsine hâkim olması ve sade yaşam anlayışı UKO'da efsaneydi. Adamın çalışkanlığı, sadece düz siyah takım elbiselerden oluşan gardırobuyla birleşince ona "Serdengeçti" takma adını kazandırmıştı. Parlak bir strateji uzmanı ve kabiliyet örneği Serdengeçti, kendi dünyasını emsalsiz bir açıklıkla yönetiyordu. "Gerçeği bul. Ona göre davran" onun mantrasıydı.

Rachel, direktörün ofisine vardığında, adam telefonda konuşuyordu. Rachel, onu her gördüğünde şaşırırdı: William Pickering hiçbir şekilde Başkan'ı aklına estiği saatte uyandırabilecek bir adama benzemiyordu.

Pickering telefonu kapatarak eliyle içeri girmesini işaret etti. "Ajan Sexton, oturun." Sesinde anlaşılır bir saflık vardı.

"Teşekkürler efendim." Rachel oturdu.

William Pickering'in pervasız tavırları karşısında çoğu kişi rahatsızlık hissetse de, Rachel, adamdan her zaman hoşlanmıştı. Babasının tam bir antiteziydi... fiziksel açıdan gösterişsizdi, karizmatik olmaktan çok uzaktı ve vazifesini, babasının bayıldığı spot ışıklarından uzakta, çıkar gütmeyen bir yurtseverlikle yapıyordu.

Pickering gözlüklerini çıkararak ona baktı. "Ajan Sexton, Başkan yarım saat kadar önce beni aradı. Konu sensin."

Rachel yerinde kıpırdandı. Pickering doğrudan konuya girmesiyle tanınırdı. *Harika bir açılış konuşması,* diye düşündü Rachel. "Umarım benim özetlerimle ilgili bir sorun yoktur."

"Tam tersine. Beyaz Saray'da senin çalışmalarının hayranlıkla karşılandığını söylüyor."

Rachel sessizce içini çekti. "Peki ne istedi?"

"Seninle bir toplantı. Şahsen. Hemen."

Rachel'ın endişesi artmıştı. "Şahsen benimle bir toplantı mı? *Ne* hakkında?"

"Kahrolası iyi bir soru. Bana söylemiyor."

Rachel tamamen afallamıştı. UKO direktöründen bilgi saklamak, Vatikan sırlarını Papa'dan saklamak gibi bir şeydi. İstihbarat camiasındaki en popüler espri, herhangi bir şeyden William Pickering'in haberi yoksa, bu şeyin vuku bulmadığıydı.

Pickering ayağa kalkarak, pencerenin önünde dolaşmaya başladı. "Seninle hemen temasa geçmemi ve onunla görüşmeye göndermemi istedi."

"Hemen şimdi mi?"

"Aracı kendisi gönderdi. Dışarda bekliyor."

Rachel kaşlarını çattı. Başkan'ın isteği kendi başına bile sinir bozucuydu, Pickering'in yüzündeki ifade ise onu iyice kaygılandırıyordu. "Çekinceleriniz olduğu anlaşılıyor."

"Herhalde var!" Pickering'in yüzünde ender görülen bir ifade belirdi. "Başkan'ın zamanlaması çok açık ve acemice. Kamuoyu yoklamalarında ona meydan okuyan adamın kızısın ve o da seninle görüşmek istiyor, değil mi? Ben bunu son derece uygunsuz buluyorum. Hiç kuşkusuz baban da bana hak verirdi."

Rachel, Pickering'in haklı olduğunu biliyordu. Babasının ne düşündüğüyse umurunda değildi. "Başkan'ın sebeplerine güvenmiyor musunuz?"

"Ben Beyaz Saray'ın mevcut yönetimine bilgi desteği vermeye yemin ettim, politikalarını eleştirmeye değil."

Rachel bunun *tipik bir Pickering cevabı* olduğunu fark etmişti. William Pickering politikacıların, gerçek oyuncuların kendisi gibi -oyunu gereğince anlayabilecek kadar işin içinde pişmiş, tecrübeli "müzmin" adamlar olduğu-satranç tahtasında, çarçabuk yer değiştiren geçici piyonlar oldukları düşüncesini hiç çekinmeden ifade ederdi. Pickering sıklıkla, Beyaz Saray'da iki tam dönem geçirmenin bile, küresel siyaset arenasının gerçek güçlüklerini anlamaya yetmeyeceğini söylerdi.

Başkan'ın bir çeşit ucuz kampanya numarası yapmayı denediğini umut eden Rachel, "Belki de masum bir ricadır," dedi. "Belki de bazı hassas bilgilerin indirgenmesine ihtiyacı vardır."

"Küçük gördüğümden değil Ajan Sexton, ama Beyaz Saray ihtiyaç duyduğunda pek çok nitelikli özetleme personeline ulaşabilir. Eğer Beyaz Saray'ın kendi iç işleriyle ilgili bir meseleyse, Başkan seninle temasa geçmenin daha iyi bir yolunu bulurdu. Bunu bilmiyorsa bile, bir UKO varlığı çağırıp nedenini bana açıklamamaktan daha iyisini yapmayı bilirdi."

Pickering'in çalışanlarından daima varlık diye bahsetmesi, pek çoklarına sıkıcı derecede soğuk gelirdi.

Pickering, "Baban siyasette hız kazanıyor," dedi. "*Hayli.* Beyaz Saray endişelenmeye başlamış olmalı. Başkan, rakibinin kızıyla gizli bir toplantı talep edince, aklıma istihbarat özetlerinden daha fazlasıyla ilgilendiği düşüncesi geliyor."

Rachel içinin hafifçe ürperdiğini hissetti. Pickering'in önsezileri esrarengiz biçimde doğru çıkardı. "Ve siz de Beyaz Saray'ın *beni* siyaset meydanına çıkaracak kadar çaresiz olduğundan mı korkuyorsunuz?"

Pickering bir süre duraksadı. "Babana karşı hissettiklerini gizlediğin pek söylenemez ve Başkan'ın kampanya çalışanlarının aranızdaki bu mesafeden haberdar olduğuna eminim. Bana öyle geliyor ki, seni bir şekilde babana karşı kullanmayı isteyecekler."

Rachel yarı şaka yarı ciddi, "Nereyi imzalıyorum?" diye sordu.

Pickering etkilenmişe benzemiyordu. Ters bir bakış fırlattı. "Seni uyarıyorum Ajan Sexton. Eğer Başkan'la görüşmende vereceğin kararların babanla arandaki kişisel meseleleri gölgeleyeceğini hissediyorsan, sana Başkan'ın görüşme talebini geri çevirmeni kuvvetle tavsiye ederim."

"Geri çevirmek mi?" Rachel sinirlice güldü. "Başkan'ı reddedemeyeceğim çok açık."

Direktör, "Sen reddedemezsin," dedi. "Ama ben ederim."

Ağzından çıkan kelimelerin gürlemesi Rachel'a, ona "Serdengeçti" denmesinin başka bir sebebini hatırlatmıştı. William Pickering ufak tefek bir adam olmasına karşın, damarına basıldığında siyasetin içinden deprem dalgası gibi geçebilirdi.

"Benim bu konudaki kaygılarım gayet basit," dedi Pickering. "Benim için çalışan kişileri korumak görevim ve onlardan birinin siyasi bir oyunda piyon olarak kullanılabileceği ihtimali bile hoşuma gitmiyor."

"Ne yapmamı öneriyorsunuz?"

Pickering içini çekti. "Ben onunla buluşmanı öneririm. Ama hiçbir şekilde sorumluluk alma. Başkan, sana aklında ne halt olduğunu anlattıktan sonra beni ara. Eğer onun seninle siyasi bir beysbol oyunu oynadığına kanaat getirirsem, inan bana, seni o kadar hızlı geri çekerim ki, adam, ona neyin çarptığını bile anlamaz."

"Teşekkür ederim efendim." Rachel, direktörde, babasında görmeyi arzu ettiği o korumacı havayı sezinlemişti. "Başkan'ın araba gönderdiğini söylemiştiniz."

"Pek sayılmaz." Pickering kaşlarını çatarak, pencereden dışarıyı işaret etti.

Rachel tereddüt içinde yanına gidip Pickering'in uzattığı parmağın gösterdiği yöne baktı.

Çimenler üstünde kalkık burunlu bir MH-60G PaveHawk helikopteri rölantide bekliyordu. Gelmiş geçmiş en hızlı helikopterlerden biri olan PaveHawk'ın üzerinde Beyaz Saray amblemi vardı. Yanında duran pilot saatine bakıyordu.

Rachel inanamayan gözlerle Pickering'e döndü. "Beyaz Saray, D.C.'ye kadar yirmi beş kilometre yol gitmem için bana PaveHawk mı göndermiş?"

"Görünüşe bakılırsa Başkan ya etkilenmeni ya da gözünün yılmasını umuyor." Pickering, ona göz attı. "Bu oyuna gelmemeni tavsiye ederim."

Rachel başını salladı. Hem etkilenmiş, hem de gözü yılmıştı.

Rachel Sexton dört dakika sonra UKO'dan çıkarak, bekleyen helikoptere bindi. O henüz yerine yerleşmeden havalanan helikopter, Virginia ormanları üzerinde dönerek yan yattı. Ayaklarının altındaki ağaçlara göz gezdiren Rachel, nabzının yükseldiğini hissetti. Bu helikopterin asla Beyaz Saray'a varmayacağını bilseydi, daha da fazla yükselirdi.

5

Buz gibi esen rüzgâr ThermaTech çadırına sert darbeler indirdiği halde, Delta-Bir farkında değildi. O ve Delta-Üç dikkatlerini, elindeki kumanda kolunu operatör maharetiyle kullanan yoldaşlarına vermişlerdi. Önlerindeki ekran, mikrobotun üzerine yerleştirilmiş iğne kameradan canlı video iletisi gösteriyordu.

Onu her çalıştırdıklarında hâlâ hayret duyan Delta-Bir, *teftişte en son cihaz,* diye düşündü. Son zamanlarda mikromekanik dünyasında gerçekler hayali geçmeye başlamıştı.

Mikro Elektro Mekanik Sistemleri (MEMS) -mikrobotlar- ileri teknoloji teftişteki en yeni ürünlerdi. Buna "duvardaki sinek teknolojisi" diyorlardı.

Kelimenin tam anlamıyla.

Uzaktan kumandalı mikroskobik robotlar kulağa bilimkurgu gibi gelse de, 1990'lardan itibaren kullanılmaya başlandı. Mayıs 1997'de *Discovery* dergisi mikrobotları kapak yaparak, gerek "uçan", gerekse "yüzen" modellerin özelliklerini anlattı. Yüzenler -tuz tanesi büyüklüğündeki nanobazlılar- insanın kan dolaşım sistemine *Kan Damarlarında Yolculuk (Fantastic Voyage)* filmindeki *usulle* şırınga edilebiliyordu. Şimdi ise gelişmiş tıbbi uygulamalarda doktorlara, uzaktan kumandayla atardamarda dolaşmak, damar içini canlı görüntüyle tetkik etmek ve neştere dokunmadan atardamarlardaki tıkanıklıkların yerini tespit etmelerine yardımcı olmak amacıyla kullanılıyordu.

Sanılanın aksine, *uçan* mikrobotlar yapmak çok daha kolay bir işti. Bir makineyi uçuracak aerodinamik teknolojisi Kittyhawk'tan beri mevcuttu, bu yüzden geriye kalan tek şey minyatürleştirme işlemiydi. NASA'nın gelecekte Mars'taki görevler için insansız keşif araçları olarak tasarladığı ilk uçan mikrobotlar, birkaç santim uzunluğundaydı. Ama artık nanoteknoloji, enerji emici hafif malzemeler ve mikromekanikte kaydedilen gelişmeler uçan mikrobotları gerçeğe dönüştürmüştü.

Asıl çığır açan keşif, yeni bir saha olan biyomimikten -Doğa Ana'yı kopyalamak- gelmişti. Minyatür yusufçukların, bu çevik ve becerikli uçan mikrobotlar için en uygun prototip olduğu anlaşıldı. Delta-İki'nin o anda uçurduğu PH2 modeli sadece bir santim uzunluğundaydı -*sivrisinek* büyüklüğünde- ve taşıdığı bir çift, ikili, şeffaf, silikon yaprak kanat ona havada benzersiz bir hareketlilik ve ustalık kazandırıyordu.

Mikrobotun yakıt ikmal mekanizması bir başka yeni buluştu. İlk mikrobot prototipleri, enerji hücrelerini yalnızca doğrudan parlak bir ışık kaynağı altında hareketsiz durarak şarj edebiliyordu. Gizlilik gerektiren işlerde ya da karanlık bölgelerde kullanıma elverişli değildi. Ama yeni prototipler manyetik bir alanın birkaç santim yakınında durarak şarj olabiliyorlardı. Buna uygun olarak modern toplumda manyetik alanlar her yerde ve her an bulunabiliyorlardı; elektrik prizleri, bilgisayar monitörleri, elektrikli motorlar, hoparlörler, cep telefonları. Yani şarj istasyonları açısından hiçbir zaman sıkıntı çekilmiyordu. Mikrobot ortama başarıyla tanıtıldıktan sonra, neredeyse sonsuza dek ses ve görüntü iletebiliyordu. Delta Gücü'nün PH2'si hiç sorun yaşatmaksızın bir haftadan uzun süredir yayın yapıyordu.

Şimdi uçan mikrobot, kocaman ambarın içinde salınan bir böcek gibi, binanın sakin ve devasa merkez odasında sessizce havada asılı duruyordu. Altındaki alanı kuşbakışı tarayan mikrobot, şüphe çekmeyen sakinlerin -teknisyenler, bilim adamları, sayısız bilim alanında uzmanlar- başlarının üstünde dolaştı. PH2 dönüp dururken Delta-Bir, birbiriyle konuşmakta olan iki tanıdık yüzü fark etti. Onlardan laf kapabilirlerdi. Delta-İki'ye aşağı inip dinlemesini söyledi.

Delta-İki kumanda kolunu idare ederek robotun ses algılayıcılarını açtı, mikrobotun parabolik yükseltecini ayarladı ve robotu bilim adamlarının başının üç metre üstünde duracak kadar aşağı indirdi. İleti zayıf olmakla birlikte anlaşılırdı.

Bilim adamlarından biri, "Hâlâ inanamıyorum," diyordu. Buraya kırk sekiz saat önce gelişinden bu yana sesindeki heyecan dinmemişti.

Konuştuğu adamın da onunla aynı coşkuyu paylaştığı anlaşılıyordu. "Hayatın boyunca... hiç böyle bir şeye tanık olacağın aklına gelir miydi?"

Gözleri parlayan bilim adamı, "Asla," diye karşılık verdi. "Bütünüyle büyüleyici bir rüya."

Delta-Bir yeterince duymuştu. İçerideki her şeyin tahmin edildiği biçimde ilerlediği belliydi. Delta-İki mikrobotu sohbetin geçtiği yerden uzaklaştırarak saklandığı yere geri uçurdu. Fark edilmemiş olan minik aygıtı bir elektrik jeneratörünün yanında durdurdu. PH2'nin enerji hücreleri hemen bir sonraki görev için şarj olmaya başladılar.

6

PaveHawk gökyüzünü yırtarak ilerlerken, Rachel Sexton'ın düşünceleri, bu sabah yaşanan garip gelişmeler yüzünden allak bullak olmuştu. Bununla birlikte, helikopter Chesapeake Körfezi üstünde uçana kadar, tamamıyla yanlış yöne doğru ilerlediklerini fark etmedi. İlk anda düştüğü şaşkınlık, yerini dehşete bırakmıştı.

Pilota, "Baksana," diye seslendi. "Sen ne yapıyorsun?" Sesi pervane yüzünden güçlükle duyuluyordu. "Beni Beyaz Saray'a götürmen gerekiyordu!"

Pilot başını iki yana salladı. "Üzgünüm efendim. Başkan bu sabah Beyaz Saray'da değil."

Rachel, Pickering'in Beyaz Saray'ı özellikle telaffuz mu ettiğini yoksa kendisinin mi öyle varsaydığını düşündü. "Peki Başkan nerde?"

"Onunla görüşmeniz başka bir yerde olacak."

Başlatma şimdi. "Neresi başka yer?"

"Fazla uzak değil."

"Ben bunu sormadım."

"Yirmi beş kilometre daha kaldı."

Rachel, ona bakarak kaşlarını çattı. *Bu adam politikacı olmalıydı.* "Kurşunlardan da sorulardan sıyrıldığın kadar iyi mi sıyrılıyorsun?"

Pilot cevap vermedi.

Helikopterin Chesapeake'i geçmesi yedi dakikadan az sürdü. Kara yeniden göründüğünde pilot kuzeye yatarak, Rachel'ın bir dizi pist ve askeri tipte bina gördüğü dar bir yarımadanın kıyısından uçtu. Pilot bu yere doğru alçaldığında Rachel neresi olduğunu anladı. Altı fırlatma rampası ile karbon füze kuleleri iyi bir ipucuydu ama bu da yetmiyorsa, binalardan birinin çatısı iki devasa kelimeyle boyanmıştı: WALLOPS ADASI.

Wallops Adası, NASA'nın en eski fırlatma üslerinden biriydi. Bugün hâlâ uydu fırlatmak ve deney uçakların test uçuşları için kullanılan Wallops, NASA'nın kameralardan uzak üssüydü.

Başkan Wallops Adası'nda mı? Hiç tutar tarafı yoktu.

Helikopter pilotu, yörüngesini dar yarımada boyunca uzanan üç piste göre hizaladı. Ortadaki pistin en sonuna doğru ilerliyor gibiydiler.

Pilot yavaşlamaya başladı. "Başkan'la ofisinde görüşeceksiniz."

Rachel, adamın şaka yaptığı düşüncesiyle döndü. "Birleşik Devletler Başkanı'nın Wallops Adası'nda ofisi mi var?"

Pilot son derece ciddi görünüyordu. "Birleşik Devletler Başkanı'nın istediği yerde ofisi vardır efendim."

Pistin sonunu işaret etti. Rachel uzakta parıldayan dev şekli gördüğünde neredeyse kalbi duracaktı. Değişikliğe uğramış 747'nin açık mavi gövdesini üç yüz metre uzaktan bile tanımıştı.

"Onunla uçakta mı..."

"Evet efendim. Evden uzaktaki evinde."

Rachel dışarıdaki devasa uçağa baktı. Askeriyenin bu saygın uçak için kullandığı şifreli unvan VC-25-A idi. Aslında dünyanın geri kalanı onu başka bir isimle tanıyordu: Hava Kuvvetleri Bir.

Uçağın kuyruktaki dümen kanadının üstündeki rakamları parmağıyla gösteren pilot, "Görünüşe bakılırsa bu sabah *yeniye* bineceksiniz," dedi.

Rachel boş gözlerle başını salladı. İki Hava Kuvvetleri Bir kullanıldığını çok az Amerikalı bilirdi -biri 28.000, diğerinin 29.000 kuyruk numaralı, özel donanımlı benzeri bir çift 747-200 B. Her iki uçağın da uçuş hızı saatte 600 mildi. Uçuş sırasında yakıt ikmali yapabiliyor, böylece sınırsız mesafelere uçabiliyorlardı.

PaveHawk Başkan'ın uçağının yanındaki piste konduğunda, Rachel Hava Kuvvetleri Bir'den niye başkomutanın "taşınabilir vatan kalesi üstünlüğü" diye bahsedildiğini anladı. Aletin gözdağı veren bir görünüşü vardı.

Başkan ülke başkanlarıyla görüşmek üzere diğer ülkelere uçtuğunda, genellikle -güvenlik nedenlerinden ötürü- toplantının pistin üstünde uçağında yapılmasını talep ederdi. Birtakım güvenlik sebepleri olsa da, hiç şüphesiz bir başka gerekçe, gözdağı vererek görüşmelerde üstünlük elde etmekti. Hava Kuvvetleri Bir'e yapılacak bir ziyaret, Beyaz Saray'a yapılacak herhangi bir seyahatten çok daha yıldırıcıydı. Yakıt deposunun üstünde iki metre boyutunda harflerle "AMERİKA BİRLEŞİK DEVLETLERİ" yazıyordu. Bir zamanlar bir İngiliz bayan kabine üyesi, Başkan Nixon'ı, kendisine Hava Kuvvetleri Bir'e binerek eşlik etmesini teklif ettiğinde "erkekliğini gözüne sokmakla" suçlamıştı. Daha sonra uçuş ekibi uçağa kendi aralarında "Büyük Penis" adını takmıştı.

"Bayan Sexton?" Blazer giymiş bir gizli servis çalışanı, helikopterin dışında belirerek ona kapıyı açtı. "Başkan sizi bekliyor."

Rachel helikopterden indi ve şişkin gövdeden uzanan körüklü dik geçide baktı. *Uçan penisin içine.* Bir zamanlar uçan "Oval Ofis'in" üç yüz yetmiş metrekare iç hacme, dört ayrı özel uyku bölümüne, yirmi altı kişilik uçuş mürettebatı için yataklara ve elli kişiye yemek sağlayabilecek iki mutfağa sahip olduğunu duymuştu.

Merdivenleri tırmanan Rachel, gizli servis çalışanının tam arkasından onu yukarı doğru iteklediğini hissetti. Yukarıda açık duran kabin kapısı, kocaman bir gri balinanın yan tarafından aldığı minik bir yaraya benziyordu. Karanlık girişe doğru ilerlerken güven duygusunun azaldığını hissetti.

Sakin ol Rachel. Sadece bir uçak.

Gizli servis çalışanı merdiven sahanlığında onu nazikçe kolundan tutarak şaşırtıcı derecede dar bir koridora yöneltti. Sağa dönüp kısa bir mesafe yürüyünce, lüks ve geniş bir kabine girdiler. Rachel burayı hemen fotoğraflarından tanıdı.

Gizli servis çalışanı, "Burda bekleyin," dedikten sonra gözden kayboldu.

Rachel, Hava Kuvvetleri Bir'in lambri kaplı ön kabininde tek başına duruyordu. Burası toplantı yapmak, yüksek mevkideki kimseleri eğlendirmek ve belli ki ilk gelen ziyaretçilerin ödünü patlatmak için kullanılan odaydı. Oda, uçağın genişliği boyunca uzanıyordu, açık kahverengi kalın halısı da öyle. Kusursuz mobilyalarla döşenmişti; isfendan ağacı toplantı masasının etrafındaki, ince deriden koltuklar, büyük kanepenin yanındaki cilalı pirinç ayaklı abajurlar ve maun içki barının üstündeki elişi kesme kristaller.

Boeing tasarımcıları bu ön kabini özenle, yolculara "huzurla karışık bir tertip hissi" sunmak amacıyla hazırlamışlardı. Mamafih huzur, Rachel'ın o an hissettiği son şeydi. Aklına sadece bu odada oturmuş dünya liderlerinin sayısı ve onların dünyaya biçim veren kararları geliyordu.

Kaliteli pipo tütününün hafif aromasından, her tarafta görülen başkanlık mührüne kadar bu odadaki her şey güç kokuyordu. Okları ve zeytin dallarını kavrayan kartal, küçük yastıkların, buz kovalarının üstüne işlenmiş, hatta bardaki mantar bardak altlarının üstüne basılmıştı. Rachel bardak altını eline alıp incelemeye koyuldu.

Arkasından gelen boğuk bir ses, "Hatıra çalmaya başlamışsınız bile," dedi.

Şaşıran Rachel arkasını dönerek, bardak altını yere düşürdü. Almak için beceriksizce diz çöktü. Bardak altını kavrayıp arkasını döndüğü anda, Amerika Birleşik Devletleri Başkanı'nı ona bakıp neşeyle sırıtırken gördü.

"Ben kral değilim Bayan Sexton. Diz çökmenize gerçekten hiç gerek yoktu."

7

Senatör Sedgewick Sexton, Washington'ın sabah trafiğinde, ofisine giden yolda yılan gibi kıvrılan Lincoln limuzinin içinde rahatın tadını çıkarıyordu. Karşısında oturan, yirmi dört yaşındaki özel asistanı Gabrielle Ashe, ona günlük programını okuyor, Sexton, onu pek dinlemiyordu.

Asistanının kaşmir kazağının altındaki mükemmel vücuduna hayranlık duyarken, *Washington'ı seviyorum*, diye düşündü. *Güç en büyük afrodizyaktır... bunun gibi sürüyle kadını D.C.'ye getiriyor.*

Gabrielle bir gün kendisinin de senatör olacağı hayallerini kuran New York'lu bir Ivy League(*) mezunuydu. Sexton *o da başaracak*, diye düşündü. Şahane bir görüntüsü vardı ve zehir gibi zekiydi. Hepsinin ötesinde, oyunun kurallarını anlıyordu.

Gabrielle Ashe siyahiydi ama onun esmer rengi daha çok tarçınla maun arasında, Sexton'ın, hassas "beyaz" şebboyların tüm bahçeyi elden kaptırdıklarını hissetmeden onaylayacaklarını bildiği, sıkıntı vermeyen bir ara tondaydı. Sexton yakın dostlarına Gabrielle'ı, Halle Berry'nin görüntüsüyle Hillary Clinton'ın zekâsı ve hırsının karışımı olarak tasvir eder, hatta bazen bunun bile hafif kaldığını düşünürdü.

Onu üç ay önce kampanya özel asistanlığına atadığından beri Gabrielle'ın kampanyasına muazzam faydası olmuştu. Her şeyden önce bedavaya çalışıyordu. On altı saatlik bir iş gününün karşılığında, kaşarlanmış bir politikacıdan cambazlık yapmayı öğreniyordu.

Sexton, *ama tabi*, diye aklından geçirdi, *onu sadece iş yapmaktan biraz daha fazlasına ikna ettim.* Gabrielle'a terfi verdikten sonra onu bir gece özel ofisinde "ortama uyum çalışmasına" davet etmişti. Tahmin edileceği gibi şöhret delisi genç asistanı onu memnun etmeye hevesli olarak

(*) Sekiz seçkin üniversitenin oluşturduğu grup.

gelmişti. Onlarca yıllık ustalığın verdiği sabırla Sexton sihirli karışımı devreye sokmuştu... Gabrielle'ın güvenini kazanmış, onun tüm çekingenliğini üzerinden atmış, kendine hâkim olduğunu sergilemiş ve sonunda hemen oracıkta, ofisinde onu baştan çıkarmıştı.

Genç kadının hayatındaki en tatmin edici cinsel deneyimlerden biri olduğundan Sexton'ın hiç şüphesi yok gibiydi ve ayrıca gün ağardığında Gabrielle açıkça ölçüsüzlüğünden pişman olmuştu. Utançla istifa etmeyi önermiş, Sexton reddetmişti. Gabrielle işinde kaldı ama niyeti çok açıktı. Aralarındaki ilişki o günden bu yana işle sınırlıydı.

Gabrielle'ın dolgun dudakları hâlâ hareket ediyordu. "...bu akşamüstü CNN'deki tartışmada konuya ilgi göstermiyormuş gibi davranmanızı istemiyorum. Beyaz Saray'ın muhalefet olarak kimi göndereceğini hâlâ bilmiyoruz. Aldığım notlara göz gezdirmek isteyeceksiniz." Dosyayı ona uzattı.

Deri koltukların kokusuyla karışmış parfümünü içine çeken Sexton, dosyayı aldı.

Gabrielle, "Dinlemiyorsunuz," dedi.

"Kesinlikle dinliyorum." Sırıttı. "Şu CNN'deki tartışmayı unut. En kötü ihtimalle Beyaz Saray aşağı seviyeden bir kampanya stajyeriyle bana hakaret etmeye çalışır. En iyi ihtimalle, bana büyük bir balık gönderirler, ben de onu öğle yemeği niyetine yerim."

Gabrielle kaşlarını çattı. "İyi. Notlara olası en saldırgan tartışma konularının listesini ekledim."

"Herhalde her zamanki zanlılardır."

"Bir yeni üye daha var. Sanırım, dün akşam *Larry King*'deki yorumlarınızdan ötürü eşcinsellerden bazı karşı tepkiler alacaksınız."

Aldırmadığı anlaşılan Sexton omuzlarını silkti. "Anladım. Şu aynı cinsin evliliği meselesi."

Gabrielle, onu onaylamayan bir bakış fırlattı. "Oldukça kuvvetli karşı çıktınız."

Sexton nefretle, *aynı cinsin evliliği*, diye düşündü. *Bana kalsaydı homolara oy verme hakkı bile tanımazdım.* "Tamam biraz yumuşatırım."

"Güzel. Son zamanlarda bu sıcak meseleleri biraz fazla kurcaladınız. Ukala davranmayın. Halk bir anda dönebilir. Şu anda kazanıyorsunuz ve ibreniz yükseliyor. Böyle devam edin. Şimdi topu sahanın dışına fırlatmaya gerek yok. Top oyunda kalsın."

"Beyaz Saray'dan haber var mı?"

Gabrielle'ın bocalaması çok hoş görünüyordu. "Sessizlik sürüyor. Resmi muamele; rakibiniz, 'Görünmez Adam' oldu."

Sexton son zamanlarda şansının ne kadar yaver gittiğine güçlükle inanıyordu. Başkan aylardır var gücüyle kampanyasının üstünde çalışıyordu. Sonra bir hafta kadar önce birdenbire kendini Oval Ofis'e kilitlemiş ve o günden bu yana ne kimse ondan bir kelime duymuş, ne de onu görmüştü. Sanki Başkan, Sexton'ın seçmen desteğindeki hızlı gelişmeyle yüzleşemiyor gibiydi.

Gabrielle elini fönlü saçında gezdirdi. "Beyaz Saray kampanya çalışanlarının da bizim kadar şaşkınlık içinde olduğunu duydum. Başkan ortadan kaybolmasıyla ilgili hiçbir açıklama yapmıyormuş ve ordaki herkes meraktan çılgına dönmüş."

Sexton, "Hangi teoriler üretildi?" diye sordu.

Gabrielle gözlüklerinin ardından ona çokbilmiş bir bakış attı. "Bu sabah Beyaz Saray'daki bir bağlantımdan çok ilginç bir bilgi edindim."

Sexton, onun gözlerindeki bu bakışı tanıyordu. Gabrielle Ashe yine içeriden bilgi almıştı. Sexton, onun, aldığı kampanya sırları karşılığında arabaların arka koltuğunda, bir tür başkan yardımcısı güdüsüyle saksofon çektiğinden şüpheleniyordu. Bilgi aktığı müddetçe... Sexton'ın umurunda değildi.

Sesini alçaltan asistanı, "Dedikodulara bakılırsa," dedi. "Başkan'ın tuhaf davranışları, geçen hafta NASA müdürü ile yaptığı özel toplantının ardından başlamış. Başkan'ın toplantıdan sersemlemiş bir halde çıktığı anlaşılıyormuş. Derhal tüm programını iptal etmiş ve o günden beri NASA'yla yakın temas içindeymiş."

Sexton duyduklarından kesinlikle zevk almıştı. "Belki de NASA ona biraz daha kötü haber vermiştir, olamaz mı?"

Gabrielle ümit dolu bir sesle, "Mantıklı bir açıklama gibi," dedi. "Yine de Başkan'a her şeyden vazgeçmesini söylemek biraz tehlikeli olurdu."

Sexton bunu düşündü. NASA ile dönen dolap her ne ise, kötü haber olduğu kesindi. *Yoksa Başkan bunu benim yüzüme tokat gibi vururdu.* Sexton kısa süre önce NASA fonları konusunda Başkan'a hayli yüklenmişti. Uzay dairesinin son zamanlardaki başarısız görevleri ve dev bütçe aşımları NASA'ya, hükümetin büyük müsrifliği ve yetersizliğini vurgulamak için kullandığı gayri resmi model unvanını kazandırmıştı. İtiraf etmek gerekirse, NASA'ya -Amerikan gururunun en önde gelen sembollerinden biri- saldırmak çoğu siyasetçinin oy kazanmak için başvuracağı bir yol değildi ama Sexton'da çok az politikacının sahip olduğu bir silah vardı... Gabrielle Ashe. Ve onun kusursuz içgüdüleri.

Bu becerikli genç kadın aylar önce, Washington kampanya ofisinde koordinatör olarak çalışırken Sexton'ın dikkatini çekmişti. Sexton ilk kamuoyu yoklamalarında fena şekilde çakılıp hükümetin aşırı harcamalarıyla ilgili mesajı insanların bir kulağından girip diğerinden çıkınca, Gabrielle Ashe, ona kampanyayı bambaşka bir açıdan yürütmelerini öneren bir not yazmıştı. Senatöre, NASA'nın büyük bütçe aşımları ile aralıksız Beyaz Saray yardımlarını, Başkan Herney'nin dikkatsizce israfta bulunduğuna delil göstermesi gerektiğini söylemişti.

Gabrielle mali hesaplar, başarısızlıklar ve para yardımlarının bulunduğu bir liste de ekleyerek, "NASA Amerikalılara bir servete mal oluyor," diye yazmıştı. "Seçmenlerin hiçbir şeyden haberi yok. Bilseler dehşete düşerlerdi. Bence NASA'yı siyasi bir mesele haline getirmelisiniz."

Sexton, onun saflığına homurdanmıştı. "Ya evet, aynı zamanda beysbol oyunlarında milli marşın okunmasına da küfredeyim."

Takip eden haftalarda Gabrielle, senatörün masasına NASA'yla ilgili bilgi yollamaya devam etti. Sexton okudukça, genç Gabrielle Ashe'in söylediklerinde haklı olduğunu fark etmeye başladı. Hükümet büroları standartları düşünüldüğünde bile NASA hayret verici bir para çukuruydu... pahalı, yetersiz ve son yıllarda son derece beceriksiz.

Bir akşamüstü eğitim hakkında canlı röportaj yapıyordu. Sunucu Sexton'ı devlet okullarına vaat ettiği fonu nereden bulacağı konusunda sıkıştırıyordu. Sexton karşılık olarak şakayla karışık, Gabrielle'ın NASA teorisini ortaya attı. "Eğitim parası mı?" dedi. "Şey, belki uzay programının yarısını keserim. Tahminimce, eğer NASA uzayda yılda on beş milyar harcayabilirse, burda dünyadaki çocuklar için yedi buçuk milyar harcayabilirim."

Sexton'ın yayın odasındaki kampanya yöneticileri, bu pervasız söylemi duyunca dehşetle yutkundular. Şimdiye dek NASA'ya laf atan tüm kampanyalar batmıştı. Bir anda radyo istasyonundaki tüm telefon hatlarının ışığı yanmaya başladı. Sexton'ın kampanya yöneticileri korkudan sindiler; uzay kahramanları öldürmek için etraflarında tur atıyordu.

Sonra birden beklenmedik bir şey oldu.

İlk arayan kişi şok olmuş bir sesle, "Yılda on beş milyar mı?" diyordu. "*Yar* ile bitiyor değil mi? Yani şimdi bana, öğretmenlere para yetmediği için mi oğlumun matematik sınıfının aşırı kalabalık olduğunu söylüyorsunuz? Ve NASA da uzaydaki tozların resmini çekmek için yılda on beş milyar dolar mı harcıyor?"

Senatör Sexton ihtiyatlı bir edayla, "Eee... bu doğru," dedi.

"Saçmalık! Başkan'ın bu konuda bir şey yapmaya yetkisi var mı?"

Güveni yerine gelen Sexton, "Kesinlikle var," diye yanıtladı. "Başkan gereğinden fazla fon ayrıldığını düşündüğü tüm büroların bütçe taleplerini geri çevirebilir."

"O halde oyum size Senatör Sexton. Uzay araştırmalarına on beş milyar, çocuklarımıza öğretmen yok. Utanmazlık! İyi şanslar bayım. Umarım yolun sonuna kadar gidersiniz."

Başka biri hattaydı. "Senatör, NASA Uluslararası Uzay İstasyonu'nun bütçenin üzerine çoktan çıktığını ve Başkan'ın projenin devam etmesini sağlamak için NASA'ya acil fon temin etmeyi düşündüğünü duydum. Bu doğru mu?"

Sexton bu soruya atladı. "Doğru!" Uzay istasyonunun başlangıçta, masrafları on iki ülkeyle paylaşılmak suretiyle, ortak teşebbüs olarak tasarlandığını anlattı. Ama inşaat başladıktan sonra istasyonun bütçesi kontrolden çıkmış ve ülkelerin çoğu kaçarak uzaklaşmışlardı. Projeyi çöpe atmak yerine Başkan, tüm masrafları üstlenmeye karar vermişti. Sexton, "UUİ projesi maliyetimiz..." diye ilan etti. "Öngörülen sekiz milyar dolardan, hayret verici bir şekilde *yüz milyar* dolara çıkmıştır!"

Arayan kişi çılgına dönmüş gibiydi. "Başkan ne diye fişi çekmiyor ki!"

Sexton, adamı öpebilirdi. "Harika bir soru. Ne yazık ki, yapı malzemelerinin üçte biri halihazırda yörüngede ve Başkan sizin ödediğiniz vergileri onları oraya göndermek için harcadı. Bu yüzden fişi çekmek, *sizin* paranızla milyarlarca dolarlık bir hata yaptığını itiraf etmek olacaktır."

Telefonlar yağmaya devam etti. Amerikalılar ilk kez NASA'nın -milli bir demirbaş değil- bir seçenek olduğunu idrak ediyor gibiydiler.

Şov sona erdiğinde, insanın sonsuz bilgi arayışı hakkında dokunaklı nutuklar çeken birkaç NASA tutkunu sayılmazsa, fikir birliği sağlanmıştı: Sexton'ın kampanyası, kampanyaların kutsal kâsesine düşmüştü -yeni bir "sıcak noktaya"- seçmenlerin bamteline dokunan, el değmemiş bir ihtilaflı konu.

Sonraki haftalarda Sexton muhaliflerini beş önseçimde hezimete uğrattı. NASA meselesini seçmenlere duyurarak yaptığı işi methederek, Gabrielle Ashe'i yeni kampanya özel asistanı ilan etti. Sexton basit bir el hareketiyle Afrika-Amerikalı genç bir kadını yükselen siyasi bir yıldız yapmış ve ırkçılık ya da cinsiyet ayrımcılığı yapacağından endişelenen seçmenlerin şüphelerini bir gecede yok etmişti.

Şimdi limuzinde birlikte otururlarken Sexton, Gabrielle'ın bir kez daha değerini ispat ettiğini görüyordu. NASA müdürüyle Başkan'ın geçen hafta yaptığı gizli toplantı hakkında getirdiği yeni bilgi, hiç şüphesiz NASA'nın sorunlarının arttığını -ya da başka bir ülkenin uzay istasyonuna ayırdığı fonu keseceğini gösteriyordu.

Limuzin Washington Anıtı'nın önünden geçerken Senatör Sexton kaderin kendisinden yana olduğunu düşünmeden edemiyordu.

8

Dünyadaki en güçlü siyasi koltuğa oturmasına rağmen Başkan Zachary Herney dar omuzlu, orta boylu ve ince yapılı biriydi. Çilli bir yüzü, çift odaklı gözlükleri ve seyrek siyah saçları vardı. Buna rağmen gösterişsiz fiziği, tanıyanların ona karşı duyduğu yüce sevgiyle tamamen zıttı. Bir kez Zach Herney'yi tanıdıktan sonra, insanın onun için dünyanın sonuna kadar gidebileceği söylenirdi.

Rachel'ın elini sıkmak için uzanan Başkan Herney, "Gelebilmenize çok sevindim," dedi. Elini kavrayışı sıcak ve samimiydi.

Rachel konuşabilmek için üst üste yutkunmak zorunda kaldı. "Elbette... Sayın Başkan. Sizinle tanışmaktan şeref duydum."

Başkan tebessümüyle onu rahatlatınca Rachel, efsanevi Herney sevecenliğinin ne olduğunu bizzat anlamış oldu. Adamın uysal simasına siyasi karikatüristler bayılıyordu, çünkü ne kadar çarpık çizerlerse çizsinler, hiç kimse onun sıcak ve cana yakın tebessümünü başkasıyla karıştırmıyordu. Gözlerinden daima samimiyet ve asalet yansıyordu.

Keyifli bir sesle, "Benimle gelin," dedi. "Üstünde isminizin yazdığı bir fincan kahve sizi bekliyor."

"Teşekkür ederim efendim."

Başkan dahili haberleşme düğmesine basarak, ofisine kahve göndermelerini istedi.

Rachel uçağın içinde Başkan'ı takip ederken kamuoyu yoklamalarında dibe vuran biri için fazlasıyla neşeli ve iyi dinlenmiş göründüğünü düşünmekten kendini alamadı. Ayrıca gündelik giysiler giymişti; kot pantolon polo yaka tişört ve L.L. Bean marka yürüyüş botları.

Rachel sohbeti başlatmaya çalıştı. "Yürüyüş mü... yapıyorsunuz Sayın Başkan?"

"Hiç yapmam. Kampanya danışmanlarım yeni görünüşümün böyle olmasına karar verdiler. Siz ne düşünüyorsunuz?"

Rachel, adamın kendi iyiliği için ciddi olmamasını diledi. "Ee... çok... *erkeksi* efendim."

Herney'nin yüzü ifadesizdi. "İyi. Babanıza oy veren kadınlardan bazılarını geri kazanmama yardımcı olacağını düşünüyoruz." Kısa bir aradan sonra Başkan'ın yüzünde geniş bir tebessüm belirdi. "Bayan Sexton, bu bir *şakaydı.* Sanırım her ikimiz de bu seçimi kazanmak için polo yaka tişört ile kot pantolondan fazlasına ihtiyacım olduğunu biliyoruz."

Başkan'ın açık sözlülüğü ve espri anlayışı Rachel'ın orada bulunmaktan ötürü duyduğu gerginliği yok etmişti. Başkan fiziki eksikliklerini diplomatik maharetleriyle kapatıyordu. Diplomasi Tanrı vergisi bir şeydi ve Zach Herney'de bu yetenek vardı.

Rachel, Başkan'ı uçağın arka tarafına doğru takip etti. Daha içerilere girdikçe, ortam uçak havasından daha da uzaklaşıyordu; kavisli koridorlar, duvar kâğıtları ve hatta StairMaster ile kürek aleti bulunan bir egzersiz salonu. Fakat tuhaftır ki, uçak tamamıyla boş görünüyordu.

"Yalnız mı seyahat ediyorsunuz Sayın Başkan?"

Başını iki yana salladı. "Aslına bakarsanız yeni indik."

Rachel şaşırmıştı. *Nereden geldiniz?* Bu haftaki istihbarat haberlerinde Başkan'ın seyahat planlarıyla ilgili herhangi bir şey yoktu. Görünüşe bakılırsa gizlice seyahat etmek için Wallops Adası'nı kullanıyordu.

Başkan, "Çalışanlar siz gelmeden hemen önce uçaktan ayrıldılar," dedi. "Onlarla buluşmak üzere Beyaz Saray'a gideceğim ama sizinle ofisim yerine burda görüşmeyi istedim."

"Bana gözdağı mı vermek istiyorsunuz?"

"Tam aksine. Size saygı göstermeye çalışıyorum Bayan Sexton. Beyaz Saray gizli görüşmeler için hiç uygun değil. Ayrıca ikimizin görüştüğü haberi yayılırsa, sizi babanızla garip bir pozisyona sokardı."

"Buna minnettarım efendim."

"Hassas bir dengeyi incelikle koruduğunuz anlaşılıyor ve bunu bozmaya hiç gerek görmüyorum."

Rachel, babasıyla kahvaltıda yaptığı sohbeti hatırladı ve bunun "incelikli" diye nitelendirilebileceğinden kuşku duydu. Yine de Zach Herney nazik davranmak için elinden geleni yapıyordu ve doğrusu hiçbir mecburiyeti yoktu.

Herney, "Size Rachel diyebilir miyim?" diye sordu.

"Elbette." *Ben size Zach diyebilir miyim?*

Onu oymalı meşe bir kapıdan geçiren Başkan, "Ofisim," dedi.

Hava Kuvvetleri Bir'deki ofis, Beyaz Saray'daki emsalinden daha samimiydi, ama yine de mobilyalarda bir resmiyet havası seziliyordu. Masanın üstüne evraklar yığılmıştı. Arkasında ise, yaklaşan fırtınadan kaçmaya çalışan üç direkli bir yelkenlinin resmedildiği klasik bir yağlıboya tablo asılı duruyordu. Zach Herney'nin mevcut durumdaki başkanlık sürecine mükemmel benzetme yapıyor gibiydi.

Başkan, Rachel'a masasının karşısındaki üç büyük sandalyeden birine oturmasını teklif etti. Rachel, onun masasının arkasında oturacağını tahmin ediyordu ama sandalyelerden birini çekerek, Rachel'ın yanına oturdu.

Rachel, *eşit seviye,* diye düşündü. *Dostluk ilişkilerindeki en önemli nokta.*

Sandalyesine yerleşirken yorgunlukla içini çeken Herney, "Evet Rachel," dedi. "Sanırım şu an burda oturduğun için kafan oldukça karışmıştır, öyle değil mi?"

Rachel'ın içinde kalan son savunma güdüsü de, adamın sesindeki samimiyetle kaybolup gitti. "Aslına bakarsanız efendim, allak bullak oldum."

Herney yüksek sesle kahkaha attı. "Harika. Ben de her gün UKO'dan birilerini allak bullak edemiyorum."

"UKO'dan birileri her gün yürüyüş botları giyen bir Başkan tarafından Hava Kuvvetleri Bir'e davet edilmiyor."

Başkan yeniden kahkaha attı.

Kapıdaki hafif bir tıkırtı, kahvelerin geldiğini haber veriyordu. Uçuş ekibinden biri, tepsinin üstünde buharlar çıkaran metal bir demlik ve iki fincanla içeri girdi. Başkan'ın arzusu üzerine tepsiyi masanın üstüne bırakarak ortadan kayboldu.

Kahveyi doldurmak için ayağa kalkan Başkan, "Süt ve şeker?" diye sordu.

"Süt lütfen." Rachel zengin aromayı içine çekti. *Birleşik Devletler Başkan'ı, bana bizzat kahve mi ikram ediyor?*

Zach Herney ağır kalay karışımı bir fincanı ona uzattı. "Hakiki Paul Revere," dedi. "Küçük lükslerden biri."

Rachel kahveden bir yudum aldı. O ana dek tattığı en iyi kahveydi.

Kendisine de bir fincan doldurup yerine oturan Başkan, "Her neyse," dedi. "Burda vaktim sınırlı, o yüzden hemen meseleye gelelim." Başkan kahvesine biraz şeker attıktan sonra bakışlarını Rachel'a çevirdi. "Sanırım Bill Pickering size, görüşmek istememin tek nedeninin siyasi üstünlük sağlamak için sizi kullanmak olduğunu söylemiştir."

"Doğrusu efendim, söyledikleri *tam olarak* bunlardı."

Başkan kendi kendine güldü. "Her zaman olumsuz düşünür."

"Demek ki yanılıyor, öyle mi?"

"Şaka mı yapıyorsunuz?" Başkan güldü. "Bill Pickering asla yanılmaz. Her zamanki gibi tam isabet ettirmiş."

9

Gabrielle Ashe boş gözlerle Senatör Sexton'ın sabah trafiğinde ofisine doğru ilerleyen limuzininin camından dışarı bakıyordu. Hayatının bu noktaya nasıl geldiğini düşünüyordu. Senatör Sedgewick Sexton'ın özel asistanı. Tam olarak bunu istemişti, öyle değil mi?

Bir limuzinin içinde, Birleşik Devletler'in bir sonraki Başkanı'nın yanında oturuyorum.

Gabrielle aracın lüks döşemesinden, kendi düşüncelerine daldığı anlaşılan senatöre baktı. Gabrielle, onun yakışıklı yüz hatlarına ve mükemmel giyim tarzına bayılıyordu. Tam bir başkan gibi görünüyordu.

Gabrielle, Sexton'ı konuşurken ilk kez, üç yıl önce Cornell Üniversitesi'nde, siyasal bilgiler fakültesinde okurken duymuştu. Gözleriyle dinleyicileri nasıl etkisi altına aldığını, adeta doğrudan kendisine *-bana güven-* mesajı gönderdiğini asla unutmayacaktı. Sexton konuşmasını bitirdikten sonra, Gabrielle, onunla tanışmak için sırada beklemişti.

İsim etiketini okuyan senatör, "Gabrielle Ashe," demişti. "Genç bir hanım için harikulade bir isim." Gözleriyle güven telkin ediyordu.

Onunla tokalaşırken adamın kuvvetini hisseden Gabrielle, "Teşekkür ederim efendim," demişti. "Mesajınız beni gerçekten etkiledi."

"Bunu duyduğuma sevindim!" Sexton, onun eline bir kartvizitini tutuşturmuştu. "Daima kendi vizyonumu paylaşan genç beyinler ararım. Okuldan mezun olunca beni bul. Etrafımdakiler sana bir iş bulacaklardır."

Gabrielle teşekkür etmek için ağzını açtığı sırada senatör bir sonraki kişiyle konuşmaya başlamıştı bile. Buna rağmen Gabrielle takip eden aylarda kendini televizyonda Sexton'ın meslek hayatını takip ederken buldu. Hükümetin aşırı harcamalarına -öncelikli bütçe kesintileri, daha verimli çalışması için IRS'in modernleştirilmesi, DEA'nın dengelenmesi ve hatta fuzuli kamu hizmeti programlarının lağv edilmesi- karşı yaptığı konuşmaları hayranlıkla izledi. Ardından, senatörün eşi aniden bir araba kazasında ölünce, Sexton'ın olumsuzu bir şekilde olumluya dönüştürmesini hayretle izledi. Sexton acısını içine gömerek tüm dünyaya başkanlığa aday olacağını ve bundan böyle yapacağı kamu hizmetlerini eşinin anısına sunacağını ilan etmişti. Gabrielle o anda Senatör Sexton'ın başkanlık kampanyasında çalışmak istediğine karar verdi.

Artık ona herkesten daha yakındı.

Gabrielle, onunla lüks ofisinde geçirdiği geceyi hatırladı ve aklına gelen utanç verici anıları uzaklaştırmaya çalışarak olduğu yerde büzüldü. *Ne sanıyordum acaba?* Karşı koyması gerektiğini biliyordu ama nedense ağzı dili bağlanmıştı. Sedgewick Sexton... ve onun *kendisini* istediğini düşünmek, o kadar uzun zamandır aklındaydı ki.

Bir tümsekten geçen limuzin, düşüncelerini böldü.

"İyi misin?" Sexton, ona bakıyordu.

Gabrielle hemen gülümsemeye çalıştı. "İyiyim."

"Hâlâ şu karavaş işini düşünmüyorsun öyle değil mi?"

Omuzlarını silkti. "Hâlâ biraz endişeleniyorum, evet."

"Unut gitsin. O karavaş olayı, kampanyamın başına gelen en iyi şeydi."

Karavaş işi, rakibinizin penis büyüteci kullandığı ya da *Stud Muffin* dergisine üye olduğu bilgisini sızdırmanın siyasi sözlükteki karşılığıydı ve Gabrielle bunu en acı yoldan öğrenmişti. Karavaş işi yapmak muhteşem bir taktik sayılmazdı ama karşılık verdiğinde tam veriyordu.

Ve tabi geri teptiğinde...

Ve geri tepmişti. Beyaz Saray'a doğru. Yaklaşık bir ay önce, Başkan'ın oylarının düşmesinden huzursuzlaşan kampanya çalışanları, saldırgan davranmaya karar vermiş ve doğruluğundan şüphe duydukları bir hikâye sızdırmışlardı. Senatör Sexton'ın özel asistanı Gabrielle Ashe ile ilişkisi olduğu haberi. Ne yazık ki Beyaz Saray'ın elindc hiç delil yoktu.

En iyi savunmanın güçlü hücum olduğuna yürekten inanan Senatör Sexton, saldırı anını yakalamıştı. Masumiyetini ispat etmek ve sayıp sövmek için basın toplantısı düzenledi. Gözlerinde gamla kameraların içine bakarak, *Başkan'ın,* demişti, *eşimin anısını bu kasıtlı yalanlarla kirlettiğine inanamıyorum.*

Senatör Sexton'ın televizyondaki performansı o kadar ikna ediciydi ki, Gabrielle bile neredeyse sevişmediklerine inanacaktı. Ne kadar kolay yalan söylediğini gören Gabrielle, Senatör Sexton'ın gerçekten tehlikeli bir adam olduğunu fark etmişti.

Gabrielle koşudaki en *kuvvetli* atı desteklediğine emin olsa da, son zamanlarda acaba *en iyi* atı mı desteklediğini sorgulamaya başlamıştı. Sexton'la yakın çalışmak gözlerini açan bir tecrübe olmuştu... Universal Stüdyoları'nın perde arkasına yapılan turlarda, Hollywood'un hiç de büyülü olmadığını keşfedince insanın filmlere duyduğu çocuksu hayranlığın sona ermesi gibi.

Sexton'ın mesajına olan inancı bozulmasa da, Gabrielle artık haberciden kuşku duymaya başlamıştı.

10

Başkan, "Sana söyleyeceklerim Rachel," dedi. "'UMBRA' sınıfına giriyor. Mevcut güvenlik yetkinin çok ötesinde."

Rachel, Hava Kuvvetleri Bir'in duvarlarının üstüne geldiğini hissetti. Başkan, onu helikopterle Wallops Adası'na getirtmiş, uçağına davet etmiş, kahvesini doldurmuş, babasına karşı siyasi üstünlük sağlamak için onu kullanmayı düşündüğünü hemen söylemiş ve şimdi de çok gizli bir bilgiyi yasal olmayan şekilde kendisiyle paylaşacağını bildirmişti. Zach Herney dışarıdan her ne kadar lütufkâr görünse de, Rachel, onunla ilgili önemli bir şey öğrenmişti. Adam kontrolü bir anda eline alıyordu.

Gözlerini ona diken Başkan, "İki hafta önce," dedi. "NASA bir keşifte bulundu."

Rachel algılayana kadar kelimeler bir süre havada asılı kaldı. *Bir NASA keşfi mi?* Güncellenen istihbarat raporlarında uzay dairesiyle ilgili normalin dışında bir haber yoktu. Ama elbette şu günlerde artık "NASA keşfi" genellikle yeni bir projenin bütçesini fazlasıyla aştıklarını fark ettikleri anlamına geliyordu.

Başkan, "Daha fazlasını konuşmadan önce," dedi. "Uzay keşifleri konusunda babanın olumsuz düşüncelerini paylaşıp paylaşmadığını öğrenmek isterim."

Rachel bu açıklamaya içerlemişti. "Umarım beni buraya babamın NASA'ya karşı atıp tutmalarına engel olmamı istemek için çağırmadınız."

Başkan güldü. "Elbette hayır. Sedgewick Sexton'a *kimsenin* engel olamayacağını bilecek kadar uzun süredir senatodayım."

"Benim babam bir fırsatçıdır efendim. Politikacıların çoğu öyle. Ve ne yazık ki NASA sayesinde bir fırsat yakaladı." NASA'nın son hatalar zinciri öylesine çekilmezdi ki, insan gülsün mü, ağlasın mı şaşırıyordu... yörüngede parçalanan uydular, dünyaya hiç sinyal gönderemeyen insansız uzay roketleri, maliyeti on katına çıkan Uluslararası Uzay İstasyonu ve batan gemiden kaçan fareler gibi uzaklaşan üye ülkeler. Bu işte milyarlar kaybediliyor ve Senatör Sexton durumu dalgalardan istifade eden sörfçü gibi kullanıyordu. Onu 1600 Pennsylvania Bulvarı'nın kıyılarına taşıyacak olan dalgalar.

Başkan, "Son zamanlarda NASA'nın," dedi. "Yürüyen bir felaket olduğunu itiraf edeceğim. Her arkamı döndüğümde, onlara fazladan fon sağlamam için başka bir bahane sunuyorlar."

Rachel konuşmak için bir fırsat ele geçirmişti. Onu kullandı. "Ve bununla birlikte efendim, acaba henüz geçen hafta onları rahatlatmak için acil fondan üç milyar temin ettiğinizi okumadım mı?"

Başkan kendi kendine güldü. "Bu babanın çok hoşuna gitti, öyle değil mi?"

"İnsanın kendi darağacını hazırlaması gibi yoktur."

"Onu *Nightline'da* izledin mi? 'Zach Herney bir uzay bağımlısı ve vergi ödeyenler onun alışkanlığına fon sağlıyor.'"

"Ama onu haklı çıkarıp duruyorsunuz efendim."

Herney başını salladı. "NASA'nın büyük bir hayranı olduğumu saklayacak değilim. Her zaman öyleydim. Ben uzay yarışları çocuğuydum -Sputnik, John Glenn, Apollo 11- ve hiçbir zaman uzay programımıza duyduğum hayranlık ve milli gururu ifade etmekten çekinmedim. Bana göre NASA'daki kadın ve erkekler tarihin yeni öncüleri. Onlar imkânsızı başarmaya çalışıyor, kaybetmeyi göze alıyor ve bizler geri çekilip eleştirirken çalışma masasının başına geri dönüyorlar."

Başkan'ın sakin görüntüsünün altında, babasının bitip tükenmez NASA karşıtı söylemlerine içten içe köpürdüğünü sezinleyen Rachel sessizliğini korudu. NASA'nın ne halt bulduğunu merak ettiğini fark etti. Başkan bu konuya gelmekte hiç acele etmiyordu.

Sesini biraz daha yükselten Herney, "Bugün," dedi. "NASA hakkındaki tüm fikirlerini değiştirmeyi planlıyorum."

Rachel, ona soran gözlerle baktı. "Ben zaten size oy veriyorum efendim. Ülkenin geri kalanı üzerinde yoğunlaşmayı düşünebilirsiniz."

"Bunu istiyorum." Kahvesinden bir yudum alıp gülümsedi. "Ve senden bana yardım etmeni isteyeceğim." Duraksayarak ona doğru eğildi. "Alışılmadık bir biçimde."

Rachel şimdi Zach Herney'nin, avının kaçmak ya da savaşmak niyetini hesaplamaya çalışan bir avcı gibi, her hareketini dikkatle incelediğini hissedebiliyordu.

Her ikisine de kahve dolduran Başkan, "Sanırım NASA'nın YGS Projesi'ni duymuşsundur," dedi.

Rachel başını evet anlamında salladı. "Yer Gözlem Sistemi. Sanırım babam YGS'den bir iki kez bahsetmişti."

Rachel'ın kinayeli alaycılığı Başkan'ın çatık kaşlarını düzeltmişti. İşin doğrusu babası eline her fırsat geçtiğinde Yer Gözlem Sistemi'nden bahsediyordu. NASA'nın çok tartışılan pahalı teşebbüslerinden biriydi. Beş uydudan oluşan takım, uzaydan aşağı bakıp gezegenin çevre koşullarını -ozon deliğinin büyümesi, kutuplardaki buzulların erimesi, küresel ısınma, yağmur ormanlarının tükenmesi- tahlil etmek üzere tasarlanmıştı. Amaç, daha güzel bir dünya için, çevrecileri şimdiye kadar kendilerine hiç sunulmamış olan verilerle donatmaktı.

Ne yazık ki YGS Projesi başarısızlığa uğramıştı. NASA'nın son zamanlardaki pek çok projesi gibi bu da, başlangıçtan itibaren aşırı maliyet salgınına yakalanmıştı. Elini ateşe sokansa Zach Herney olmuştu. 1.4 milyar dolarlık YGS Projesi'ni Kongre'den geçirmek için çevreci lobinin desteğini kullanmıştı. Ama YGS yeryüzüne vaat ettiği küresel katkıları getirmek yerine, başarısız fırlatmalar, bilgisayar hataları ve kasvetli NASA basın toplantılarından oluşan bir kâbusa dönüşmüştü. Tek gülen yüz, Başkan'ın YGS için *paralarının* ne kadarını kullandığını ve karşılığında umduklarından ne kadar alakasız sonuçlar elde ettiklerini, seçmenlere kendini beğenmiş bir ifadeyle hatırlatan Senatör Sexton'a aitti.

Başkan fincanına biraz şeker attı. "Kulağa oldukça şaşırtıcı gelecek ama NASA'nın bahsettiğim şu keşfi YGS tarafından yapıldı."

Şimdi Rachel iyice şaşırmıştı. Eğer YGS yakın zamanda bir başarıya imza atmışsa, NASA bunu mutlaka duyururdu, öyle değil mi? Babası medyada resmen YGS'nin ipliğini pazara çıkarmıştı ve uzay dairesinin eline geçen her iyi haberi değerlendirmesi gerekirdi.

Rachel, "YGS keşfiyle ilgili," dedi. "Hiçbir şey duymadım."

"Biliyorum. NASA iyi haberi bir müddet kendine saklamayı uygun buldu."

Rachel bundan şüphe ediyordu. "Tecrübelerimden öğrendiğim kadarıyla efendim, eğer söz konusu NASA ise, genelde hiçbir haber kötü haber değildir." Ketumluk NASA halkla ilişkiler bölümününen iyi yaptığı iş sayılmazdı. UKO'daki en popüler espri, bilim adamlarından biri her yellendiğinde NASA'nın basın konferansı düzenlediğiydi.

Başkan kaşlarını çattı. "Ah evet. Pickering'in UKO güvenlik fanatiklerinden biriyle konuştuğumu unutmuşum. Hâlâ NASA'nın boşboğazlığından yakınıp duruyor mu?"

"Güvenlik onun işi efendim. Bu işi ciddiye alıyor."

"Hiç kuşkusuz öyle. Bu kadar ortak noktası olan iki ajansın sürekli kavga edecek bir şeyler bulduklarına inanmakta güçlük çekiyorum."

Rachel gerek NASA, gerekse UKO'nun uzayla ilintili bürolar olmalarına rağmen iki farklı kutupta felsefeye inandıklarını, William Pickering için çalışmaya başlar başlamaz öğrenmişti. UKO bir savunma bürosuydu ve tüm uzay etkinliklerini gizli tutardı. NASA ise ilmi bir kuruluştu ve tüm buluşlarını heyecan içinde bütün dünyaya ilan ederdi, ki William Pickering sıkça ulusal güvenlik riskine rağmen bunu yaptıklarını iddia ederdi. NASA'nın en iyi teknolojilerinden bazılarının -uydu teleskopları için yüksek çözünürlü lensler, uzun menzilli haberleşme sistemleri ve telsiz görüntüleme aygıtları- düşman ülkelerin istihbarat şebekelerinde bulunma ve anavatana karşı casuslukta kullanılma gibi kötü bir alışkanlığı vardı. Bill Pickering sıklıkla, NASA bilim adamlarının büyük beyinlere ve daha da büyük çenelere sahip olduğundan yakınırdı.

İki büro arasındaki daha isabetli bir mesele, UKO'nun uydularını NASA fırlattığı için, NASA'nın son zamanlardaki çoğu başarısızlığının doğrudan UKO'yu etkilemesiydi. Hiçbir başarısızlık 1.2 Ağustos 1998'de, NASA/Hava Kuvvetleri Titan 4 füzesi fırlatıldıktan kırk saniye sonra infilak edip pahalı yükünü -kod adı Vortex 2 olan *1.2 milyar dolar* değerindeki UKO uydusu- yok ettiği zamankinden daha çarpıcı olmamıştı. Pickering özellikle bunu unutmaya pek hevesli görünmüyordu.

Rachel, "Peki NASA neden son başarısını halka ilan etmedi?" diyerek karşı çıktı. "Şu anda pekâlâ birtakım iyi haberleri lehlerinden kullanabilirler."

Başkan, "NASA sessizliğini bozmuyor çünkü," diye açıkladı. "Ben onlara öyle *emrettim.*"

Rachel, onu doğru duyup duymadığını düşündü. Eğer durum buysa, Başkan, Rachel'ın anlamadığı bir tür siyasi harakiri yaptığını itiraf ediyordu.

Başkan, "Keşif," dedi. "Nasıl desek... ufak çapta galeyana getirici olmaktan öte bir şey değil."

Rachel kaygı verici bir ürperti hissetti. İstihbarat dünyasında "ufak çapta galeyana getirmek" nadiren iyi haber anlamına gelirdi. Şimdi YGS ile ilgili bu gizliliğin, uydu sisteminin yaklaşan bir çevre hastalığı keşfetmiş olmasından kaynakladığından şüpheleniyordu. "Bir sorun mu var?"

"Hiçbir sorun yok. YGS muhteşem bir şey keşfetti."

Rachel sustu.

"Farz et ki Rachel, sana NASA'nın öyle önemli bir bilimsel keşifte bulunduğunu söylüyorum ki... yeri yerinden oynatacak öyle bir şey ki... Amerikalıların uzaya harcadıkları her bir doların hakkını verecek. Ne dersin?"

Rachel düşünemiyordu.

Başkan ayağa kalktı. "Biraz yürüyelim mi?"

11

Rachel, Başkan Herney'yi Hava Kuvvetleri Bir'in, dışarıdaki parıltılı körüklü koridoruna doğru takip etti. Merdivenlerden inerlerken Rachel mart havasının zihnini tazelediğini hissetti. Ne yazık ki bu tazelik, Başkan'ın iddialarını daha da tuhaflaştırmaktan başka işe yaramıyordu.

NASA Amerikalıların uzaya harcadıkları her bir doların hakkını verecek değerli bilimsel bir keşifte mi bulundu?

Rachel bu büyüklükte bir keşfin sadece tek bir şey olabileceğini düşünüyordu -NASA'nın kutsal kâsesi- ki o da dünya dışı varlıklarla temas kurulmasıydı. Ne var ki Rachel bu kutsal kâse hakkında, mümkün olmadığını bilecek kadar bilgi sahibiydi.

Bir haberalma uzmanı olan Rachel, hükümetin örtbas ettiği uzaylılarla temas kurulma hikâyelerini bilmek isteyen arkadaşları tarafından sürekli soru yağmuruna tutulurdu. "Eğitimli" arkadaşlarının teorileri onu daima dehşete düşürürdü; gizli devlet sığınaklarında saklanan parçalanmış uçan daireler, dünya dışı varlıkların buzda tutulan cesetleri, hatta kaçırılan ve ameliyatla incelenen masum siviller.

Elbette tüm bunlar saçmalıktı. Uzaylılar yoktu. Örtbas edilen hikâyeler yoktu.

İstihbarat dünyasındaki herkes, görgü şahitliklerinin ve uzaylılar tarafından kaçırılma vakalarının hayal ürünü veya para tuzağı olduğunu bilirdi. Hilesiz UFO fotoğrafları kanıt olarak sunulduğunda nedense hep gelişmiş uçaklar test eden ABD askeri hava üsleri yakınlarında görülürdü. Lockheed tam manasıyla yeni bir jet uçağı olan Stealth Bomber'la(*) test uçuşlarına başladığında, Edwards Hava Kuvvetleri Üssü yakınlarındaki görgü şahitleri on beş katına çıkmıştı.

Onun kuşkulu tavrını gören Başkan, "Yüzünde şüpheli bir ifade var," dedi.

Sesinin tonu Rachel'ı şaşırtmıştı. Nasıl cevap vereceğini bilemeyen Rachel, Başkan'a baktı. "Şey..." Tereddüt etti. "Acaba efendim, dünya dışı uzay araçlarından ya da küçük yeşil adamlardan mı bahsediyoruz?"

Rachel'ın söyledikleri Başkan'ın hoşuna gitmiş gibiydi. "Rachel, galiba bu keşfi bilimkurgudan çok daha ilginç bulacaksın."

NASA'nın Başkan'a uzaylı hikâyesi uyduracak kadar çaresiz durumda olmadığını duymak Rachel'ı rahatlatmıştı. Yine de yaptığı yorumlar, gizemi arttırmaktan başka bir işe yaramıyordu. "Şey," dedi. "NASA'nın bulduğu her neyse, zamanlamanın son derece uygun olduğunu söylemeliyim."

Herney geçitte durdu. "Uygun mu? Neden?"

(*) Radar tarafından görülmeyen uçak çeşidi.

Neden mi? Rachel durup baktı. "Sayın Başkan, NASA şu an varoluşunu haklı çıkarmak için ölüm kalım savaşı veriyor ve siz de fon sağlamaya devam etmekten ötürü yaylım ateşi altındasınız. Şimdi yapılacak köklü bir NASA keşfi, hem NASA, hem de kampanyanızın her derdine deva olur. Sizi eleştirenler zamanlamayı oldukça şüpheli bulacaklardır."

"Yani... bana yalancı ya da aptal diyorsun, öyle mi?"

Rachel boğazının düğümlendiğini hissetti. "Saygısızlık etmek istemedim efendim. Ben sadece..."

"Sakin ol." Herney dudaklarında belli belirsiz bir tebessümle yeniden merdivenleri inmeye başladı. "NASA müdürü bana ilk olarak bu keşiften bahsettiğinde, hiç düşünmeden saçma olduğunu söyleyerek geri çevirdim. Onu tarihin en bilinen siyasi düzenbazlığını yapmakla suçladım."

Rachel boğazındaki düğümün biraz olsun çözüldüğünü hissetti.

Rampanın sonuna gelince Herney durup ona baktı. "NASA'nın keşfini saklı tutmasını istememin bir nedeni de onları korumak. Bu keşfin büyüklüğü, NASA'nın şimdiye dek açıkladığı her şeyin ötesinde. İnsanın aya ayak basışı bunun yanında hiç kalacak. Ben de dahil olmak üzere herkesin kazanacak -ya da kaybedecek- o kadar çok şeyi var ki, resmi açıklamayla dünyaya duyurmadan önce, NASA verilerini başka birilerinin kontrol etmesini gerekli gördüm."

Rachel şaşırmıştı. "Elbette *benden* bahsetmiyorsunuz, değil mi efendim?"

Başkan güldü. "Hayır, bu senin uzmanlık alanına girmiyor. Ayrıca, gayri resmi kanallar doğruladıklarını bildirdiler bile."

Rachel'ın rahatlaması yerini yeni bir meraka bırakmıştı. "Gayri resmi mi efendim? *Özel* sektörü mü kullandığınızı söylüyorsunuz? Bu kadar gizli bir konuda?"

Başkan kendinden emin bir tavırla başını salladı. "Dışardan onaylayıcı bir ekibi -dört sivil bilim adamı- bir araya getirdim. Korumaları gereken bir unvana ve tanınmış isimlere sahip NASA harici personel. İnceleme yapmak için kendi donanımlarını kullanıp bağımsız sonuçlara vardılar. Bu sivil bilim adamları geçtiğimiz kırk sekiz saat içinde, NASA keşfinin şüpheye yer bırakmadığını doğruladılar."

Rachel işte şimdi etkilenmişti. Başkan kendisini tipik Herney temkinliğiyle korumuştu. En seçkin takımı NASA keşfini onaylamaktan hiçbir çıkar elde etmeyecek, dışarıdan kimseler- işe alarak Herney, bütçeyi haklı çıkarmaya, NASA dostu Başkan'ı yeniden seçtirmeye ve Senatör Sexton'ın saldırılarını savuşturmaya çalışan NASA'nın çaresiz bir hilesi olduğundan şüphelenenlere karşı kendini korumuştu.

Herney, "Bu akşam saat yirmide," dedi. "Bu keşfi tüm dünyaya ilan etmek için Beyaz Saray'da bir basın konferansı vereceğim."

Rachel hayal kırıklığına uğradığını hissetti. Herney, ona hâlâ bir şey söylememişti. "Ve bu keşif, tam olarak *nedir?*"

Başkan gülümsedi. "Bugün sabredenin muradına erdiğini göreceksin. Bu, gözlerinle görmen gereken bir keşif. Daha fazlasını açıklamadan önce durumu tam manasıyla anlamanı istiyorum. NASA müdürü bilgi vermek üzere seni bekliyor. Bilmen gereken her şeyi sana anlatacak. Daha sonra seninle birlikte hangi rolü üstleneceğini konuşacağız."

Rachel, Başkan'ın gözlerindeki heyecanı hissedince, Pickering'in Beyaz Saray'ın gizli bir planı olduğu yönündeki tahminini hatırladı. Görünüşe bakılırsa, Pickering her zaman olduğu gibi yine haklıydı.

Herney yakındaki bir uçak hangarını gösterdi. Oraya doğru yürürken, "Beni izle," dedi.

Rachel aklı karışmış bir halde onu takip etti. Önlerinde duran binanın hiç penceresi yoktu ve yüksek kapıları mühürlüydü. Tek yol, yan taraftaki küçük bir giriş gibiydi. Kapı aralık duruyordu. Başkan, Rachel'ı kapının birkaç santim yanına kadar getirip durdu.

Kapıyı göstererek, "Benim için yol burda bitiyor," dedi. "Oraya sen gideceksin."

Rachel tereddüt etti. "Siz gelmiyor musunuz?"

"Benim Beyaz Saray'a dönmem gerekiyor. Seni kısa süre sonra ararım. Cep telefonun var mı?"

"Elbette efendim."

"Bana ver."

Rachel cep telefonunu çıkararak ona uzatırken, telefon hafızasına özel bir hızlı arama numarası kaydedeceğini zannediyordu. Ama Başkan telefonu cebine attı.

Başkan, "Artık kapsama alanı dışındasın," dedi. "İşyerindeki tüm sorumlulukların askıya alındı. Bugün benim ya da NASA müdürünün izni olmaksızın hiç kimseyle konuşmayacaksın. Anlıyor musun?"

Rachel bakakaldı. *Başkan az önce cep telefonumu mu çaldı?*

"Müdür, sana keşfi açıkladıktan sonra, seni güvenli kanallardan benimle görüştürecek. Yakında görüşürüz. Bol şans."

Hangar kapısına bakan Rachel, huzursuzluğunun arttığını hissetti.

Başkan Herney güven verici bir hareketle elini omzuna koyarak, başıyla kapıyı işaret etti. "Seni temin ederim Rachel, bu konuda bana yardımcı olduğuna pişmanlık duymayacaksın."

Başkan başka bir şey soylemeden, Rachel'ı getiren PaveHawk'a doğru yürümeye başladı. Helikoptere bindi ve havalandılar. Bir kez olsun dönüp arkasına bakmadı.

12

Rachel Sexton ıssız Wallops hangarının eşiğinde tek başına durmuş, önündeki karanlığa göz gezdiriyordu. Kendini başka bir dünyanın sınırındaymış gibi hissediyordu. İçeriden, sanki bina nefes alıyormuş gibi serin ve rutubetli bir rüzgâr esti.

Hafif titrek bir sesle, "Merhaba?" diye seslendi.

Sessizlik.

Korkusu artarken, eşikten içeri adımını attı. Gözleri loş ışığa alışana kadar, bir süre hiçbir şey göremedi.

Birkaç metre ötedeki adam, "Bayan Sexton'sınız sanırım," dedi.

Sese doğru dönen Rachel yerinde sıçradı. "Evet efendim."

Bulanık bir erkek silueti ona doğru yaklaştı.

Rachel'ın görüşü düzeldiğinde kendisini, NASA uçuş tulumu giyen, genç ve iri çeneli biriyle yüz yüze buldu. Son derece formda ve kaslı bir vücuda sahipti, üniformasının göğsüne sayısız cep dikilmişti.

Adam, "Hava Filosu Komutanı Wayne Loosigian," dedi. "Sizi korkuttuysam özür dilerim bayan. Burası biraz karanlık. Hangar kapılarını açmaya henüz fırsat bulamadım." Rachel cevap vermeye fırsat bulamadan, adam tekrar konuştu. "Bu sabah size pilotluk etmekten onur duyacağım."

"Pilot mu?" Rachel, adama bakakaldı. *Daha yeni bir pilottan ayrıldım.* "Ben müdürü görmek için burdayım."

"Evet bayan. Derhal sizi ona götürmek için emir aldım."

Rachel'ın durumu kavraması biraz zamanını aldı. Aklına dank ettiğinde, kandırıldığını hissetti. Görünüşe bakılırsa, seyahat süreci henüz sona ermemişti. "Müdür nerde?" diye Rachel endişeyle sordu.

Pilot, "Henüz bilmiyorum," dedi. "Koordinatları havalandıktan sonra alacağım."

Rachel, adamın gerçeği söylediğini sezinledi. Demek ki bu sabah kör karanlıkta her şeyden habersiz bekleyen sadece o ve Direktör Pickering değildi. Başkan güvenlik işini oldukça ciddiye alıyordu. Rachel, Başkan'ın onu ne kadar kolay ve zahmetsizce "kapsama alanı dışına" çıkardığını düşününce kendinden utandı. *Geleli yarım saat oldu ama şimdiden tüm haberleşme cihazlarından mahrum bırakıldım ve direktörümün nerede olduğuma dair hiçbir fikri yok.*

Şimdi direngen NASA pilotunun önünde duran Rachel'ın, sabah planlarının suya düştüğünden hiç şüphesi yoktu. Bu gezici kumpanya uçağı, hoşuna gitsin ya da gitmesin onunla birlikte havalanacaktı. Geriye kalan tek soru, nereye gittiğiydi.

Pilot duvarın yanına giderek bir düğmeye bastı. Hangarın arka tarafı, gürültüler çıkararak yana doğru kaymaya başladı. İçeri giren ışık, hangarın ortasındaki büyük bir nesnenin hatlarını ortaya çıkarttı.

Rachel'ın ağzı açık kaldı. *Tanrım bana yardım et.*

Hangarın orta yerinde, yırtıcı görünüşlü siyah bir savaş uçağı duruyordu. Rachel'ın gördüğü en aerodinamik yapılı uçaktı.

"Şaka yapıyorsunuz," dedi.

"İlk görüşte verilen ortak tepki budur bayan, ama F-14 Tomcat kendini ispat etmiş bir uçaktır."

Bu, kanatları olan bir füze.

Pilot, Rachel'ı uçağa doğru yönlendirdi. Eliyle çift kişilik pilot kabinini gösterdi. "Siz arkada yolculuk edeceksiniz."

"Sahi mi?" Yüzünde zoraki bir tebessüm belirdi. "Ben de, benim kullanmamı isteyeceksiniz sandım."

Rachel kıyafetlerinin üstüne uçuş tulumu geçirdikten sonra kendini pilot kabinine tırmanırken buldu. Kalçalarını garip bir şekilde, dar koltuğa sığıştırdı.

"Belli ki NASA'da hiç şişman popolu pilot yok," dedi.

Rachel'ın içeri yerleşmesine yardım eden pilot sırıttı. Sonra onun başına bir kask giydirdi.

"Hayli yüksek uçacağız," dedi. "Oksijene ihtiyacınız olacak." Yan bölmeden bir oksijen maskesi çıkartarak, Rachel'ın kaskına bağlamaya başladı.

Uzanıp maskeyi eline alan Rachel, "Ben hallederim," dedi.

"Elbette efendim."

Rachel ağızlık kısmıyla biraz cebelleştikten sonra, sonunda kaskını takmayı başardı. Maske şaşırtıcı derecede garip görünüyordu ve oldukça rahatsızdı.

Uzun süre onu seyreden pilot eğleniyor gibiydi.

"Yanlış bir şey mi var?" diye sordu.

"Kesinlikle yok efendim." Sanki bıyık altından gülüyordu. "İstifrağ torbaları koltuğunuzun altında. Birçok kişinin F-14'e ilk bindiğinde midesi bulanır."

Maskenin bastırıcı etkisinden ötürü sesi boğuk çıkan Rachel, "Bir şey olmaz," dedi. "Beni uçak tutmaz."

Pilot omuzlarını silkti. "Denizcilerin de pek çoğu aynı şeyi söylediler, ama pilot kabininden bol bol denizci safrası temizledim."

Rachel hafifçe başını salladı. *Harika.*

"Kalkmadan önce başka sorunuz var mı?"

Rachel kısa bir süre tereddüt ettikten sonra, çenesini kesen ağızlığa parmağıyla vurdu. "Nefes alışımı engelliyor. Bu şeyleri uzun uçuşlarda nasıl takıyorsunuz?"

Pilot sabırla gülümsedi. "Şey efendim, genellikle onları baş aşağı takmayız."

Pistin ucunda, altındaki motorlar gümbürderken Rachel kendini, birinin tetiği çekmesini bekleyen, silahın içindeki mermi gibi hissediyordu. Pilot gaz kolunu ileri ittiğinde, Tomcat'in ikiz Lockheed 345 motorları gürültüyle canlanınca adeta tüm dünya sallandı. Frenler bırakıldığında Rachel koltuğunda geriye yapıştı. Jet uçağı pistte hızlandı ve birkaç saniye içinde havalandı. Pencerenin dışında, yeryüzü baş döndürücü bir hızla küçülüyordu.

Uçak gökyüzüne doğru diklemesine çıkarken Rachel gözlerini kapattı. Bu sabah nerede yanlış yaptığını sorguluyordu. Bir masanın başında özet yazıyor olmalıydı. Oysa şimdi testosteron yakan bir torpidonun içinde sıkışıp kalmıştı ve oksijen maskesi sayesinde nefes alıyordu.

Tomcat on beş bin metreye yükseldiğinde, Rachel kusacak gibi oldu. Düşüncelerini başka bir noktaya yönlendirmek istedi. Dokuz mil aşağıdaki okyanusa göz gezdirirken, birden kendini evinden çok uzakta hissetti.

Tam önünde oturan pilot, telsizde biriyle konuşuyordu. Konuşma sona erdiğinde pilot telsizi kapattı ve Tomcat'i aniden sola döndürdü. Uçak neredeyse tamamen yan yatınca, Rachel midesinin takla attığını düşündü. Neyse ki sonunda uçak yeniden düzeldi.

Rachel homurdandı. "Uyardığın için teşekkürler hızlı fişek."

"Üzgünüm efendim, ama az önce müdürle buluşacağınız yerin koordinatlarını aldım."

Rachel, "Dur tahmin edeyim," dedi. "Kuzeyde mi?"

Pilotun aklı karışmış gibiydi. "Bunu nerden bildiniz?"

Rachel içini çekti. *Şu bilgisayarla eğitilen pilotları da sevmek lazım.* "Saat sabahın dokuzu arkadaş ve güneş sağımızda. Kuzeye gidiyoruz."

Pilot kabininde kısa bir sessizlik oldu. "Evet bayan, bu sabah kuzeye gidiyoruz."

"Peki ne kadar *uzağa* gideceğiz?"

Pilot koordinatları kontrol etti. "Yaklaşık dört bin beş yüz kilometre."

Rachel olduğu yerde doğruldu. "Ne!" Haritayı gözünün önüne getirmeye çalıştı ama bu kadar kuzeyde olan yeri tahmin edemiyordu. "Bu, dört saatlik uçuş demek!"

Pilot, "Mevcut hızımızla evet," dedi. "Sıkı tutunun lütfen."

Rachel cevap veremeden adam F-14'ün kanatlarını içeri çekerek, aerodinamik pozisyona getirdi. Hemen ardından, uçak daha önce sabit duruyormuş gibi hızla ileri atılırken, Rachel bir kez daha koltuğuna yapıştığını hissetti. Bir dakika sonra saatte 1500 mil hızla seyrediyorlardı.

Rachel artık iyice sersemlemişti. Gökyüzü kör edici bir hızla yarılırken, midesinin bulanmasına hâkim olamadığını hissediyordu. Başkan'ın sesi kulağında yankılanıyordu. *Seni temin ederim Rachel, bu konuda bana yardımcı olduğuna pişmanlık duymayacaksın.*

Rachel homurdanarak istifrağ torbasına uzandı. *Bir politikacıya asla güvenme.*

13

Senatör Sedgewick Sexton taksilerin çirkin bayağılığından hoşlanmasa da, zafere giden yolda arada sırada buna katlanmayı öğrenmişti. Purdue Hoteli'nin aşağı garajına kendisini az önce bırakan köhne Mayflower taksisi, Sexton'a limuzininin veremediği bir şey sağlıyordu: sıradanlık.

Alt garajın, beton sütunlar arasına serpiştirilmiş birkaç tozlu araba dışında boş olduğuna sevindi. Garajda zikzaklar çizerek yürürken saatine göz attı.

11.15. Mükemmel.

Sexton'ın buluşacağı adam dakiklik konusunda oldukça hassastı. Ama Sexton, adamın kimi temsil ettiğini düşününce kendine, istediği konuda dilediği kadar hassas olabileceğini hatırlattı.

Sexton, beyaz Ford Windstar minivanın her buluşmalarında durduğu aynı noktada park ettiğini gördü; çöp tenekelerinin arkasında, garajın doğu köşesi. Sexton bu adamla yukarıdaki süitlerden birinde görüşmeyi tercih ederdi ama neden tedbirli davranıldığını kesinlikle anlıyordu. Bu adamın arkadaşları bulundukları yere dikkatsizlik sayesinde gelmemişlerdi.

Sexton kamyonete doğru ilerlerken, bu karşılaşmalardan önce her defasında hissettiği o bildik asap bozukluğunu yaşadı. Omuzlarını sıkmamaya kendini zorlayarak, neşeli bir selam hareketiyle arka koltuğa yerleşti. Şoför koltuğundaki koyu renk saçlı beyefendi gülümsemedi. Adam neredeyse yetmiş yaşındaydı ama onun sert siması, yüzsüz hayalperestlerle acımasız girişimlerden oluşan ordunun elebaşı olmasına yakışacak cinsten, gaddar bir ifade yayıyordu.

Duygusuz sesiyle, "Kapat kapıyı," dedi.

Adamın huysuzluğuna taviz veren Sexton, itaat etti. Her şeyden önemlisi, bu adam muazzam miktarlarda paraları idare eden adamları temsil ediyordu, ki bu paranın çoğu son zamanlarda Sexton'ı dünyanın en güçlü koltuğuna oturtmak için akıtılmıştı. Sexton artık bu toplantıların strateji dersi olmaktan öte, senatörün bağışçılarına ne kadar bağımlı olduğunu hatırlatan aylık görüşmeler olduğunu yavaş yavaş anlıyordu. Bu adamlar yatırımları karşılığında çok ciddi bir beklenti içindeydiler. Sexton bu "karşılığın" çok cüretkâr bir talep olduğunu itiraf etmek zorundaydı; ama yine de, Oval Ofis'e bir kez yerleştikten sonra, o da Sexton'ın nüfuz alanında kalacak bir şeydi.

Adamın iş konuşmaya nasıl başlamaktan hoşlandığını öğrenmiş olan Sexton, "Sanırım," dedi. "Bir ödeme daha yapıldı."

"Öyle. Ve her zaman olduğu gibi yine bu fonu sadece kampanyan için harcayacaksın. Kamuoyu yoklamalarının senin lehine yükseldiğini görmekten memnunuz ve görünüşe göre kampanya idarecilerin paramızı etkin biçimde harcıyorlar."

"Hızlı kazanıyoruz."

Yaşlı adam, "Sana telefonda da bahsettiğim gibi," dedi. "Bu gece altı kişiyi daha seninle görüşmeye ikna ettim."

"Mükemmel." Sexton zamanını çoktan bu görüşmelere göre ayarlamıştı.

Yaşlı adam Sexton'a bir dosya uzattı. "Bilgileri burda. Çalış. Bilhassa endişelerini anladığından emin olmak istiyorlar. Senin sempatik olduğunu görmek istiyorlar. Onlarla kendi evinde görüşmeni tavsiye ederim."

"Evim mi? Ama ben genellikle..."

"Senatör, bu adamlar şimdiye dek görüştüklerinin toplamından kat kat fazla kaynaklara sahip şirketler işletiyorlar. Bu adamlar büyük balık ve çok ihtiyatlı davranıyorlar. Kazanacak ve bu yüzden kaybedecek daha çok şeyleri var. Onları seninle görüşmeye ikna etmek için çok çalıştım. Özel olarak ağırlanmak isteyeceklerdir. Özel bir ihtimam."

Sexton hemen başını salladı. "Kesinlikle. Görüşmeler için evimi ayarlayabilirim."

"Elbette tam gizlilik isteyeceklerdir."

"Ben de öyle yapacağım."

Yaşlı adam, "İyi şanslar," dedi. "Eğer bu gece işler iyi giderse, son görüşmen olabilir. Bu adamlar tek başlarına Sexton kampanyasını yukarı taşıyabilirler."

Bu sözler Sexton'ın çok hoşuna gitmişti. Kendinden emin bir tavırla adama gülümsedi. "Şansın da yardımıyla dostum, seçim zamanı geldiğinde, hepimiz zafer ilan edeceğiz."

"Zafer mi?" Yaşlı adam şeytani gözlerle Sexton'a doğru eğilerek, yüzünü buruşturdu. "Seni Beyaz Saray'a sokmak zaferin sadece *ilk adımı* senatör. Galiba bunu unutmuşsun."

14

On sekiz dönüm bahçelik arazinin içinde, sadece elli bir metre uzunluğunda ve yirmi beş metre enindeki Beyaz Saray, dünyadaki en küçük başkanlık konutlarından biridir. Mimar James Hoban'ın kubbe çatılı, parmaklıklı ve girişi sütunlu, kutumsu taş yapı planı, açık tasarım yarışmasında onu "çekici, asil ve kullanışlı" diye öven jüri tarafından seçilmişti.

Başkan Zach Herney üç buçuk yıldır Beyaz Saray'da bulunmasına rağmen, buradaki avizeler, antikalar ve silahlı denizciler labirentinin içinde kendini nadiren evinde hissediyordu. Ama şu anda Batı Kanadı'na doğru ilerlerken üstüne bir zindelik geldiğini ve pelüş halının üstünde neredeyse ağırlıksızmış gibi yürüdüğünü hissetti.

Başkan yaklaşırken Beyaz Saray çalışanları başlarını kaldırıp baktılar. Herney elini kaldırıp hepsini ismiyle selamladı. Ona nazikçe karşılık vermelerine karşın, selamlarına itaatkâr ve zoraki bir gülümseme eşlik etti.

"Günaydın Sayın Başkan."

"Sizi görmek ne kadar güzel Sayın Başkan."

"İyi günler efendim."

Başkan ofisine doğru yürürken, arkasından fısıldaştıklarını sezinledi. Beyaz Saray'ın içinde bir isyan hazırlığı vardı. Geçen birkaç hafta 1600 Pennsylvania Bulvarı'nda yaşanan düş kırıklığı, Herney'nin kendisini Kaptan Bligh -mürettebatı ayaklanma hazırlığı yapan, zor durumdaki bir gemiyi yönetiyordu- gibi hissetmeye başlamasına neden olan bir noktaya doğru itiyordu.

Başkan onları suçlamıyordu. Personel gelecek seçimde onu desteklemek için yorucu saatler boyunca çalışmıştı ve sonra Başkan birdenbire topu elinden kaçırmıştı.

Herney kendi kendine, *yakında anlarlar*, dedi. *Yakında kahraman yeniden ben olacağım.*

Personelini bu kadar uzun süre olanlardan habersiz bıraktığın için vicdan azabı duyuyordu ama gizlilik son derece önemliydi. İş, sır saklamaya gelince, Beyaz Saray Washington'daki en zayıf halkaydı.

Oval Ofis'in önündeki bekleme odasına varan Herney, sekreterini neşeyle selamladı. "Bu sabah çok hoş görünüyorsun Dolores."

Kadın, onun gündelik kıyafetlerini onaylamadığını açığa vuran bir ifadeyle, "Siz de öyle efendim," dedi.

Herney sesini alçalttı. "Benim için bir görüşme ayarlamanı istiyorum."

"Kiminle efendim?"

"Tüm Beyaz Saray personeliyle."

Sekreteri başını kaldırıp baktı. "*Tüm* personelle mi efendim? 145'iyle birden mi?"

"Aynen öyle."

Tedirgin olmuşa benziyordu. "Peki. Görüşmeyi... Toplantı Odası'nda mı ayarlayayım?"

Herney başını iki yana salladı. "Hayır. Ofisimde ayarla."

Şimdi kadın bakakalmıştı. "Tüm personeli Oval Ofis'te mi görmek istiyorsunuz?"

"Kesinlikle."

"Hepsini aynı anda mı efendim?"

"Neden olmasın? Saati on altıya ayarla."

Sekreter bir akıl hastasıyla alay edercesine başını salladı. "Pekâlâ efendim. Peki toplantı neyle ilgili olacak?"

"Bu akşam Amerikalılara çok önemli bir duyurum olacak. İlk önce kendi personelimin duymasını istiyorum."

Sekreterin yüzünde, sanki içten içe bu anın gelmesinden korkuyormuş gibi, karamsar bir ifade belirdi. Sesini alçalttı. "Efendim, yarıştan geri mi çekiliyorsunuz?"

Herney bir kahkaha patlattı. "Kesinlikle hayır Dolores! Vites büyütüyorum."

Sekreter şüpheyle baktı. Medya raporları Başkan'ın seçimleri kaybettiğini söylüyordu.

Başkan güven telkin edici biçimde göz kırptı. "Dolores, geçen birkaç yıl içinde benim için muhteşem bir iş çıkardın ve gelecek dört yıl boyunca o muhteşem işini yapmaya devam edeceksin. Beyaz Saray *bizde* kalacak. Söz veriyorum."

Sekreteri inanmak istiyormuş gibi bakıyordu. "Çok güzel efendim. Personele bildireceğim. Saat on altıda."

Zach Herney Oval Ofis'ten içeri girerken, tüm personelinin küçük odaya tıkıştığını görünce gülümsemekten kendini alamadı.

Bu muazzam ofise geçen yıllar süresince pek çok isim takılmış olsa da -Yüznumara, Kamış Kovuğu, Clinton'ın Yatak Odası- Herney'nin en sevdiği "Istakoz Kapanı"ydı. En uygunu buydu. Oval Ofis'ten içeri ne zaman bir yabancı girse, yön duygusunu kaybederdi. Odanın simetrisi, hafifçe kavisli duvarlar, ustaca gizlenmiş giriş çıkışlar, ziyaretçileri sersemletip başını döndürürdü. Oval Ofis'teki bir toplantının ardından saygın ziyaretçi, genellikle Başkan'la tokalaşmak için ayağa kalkar ve doğruca dolaplardan birine toslardı. Herney ise görüşmenin nasıl geçtiğine bağlı olarak ya misafiri zamanında durdurur ya da kendisini rezil etmesini zevkle izlerdi.

Herney, Oval Ofis'teki en çarpıcı görüntünün, odanın oval halısına işlenmiş renkli Amerikan kartalı olduğunu düşünürdü. Kartalın sol pençesi bir zeytin dalı, sağ pençesi ise bir deste ok kavrıyordu. Dışarıdan çok az kimse, barış zamanlarında kartalın yüzünü sola -zeytin dalına- çevirdiğini bilirdi. Ama savaş zamanlarında kartal mucizevi bir şekilde sağa dönerdi; oklara doğru. Bu küçük salon hilesinin ardındaki mekanizma, Beyaz Saray çalışanları arasında sessiz spekülasyonlara neden oluyordu, çünkü geleneksel olarak hileyi sadece Başkan ve Saray idaresinin başındaki kişi bilirdi. Herney, esrarengiz kartalın ardındaki gerçeğin hayal kırıklığı yaratacak kadar basit olduğunu keşfetmişti. Odanın altındaki küçük bir kilerde ikinci oval halı duruyordu ve temizlikçi gece yarısı halıları değiştiriyordu.

Şimdi Herney, sol tarafa bakan barışçıl kartala göz gezdirirken, Senatör Sedgewick Sexton'a karşı başlatacağı küçük savaşın onuruna belki de halıları değiştirmesi gerektiğini düşünüyordu.

15

ABD Delta Gücü, her türlü eylem için kanunla başkanlık tarafından dokunulmazlık verilmiş tek saldırı timiydi.

Başkanlık Karar Yönergesi 25 (BKY 25) Delta Gücü komandolarına, orduyu şahsi menfaat sağlamakta, polis teşkilatının dahili görevlerinde ya da onaylanmamış gizli operasyonlarda kullanan kimselere uygulanacak cezaları belirleyen 1876 Posse Comitatus Kanunu da dahil olmak üzere, "tüm yasal sorumluluklardan muafiyet" sağlar. Delta Gücü üyeleri,

Fort Bragg, Kuzey Carolina'da bulunan Özel Operasyonlar Komutanlığı'na[*] bağlı özel bir teşkilat olan Savaş Tatbikat Mangası'ndan (STM) özenle seçilirler. Delta Gücü komandoları eğitimli katillerdir; SWAT operasyonlarında, rehine kurtarmada, ani baskınlarda ve gizli düşman güçlerinin bertaraf edilmesinde uzmandırlar.

Delta Gücü görevleri yüksek seviyede gizlilik gerektirdiğinden, geleneksel çok rütbeli komuta zinciri, "tek-başlı" idare -birimi dilediği gibi yönetme yetkisine sahip tek bir idareci- ile yer değiştirmiştir. Bu idareci genellikle görevi başarıyla yürütebilecek nüfuza ve yeterli rütbeye sahip askeri ya da siyasal ağırlıklı kişidir. Delta Gücü görevleri, başlarındaki kişinin kimliği fark etmeksizin, en üst seviyeden kabul edilirler ve bir kez tamamlandıktan sonra Delta Gücü askerleri görev hakkında bir daha asla konuşmazlar; ne kendi aralarında, ne de Özel Operasyonlar'daki komutanlarıyla.

Uç. Savaş. Unut.

Seksen ikinci paralelin üstünde konuşlanan Delta Gücü o an ne uçuyor, ne de savaşıyordu. Sadece gözlüyorlardı.

Delta-Bir şimdilik bunun alışılmadık bir görev olduğunu itiraf etmek zorundaydı ama kendisinden yapmasını isteyecekleri şeylere şaşırmamayı uzun zaman önce öğrenmişti. Geçen beş yıl süresince, Ortadoğu'da rehine kurtarma, Birleşik Devletler'de çalışan terörist topluluklarını saf dışı bırakma ve hatta dünya çevresindeki pek çok tehlikeli erkek ve kadını yok etme operasyonlarında görev almıştı.

Henüz geçen ay Delta Gücü, Güney Amerikalı kötü bir uyuşturucu patronunun kalp krizinden ölmesine sebep olmak için uçan mikrobotu kullanmıştı. Damar daraltan etkili bir ilaç içeren çapraz kıllı titanyum iğnesiyle hazırlanmış mikrobotu kullanan Delta-İki, aygıtı ikinci kattaki pencereden adamın evine sokmuş, yatak odasını bulmuş ve sonra adam

---

[*] Special Operations Command.

uyurken onu omzundan iğneyle vurmuştu. Adam göğsündeki ağrıyla uyanmadan önce mikrobot pencereden dışarı çıkmış ve "karaya konmuştu". Kurbanın eşi hastaneyi aradığında Delta Gücü çoktan eve doğru uçuyordu.

Kapı kırılmamış, içeri girilmemişti.

Doğal sebeplerden bir ölüm.

Mükemmel bir iş olmuştu.

Henüz geçenlerde, özel görüşmelerini izlemek için ünlü bir senatörün ofisine yerleştirilen bir başka mikrobot, renkli bir cinsel ilişkinin görüntülerini kaydetmişti. Delta Gücü bu göreve kendi aralarında "düşman hattının ardındaki yanaşma" diyorlardı.

Şimdi ise, son on gündür gözetleme görevi gerekçesiyle bu çadırın içine kapanmış olan Delta-Bir, görevin bitmesini bekliyordu.

Saklanmaya devam et.

Yapıyı gözetle: içeriyi ve dışarıyı.

Beklenmedik her türlü gelişmeyi komutanına bildir.

Delta-Bir, vazifeleriyle ilgili hiçbir duygu beslememek konusunda eğitilmişti. Yine de görev, takımıyla birlikte ona ilk anlatıldığında, kalp atışlarını hızlandırmıştı. Brifing "yüz yüze" yapılmamıştı; güvenli elektronik kanallar vasıtasıyla verilmişti. Delta-Bir, bu görevden sorumlu idareciyle hiç karşılaşmamıştı.

Saati diğerleriyle eşzamanlı öttüğünde, Delta-Bir proteinli kuru yemeğini yiyordu. Birkaç saniye içinde, yanındaki CrypTalk haberleşme cihazının uyarı sinyali çaldı. Yaptığı işi bırakarak, konuşma aygıtının ahizesini eline aldı. Diğer iki adam sessizce bakıyorlardı.

Vericiye konuşarak, "Delta-Bir," dedi.

Ağzından çıkan iki kelime o anda, cihazın içindeki ses tanıma programı tarafından doğrulandı. Kelimelerin her birine atanan şifreli bir referans numarası, uydu aracılığıyla arayana gönderiliyordu. Arayan kişinin tarafındaki benzer bir cihaz numaraları deşifre ederek, daha önceden programlanmış bir sözlük yardımıyla yeniden kelimelere çeviriyordu. Ardından, kelimeler sentetik bir sesle dile geliyordu. Toplam gecikme süresi ise seksen salise idi.

Operasyonu denetleyen kişi, "İdareci konuşuyor," dedi. CrypTalk'un robotumsu ses tonu ürkütücüydü; suni ve cinsiyetsiz. "Operasyon statünüz nedir?"

Delta-Bir, "Her şey planlandığı gibi devam ediyor," diye yanıt verdi.

"Mükemmel. Zaman planında güncelleme yapıyoruz. Bu akşam Doğu saatiyle yirmide bilgi halka duyuruluyor."

Delta-Bir kronografını kontrol etti. *Sadece sekiz saat kaldı.* Buradaki işi yakında sona erecekti. Bu moral vericiydi.

İdareci, "Başka bir gelişme daha var," dedi. "Sahneye yeni bir oyuncu girdi."

"Ne yeni oyuncusu?"

Delta-Bir dinledi. *İlginç bir kumar.* Orada birileri oyunu sonuna kadar götürmeye kararlıydı. "Sizce güvenilir biri mi?"

"Çok yakından takip edilmeli."

"Peki ya sorun çıkarsa?"

Hattaki ses hiç tereddüt etmedi. "Aynı emirler geçerli."

16

Rachel Sexton bir saatten fazladır kuzeye uçuyordu. Yolculuk boyunca, kısa bir süreliğine görünüp kaybolan Newfoundland dışında F-14'ün altında sudan başka bir şey görmemişti.

Yüzünü ekşiterek, *sanki neden su olmak zorunda,* diye düşündü. Rachel yedi yaşında buz pateni yaparken, donmuş gölün üstündeki buzla birlikte suya batmıştı. Yüzeyin altında hapsolmuş bir haldeyken öleceğine emindi. Rachel'ın su yutmuş vücudunu kavrayıp hızla çekerek güvenliğe çıkaran, annesinin güçlü elleri olmuştu. O ıstıraplı dayanıklılık denemesinin ardından Rachel sudan korkar olmuştu; belirgin bir açık deniz korkusu, özellikle de soğuk olursa. Bugün, Kuzey Atlantik'ten başka bir şey göremeyen Rachel'ın korkuları su yüzüne çıkmıştı.

Pilot Grönland'ın kuzeyindeki Thule Hava Kuvvetleri Üssü'yle rotasını tayin edene dek, Rachel ne kadar uzağa gittiklerini fark etmemişti. *Kutup Dairesi'nin üstünde miyim?* Bu bilinç tedirginliğini arttırdı. *Beni nereye götürüyorlar? NASA ne buldu?* Az sonra aşağıdaki mavi-gri manzarada binlerce bembeyaz noktacık belirdi.

Buzdağları.

Rachel buzdağlarını hayatında daha önce sadece bir kere, annesi onu altı yıl önce Alaska'ya yapılan bir anne-kız gemi seyahatine ikna ettiğinde görmüştü. Rachel sayısız başka *kara* seyahati seçeneği önermişti ama annesi ısrarcıydı. "Rachel, tatlım," demişti. "Bu gezegenin üçte ikisi sularla kaplı ve er ya da geç bununla baş etmeyi öğrenmelisin." Bayan Sexton, güçlü bir kız evlat yetiştirmeye niyetli, ileri görüşlü bir New England'lıydı.

Bu gemi seyahati, Rachel ile annesinin birlikte yaptıkları son yolculuk olmuştu.

Katherine Wentworth Sexton. Rachel ani ve şiddetli bir yalnızlık duygusuna kapıldı. Anılar, uçağın dışında uğuldayan rüzgâr gibi geri gelmişler, her zaman olduğu gibi duygularını altüst ediyorlardı. En son telefonda konuşmuşlardı. Şükran Günü sabahı.

Karla kaplı O'Hare Havaalanı'ndan telefon açan Rachel, "Üzgünüm anne," demişti. "Ailemizin Şükran Günü'nü asla birbirinden ayrı geçirmediğini biliyorum. Galiba bu ilk olacak."

Rachel'ın annesi adeta yıkılmıştı. "Seni görmeyi o kadar istiyordum ki."

"Ben de anne. Babamla birlikte hindi ziyafeti çekerken benim havaalanı yemeklerinden yediğimi düşünün."

Hatta bir sessizlik olmuştu. "Rachel sen buraya gelinceye kadar söylemeyecektim ama baban bu yıl eve gelemeyecek kadar çok işi olduğunu söylüyor. Hafta sonu D.C.'deki süitte kalacak."

"Ne!" Rachel'ın şaşkınlığı hemen öfkeye dönüşmüştü. "Ama bu Şükran Günü! Senato açık değil ki! İki saatten az yolu var. Seninle olması gerekirdi!"

"Biliyorum. Yorgunluktan bittiğini söylüyor... araba kullanamayacak kadar yorgunmuş. Bu hafta sonunu bitirilmemiş işlerini halletmekle geçirmeye karar vermiş."

İş mi? Rachel'ın bundan şüphesi vardı. Daha olası bir tahmin, Senatör Sexton'ın başka bir kadını halledeceğiydi. Gizli tutmasına rağmen, yıllardır karısına ihanet ediyordu. Bayan Sexton aptal değildi ama kocasının ilişkileri daima ikna edici mazeretler ve aldattığı imasının hakaret olduğu iddiasıyla sona ererdi. Bayan Sexton sonunda acısını gömmenin çaresini görmezden gelmekte bulmuştu. Rachel, annesini boşanmaya teşvik ettiği halde, Katherine Wentworth Sexton sözünün arkasında duran bir kadındı. Rachel'a, *ölüm bizi ayırana kadar*, demişti. *Baban, beni seninle mesut etti -güzel bir kız evlat- ve bu yüzden ona minnet duyuyorum. Yaptıkları yüzünden bir gün daha yüksek bir merciye hesap vermek zorunda kalacak.*

Havaalanındaki Rachel'ın öfkesi patlama noktasındaydı. "Ama bu, Şükran Günü'nde yalnız kalacağın anlamına geliyor!" Midesinin bulandığını hissediyordu. Şükran Günü'nü evden ayrı geçiren senatör alışılmadık bir durumdu, söz konusu babası bile olsa.

Bayan Sexton hayal kırıklığına uğramış ama kararlı bir sesle, "Şey..." dedi. "Tüm bu yemeklerin çöpe atılmasına gönlüm razı olmaz. Ann Teyze'ne giderim. Bizi her zaman Şükran Günü'ne davet etmiştir. Şimdi onu arayacağım."

Rachel'ın suçluluk duygusu biraz olsun azalmıştı. "Tamam. Mümkün olan en kısa sürede eve geliyorum. Seni seviyorum anne."

"İyi uçuşlar tatlım."

Rachel'ın bindiği taksi o akşam Sextonların lüks konağının garaj yoluna girdiğinde saat 22.30'du. Rachel hemen o an ters giden bir şeyler olduğunu anlamıştı. Garaj yolunda üç polis arabası duruyordu. Ve onlarca haber karavanı. Evin tüm ışıkları yanıyordu. Rachel kalbi hızla atarak içeri girdi.

Kapıda onu bir Virginia eyalet polisi karşıladı. Neşesiz bir yüzü vardı. Hiçbir şey söylemesine gerek yoktu. Rachel anlamıştı. Bir kaza olmuştu.

Memur, "Yirmi beş numaralı yol, donan yağmur yüzünden kaygandı," dedi. "Anneniz yoldan çıkarak ağaçlıklı dağ geçidine düşmüş. Üzgünüm. Çarpma anında ölmüş."

Rachel'ın vücudu taş kesmişti. Haberi alır almaz eve dönen babası, oturma odasında küçük bir basın konferansı vererek dünyaya, eşinin aile arasındaki Şükran Günü yemeğinden dönerken araba kazasında öldüğünü duyuruyordu.

İçini çekerek ağlayan Rachel, müdahale etmeye hazır bekliyordu.

Babası yaşla dolu gözlerle medyaya, "Keşke," dedi. "Bu hafta sonu evde olsaydım. O zaman bu asla olmazdı."

Babasına duyduğu kin her geçen saniye artan Rachel, *bunu yıllar önce düşünmeliydin*, diye ağlıyordu.

O andan itibaren Rachel kendini babasından, Bayan Sexton'ın asla yapamadığı şekilde soyutladı. Senatörün farkında olduğu söylenemezdi. Birden merhum eşinin mal varlığını başkanlık adaylığı için harcamakla meşgul biri haline gelmişti. Acıyanların para teklif etmesi bile gururunu incitmiyordu.

Ne acıdır ki senatör şimdi, üç yıl sonra, uzaktan bile Rachel'ın hayatını yapayalnız kılıyordu. Babasının Beyaz Saray yarışı, Rachel'ın bir erkekle tanışıp aile kurma hayallerini belirsiz bir zamana erteliyordu. Rachel "Başkan'ın kızı" henüz kendi kulvarlarındayken, fırsattan istifade etme ümidiyle gözünü güç hırsı bürümüş Washington'lı âşıklarla uğraşmak yerine sosyal hayattan elini eteğini çekmeyi daha kolay buluyordu.

F-14'ün dışında gün ışığı azalmaya başlamıştı. Kuzey Kutbu'nda kış ayları sona eriyordu; sürekli karanlık vakti. Rachel devamlı gece topraklarına doğru uçtuğunu fark etti.

Geçen dakikalarla birlikte güneş, ufkun ardında kalarak tamamen kayboldu. Kuzeye doğru devam ederlerken, buzulumsu berrak havada bembeyaz asılı duran ay belirdi. Çok aşağılardaki okyanus dalgaları parıldıyor, buzdağları ise koyu renkte bir etamin üstüne serpiştirilmiş elmaslar gibi görünüyordu.

Rachel sonunda kara parçasının belli belirsiz şeklini seçebildi. Ama beklediği bu değildi. Uçağın önünde, karlarla kaplı muazzam büyüklükte dağlar uzanıyordu.

Aklı karışan Rachel, "Dağlar mı?" diye sordu. "Grönland'ın *kuzeyinde* dağlar mı var?"

Onun kadar şaşırmış görünen pilot, "Görünüşe göre öyle," dedi.

F-14 burnunu aşağı verirken Rachel tuhaf bir ağırlıksızlık hissine kapıldı. Kulaklarındaki çınlamaya rağmen, pilot kabininde yinelenen elektronik vızıltı sesini duyabiliyordu. Belli ki pilot bir tür rota belirleyici sinyale kilitlenmiş, onu takip ediyordu.

Bin metrenin altına indiklerinde Rachel, aşağıdaki ay ışığının aydınlattığı çarpıcı araziye baktı. Dağların eteklerinde geniş ve karlı bir düzlük uzanıyordu. Plato, okyanusa dikey inen buzlu bir kayalıkla birdenbire son bulana dek, denize doğru yaklaşık on beş kilometre ilerliyordu.

Rachel işte o anda gördü. Dünyanın herhangi bir yerinde şimdiye dek gördüğü hiçbir şeye benzemiyordu. İlk başta ay ışığının oyunu sandı. Ne gördüğünü tam manasıyla çıkaramadan, gözlerini kısarak karla kaplı alana baktı. Uçak alçaldıkça görüntü netleşiyordu.

Tanrı aşkına nedir bu?

Altlarındaki plato çizgiliydi... sanki birisi karı üç dev simli şeritle renklendirmiş gibi. Parlayan çizgiler kıyıdaki kayalıkla paraleldi. Uçak yüz elli metreye indiğinde optik yanılsama kendini belli etti. Üç simli şerit, her biri otuz metre genişliğinde derin oluklardı. Oluklara dolan su donmuş ve platoda paralel ilerleyen simli kanallara benzemişti. Aralarındaki beyaz yığınlar ise, kümelenmiş karın oluşturduğu setlerdi.

Platoya doğru alçalırlarken uçak ağır türbülans nedeniyle sallanıp sıçramaya başladı. Rachel iniş takımlarının gürültülü bir şangırtıyla açıldığını duydu ama hâlâ iniş çizgisini göremiyordu. Pilot, uçağa hâkim olmaya çalışırken Rachel dışarı göz attı ve kar setlerinin üstüne yerleştirilmiş, yanıp sönen iki elektronik ışık gördü. Pilotun yapmaya çalıştığını anladığında dehşete düştü.

"*Buza* mı iniş yapıyoruz?" diye sordu.

Pilot cevap vermedi. Dikkatini şiddetli rüzgâra vermişti. Uçak iyice alçalıp buz kanalına doğru inerken Rachel midesinin bıçaklandığını hissetti. Uçağın her iki yanında yüksek kar kümeleri vardı. Dar kanalda yapılacak en ufak hatanın ölüm anlamına geleceğini bilen Rachel nefesini tuttu. Sallanan uçak kar setlerinin arasında daha da alçaldığında türbülans birden durdu. Rüzgârdan iyice korunan uçak, buzun üstüne güvenle indi.

Tomcat'in arka yardımcı motorları gürleyerek uçağı yavaşlattılar. Rachel nefesini verdi. Jet, yüz metre kadar ilerledikten sonra, buzun üstüne boyanmış kırmızı çizgide durdu.

Sağ taraftaki manzara, ay ışığının aydınlattığı bir kar duvarından başka bir şey değildi; kar setin kenarı. Sol taraftaki manzara da benzerdi. Rachel sadece ön camdan bir şeyler görebiliyordu... sonsuz bir buz vadisi. Kendini ölü bir gezegene inmiş gibi hissetti. Buzun üstündeki çizgi dışında hayat belirtisi yoktu.

Rachel, onu sonra duydu. Uzaklardan yaklaşan bir başka motor sesi duyuldu. Ses perdesi yüksekti. Araç belirene dek ses gittikçe arttı. Bu, buz oluklarından onlara doğru gelen büyük, çok paletli bir kar traktörüydü. Yüksek ve cılız araç, döner ayaklar üstünde iştahını bileyerek üzerlerine doğru gelen, uzun boylu bilimkurgu böceklerine benziyordu. Şasinin üstünde, bir dizi projektörle yolunu aydınlatan, plastik camdan kapalı bir kabin vardı.

Araç, F-14'ün tam yanında sarsılarak durdu. Plastik cam kabinin kapısı açıldı ve merdivenden aşağıdaki buzun üstüne birisi indi. Baştan aşağı, ona şişirilmiş havası veren beyaz, kabarık bir tulum giymişti.

Bu garip gezegende en azından birilerinin yaşadığını görerek rahatlayan Rachel, *Mad Max, Pillsbury Dough Boy ile karşılaşır*, diye düşündü.

Adam, F-14 pilotuna kapağı açmasını işaret etti.

Pilot isteneni yerine getirdi.

Pilot kabini açıldığında, içeri giren esinti Rachel'ın kemiklerini anında iliklerine kadar dondurdu.

Kapat lanet kapağı!

Aşağıdaki kişi ona, "Bayan Sexton?" dedi. Amerikan aksanıyla konuşuyordu. "NASA adına size hoş geldiniz diyorum."

Rachel titriyordu. *Binlerce teşekkür.*

"Lütfen emniyet kemerinizi çözün, kaskınızı uçakta bırakın ve gövdedeki köprübaşını kullanarak aşağı inin. Sorunuz var mı?"

Rachel, "Evet," diye bağırdı. "Hangi cehennemdeyim?"

17

Marjorie Tench -Başkan'ın başdanışmanı- uzun bir yaratık iskeletiydi. Bir seksenlik sıska vücudu, Erector Set maket oyuncaklarının parçalarını andırıyordu. İki duyusuz gözle delinmiş parşömen kâğıdına benzeyen bir cildin oluşturduğu fesat yüzü, orantısız vücudunun üstünde duruyordu. Elli bir yaşında olmasına rağmen, yetmişinde gösteriyordu.

Tench, Washington'daki siyaset meydanında bir tanrıça sayılırdı. Gözle görünmeyen ayrıntıları görebilen analitik yeteneklere sahip olduğu söylenirdi. Dışişleri Bakanlığı'nın İstihbarat ve Araştırma Büroları'nda geçen görev süresi ona keskin ve kıvrak bir zekâ kazandırmıştı. Ne yazık ki Tench'in politik bilgisine eşlik eden soğuk mizacına pek çokları en fazla birkaç dakika dayanabilirdi. Marjorie Tench süper bir bilgisayar kafasına sahipti ve tabi onun sıcaklığına. Yine de Başkan Zach Herney kadının kişisel tuhaflıklarına taviz vermekte hiç güçlük çekmiyordu. Kadının zekâsı ve çalışkanlığı Herney'yi tek başına birinciliğe çıkarmaya yeterdi.

Onu Oval Ofis'e buyur etmek için ayağa kalkan Başkan, "Marjorie," dedi. "Senin için ne yapabilirim?" Ona oturacak yer göstermedi. Bilindik sosyal kibarlıklar, Marjorie Tench gibi kadınlara göre değildi. Eğer canı oturmak isterse, dilediği gibi otururdu.

"Personelle bu akşamüstü saat on altıda toplantı yapacağını duydum." Sesi sigaradan çatallaşmıştı. "Mükemmel."

Tench odada gezinince, Herney, onun beyninin içindeki karmaşık çarkların dönmeye başladığını sezinledi. Başkan müteşekkirdi. Marjorie Tench, NASA keşfini tam manasıyla anlayan az sayıdaki seçkin başkanlık çalışanından biriydi. Ayrıca onun siyasetteki bilgeliği, Başkan'ın stratejisini belirlemesine yardımcı oluyordu.

Tench öksürürken, "CNN'deki tartışma bugün saat on üçte," dedi. "Sexton'la ağız dalaşına kimi gönderiyoruz?"

Herney gülümsedi. "Yeniyetme bir kampanya sözcüsü." "Avcıya" asla büyük bir lokma göndermeyerek onu şaşırtma taktiği, münazara tarihi kadar eskiydi.

Boş gözlerini onunkilere diken Tench, "Benim daha iyi bir fikrim var," dedi. "Bırak bu işi ben halledeyim."

Zach Herney'nin başı aniden yukarı kalktı. "Sen mi?" *Ne düşünüyor bu kadın?* "Marjorie, senin işin medyaya çıkmak değil. Ayrıca yayın gün ortasında yapılacak. Başdanışmanımı göndermem ne tür bir mesaj verecek? Paniklediğimiz görüntüsünü çizecektir."

"Kesinlikle."

Herney, onu inceledi. Tench ne tür bir çapraşık plan kuruyor olursa olsun, Herney, onun CNN'e çıkmasına asla izin vermeyecekti. Marjorie

Tench'e bir bakan, onun sahne *arkasında* çalıştığını anlardı. Tench korkutucu görüntüye sahip bir kadındı. Başkan'ın Beyaz Saray mesajını iletmesini istediği türden bir yüz değildi.

"CNN'deki bu tartışmaya ben katılıyorum," diye yineledi. Bu kez sormuyordu.

Artık huzursuzlaşan Başkan, "Marjorie," diye kıvırmaya çalıştı. "Sexton'ın kampanyası, senin CNN'e çıkmanı Beyaz Saray'ın korktuğuna delil sayacaktır. Asıl silahımızı erkenden çıkarmak, bizi çaresiz gösterecektir."

Kadın sessizce başını sallayarak bir sigara yaktı. "Ne kadar çaresiz görünürsek, o kadar iyi."

Ardından gelen altmış saniye süresince Marjorie Tench, Başkan'ın alt kadrodan bir kampanya çalışanı yerine neden onu CNN'deki tartışmaya göndermesi gerektiğini açıkladı. Tench anlatmayı bitirdiğinde Başkan hayretle bakmaktan başka bir şey yapamadı.

Marjorie Tench bir kez daha siyasette dâhi olduğunu kanıtlamıştı.

18

Milne Buzul Katmanı, Kuzey Yarıküre'deki en geniş yüzer buz kütlesidir. Arktikteki Ellesmere Adası'nın kuzey kıyısından geçen seksen ikinci paralelin yukarısında bulunan Milne Buzul Katmanı, altı kilometre genişliğindedir ve kalınlığı dokuz yüz metrenin üzerindedir.

Buz traktörünün plastik cam bölmesine çıkan Rachel, onu ön koltukta bekleyen parka, eldivenler ve traktörün havalandırmasından gelen ısı için minnettardı. Dışarıda ise, buz pistin üstündeki F-14'ün motorları gürlüyor, uçak uzaklaşıyordu.

Rachel panikle başını kaldırdı. "Gidiyor mu?"

Yeni ev sahibi başını sallayarak traktöre bindi. "Siteye sadece teknik personel ve NASA acil destek takımı üyeleri girebilirler."

F-14 güneşsiz gökyüzüne doğru havalanırken Rachel aniden kendi başına bırakıldığı hissine kapıldı.

Adam, "Burdan IceRover'a bineceğiz," dedi. "Müdür bekliyor."

Rachel önlerindeki gümüşi patikaya göz gezdirerek, NASA müdürünün orada ne halt ettiğini tahmin etmeye çalıştı.

Birtakım manivela kollarını kavrayan NASA'lı adam, "Sıkı tutunun," diye bağırdı. Araç, öğütme hırlamaları çıkararak, ordu tankları gibi olduğu yerde doksan derece döndü. Şimdi yüzünü kar setin yüksek duvarına çevirmişti.

Dik yükseltiye bakan Rachel korkuya kapılmıştı. *Elbette niyeti bu değil...*

"Sallan yuvarlan!" Şoför debriyaja basınca, araç doğruca yükseltiye doğru ilerledi. Rachel bastırılmış bir çığlık atarak, sıkıca tutundu. Yükseltiye çarptıklarında, çivili paletler kara tutundu ve garip araç tırmanmaya başladı. Rachel, geriye devrileceklerinden emindi ama paletler eğimden yukarı çıkarken kabin tuhaf biçimde yere paralel kalmayı başarıyordu. Dev araç setin tepesine çıktığında şoför aracı durdurdu ve yumruklarını sıkan yolcusuna neşeyle baktı. "*Bunu* bir de SUV'de dene! Şok sistemi tasarımını Mars Pathfinder'dan alıp bu bebeğe ekledik. Mükemmel iş gördü."

Rachel benzi atmış bir halde başını salladı. "Muhteşem."

Artık kar setin üstünde duran Rachel, anlaşılmaz manzarayı seyretti. Önlerinde bir büyük set daha vardı, ondan sonra dalgalı şekiller birdenbire sona eriyordu. İleride ise buz, hafifçe eğimli bir genişliğe katışıyordu. Ay ışığının altındaki buz katmanı, daralarak dağların içine sokulduğu yere kadar uzanıyordu.

Dağları işaret eden şoför, "Bu, Milne Buzulu," dedi. "Ordan başlayıp şu an üstünde durduğumuz geniş deltaya kadar uzanır."

Şoför motora yeniden gaz verdiğinde, araç bu sefer dik tümsekten aşağı inerken Rachel sıkıca tutundu. Aşağı indiklerinde bir başka buz nehrinin üstünden geçip diğer sete tırmandılar. Tepeye varıp sonra hemen diğer taraftan aşağı indiklerinde pürüzsüz bir buz katmanının üstünde kaydılar ve buzulu ezerek ilerlemeye başladılar.

Önünde buzdan başka hiçbir şey göremeyen Rachel, "Ne kadar yol var?" diye sordu.

"Yaklaşık üç kilometre ilerde."

Rachel'a uzak gelmişti. Dışarıdaki rüzgâr, IceRover'ı durmaksızın yumrukluyor, sanki onları denize yuvarlamak istercesine plastik camı sarsıyordu.

Şoför, "Bu katabatik rüzgâr," diye seslendi. "Alışsan iyi edersin!" Bu bölgede katabatik -Yunanca aşağı doğru akan- denen, kıyıdan esen sürekli sert rüzgârlar olduğunu açıkladı. Aralıksız rüzgâra, buzul yüzeyinden aşağı sel suları gibi esen soğuk rüzgâr sebep oluyordu. Şoför kahkaha atarak, "Burası," dedi. "Dünyada cehennemin karlarla kaplı olduğu tek yer!"

Rachel dakikalar sonra uzaklardaki bulanık şekli -buzun üstünde yükselen devasa beyaz bir kubbe- görmeye başladı. Gözlerini ovuşturdu. *Ne biçim bir?...*

Adam, "Buralarda iri Eskimolar var galiba, ha, ne dersin?" diye espri yaptı.

Rachel yapıya anlam vermeye çalıştı. Küçültülmüş bir Houston Gök Rasat Kulesi'ne benziyordu.

Adam, "NASA bunu bir buçuk hafta önce yerleştirdi," dedi. "Şişirilebilir çok kademeli pleksipolisorbat. Parçaları şişir, birbirine tuttur, tüm yapıyı buza mıhla ve tellerle bağla. Büyük yuvarlak bir çadıra benziyor ama aslında NASA'nın bir gün Mars'ta kullanmayı ümit ettiği taşınabilir mesken prototipi. Biz buna 'habiküre' diyoruz."

"Habiküre mi?"

"Evet, anladın mı? Çünkü *tam* bir küre değil, sadece *habi*-küre."

Rachel gülümsedi ve şimdi daha yakından görünen buzullar üstündeki garip binaya baktı. "Ve NASA henüz Mars'a gitmediğinden, siz de onun yerine burda uyku partisi veriyorsunuz, öyle mi?"

Adam güldü. "Aslına bakarsan ben Tahiti'yi tercih ederdim, ama nerde kalacağıma kader karar verdi."

Rachel tereddütle yapıyı inceledi. Kirli beyaz dış yüzeyi, karanlık gökyüzüyle tezat oluşturuyordu. IceRover yapıya yaklaştı ve kubbenin yan tarafında, şimdi açılmakta olan küçük bir kapının önünde durdu. İçeriden gelen ışık demeti, karın üstüne döküldü. Birisi dışarı çıktı. Cüssesini daha da iri gösteren ve onu ayıya benzeten, siyah bir kazak giymiş hantal bir devdi. IceRover'a doğru hareket etti.

Dev adamın kim olduğuna dair Rachel'ın hiç şüphesi yoktu: Lawrence Ekstrom, NASA müdürü.

Şoförün yüzünde teselli edici bir gülümseme belirdi. "Cüssesine aldanma. Adam korkak farenin tekidir."

Ekstrom'un, kurduğu hayallerin önünde duranların kafalarını koparmakla ün saldığını gayet iyi bilen Rachel, *daha çok bir kaplan gibi*, diye düşündü.

Rachel IceRover'dan aşağı indiğinde rüzgâr neredeyse onu yere devirecekti. Kabanına iyice sarınarak kubbeye doğru ilerledi.

NASA müdürü, eldivenli dev pençesini ileri uzatarak onu yarı yolda karşıladı. "Bayan Sexton. Geldiğiniz için teşekkür ederim."

Rachel anlamsızca başını salladı ve uğuldayan rüzgârı bastırmak için bağırdı. "Samimi olmak gerekirse beyefendi, başka seçim şansım olduğunu sanmıyorum."

Buzulun bin metre ilerisinde duran Delta-Bir, kızılötesi dürbünüyle NASA müdürünün Rachel Sexton'ı kubbeden içeri alışını izledi.

19

NASA müdürü Lawrence Ekstrom, insan irisi, yanağından kan damlayan ve İskandinav tanrısı gibi hırçın görünüşlü biriydi. Kirpi gibi sarı saçları askeri tarzda kısa kesilmiş, iri burnunun üstü damarlarla örülmüştü. Taş gözleri sayısız uykusuz gecenin ağırlığıyla sarkmıştı. NASA'ya atanmadan önce Pentagon'da sözü geçen bir uzay strateji uzmanı ve operasyon danışmanı olan Ekstrom, hırçınlığı kadar, önündeki görev her ne olursa olsun kendini tartışmasız biçimde adamasıyla tanınırdı.

Rachel Sexton habikürenin içine doğru Lawrence Ekstrom'u takip ederken, kendini esrarengiz ve yarı saydam koridorlar labirentinde buldu. Labirent ağı, gergin tellere asılmış mat plastik örtülerle örülmüş gibiydi. Labirentin zemini yoktu; üstüne ulaşım amaçlı kauçuk şeritler serilmiş bir buz kütlesi. Karyola ve kimyasal tuvaletlerin bulunduğu basit bir ikamet alanını geçtiler.

Habikürenin içindeki hava, her ne kadar sıkışık mahallerde yaşayanlara eşlik eden birbirine karışmış kokuların potpurisiyle ağır olsa da, bereket versin ki sıcaktı. Koridordaki gevşek gerilim kablolarından sarkan çıplak ampullere güç veren elektrik kaynağı olduğu anlaşılan bir jeneratörün, bir yerlerden vınlama sesi geldi.

Onu belirsiz bir yöne doğru götüren Ekstrom, "Bayan Sexton," diye homurdandı. "Size karşı baştan açık olmak istiyorum." Sesinin tonundan Rachel'ı misafir olarak ağırlamaktan hiç de memnun olmadığı anlaşılıyordu. "Burdasınız, çünkü *Başkan* burda olmanızı istedi. Zach Herney, benim arkadaşım ve NASA'nın sadık bir destekleyenidir. Ona saygı duyuyorum. Ona borçluyum. Ve ona güveniyorum. Ona içerlediğim zamanlarda bile emirlerini sorgulamam. Şunu bilmenizi istiyorum, ortada bir terslik olmaması, Başkan'ın sizi bu konuya dahil etmekteki şevkine ortak olduğum anlamına gelmiyor."

Rachel bakmaktan başka bir şey yapamıyordu. *Dört bin beş yüz kilometre yolu bu türden bir misafirperverlik için mi kat ettim?* Adamın Martha Stewart olmadığı ortadaydı. Altta kalmayan Rachel, "Hatırınız kalmasın," diye atıldı. "*Ben de* Başkan'ın emriyle geldim. Bana burda bulunma sebebim açıklanmadı. Bu yolculuğu iyi niyetle yaptım."

Ekstrom, "İyi," dedi. "O zaman lafımı sakınmayacağım."

"Tebrikler, çok iyi başlangıç yaptınız."

Rachel'ın sert cevabı müdürü sarsmış gibiydi. Yürüyüşü bir süreliğine yavaşladı ve gözleriyle onu inceledi. Sonra, adeta çözülen bir yılan gibi uzun bir nefes vererek atışmaya devam etti.

Ekstrom, "Şunu iyi bilin ki," diye başladı. "Ben istemesem de, gizli bir NASA projesi için burda bulunuyorsunuz. Direktörü, NASA personelini çenesi düşük çocuklar gibi göstererek küçük düşürmekten hoşlanan UKO'nun bir temsilcisi olmakla birlikte, benim kuruluşumu yok etmeyi kendine görev edinmiş bir adamın kızısınız. Aslında bu NASA'nın en şaşaalı zamanı olacaktı; kadın ve erkek çalışanlarım son zamanlarda pek çok eleştirinin hedefi oldular ve bu zafer anını kesinlikle hak ediyorlar. Ne yazık ki, *babanız* tarafından yayılan bir şüphecilik fırtınası yüzünden NASA kendini, çalışkan personelimin tüm ilgiyi bir avuç gelişigüzel seçilmiş sivil bilim adamı ve bizi yok etmeye çalışan bir adamın kızıyla paylaşmak zorunda kaldığı bir durumda buluyor."

Rachel, *ben babam değilim,* diye haykırmak istedi ama NASA'nın başındaki kişiyle politika tartışmanın zamanı değildi. "Ben buraya ilgi çekmek için gelmedim efendim."

Ekstrom dik dik baktı. "Başka seçeneğiniz kalmayabilir."

Bu ima Rachel'ı çok şaşırtmıştı. Başkan Herney kendisine "kamusal" açıdan yardım edeceğine dair açık bir şey söylememiş olsa da, William Pickering, Rachel'ın siyasi bir piyon olabileceğine dair kuşkularını kesinlikle ortaya dökmüştü. Rachel, "Burda ne yaptığımı öğrenmek istiyorum," dedi.

"Sizin kadar ben de öyle. Bu bilgiye sahip değilim."

"Anlayamadım?"

"Siz geldiğiniz anda Başkan benden size keşfimizi her yönüyle anlatmamı istedi. Bu gösteride hangi rolü üstlenmenizi istediği sizinle onun arasında."

"Bana Yer Gözlem Sistemi'nizin bir keşifte bulunduğundan bahsetti."

Ekstrom, ona göz ucuyla şöyle bir baktı. "YGS Projesi'ni ne kadar iyi biliyorsunuz?"

"YGS, dünyayı farklı yollardan -okyanus haritalama, jeolojik fay analizleri, kutup buzlarının erimesinin gözlemlenmesi, fosil yakıtı rezervlerinin saptanması- inceleyen beş NASA uydusundan oluşan takımın adı."

Sesinden etkilenmediği anlaşılan Ekstrom, "Güzel," dedi. "O halde YGS takımına yapılan son ilaveyi de biliyorsunuzdur, öyle değil mi? KYYT deniliyor."

Rachel başını salladı. Kutupsal Yörüngeli Yoğunluk Tarayıcısı, küresel ısınmanın etkilerini ölçmek için tasarlanmıştı. "Bildiğim kadarıyla KYYT kutup buzullarının kalınlığını ve katılığını ölçüyor."

"Doğrusu öyle. Büyük sahaların bileşik yoğunluk taramasını yapmak ve buzdaki yumuşaklık anomalilerini saptamak için tayf kanalı teknolojisinden faydalanıyor."

Rachel, bileşik yoğunluk taramasını iyi biliyordu. Yeraltı ultrasonu gibi bir şeydi. UKO uyduları, Doğu Avrupa'da toprağın altındaki yoğunluk değişikliklerini araştırmak ve toplu mezar alanlarını saptamak için benzer teknoloji kullanmışlar ve bu da Başkan'a etnik temizliğin devam ettiğini ispatlamıştı.

Ekstrom, "İki hafta önce, KYYT şu buz kütlesinin üstünden geçerken, görmeyi beklemediğimiz bir yoğunluk anomalisi tespit etti. Yüzeyin altmış metre altında, katı buz kütlesine mükemmelce gömülmüş, yaklaşık üç metre çapında şekilsiz bir kürecik gördü."

Rachel, "Su cebi miydi?" diye sordu.

"Hayır. Sıvı değil. Tuhaftır ki, bu anomali etrafındaki buzdan daha *katıydı.*"

Rachel duraksadı. "O halde... kaya parçası gibi bir şey miydi?"

Ekstrom başını salladı. "Kesinlikle."

Rachel son noktayı koyacak cümleyi bekledi. Ama asla gelmedi. *NA-SA buzda büyük bir kaya parçası bulduğu için mi buradayım?*

"KYYT bu kayanın yoğunluğunu hesaplayana dek heyecana kapılmamıştık. İncelemesi için buraya hemen bir takım gönderdik. Sonunda, altımızdaki buzun içindeki kayanın, Ellesmere Adası'nda bulunan tüm kaya türlerinden çok *daha* yoğun olduğu anlaşıldı. Aslına bakarsanız, altı yüz elli kilometre yarıçapında bulunan tüm kaya türlerinden daha yoğun."

Rachel ayaklarının altındaki buza göz gezdirirken, dev kayanın aşağıda bir yerde olduğunu hayal etti. "Yani birisi onu buraya *getirmiş* mi diyorsunuz?"

Ekstrom belli belirsiz eğleniyor gibiydi. "Kaya sekiz tondan daha ağır. Katı buzun altmış metre altında gömülü, yani üç yüz yıldan fazla süredir el değmeden orda duruyor."

Rachel nöbet bekleyen iki silahlı NASA çalışanı arasından geçerek, müdürü uzun, dar bir koridorun girişine doğru izlerken yorulduğunu hissetti. Rachel, Ekstrom'a kısa bir bakış attı. "Sanırım taşın burdaki varlığının... ve tüm bu gizliliğin mantıklı bir açıklaması vardır."

Ekstrom ifadesiz bir yüzle, "Son derece mantıklı bir açıklaması var," dedi. "KYYT'nin bulduğu kaya parçası bir göktaşı."

Koridorda aniden duran Rachel, müdüre bakakaldı. "*Bir göktaşı mı?*" Üstünden adeta bir hayal kırıklığı dalgası geçti. Göktaşı, Başkan'ın büyük propagandasının yanında oldukça hafif kalıyordu. *Bu göktaşı tek başına NASA'nın geçmişte yaptığı tüm harcamaları ve hataları mazur mu gösterecek?* Herney ne sanıyordu? Göktaşları yeryüzünde en nadir bulunan taşlardı ama NASA sürekli göktaşları bulup dururdu.

Önünde dimdik duran Ekstrom, "Bu göktaşı şimdiye dek bulunanların en irisi," dedi. "Bin yedi yüzlerde Kuzey Buz Denizi'ne düştüğü belirlenen daha büyük bir göktaşının parçası olduğuna inanıyoruz. Okyanustaki çarpışmanın etkisiyle Milne Buzul Katmanı'na düşen fırlatma taşlardan biri olabilir ve büyük olasılıkla geçen üç yüz yıl süresince üzerine yağan karla yavaşça gömüldü."

Rachel kaşlarını çattı. Bu buluş hiçbir şeyi açıklamıyordu. Çaresiz durumdaki NASA ile Beyaz Saray'ın sahnelediği şişirilmiş bir tanıtıma tanık olduğu yolundaki şüpheleri giderek artıyordu. NASA'nın yer yerinden oynatacak zaferinden hatırı sayılır bir fayda elde etmeye çalışan, iki gayretli kurum.

Ekstrom, "Fazla etkilenmişe benzemiyorsunuz," dedi.

"Sanırım ben... başka bir şey bekliyordum."

Ekstrom'un gözbebekleri küçüldü. "Bu büyüklükteki bir göktaşına çok ender rastlanır Bayan Sexton. Dünyada daha büyük sadece birkaç tane var."

"Anlıyorum ki..."

"Ama bizi heyecanlandıran bu göktaşının *büyüklüğü* değildi."

Rachel başını kaldırıp baktı.

Ekstrom, "Bitirmeme izin verirseniz," dedi. "*Bu* göktaşının daha önce herhangi bir göktaşında rastlanmayan bazı şaşırtıcı özellikler gösterdiğini öğreneceksiniz. Büyük ya da küçük." Koridorun sonunu gösterdi. "Şimdi, beni takip ederseniz, sizi bu buluşu tartışma konusunda daha yetkili biriyle tanıştıracağım."

Rachel'ın aklı karışmıştı. "NASA müdüründen daha yetkili biriyle mi?"

Ekstrom mavi gözlerini onunkilere dikti. "Daha yetkili Bayan Sexton, üstelik kendisi bir sivil. Profesyonel bir veri analiz uzmanı olduğunuz için, verilerinizi *tarafsız* bir kaynaktan almayı tercih edeceğinizi düşündüm."

Tuş. Rachel pes etmişti.

Müdürü dar koridorda, yolları siyah, kapalı bir perdeyle kesilinceye kadar takip etti. Rachel perdenin arkasından, diğer taraftaki dev bir açık alanda yankı yapan sayısız sesin çıkardığı karmakarışık mırıltıları duyabiliyordu.

Müdür tek kelime etmeden uzanıp perdeyi yana çekti. Rachel parlak ışıkla neredeyse kör oluyordu. Tereddütle adım atıp parıldayan alana gözlerini kısarak baktı. Gözleri ışığa alıştığında önünde uzanan dev odaya baktı ve dehşet içinde nefes aldı.

"Tanrım," diye fısıldadı. *Burası neresi böyle?*

20

Washington D.C. yakınlarındaki CNN prodüksiyon tesisi, Atlanta'daki Turner Yayın Sistemi genel merkezlerini uydu aracılığıyla dünyaya bağlayan 212 stüdyodan biridir.

Senatör Sedgewick Sexton'ın limuzini park yerine çektiğinde saat 13.45 idi. Sexton araçtan inip girişe doğru ilerlerken halinden memnundu. O ve Gabrielle, içeride heyecanlı bir tebessüm takınmış, şişko göbekli bir CNN yapımcısı tarafından karşılandı.

Yapımcı, "Senatör Sexton," dedi. "Hoş geldiniz. Haberler harika. Beyaz Saray'ın size tartışma ortağı olarak kimi gönderdiğini az önce öğrendik." Yapımcı nahoş bir şekilde sırıttı. "Umarım hazırlıklı gelmişsinizdir." Yapım odasının camından içeriyi gösterdi.

Camdan bakan Sexton az kalsın yere düşecekti. Sigarasının dumanları ardından, siyasetteki en çirkin yüz ona bakıyordu.

Gabrielle, "Marjorie Tench mi?" deyiverdi. "Bu *kadının* burda ne işi var?"

Sexton'ın hiçbir fikri yoktu ama sebebi her ne olursa olsun, onun burada bulunuşu muhteşem bir haberdi. Başkan'ın çaresizlik içinde olduğunun açık bir kanıtı idi. Başdanışmanını cepheye başka neden göndermiş olabilirdi ki? Başkan Zach Herney büyük kozlarını oynuyor, Sexton ise bu fırsatı memnuniyetle değerlendiriyordu.

Düşman ne kadar büyük olursa, o kadar zor düşer.

Senatörün, Tench'in zorlu bir rakip olacağına hiç şüphesi yoktu ama kadına bir göz atan Sexton, Başkan'ın karar verirken ciddi bir hata yaptığını düşünmekten kendini alamadı. Marjorie Tench'in iğrenç bir görüntüsü vardı. İyice yayıldığı koltuğunda oturup sigarasını içiyor, sağ kolu ruhsuz bir ritimle ince dudaklarına doğru gidip gelirken, karnını doyuran dev bir peygamberdevesini andırıyordu.

Sexton, *Tanrım,* diye düşündü. *Bu suratın radyodan dışarı çıkmaması lazım.*

Sedgewick Sexton, Beyaz Saray başdanışmanının karamsar fotoğrafını dergide gördüğünde, Washington'daki en güçlü yüzlerden birine baktığına inanamamıştı.

Gabrielle, "Bundan hoşlanmadım," diye fısıldadı.

Sexton, ona pek kulak asmadı. Önüne çıkan fırsatı düşündükçe, hazzı artıyordu. Tench'in medya kaçıran yüzünden daha da sevindirici olan, saldığı ündü: Marjorie Tench, Amerika'nın gelecekteki liderlik rolünü sadece teknolojik üstünlükle koruyabileceğini iddia ediyordu. Hükümetin ileri teknoloji A&G programlarının ve en önemlisi NASA'nın hararetli bir destekleyicisiydi. Pekçokları, Başkan'ın gözden düşen uzay dairesinin arkasında böylesine sağlam durmasının sebebinin, Tench'in perde arkasındaki baskısı olduğuna inanıyordu.

Sexton, NASA'yı desteklemek konusundaki kötü tavsiyelerinden ötürü Başkan'ın şimdi Tench'i cezalandırdığından şüphelendi. *Baş danışmanını kurtlara yem olarak mı atıyor?*

Camın arkasından Marjorie Tench'i inceleyen Gabrielle Ashe, huzursuzluğunun arttığını hissetti. Bu kadın cin gibi akıllıydı ve beklenmedik bir hamleydi. Bu iki gerçek içgüdülerini telaşlandırıyordu. Bu kadının NASA konusundaki görüşleri düşünüldüğünde, Başkan'ın, Senatör Sexton'la yüzleşmeye onu göndermesi pek akıllıca sayılmazdı. Ama Başkan kesinlikle aptal değildi. İçinden bir ses Gabrielle'a bu tartışma programının kötü gideceğini söylüyordu.

Gabrielle, senatörün salyalarının aktığını hissedebiliyordu ama bu onun kaygısını dindirmeye yetmedi. Sexton kendinden emin olduğu zamanlarda ipin ucunu kaçırabiliyordu. NASA meselesinin kamuoyu yoklamalarında oylarını artırıcı etkisi olmuştu ama Gabrielle, Sexton'ın son zamanlarda gereğinden fazla bastırdığını düşünüyordu. Tek yapmaları gereken maçı bitirmekken, nakavt olan adaylar yüzünden pek çok kampanya kaybedilmişti.

Yapımcı yaklaşan kanlı karşılaşma için sabırsızlanıyordu. "Sizi hazırlayalım senatör."

Sexton stüdyoya yöneldiği sırada, Gabrielle, onu kolundan yakaladı. "Aklından ne geçtiğini biliyorum," diye fısıldadı. "Akıllı ol. Çizmeyi aşma."

"Çizmeyi aşmak mı? Ben mi?" Sexton sırıttı.

"Unutma, bu kadın işinde çok iyi."

Sexton, ona manalı bir ifadeyle tebessüm etti. "Ben de öyle."

21

NASA habiküresinin mağaramsı ana salonu, dünyanın neresinde olursa olsun alışılmadık bir manzara sayılırdı. Ancak Kuzey Kutbu'ndaki buz katmanının üstünde bulunduğu gerçeği, Rachel Sexton'ın durumu özümsemesini daha da güçleştiriyordu.

Başını kaldırıp birbirine geçmiş beyaz üçgen desteklerle örülü fütürist kubbeye bakan Rachel, dev bir sanatoryumun içine girdiğini hissetti. Duvarlar, nöbetçi gibi duran halojen lamba ordusunun çevrelediği buz zemine doğru eğimli bir biçimde iniyor, yukarı doğru yayılan keskin ışık tüm odaya geçici bir parlaklık veriyordu.

Buz zeminin üstünde kıvrılan siyah köpük yolluklar, taşınabilir çalışma bölümlerinden oluşan labirentin arasındaki gezinti yollarını andırıyordu. Elektronik cihazların ortasındaki otuz kırk beyaz önlüklü NASA çalışanı, neşe içinde ve heyecanlı ses tonlarıyla konuşuyordu. Rachel odadaki elektriği hemen algılamıştı.

Bu, yeni bir keşfin heyecanıydı.

Müdürle birlikte kubbenin dış kenarından ilerlerken, Rachel kendisini tanıyanların yüzündeki memnuniyetsizliği fark etti. Fısıltıları yankı yapan boşluktan açıkça duyulabiliyordu.

Bu Senatör Sexton'ın kızı değil mi?

Burada ne halt ediyor?

Müdürün onunla konuştuğuna bile inanamıyorum!

Rachel, babasının her yerden sallanan büyü yapılmış bebeklerini görmeyi bekliyordu. Bununla birlikte havada sadece husumet kokusu yoktu; Rachel bir de içten içe kendini beğenmişlik yaptıklarını hissediyordu. Sanki NASA son gülenin kim olacağını şimdiden biliyor gibiydi.

Müdür, Rachel'ı, bir adamın tek başına bilgisayar önünde oturduğu çalışma bölümüne kadar bir dizi masanın arasından geçirdi. Diğerlerinin giydiği kalın NASA elbiselerinin yerine bu adam siyah balıkçı yaka kazak, kalın fitilli kadife pantolon ve kaba denizci ayakkabıları giymişti. Arkası dönüktü.

Müdür yabancının yanına gidip onunla konuşurken Rachel'dan beklemesini istedi. Bir süre sonra balıkçı yaka kazak giyen adam cana yakın bir edayla başını sallayıp bilgisayarını kapatmaya koyuldu. Müdür, ona döndü.

"Artık sizinle Bay Tolland ilgilenecek," dedi. "Kendisi de Başkan'ın yeni çalışanlarından biridir, bu sebeple iyi anlaşacağınızı tahmin ediyorum. Ben size daha sonra katılacağım."

"Teşekkürler."

"Michael Tolland'ı tanıyorsunuz, değil mi?"

Beyni hâlâ akıl almaz ortamı algılamaya çalışan Rachel, omuzlarını silkti. "İsim çağrışım yapmadı."

Balıkçı yaka kazaklı adam sırıtarak yanına geldi. "Çağrışım yapmadı mı?" Dostane ve tınısı olan bir sesi vardı. "Gün boyunca duyduğum en iyi haber. Demek kimse üstünde ilk intiba bırakma fırsatı yakalayamayacağım."

Başını kaldırıp gelen kişiye baktığında, Rachel olduğu yere çakıldı kaldı. Adamın yakışıklı yüzünü bir bakışta tanımıştı. Onu Amerika'daki herkes tanıyordu.

Adam elini sıkarken kızarmış bir yüzle, "Ah," dedi. "Siz *şu* Michael Tolland'sınız."

Başkan, NASA keşfinin doğruluğunu kanıtlamak için birinci sınıf sivil bilim adamlarını işe aldığını söylediğinde, Rachel hayalinde ellerinde hesap makineleriyle bir grup kartaloz yürüyen beyin canlandırmıştı. Michael Tolland bu fikrin antiteziydi. Modern Amerika'da en çok tanınan "bilim adamlarından" biri olan Tolland, izleyicileri büyüleyici okyanus olaylarıyla -sualtı volkanları, üç metrelik deniz kurtları, katil dalgalar- yüz yüze getiren, *Amazing Seas* isimli haftada bir yayınlanan bir belgesel sunuyordu. Medya Tolland'ın bilgisini, mütevazı coşkusunu ve *Amazing Seas* Programı'nı liste yapan macera düşkünlüğünü vurgulayarak, onu Jacques Cousteau ile Carl Sagan arasında biri gibi göstererek göklere çıkarıyordu. Eleştirmenlerin çoğu, Tolland'ın haşin yakışıklılığıyla alçakgönüllülüğünün bayan seyircileri arasındaki popülaritesini zedelemediğini itiraf ediyordu.

Kelimeleri ağzında geveleyerek konuşan Rachel, "Bay Tolland..." dedi. "Ben Rachel Sexton."

Tolland şirin ve çarpık bir tebessümle karşılık verdi. "Merhaba Rachel. Bana Mike de."

Rachel'ın hiç de alışık olmadığı biçimde ağzı dili bağlanmıştı. Duyuları aşırı yüklenmişti... habiküre, göktaşı, sırlar, beklenmedik şekilde bir televizyon yıldızıyla yüz yüze gelmek. Telafi etme çabasıyla, "Sizi burda görmek beni şaşırttı," dedi. "Başkan, bana NASA keşfinin doğruluğunu onaylayacak sivil bilim adamlarını işe aldığını söylediğinde, sanırım benim beklediğim..." Tereddüt etti.

"*Gerçek* bilim adamları mıydı?" Tolland sırıttı.

Yerin dibine geçen Rachel kızardı. "Bunu söylemek istemedim."

Tolland, "Endişelenme," dedi. "Buraya geldiğimden beri tek duyduğum bu."

Daha sonra onlara katılacağına söz veren müdür, izin isteyerek yanlarından ayrıldı. Şimdi Tolland meraklı bir bakışla Rachel'a dönmüştü. "Müdür bana babanızın Senatör Sexton olduğunu söyledi, doğru mu?"

Rachel başını salladı. *Ne yazık ki.*

"Düşman hattının ötesinde bir Sexton casusu mu var?"

"Savaş hattı her zaman olduğunu sandığınız yerde değildir."

Garip bir sessizlik oldu.

Rachel aceleyle, "Söylesenize," dedi. "Dünyaca ünlü bir okyanus bilimcinin, bir avuç NASA füze bilim adamıyla buzullarda ne işi var?"

Tolland kendi kendine güldü. "Doğrusunu isterseniz, Başkan'a çok benzeyen biri benden kendisine bir iyilik yapmamı istedi. 'Cehennemin dibine git,' diyecektim ama kendimi, 'Peki efendim,' derken buldum."

Rachel sabahtan beri ilk kez güldü. "Kulübe hoş geldin."

Ünlülerin çoğu gerçek yaşamda göründüğünden daha kısa olduğu halde, Rachel, Michael Tolland'ın daha uzun olduğunu düşünüyordu. Kahverengi gözleri televizyonda göründüğü kadar zeki ve ateşliydi. Ayrıca sesinde aynı tutarlı sıcaklık ve coşku duyuluyordu. Kırk beş yaşlarında görünen atletik yapıdaki Michael Tolland'ın kalın telli siyah saçları dağınık perçemler halinde alnına düşüyordu. Belirgin bir çenesi ve kendinden emin olduğunu gösteren kaygısız bir tavrı vardı. Rachel'ın elini sıktığında, nasır tutmuş avuç içinin pütürleri tipik bir "narin" televizyoncu değil de, işin başında bizzat araştırma yapan usta bir denizci olduğunu düşündürmüştü.

Tolland utangaç bir sesle, "Doğrusunu söylemek gerekirse, bilimsel dağarcığım yerine halkla ilişkiler becerilerimden ötürü işe alındığımı düşünüyorum. Başkan buraya gelip kendisi için bir belgesel yapmamı istedi," dedi.

"Bir belgesel mi? *Göktaşı* hakkında mı? Ama siz okyanus bilimcisisiniz."

"Ben de kendisine aynen böyle söyledim! Ama bana göktaşı belgeseli yapan birilerini tanımadığını söyledi. Benim bu işle ilgilenmemin, keşfi için güvenilirlik sağlayacağını söyledi. Anlaşıldığı kadarıyla bu akşam keşfi ilan etmek üzere vereceği büyük basın konferansında benim belgeselimi kullanmayı planlıyor."

Ünlü bir sunucu. Rachel, iş üstündeki Zach Herney'nin kurnaz siyasi manevralarını tahmin edebiliyordu. NASA sıklıkla halkın anlamayacağı şekilde konuşmakla suçlanıyordu. Amerikalıların zaten tanıdığı ve bilimle ilgili konularda güvendiği usta bir bilim iletişimcisini kendi saflarına çekmişlerdi.

Tolland kubbenin çapraz köşesinde, basın alanının kurulduğu duvarı işaret etti. Buzun üstünde mavi bir halı, televizyon kameraları, medya ışıkları ve sürüyle mikrofonla dolu uzun bir masa vardı. Birisi sahne perdesi olarak, dev bir Amerikan bayrağı asıyordu.

Tolland, "Bu akşam için," diye açıkladı. "NASA müdürüyle, önde gelen bazı bilim adamları Başkan'ın saat yirmide ulusa seslenişine eşlik etmek için uydu aracılığıyla Beyaz Saray'a bağlanacaklar."

Zach Herney'nin bu duyurudan NASA'yı tamamıyla dışlamak niyetinde olmadığını öğrenmekten memnun olan Rachel, *uygundur,* diye düşündü.

Rachel içini çekerek, "Peki," dedi. "Bu göktaşıyla ilgili bu kadar özel ne olduğunu birisi sonunda bana anlatacak mı?"

Kaşlarını yukarıya kaldıran Tolland, gizemli bir şekilde gülümsedi. "Aslında bu göktaşıyla ilgili bu kadar özel olan şey anlatılmaz, *görülür.*" Rachel'a yan taraftaki iş bölümüne doğru kendisini takip etmesini işaret etti. "Burdaki adamın size gösterebileceği pek çok örnek var."

"Örnek mi? Sizde bu göktaşının *örnekleri* mi var?"

"Kesinlikle. Bayağı örnek delip çıkardık. Doğrusu NASA'yı buluşun önemi konusunda heyecanlandıran ilk nüve örnekleriydi."

Neyle karşılaşacağını tahmin edemeyen Rachel, Tolland'ı çalışma alanına kadar takip etti. Boş görünüyordu. Taş örnekleri, çap pergelleri ve diğer tanı aletleriyle darmadağın bir masanın üstünde bir fincan kahve duruyor, kahvenin buharı tütüyordu.

Etrafına bakınan Tolland, "Marlinson!" diye seslendi. Cevap gelmedi. Yüzünü buruşturarak içini çekip Rachel'a döndü. "Herhalde kahvesine krema bulmaya çalışırken kayboldu. Ben bu adamla Princeton'da doktora yaptım, inanın kendi kaldığı yurtta bile kayboluyordu. Şimdi astrofizik dalında Ulusal Bilim Madalyası sahibi. Çok başarılı."

Rachel'ın jetonu geç düştü. "Marlinson mı? Herhalde ünlü Corky Marlinson'dan bahsetmiyorsunuz değil mi?"

Tolland kahkaha attı. "Bizzat kendisi."

Rachel çok şaşırmıştı. "Corky Marlinson *burda* mı?" Marlinson'ın yerçekimi alanları hakkındaki fikirleri UKO uydu mühendisleri arasında efsane olmuştu. "Marlinson, Başkan'ın işe aldığı siviller arasında mı?"

"Evet, *gerçek* bilim adamlarından biri."

Rachel, *gerçek doğrudur,* diye düşündü. Corky Marlinson hem zeki, hem de saygı duyulan biriydi.

Tolland, "Corky hakkındaki inanılmaz paradoks ise," dedi. "Alfa Erboğa'ya(*) olan mesafeyi milimetresine kadar bildiği halde kendi kravatını bağlayamaması."

Yakınlardan yumuşak ve genizden gelen bir ses, "Ben klipslilerden kullanıyorum!" diye seslendi. "Kullanışlılık, tarzdan önce gelir Mike. Siz Hollywood tipleri bunları anlamazsınız!"

(*) Sadece 400 kuzey enleminin güneyinden gözlemlenebilen üçlü yıldız. Yerden gözlemlendiğinde gökyüzünün en parlak üçüncü yıldızı olarak görülür.

Rachel ile Tolland, elektronik aygıtların arkasından beliren adama yüzlerini döndüler. Top gibi yuvarlak başından dökülmeye yüz tutmuş saçlarıyla, mavi gözlü buldog köpeğine benzeyen, bodur ve tombul biriydi. Adam, Tolland'ı Rachel'la yan yana görünce olduğu yerde kaldı.

"Ah Tanrım, Mike! Bu işe yaramaz Kuzey Kutbu'nda bile muhteşem kadınlarla tanışabiliyorsun. Biliyorum, ben de televizyona çıkmalıydım!"

Michael Tolland'ın mahcup olduğu aşikârdı. "Bayan Sexton, lütfen Dr. Marlinson'ı mazur görün. Nezaket konusundaki eksikliğini, evrenimiz hakkında tamamen gereksiz, ayrıntılı bilgilerle doldurmaya çalışıyor."

Corky yaklaştı. "Şeref duydum bayan. İsminizi tam anlayamadım."

"Rachel," dedi. "Rachel Sexton."

Corky neşeli bir edayla, nefesi kesilmiş gibi yaptı. "Şu dar görüşlü, ahlaksız senatörle ilgisi yoktur umarım!"

Tolland geriye doğru çekildi. "Corky, aslına bakarsan Senatör Sexton, Rachel'ın babası."

Gülmeyi bırakan Corky, kamburunu çıkardı. "Biliyor musun Mike, bayanlar konusunda şansımın gülmeyişine şaşmamak gerek."

22

Ödüllü astrofizikçi Corky Marlinson, Rachel ile Tolland'ı kendi çalışma bölümüne sürükleyerek, aletleriyle taş örneklerini elden geçirmeye başladı. Adam iyice sıkıştırılmış, patlamak üzere bir sivilceymiş gibi hareket ediyordu.

Heyecandan titreyen bir sesle, "Pekâlâ," dedi. "Bayan Sexton, otuz saniyelik Corky Marlinson göktaşı sunusunu izlemek üzeresiniz."

Tolland, Rachel'a sabret manasında göz kırptı. "Ona karşı hoşgörülü olun. Adam gerçekten aktör olmak istiyordu."

"Ya evet, Mike da saygı duyulan bir bilim adamı olmak istemişti." Corky bir ayakkabı kutusunu karıştırıp içinden taş örnekleri çıkardı ve masanın üstüne yaydı. "Bunlar, dünyada bulunan göktaşlarının üç ana sınıfını oluşturuyor."

Rachel örneklere baktı. Hepsi de golf topu büyüklüğünde garip küremsi cisimlere benziyordu. Her biri kesitini görmek amacıyla ortadan ikiye bölünmüştü.

Corky, "Tüm göktaşlarında," dedi. "Farklı miktarlarda nikel-demir alaşımları, silikatlar ve sülfitler bulunur. Biz bunları metal-silikat oranlarına göre sınıflandırırız."

Rachel, Corky Marlinson'ın göktaşı "sunusunun" otuz saniyeden fazla süreceğini düşünmeye başlamıştı bile.

Parlak, siyah-kehribar renginde bir taşı gösteren Corky, "Bu ilk örnek, demirli bir göktaşı. Çok ağır. Bu küçük şey Antarktika'ya birkaç yıl önce iniş yaptı," dedi.

Rachel göktaşını inceledi. Kesinlikle başka bir dünyaya aitmiş gibi görünüyordu; dış kabuğu yanmış ve kararmış, ağır, grimsi bir demir topağı.

Corky, "Bu kavrulmuş dış katmana füzyon kabuk denir," dedi. "Meteor atmosferimize düşerken meydana gelen aşırı ısının sonucudur. Tüm göktaşlarında bu kavrulma görülür." Corky hemen diğer örneğe geçti. "Bu diğeri ise, taşsı-demirli göktaşı dediğimiz türden."

Rachel örneği incelerken, onun da dış yüzeyinin kavrulmuş olduğunu fark etti. Ama bu örneğin açık yeşil bir rengi vardı ve kesiti, açılı parçacıklardan oluşan renkli bir kaleydoskopu andırıyordu.

Rachel, "Hoş," dedi.

"Şaka mı yapıyorsunuz, *muhteşem!*" Corky yaklaşık bir dakika yeşil parıltıya neden olan yüksek magnezyum silikatından bahsettikten sonra, heyecanla üçüncü ve son örneği alarak, Rachel'a uzattı.

Rachel son göktaşını avucunun içinde tuttu. Bu, grimsi kahve rengiyle granite benziyordu. Dünyadaki taştan daha ağır geliyordu ama çok da değil. Normal bir taş olmadığının tek göstergesi, füzyon kabuk, yanık dış yüzeyiydi.

Corky bitiriş cümlelerini kurarak, "Buna taşsı göktaşı denir. En sık rastlanan göktaşı bu sınıftandır. Yeryüzünde rastlanan göktaşlarının yüzde doksanından fazlası bu kategoriye girer," dedi.

Rachel şaşırmıştı. Göktaşlarını hep ilk örnek gibi hayal etmişti; metalik, tuhaf görünüşlü topaklar. Elindeki göktaşı hiç de dünya dışındanmış gibi görünmüyordu. Kavrulmuş dış yüzeyi hesaba katılmazsa, kumsalda pekâlâ üstüne basıp geçebileceği bir şey gibiydi.

Şimdi Corky'nin gözleri heyecanla açılmıştı. "Burda, Milne'de buzun altına gömülü olan göktaşı, taşsı bir göktaşı; elinizde tuttuğunuza çok benziyor. Taşlı göktaşları, nerdeyse yeryüzündeki volkanik taşlarla aynıdır, bu yüzden fark edilmeleri zordur. Genellikle hafif silikatların karışımıdır: feldispat, magnezyum silikatı, piroksen. Fazla ilgi çekici değil."

Örneği ona geri uzatan Rachel, *bence de,* diye düşündü. "Bu, birinin şömineye bırakıp yaktığı bir taşa benziyor."

Corky gülmekten katıldı. "*Hem de* ne şömine! Şimdiye dek yapılmış en güçlü fırın bile, göktaşı atmosferimize çarptığında oluşan ısının yanından geçemez. Harap olurlar!"

Tolland, Rachel'a duyarlı bir şekilde tebessüm etti. "Bu daha iyi kısmı."

Göktaşı örneğini Rachel'dan alan Corky, "Şunu düşünün," dedi. "Bu küçük şeyin, bir ev büyüklüğünde olduğunu hayal edin." Örneği başının üstüne kaldırdı. "Pekâlâ... Bu şimdi uzayda... güneş sistemimizde süzülüyor... uzayın eksi yüz santigrat derecelik soğuğunda buz tutmuş."

Göktaşının Ellesmere Adası'na geliş canlandırmasını daha önce de görmüş olduğu anlaşılan Tolland, kendi kendine gülüyordu.

Corky örneği aşağı indirmeye başladı. "Göktaşımız dünyaya doğru hareket ediyor... iyice yaklaşıyor, yerçekimi alanına giriyor... hızlanıyor... hızlanıyor..."

Rachel, Corky'nin yerçekimi gücünü taklit ederek örneği hızlandırmasını seyretti.

Corky ansızın, "Artık çok hızlı hareket ediyor," dedi. "Saniyede on altı kilometreden daha hızlı; saatte elli yedi bin altı yüz kilometre. Yerkabuğunun 135 kilometre üstündeyken göktaşı atmosferde sürtünme etkisine maruz kalır." Corky örneği buza doğru indirirken, şiddetlice sallıyordu. "Yüz kilometrenin altına düştüğünde kor haline gelmiştir. Artık atmosfer yoğunluğu artmıştır ve sürtünme etkisi muazzamdır! Yüzeyindeki maddeler ısıdan erirken, göktaşının etrafındaki hava parlamaya başlar." Corky yanma ve cızırdama sesleri çıkarıyordu. "Artık sekseninci kilometredeki sınırı geçmiştir ve dış yüzey bin sekiz yüz santigrat derecenin üstünde ısınmıştır!"

Rachel, başkanlığın ödüllü astrofizikçisini göktaşını daha da şiddetle sallarken ve çocukça, tükürüklü ses efektleri çıkarırken seyrettiğine inanamıyordu.

"Altmış kilometre!" Corky artık bağırıyordu. "Göktaşımız atmosfer duvarıyla karşılaşır. Hava çok yoğundur! Hızını yerçekimi gücünden üç yüz kat fazla oranda keser!" Corky gıcırtılı bir fren sesi çıkarıp düşüş hızını aniden yavaşlattı. "Göktaşı bir anda soğur ve parlama sona erer. Karanlık uçuş başlar. Göktaşının yüzeyi sertleşerek ergimişten, kavrulmuş füzyon kabuk haline geçer."

Rachel, Corky öldürücü darbeyi -yeryüzüyle çarpışma anını- sahnelemek üzere çömelirken, Tolland'ın esnediğini duydu.

Corky, "Artık dev göktaşımız atmosferin aşağı kısımlarında sıçrayarak ilerlemektedir..." Dizleri üstünde dururken, hafifçe yan yatırdığı göktaşıyla yere doğru kavis çizdi. "Kuzey Buz Denizi'ne yönelir... geniş bir açıyla... düşerken... sanki okyanusun üstünden kayıp geçecek gibidir... düşmeye devam eder... ve... " Örneği buza değdirdi. "BAM!"

Rachel yerinde sıçradı.

"Çarpışma etkisi kıyamet gibidir! Göktaşı patlar. Parçacıkları okyanus üstünde sıçrayıp dönerek etrafa uçuşurlar." Corky şimdi örneği ağır çekimde, hayali bir okyanus üzerinde Rachel'ın ayaklarına doğru yuvarlayıp döndürüyordu. "İçlerinden biri, bir yandan dönerken Ellesmere Adası'na doğru kaymaya devam eder..." Örneği ayağının dibine kadar getirdi. "Okyanus üstünde zıplayarak, karaya konar." Göktaşını yukarı kaldırdı ve ayakkabısının burnu üstünde ilerleterek, bileğinin başladığı yere kadar yuvarlayıp durdu. "Ve sonunda, karla buzun onu atmosferik erozyondan koruyarak çarçabuk kaplayacağı Milne Buzul Katmanı'nın üstünde durur." Corky gülümseyerek ayağa kalktı.

Rachel'ın ağzı açık kalmıştı. Etkilendiğini gösterir biçimde güldü. "Şey, Dr. Marlinson, bu açıklama son derece..."

Corky, "Anlaşılır mıydı?" diye sordu.

Rachel gülümsedi. "Tek kelimeyle."

Corky örneği ona geri uzattı. "Kesite bakın."

Rachel bir süre, hiçbir şey görmeden taşın içini inceledi.

Tolland sıcak ve kibar bir sesle, "Işığa tutun," dedi. "Ve yakından bakın."

Rachel taşı gözlerine iyice yaklaştırarak, başının üstündeki göz kamaştırıcı halojen lambalarına doğru tuttu. Artık görüyordu; taşın içinde parıldayan minik metalik yuvarlaklar. Her biri en fazla bir milim çapındaki yuvarlaklardan düzinelercesi, miniskül cıva damlaları gibi kesite yayılmışlardı.

Corky, "Bu küçük baloncuklara 'gökkumu' denir," dedi. "Ve onlara *sadece* göktaşlarında rastlanır."

Rachel gözlerini kısıp yuvarlaklara baktı. "Doğrudur, ben dünyadaki taşlarda hiç böyle bir şey görmedim."

Corky, "Görmeyeceksiniz de!" diye üsteledi. "Gökkumları, yeryüzünde bulunmayan jeolojik bir yapıdır. Bazı gökkumları son derece eskidir; belki de evrende ilk meydana gelen materyaller onlardı. Bazı gökkumlarıysa daha gençtir, mesela elinizdeki gibiler. Bu göktaşındaki gökkumları sadece 190 milyon yıl öncesine ait."

"Yüz doksan milyon yıla *genç mi* diyorsunuz?"

"Yaa öyle işte! Kozmolojik dilde bu daha dün demek. Ama burdaki asıl önemli nokta, bu örnekte *gökkumlarının* bulunması, göktaşı olduğunun kesin kanıtı."

Rachel, "Tamam," dedi. "Gökkumları kesin kanıt. Anladım."

Göğsünü şişirip içini çeken Corky, "Ve son olarak," dedi. "Eğer füzyon kabuk ve gökkumları sizi ikna etmezse, biz astronomların bunun göktaşı olduğunu ispatlamasının kusursuz bir yöntemi var."

"Varlığı mı?"

Corky ilgisiz bir edayla omuzlarını silkti. "Sadece bir petrografik polarlayıcı mikroskobu, bir X-ışını flüorişi spektrometre, bir nötron etkinleştirme çözümleyici ya da mıknatıs kuvveti oranları hesaplamak için indüksiyon gücü iki katına çıkarılmış plazma spektrometre kullanıyoruz."

Tolland inler gibi bir ses çıkardı. "Artık hava atmaya başladı. Corky aslında, bir taşın göktaşı olduğunu kimyasal içeriğini ölçerek kanıtlayabiliriz demeye çalışıyor."

Corky, "Bana bak okyanus adamı!" diye çıkıştı. "Bilimi bilim adamlarına bırakalım, olmaz mı?" Ardından hemen Rachel'a döndü. "Dünyadaki taşlarda nikel mineraline, ya son derece yüksek ya da son derece düşük oranlarda rastlanır; orta karar diye bir şey yoktur. Göktaşlarındaysa, nikel içeriği orta seviyelerdedir. İşte bu yüzden bir örneği tahlil ettiğimizde, nikel içeriği ortalama miktarlardaysa, hiç şüphe duymadan bu örneğin bir göktaşı olduğunu söyleyebiliriz."

Rachel çileden çıkmaya başladığını hissetti. "Pekâlâ beyler, füzyon kabuk, gökkumları, ortalama miktarda nikel, tüm bunlar taşın uzaydan geldiğini kanıtlıyor. Anlayabiliyorum." Örneği Corky'nin masasına bıraktı. "Ama ben neden burdayım?"

Corky hatırı sayılır bir şekilde soluk aldı. "NASA'nın aşağıdaki buzun altında bulduğu göktaşının bir örneğini görmek ister misiniz?"

Ömrüm tükenmeden mümkünse.

Corky bu sefer göğsündeki cepten küçük, disk şeklinde bir taş çıkardı. Yaklaşık bir santim kalınlığındaki taşın şekli müzik CD'leri gibiydi.

Ayrıca Rachel'ın az önce gördüğü taşsı göktaşıyla aynı yapıda görünüyordu.

"Bu, dün kestiğimiz nüve örneğinden bir parça." Corky diski Rachel'a uzattı.

Yer yerinden oynatacak bir görüntüsü yoktu. Daha önce gördüğü örnek gibi, turuncumsu beyaz renkte ağır bir taştı. Kenarın bir bölümü siyah ve yanıktı, göktaşının dış yüzeyine ait bir bölüm olduğu anlaşılıyordu. "Füzyon kabuğu görüyorum," dedi.

Corky başını salladı. "Evet, bu örnek göktaşının dış yüzeyine yakın bir yerden alındı, bu yüzden kabuğa ait bazı kısımlar var."

Diski ışığa tutan Rachel, minik metalik taneleri fark etti. "Ayrıca gökkumlarını da görüyorum."

Corky heyecanlı bir sesle, "Güzel," dedi. "Size bu şeyi petrografik polarlayıcı mikroskobundan geçirdiğim için orta miktarlarda nikel içerdiğini de söyleyebilirim; dünyaya ait bir taş değil. Tebrikler, elinizde tuttuğunuz taşın uzaydan geldiğini doğrulamış bulunuyorsunuz."

Rachel şaşkın bir halde başını kaldırdı. "Dr. Marlinson, bu bir göktaşı. *Zaten* uzaydan gelmesi gerekiyor. Burda benim anlamadığım bir şey mi var?"

Corky ile Tolland birbirlerine bilmiş bilmiş baktılar. Elini Rachel'ın omzuna koyan Tolland, "Arkasını çevir," diye fısıldadı.

Rachel diğer tarafı görebileceği şekilde diskin arkasını çevirdi. Neye baktığını anlaması bir saniyesini almıştı.

Ardından gerçek Rachel'a kamyon gibi çarptı.

İmkânsız, diye yutkunurken taşa baktı ve kendi bildiği "imkânsız" kelimesinin manasının sonsuza dek değiştiğini fark etti. Dünyadaki denginde sıradan sayılabilecek ama göktaşında bulunması akla hayale gelmeyecek bir şey taşın içinde gömülüydü.

"Bu..." Rachel kelimeyi telaffuz etmekte güçlük çekerek kekeliyordu. "Bu... bir *böcek! Bu göktaşında bir böcek fosili var!*"

Hem Tolland'ın, hem de Corky'nin yüzüne neşe gelmişti. Corky, "Bravo," dedi.

Rachel'ı kaplayan duygu fırtınası bir süre nutkunun tutulmasına neden oldu. Ama şaşkınlığı yaşarken bile bu fosilin, sorulara hiç mahal bırakmaksızın, bir zamanlar yaşayan biyolojik bir organizma olduğunu anlayabiliyordu. Taşa dönüşmüş iz yaklaşık sekiz santim uzunluğundaydı ve bir çeşit büyük kanatlı ya da sürüngen böceğin alt kısmına benziyordu. Koruyucu bir dış tabakanın altında, armadillo zırhlarındaki gibi parçalara ayrılmışa benzeyen, yedi çift eklembacak toplanmıştı.

Rachel sersemlediğini hissetti. "Uzaydan gelen bir böcek..."

Corky, "O bir eşbacaklı," dedi. "Böceklerin üç çift bacağı olur, yedi değil."

Rachel, onu duymamıştı bile. Önündeki fosili incelerken başı dönüyordu.

Corky, "Sırt kabuğun, dünyadaki tespih böceklerinin zırh kabukları gibi parçalı olduğunu açıkça görebilirsiniz, ama kuyruk benzeri iki uzantı yüzünden daha çok bite benziyor."

Rachel'ın zihni Corky'nin söylediklerini dikkate almıyordu. Türlerin sınıflandırılmasının konuyla ilgisi yoktu. Şimdi bulmacanın parçaları yerine oturmaya başlamıştı... Başkan'ın gizlilik telaşı, NASA'nın heyecanı...

Göktaşının içinde bir fosil var! Bir bakteri ya da mikrop değil, gelişmiş bir hayat biçimi! Evrende başka bir yerde yaşam olduğunun kanıtı!

23

CNN'deki tartışma başlayalı on dakika olmuştu ve Senatör Sexton neden hiç endişelenmediğini daha iyi anlıyordu. Marjorie Tench rakip olarak gereğinden fazla büyütülmüştü. Başdanışman amansız bir zekâya sahip olduğu yönündeki ününe rağmen, zorlu bir rakip olmaktan çıkıp kurbanlık koyun konumuna düşmeye başlamıştı.

Sohbetin başlarında Tench, senatörün geçmiş hayatında kadınlara karşı davranışlarını ön plana çıkararak üstünlük sağlamıştı ama senatör tam pençesine düşmek üzereyken Tench düşüncesiz bir hata yapmıştı. Vergileri arttırmadan senatörün eğitim hayatındaki gelişmelere nasıl fon sağlayacağını sorgularken, Sexton'ın NASA'yı sürekli günah keçisi ilan ettiğini küçümseyici bir tavırla ima etmişti.

NASA, Sexton'ın daima konuşmanın sonlarına doğru değinmek istediği bir konu olmasına rağmen, Marjorie Tench kapıyı erken açmıştı. *Salak!*

Sexton hiç ara vermeden, "NASA'dan bahsetmişken," dedi sıradan bir ifadeyle. "NASA'nın kısa süre önce yaşadığı başka bir başarısızlık yüzünden zor zamanlar geçirdiğiyle ilgili duyduğum dedikodular için bir yorum yapabilir misiniz?"

Marjorie Tench kılını bile kıpırdatmadı. "Üzgünüm ama ben böyle bir dedikodu duymadım."

"Yani, yorum yok mu?"

"Korkarım yok."

Sexton, onu gözüyle adeta yedi. Medya dünyasında "yorum yok" demek "sanık suçludur" manasına geliyordu.

Sexton, "Anlıyorum," dedi. "Peki ya Başkan'la NASA müdürü arasında gizli ve acil bir toplantı yapıldığı söylentileri?"

Tench bu sefer şaşırmış görünüyordu. "Hangi toplantıdan bahsettiğinizi tam anlayamadım. Başkan'ın pek çok toplantısı olur."

"Elbette olur." Sexton, ona doğrudan saldırmaya karar vermişti. "Bayan Tench, siz uzay dairesini destekliyorsunuz, öyle değil mi?"

Sexton'ın anlamsız tartışmalarından usanmış gibi bir ses çıkaran Tench içini çekti. "Amerika'nın teknolojik üstünlüğünü korumanın önemine inanıyorum; bu ister askeri, ister istihbarat, isterse telekomünikasyon alanında olsun. NASA kesinlikle bu vizyonun bir parçasıdır. Evet."

Sexton yapım odasında Gabrielle'ın ona geri çekilmesini söyleyen gözlerini görebiliyordu ama kan kokusu almaya başlamıştı. "Merak ediyorum efendim, Başkan bu hasta kurumu *sizin* tesirinizle mi hiç durmadan destekliyor acaba?"

Tench başını iki yana salladı. "Hayır. Başkan'ın kendisi de NASA'ya kesin bir biçimde inanır. Kendi kararlarını kendisi verir."

Sexton kulaklarına inanamıyordu. Az önce Marjorie Tench'e, NASA'ya sağlanan fon konusundaki suçlamaların bir kısmını üstlenerek, Başkan'ı temize çıkarması için şans tanımıştı. Bunu yapmak yerine Tench topu doğrudan Başkan'a atmıştı. *Başkan kendi kararlarını kendisi verir.* Sanki Tench kendini zor durumdaki bir kampanyadan soyutluyor gibiydi. Şaşırmamak gerekirdi. Ama ortalık yatıştıktan sonra Marjorie Tench kendine iş aramak zorunda kalacaktı.

Sonraki birkaç dakika süresince Sexton ile Tench soruları sorularla sıvıştırdılar. Tench konuyu değiştirmek için birkaç başarısız girişimde bulunurken, Sexton, onu NASA bütçesi konusunda sıkıştırmaya devam etti.

Tench, "Senatör," diye çıkıştı. "NASA bütçesini kısmak istiyorsunuz ama ileri teknolojide çalışan kaç kişinin işini kaybedeceğini biliyor musunuz?"

Sexton neredeyse kadına kahkahalarla gülecekti. *Washington'da kabul edilen en zeki beyin bu kadına mı ait?* Tench'in ülke nüfusbilimi hakkında mutlaka bir şeyler öğrenmesi gerekiyordu. İleri teknolojide çalışanlar, çalışkan işçilerin sayısıyla mukayese edildiğinde önemsiz kalırdı.

Sexton saldırıya geçti. "Biz burda *milyarlar* kurtarmaktan bahsediyoruz Marjorie, eğer bunun sonucunda bir avuç NASA bilim adamı BMW'lerine atlayıp başka bir yerde iş bulmak zorunda kalacaklarsa kalsınlar. Ben harcama konusunda sıkı davranmaya ant içtim."

Marjorie Tench, sanki bu son yumruktan sersemlemiş gibi sustu.

CNN sunucusu araya girdi. "Bayan Tench? Bir tepki verecek misiniz?"

Kadın sonunda boğazını temizleyip konuştu. "Sanırım Bay Sexton'ın kendisini NASA karşıtı ilan etmeye bu kadar hevesli olduğunu gördüğüme şaşırdım."

Sexton gözlerini kıstı. *İyi denemeydi bayan.* "Ben NASA karşıtı değilim ve suçlamaya içerledim. Ben sadece NASA bütçesinin, Başkan'ınızın aşırıya kaçmış harcamaları onayladığını belli ettiğini söylüyorum. NASA uzay mekiğini beş milyara yapabileceğini söylemişti; on iki milyara mal oldu. Uzay istasyonunu sekiz milyara inşa edebileceklerini söylediler; şimdi yüz milyar oldu."

Tench, "Amerikalılar liderdir," diye karşılık verdi. "Çünkü bizler yüksek hedefler beller, zor zamanlarda bu hedeflere bağlı kalırız."

"Bu milli gurur nutku bana işlemiyor Marge. NASA geçen iki yıl içinde kendisine ayrılan miktarı üç kez aştı ve kuyruğunu bacaklarının arasına kıstırarak, hatalarını düzeltmek için Başkan'dan para dilendi. Milli gurur bu mu? Milli gururdan bahsetmek istiyorsan, okullardan bahsedelim. Genel sağlık koşullarından bahsedelim. Fırsatlar ülkesinde büyüyen akıllı çocuklardan bahsedelim. Milli gurur *budur!*"

Tench sinirle parladı. "Size açık bir soru sorabilir miyim senatör?"

Sexton cevap vermedi. Sadece bekledi.

Kadının bilerek seçilmiş kelimeleri beklenmedik bir yiğitlikle ağzından dökülüverdi. "Senatör eğer size, NASA mevcut harcamaları yapmadan uzayı keşfedemeyeceğimizi söylersem, uzay dairesini toptan kaldırmaya mı çalışırsınız?"

Soru, Sexton'ın kucağına düşen bir kaya etkisi yaratmıştı. Belki de Tench o kadar aptal değildi. Sexton'ı "kaçamak cevaplarla" zayıf noktasından yakalamıştı. Kaçamak cevaplar veren rakibi hangi tarafta olduğunu açıklamaya ve bir daha değiştirmemek üzere tek bir tarafı tutmaya zorlayan, ustalıkla hazırlanmış bir evet/hayır sorusuydu.

Sexton içgüdüsel olarak yan çizmeye çalıştı. "Ben eminim ki, uygun bir yönetimle NASA, uzayı bugünkünden çok daha az maliyetle..."

"Senatör Sexton, soruya cevap verin. Uzayı keşfetmek tehlikeli ve maliyetli bir iştir. Yolcu uçağı yapmaya benzer. Bu işi ya *doğru düzgün* yaparız ya da hiç yapmayız. Çok fazla riski vardır. Sorum hâlâ geçerli: Eğer siz Başkan olursanız ve NASA harcamalarını mevcut seviyede tutmakla ABD uzay programını tamamıyla kaldırmak arasında karar verme aşamasına gelirseniz, hangisini tercih edersiniz?"

Kahretsin. Sexton başını kaldırıp camın ardındaki Gabrielle'a baktı. Yüzündeki ifade Sexton'ın zaten bildiği bir şeyi haykırıyordu. *Sen ant içtin. Açık ol. Boş laf konuşma*. Sexton çenesini yukarı kaldırdı. "Evet. Eğer bu kararla karşı karşıya kalırsam, NASA'nın mevcut bütçesini doğrudan eğitim sistemimize aktarırdım. Çocuklarımız benim için uzaydan önce gelir."

Marjorie Tench'in yüzünde tam bir şok ifadesi vardı. "Afalladım biraz. Doğru mu duydum? Başkan olarak, bu ülkenin uzay programını *kaldırmaya* mı teşebbüs edeceksiniz?"

Sexton öfkeden patlamak üzereydi. Artık Tench kelimeleri onun ağzına tıkmaya başlamıştı. Karşı çıkmaya çalıştı ama Tench zaten konuşuyordu.

"Yani diyorsunuz ki senatör, insanı aya götüren kurumla işinizi bitireceksiniz."

"Ben uzay yarışının sona erdiğini söylüyorum! Zaman değişti. Artık Amerikalıların günlük yaşamlarında NASA'nın kritik bir rolü yok, ama buna rağmen varmış gibi fon sağlamaya devam ediyoruz."

"Demek ki geleceğimizin uzayda olduğuna inanmıyorsunuz?"

"Elbette gelecek uzayda, ama NASA bir dinozor! Bırakın uzayı özel sektör keşfetsin. Washington'lı bir mühendisin Jüpiter'in milyar dolarlık resmini çekmek istediği her sefer, Amerikalı vergi mükellefleri cüzdanlarını çıkarmak zorunda kalmamalı. Amerikalılar artık dev maliyetler karşılığında çok az şey geri veren, modası geçmiş bir kuruma fon sağlamak için çocuklarının geleceğini feda etmekten bıkıp usandı!"

Tench dramatik bir şekilde içini çekti. "Karşılığında çok az şey mi? SETI Programı dışında, NASA dev karşılıklar verdi."

Sexton, SETI bahsinin Tench'in ağzından kaçtığına inanmıyordu. Büyük gaf. *Hatırlattığın için teşekkürler*. Dünya Dışı Zekâ Araştırması[*]

---

[*] The Search for Extraterrestrial Intelligence.

NASA'nın girdiği en derin para çukuruydu. NASA bazı hedeflerini değiştirmiş ve projeyi "Kökler(*) ile yeniden isimlendirip estetik ameliyat yapmaya çalışmış olsa da, bu kumarda hâlâ kaybediyordu.

Açılışı yapan Sexton, "Marjorie," dedi. "Sadece lafı sen açtığın için SETI'den bahsedeceğim."

Tench'in bunu duymaya neredeyse hevesli olduğunu görmek tuhaftı.

Sexton boğazını temizledi. "Pek çok kişinin, NASA'nın otuz beş yıldır ET'yi aradığından haberi yok. Bu pahalı bir hazine avı; uydu çanağı orduları, dev telsizler, karanlıkta oturup boş kasetleri dinleyen bilim adamlarına ödenen milyonluk maaşlar. Utandırıcı bir kaynak sarfiyatı."

"Siz yukarda bir şey olmadığını mı söylüyorsunuz?"

"Eğer başka bir hükümetin bir kurumu otuz beş yılda kırk beş milyon dolar harcayıp da, *tek bir* sonuç elde edemezse onu çoktan sepetlerlerdi diyorum." Sexton ifadesinin iyice anlaşılması için biraz durdu. "Otuz beş yılın ardından, sanırım artık dünya dışı bir yaşam bulmayacağımız aşikâr."

"Peki ya yanılıyorsak?"

Sexton gözlerini devirdi. "Ah, Tanrı aşkına, Bayan Tench, eğer yanılıyorsam kellemi keserim."

Marjorie Tench kuşkucu gözlerini Senatör Sexton'a dikti. "Bu söylediğinizi unutmayacağım senatör." İlk defa gülüyordu. "Sanırım hepimiz öyle."

On kilometre mesafedeki Oval Ofis'te Başkan Zach Herney televizyonu kapatıp kendine bir içki doldurdu. Senatör Sexton, tıpkı Marjorie Tench'in vaat ettiği gibi yemi yutmuştu... hem de hepsini.

24

Rachel Sexton elindeki fosilleşmiş göktaşına ağzı hayretten açık biçimde sessizce bakarken, Michael Tolland bir tür sevince kapıldığını his-

(*) Origins.

setti. Kadının yüzündeki duru güzellik yerini masum bir şaşkınlık ifadesine bırakmıştı. Hayatında ilk kez Noel Baba'yı gören küçük bir kızın ifadesi.

Neler hissettiğini çok iyi anlıyorum, diye düşündü.

Tolland kırk sekiz saat önce aynı şekilde dumura uğramıştı. Hayretten küçük dilini yutmuştu. Göktaşının bilimsel ve felsefi anlamları şimdi bile onu şaşırtıyor, doğa hakkında şimdiye dek inandığı her şeyi yeniden düşünmeye zorluyordu.

Tolland'ın oşinografik keşifleri pek çok bilinmeyen derin deniz türlerini kapsıyordu ama bu "uzay böceği" bambaşka bir çığır açmıştı. Hollywood'un dünya dışı yaratıkları küçük yeşil adamlar gibi gösterme eğilimine rağmen, astrobiyologlar ve bilim tutkunlarının tümü, yeryüzündeki böceklerin sayısı ve intibak kabiliyetleri göz önüne alınırsa, dünya dışında sadece böcek benzeri yaşam türleri bulunabileceği konusunda hemfikirdiler.

Böcekler eklembacaklılar filum(*) üyesiydiler; sert dış gövdeye ve eklemli bacaklara sahip yaratıklar. Bilinen 1.25 milyon ve sınıflandırılması gereken beş yüz bin türü olduğu tahmin edilen dünya "böcekleri", diğer tüm hayvan türlerinin bileşiminden daha fazlaydı. Gezegende yaşayan türlerin yüzde 95'ini ve biyokütlenin yüzde 40'ını oluşturuyorlardı.

Fakat böceklerin bolluğu, elastikiyetleri kadar etkileyici değildi. Antraktika'daki kar piresinden Ölüm Vadisi'ndeki akrebe kadar böcekler ölümcül ısı farklılıklarında, çorak şartlarda ve hatta basınç altında bile rahat bir yaşam sürdürüyorlardı. Ayrıca evrende bilinen en ölümcül etkiye maruz kalmışlardı... radyasyon. 1945'teki bir nükleer denemenin ardından, hava kuvvetleri yetkilileri radyasyondan koruyan tulumlarını kuşanarak bölgeyi incelemişler ve sanki hiçbir şey olmamış gibi etrafta gezinen karafatmalarla karıncalar görmüşlerdi. Astronomlar bir eklembacaklının, koruyucu dış kabuğu sayesinde, başka hiçbir şeyin yaşayamayacağı

(*) Zoolojide grup.

miktarlarda radyasyon bulunan gezegenlere mükemmel uyum sağlayabileceğini fark etmişlerdi.

Tolland, *galiba astrobiyologlar haklıydı,* diye düşündü. *ET bir böcek.*

Rachel'ın bacakları tutmamaya başlamıştı. "Ben, buna... inanamıyorum," derken elindeki fosili döndürüp duruyordu. "Hiç düşünmezdim ki..."

Tolland sırıtarak, "Sindirmek için kendine biraz zaman tanı," dedi. "Bacaklarımı yeniden hissetmek yirmi dört saatimi aldı."

Onların yanına doğru yürüyen alışılmamış derecede uzun boylu Asyalı bir adam, "Bakıyorum da aramıza yeni biri katılmış," dedi.

Corky ile Tolland, adamın gelişiyle adeta ezilmişlerdi. O büyülü an bozulmuştu.

Adam kendini tanıtarak, "Dr. Wailee Ming," dedi. "UCLA paleontoloji başkanı."

Diz hizasındaki devetüyü paltosunun altına giydiği ortamla uyumsuz papyonunu sürekli çekiştiren adam, Rönesans aristokrasisinin kendini beğenmiş tavrını taşıyordu. Belli ki Wailee Ming, resmi görünüşünü bozacak en ufak bir kusura taviz vermeyen biriydi.

"Ben Rachel Sexton." Ming'in pürüzsüz avucunu sıkarken, Rachel'ın eli titriyordu. Ming belli ki, Başkan'ın işe aldığı sivillerden biriydi.

Paleontolog, "Bayan Sexton," dedi. "Bu fosil hakkında bilmek istediklerinizi size anlatmaktan mutluluk duyacağım."

Corky, "Ve bilmek *istemediğiniz* pek çoklarını," diye sızlandı.

Ming parmağını papyonuna götürdü. "Paleontolojik uzmanlığım nesli tükenmiş eklembacaklılar ve ilkel örümcek türleri üzerine. Bu organizmanın en etkileyici özelliği hiç şüphesiz..."

Corky, "Başka bir gezegenden olması," diyerek sözünü kesti.

Ming kaşlarını çatıp boğazını temizledi. "Bu organizmanın en etkileyici özelliği, Darwin Kuramı yeryüzü taksonomi ve sınıflandırma sistemine *mükemmel* uyması."

Rachel başını kaldırıp baktı. *Bu şeyi sınıflandırabiliyorlar mı?* "Yani familya, filum, türler gibi şeylerden bahsediyorsunuz değil mi?"

Ming, "Kesinlikle," dedi. "Bu tür eğer yeryüzünde bulunmuş olsaydı Isopoda grubuna göre sınıflandırılır ve yaklaşık iki bin bit türüyle aynı sınıfa girerdi."

"*Bit mi?*" dedi. "Ama bu çok büyük."

"Taksonomi boyutlarla ölçülmez. Evcil kedilerle kaplanlar birbirleriyle akrabadır. Sınıflandırma fizyolojiyle ilgilidir. Bu açıkça bir bit türü: Yassı vücuduyla yedi çift bacağı var, ayrıca üreme kesesi tespih böcekleri, top böcekleri ve deniz zararlılarıyla aynı. Diğer fosillerde daha fazla özellik görmek..."

"Diğer fosiller mi?"

Ming, Corky ile Tolland'a bir göz attı. "Bilmiyor mu?"

Tolland başını iki yana salladı.

Birden Ming'in yüzü neşeyle parladı. "Bayan Sexton, iyi kısmı henüz duymadınız."

Ming'in estireceği rüzgârı ondan çalmaya çalışan Corky, "Başka fosiller de var," diye araya girdi. "*Bir sürü.*" Hızla geniş kahverengi bir zarfı karıştıran Corky, katlanmış büyük bir kâğıt çıkardı. Rachel'ın önündeki masanın üstüne açtı. "Birkaç nüve çıkardıktan sonra, aşağıya X-ışını kamera sarkıttık. Bu, kesitin grafiksel açılımı."

Rachel masanın üstündeki X-ışını çıktısına baktı ve o anda oturma ihtiyacı hissetti. Göktaşının üç boyutlu kesiti, bu böceklerden düzinelercesiyle doluydu.

Ming, "Paleolitik kanıtlar genellikle yoğun konsantrasyonlarda bulunur," dedi. "Çoğunlukla çamur kayarak organizmaları toplu halde yakalar ve tüm yuvayı ya da topluluğu örter."

Corky sırıttı. "Göktaşındaki koleksiyonun bir yuvayı temsil ettiğini düşünüyoruz." Çıktıdaki böceklerden birini işaret etti. "Ve bir de anne var."

Bahsedilen örneğe bakan Rachel'ın ağzı bir karış açık kaldı. Böcek yaklaşık altmış santim uzunluğundaydı.

Corky, "İri bir kız değil mi?" dedi.

Rachel afallamış bir halde başını sallarken, uzak bir gezegende dolaşan ekmek somunu büyüklüğündeki bitleri hayal etti.

Ming, "Yeryüzündeki böcekler yerçekimine maruz kaldıkları için nispeten küçük kalıyorlar. Dış kabuklarının katlanabileceğinden daha fazla büyüyemiyorlar. Ama yerçekiminin daha az olduğu bir gezegende böcekler daha büyük boyutlara ulaşabilirler," dedi.

Örneği Rachel'ın elinden alıp cebine atan Corky, "Akbaba büyüklüğünde sivrisinekleri ezdiğinizi hayal edin," dedi.

Ming kaşlarını çattı. "Umarım onu çalmıyorsundur!"

Corky, "Sakin ol!" dedi. "Bunun geldiği yerde sekiz ton daha var."

Rachel'ın analitik zekâsı önünde duran veriler arasında mekik dokuyordu. "Ama uzaydaki hayat nasıl bu kadar dünyadakinin benzeri olur? Yani, bu böceğin Darwin Kuramı sınıflandırmaya *uyduğunu* söylemiştiniz, değil mi?"

Corky, "Mükemmel biçimde," dedi. "Ayrıca, ister inanın, ister inanmayın, pek çok astronom dünya dışındaki hayatın yeryüzündekine çok benzer olacağını ileri sürmüştü."

Rachel, "Ama neden?" diye sordu. "Bu türler bambaşka bir çevreden geliyor."

"Panspermia."(*) Corky'nin yüzünde geniş bir tebessüm vardı.

"Anlayamadım?"

"Panspermia, yaşamın buraya başka bir gezegenden gelerek *yeşerdiği* teorisidir."

Rachel ayağa kalktı. "Fazlası beni aşar."

Corky, Tolland'a döndü. "Mike, ilksel denizlerden sen iyi anlarsın."

Tolland konuşma sırasının kendine geçmesine memnun olmuşa benziyordu. "Bir zamanlar dünyada yaşam yoktu Rachel. Sonra birden, hatta adeta bir gecede yaşam patlak verdi. Pek çok biyolog yaşamın ilksel denizlerdeki elementlerin ideal bir karışımının sonucunda başladığını düşü-

---

(*) Kozmik hipotez.

nür. Ama bunu laboratuvar ortamında asla canlandıramadık, bu yüzden din âlimleri bu başarısızlığı Tanrı'nın varlığının ispatı olarak kabul ettiler. Yani Tanrı ilksel denizlere dokunmadan ve onlara yaşam aşılamadan, hayat var olamazdı."

Corky, "Ama biz astronomlar," dedi. "Dünyada birdenbire patlak veren hayat için başka bir açıklama bulduk."

Artık neden bahsettiklerini anlayan Rachel, "Panspermia," dedi. Panspermia teorisini daha önce duymuştu ama ismini bilmiyordu. "Bir göktaşının ilksel çorbaya düşüp dünyaya mikrobik hayatın ilk tohumlarını getirdiği teorisi."

Corky, "Tam isabet," dedi. "Ve burdan süzülerek, hayata geçtiler."

Rachel, "O zaman bu doğruysa, yeryüzünün altındaki eski hayat formlarıyla dünya dışı hayat formları birbiriyle benzer olacaktır," dedi.

"Çifte tam isabet."

İçeriğini tam manasıyla kavramakta hâlâ güçlük çeken Rachel, *panspermia*, diye düşündü. "Yani bu fosil evrenin başka bir yerinde hayat olduğunu kanıtlamakla kalmıyor, panspermia'yı da kanıtlamış oluyor... dünyadaki yaşamın tohumlarının evrenin başka bir yerinden geldiğini."

"Üçüncü tam isabet." Corky coşkulu bir edayla başını salladı. "Teknik açıdan *hepimiz* dünya dışı yaratıklar olabiliriz." Parmaklarını başının üstüne götürerek anten gibi tuttu, gözlerini şaşı yaptı ve dilini bir tür böcek gibi salladı.

Tolland acıklı bir tebessümle Rachel'a baktı. "Ve bu adam da bizim evrimimizin tepe noktası."

25

Rachel Sexton bir yanında Michael Tolland'la habiküre de yürürken, etrafında hayal gibi bir sis bulutunun döndüğünü hissediyordu. Corky ve Ming tam arkalarından takip ediyorlardı.

Dikkatle ona bakan Tolland, "Sen iyi misin?" diye sordu.

Rachel, ona şöyle bir bakıp belli belirsiz tebessüm etti. "Teşekkürler. Sadece... bu kadarı çok fazla."

NASA'nın 1997'deki utanç verici keşfini hatırladı: ALH84001. NASA bunun, bakteriyel hayata ait fosil izleri içeren Mars'tan gelen bir göktaşı olduğunu iddia etmişti. Ne yazık ki NASA'nın zaferini ilan ettiği basın toplantısından sadece birkaç hafta sonra sivil bilim adamları, taştaki "hayat işaretlerinin" yeryüzüyle temastan kaynaklanan kerojenden başka bir şey olmadığının kanıtlarıyla ortaya çıktı. Bu gafın ardından NASA'nın güvenirliği büyük bir sekteye uğradı. *New York Times* kurumun kısaltmasıyla alay ederek yeni bir açılım getirmişti: NASA-NADİREN ASIL SONUÇLAR ALINIR.

Aynı baskıda paleobiyolog Stephen Jay Gould ALH84001 ile ilgili sorunları kısaca toparlayarak, kesin bir kemik ya da kabuk gibi "katı" olmak yerine kimyasal ve dolaylı olduğuna dikkati çekmişti.

Ama şimdi Rachel, NASA'nın çürütülemez bir kanıt bulduğunu fark etmişti. Hiçbir şüpheci bilim adamı ileri çıkıp da, *bu* fosilleri sorgulayamazdı. NASA artık sözde mikroskobik bakterilerin bulanık, büyütülmüş fotoğraflarının pazarlamasını yapmıyordu; çıplak gözle görülebilen biyo-organizmaların bulunduğu göktaşı örneklerini ortaya koyuyordu. *Otuz santimlik bitler!*

Rachel çocukluğunda, David Bowie'nin "Mars'tan gelen örümceklerle" ilgili bir şarkısının hayranı olduğunu hatırlayınca kendini gülmekten alamadı. Erdişi İngiliz pop starın, astrobiyolojinin en önemli anlarından birini önceden tahmin ettiği, herhalde çok az kimsenin aklına gelirdi.

Şarkının dizeleri Rachel'ın aklından geçerken, Corky arkadan aceleyle koşturup yanına geldi. "Mike belgeseliyle havasını daha atmadı mı?"

Rachel, "Hayır ama duymak isterim," diye cevap verdi.

Corky, Tolland'ın sırtına bir şaplak indirdi. "Hadi bakalım oğlum. Bilim tarihindeki en önemli anı Başkan'ın neden şnorkelli bir TV yıldızına emanet ettiğini anlat ona."

Tolland homurdandı. "Corky biraz müsaade eder misin?"

İkisinin arasına giren Corky, "İyi, o zaman ben anlatırım," dedi. "Bayan Sexton, Başkan'ın bu akşam göktaşıyla ilgili bir basın konferansı vereceğini herhalde biliyorsunuzdur. Dünyanın yarısı kıt zekâlılardan oluştuğundan, Başkan, Mike'ın sahneye çıkıp her şeyi anlayacakları şekilde açıklamasını istedi."

Tolland, "Teşekkürler Corky," dedi. "Çok güzeldi." Rachel'a baktı. "Corky aslında şunu söylemeye çalışıyor. Bahsi geçen birçok bilimsel veri olduğundan Başkan, göktaşı hakkında kısa bir görsel belgeselin, çoğu astrofizik dalında derece sahibi olmayan Amerikalıya bilgiyi daha iyi anlamaları için yardımcı olacağını düşündü."

Corky, Rachel'a, "Başkan'ımızın sıkı bir *Amazing Seas* hayranı olduğunu öğrendiğimi söylemiş miydim?" dedi. Alaycı bir nefretle başını iki yana salladı. "Zach Herney -özgür dünyanın lideri- zor bir günün ardından deşarj olabilmek için sekreterine Mike'ın programını kaydettiriyor."

Tolland omuzlarını silkti. "Ne diyebilirim, adam zevk sahibi."

Rachel şimdi Başkan'ın ne kadar ustaca bir plan yaptığını daha iyi anlıyordu. Siyaset bir medya oyunuydu ve Rachel, ekranda görünecek Michael Tolland'ın basın konferansına getireceği coşkuyla, bilimsel güvenirliği şimdiden hayal edebiliyordu. Zach Herney, küçük NASA başarısını onaylattırmak için en mükemmel adamı işe almıştı. Ülkenin en tepedeki televizyoncu bilim şahsiyetiyle, pek çok saygıdeğer sivil bilim adamı açıklama yapınca, şüpheciler Başkan'ın verilerine meydan okumakta zorlanacaklardı.

Corky, "Mike belgeseli için biz sivillerden ve NASA'daki en iyi uzmanlardan kanıt topladığı video çekimlerini yaptı bile. Listesinde bir sonraki kişi olduğunuza dair Ulusal Madalyam üstüne bahse girerim," dedi.

Rachel dönüp ona baktı. "Ben mi? Siz neden bahsediyorsunuz? Benim bir ehliyetim yok. Ben bilgi irtibatı sağlıyorum o kadar."

"O halde Başkan, sizi neden buraya gönderdi?"

"Henüz bana söylemedi."

Corky'nin dudaklarında neşeli bir tebessüm belirdi. "Siz verilerin ayıklanıp derlenmesiyle ilgilenen bir Beyaz Saray bilgi irtibatısınız, değil mi?"

"Evet, ama bilimsel alanda değil."

"*Ayrıca* NASA'yı uzayda paraları boşuna harcamakla suçlayan kampanyayı başlatan adamın kızısınız, doğru mu?"

Rachel ardından ne geleceğini kestirebiliyordu.

Ming, "İtiraf etmeniz gerekir ki Bayan Sexton," diye söze karıştı. "Sizin vereceğiniz onay, bu belgesele farklı bir güvenirlik boyutu kazandıracaktır. Başkan, sizi buraya gönderdiyse, bir şekilde rol almanızı istiyor demektir."

Rachel bir kez daha William Pickering'in, onu kullanacakları konusundaki endişelerini hatırladı.

Tolland saatine baktı. Habikürenin orta yerini işaret ederek, "Yerimizi alsak iyi olacak," dedi. "Yakındır."

Rachel, "Ne yakındır?" diye sordu.

"Çıkarma zamanı. NASA göktaşını yüzeye çıkaracak. Her an yukarı çıkarabilirler."

Rachel iyice sersemlemişti. "Siz gerçekten sekiz tonluk taşı katı buzun altmış metre altından mı çıkaracaksınız?"

Corky oldukça neşeli görünüyordu. "Böyle bir keşfi NASA'nın buz altında bırakacağını düşünmüyordunuz, öyle değil mi?"

"Hayır, ama..." Rachel habikürenin içinde herhangi bir büyük ölçekli kazı aletinin izine rastlamamıştı. "NASA göktaşını nasıl çıkarmayı planlıyor ki?"

Corky'nin göğsü kabardı. "Sorun değil. Füze uzmanlarıyla dolu bir odadasınız."

Rachel'a bakan Ming, "Saçmalama," diyerek Corky'yi küçümsedi. "Dr. Marlinson başkasının yaptığı işle böbürleniyor. İşin gerçeği, göktaşını olduğu yerden çıkarmak konusunda burdaki herkes çuvalladı. Tutarlı bir çözüm öneren *Dr. Mangor* oldu."

"Ben Dr. Mangor'la tanışmadım."

Tolland, "New Hampshire Üniversitesi'nden bir buzul uzmanı," dedi. "Başkan'ın işe aldığı dördüncü ve son sivil bilim adamı. Ve Ming bu konuda haklıydı, işi çözen Mangor oldu."

Rachel, "Tamam," dedi. "Peki bu adam ne önerdi?"

Ming rahatsız olmuş gibi bir ses tonuyla, "Kadın," diye düzeltti. "Dr. Mangor bir *kadın.*"

Corky, "Tartışılır," diye sızlandı. Rachel'a baktı. "Ve bu arada, Dr. Mangor sizden nefret edecek."

Tolland, Corky'ye öfkeli bir bakış fırlattı.

"Ama öyle!" diye kendini savundu Corky. "Rekabetten nefret edecek."

Rachel hiçbir şey anlamıyordu. "Affedersiniz? Rekabet mi?"

Tolland, "Sen ona bakma," dedi. "Ne yazık ki Corky'nin tam bir ahmak olduğu gerçeği Ulusal Bilim Komitesi'nin gözünden kaçmış. Dr. Mangor ile iyi anlaşırsınız. Kendisi bir profesyoneldir. Dünyadaki en önemli buzul uzmanlarından biri sayılıyor. Buzul hareketlerini incelemek için birkaç yıl Antarktika'da yaşadı."

Corky, "Tuhaf," dedi. "Ben UNH kampusunda biraz huzur ve sükûnet için bağış toplayıp onu oraya gönderdiklerini duymuştum."

Söylenenleri üstüne alındığı anlaşılan Ming, "Dr. Mangor orda nerdeyse ölüyordu, bunun farkında mısınız acaba?" diye çıkıştı. "Bir fırtınada kayboldu ve bulunana kadar beş hafta boyunca ayıbalığı yağıyla yaşadı."

Corky, Rachel'a, "Benim duyduğum kadarıyla kimse aramamış," diye fısıldadı.

26

Limuzinle CNN stüdyosundan Sexton'ın ofisine kadar olan yol, Gabrielle Ashe'e çok uzun geldi. Camdan dışarı bakarken tartışmayı düşündüğü anlaşılan senatör, karşısında oturuyordu.

Gülümseyerek ona dönen Sexton, "Tench'i akşamüstü yayınlanan bir televizyon programına gönderdiler," dedi. "Beyaz Saray panikte."

Gabrielle tarafsız bir edayla başını salladı. Marjorie Tench arabasına binip giderken, kadının yüzünde halinden hoşnut bir tatmin ifadesi sezmişti. Bu onu endişelendiriyordu.

Sexton'ın cep telefonu çalınca, almak için elini cebine daldırdı. Siyasilerin çoğu gibi senatörün de, arayan kişilerin önemine göre kendisine ulaşabilecekleri telefon numaraları arasında bir hiyerarşi vardı. Şimdi arayan kişi listenin en başında yer alıyordu; arama Sexton'ın özel hattına yapılmıştı, Gabrielle'ın bile aramaya cesaret edemediği bir hatta.

Arayan kişi, isminin melodik yapısını vurgulayarak, "Senatör Sedgewick Sexton," diye ahenkli bir ses çıkardı.

Gabrielle limuzinin sesi yüzünden arayanı duyamıyordu, ama Sexton dikkatle dinliyor, heyecanla cevap veriyordu. "Harika. Aramanıza çok sevindim. Benim için saat on sekiz uygun olabilir. Süper. Burda D.C.'de bir dairem var. Özel. Rahattır. Sizde adres var değil mi? Tamam. Sabırsızlıkla sizinle görüşmeyi bekliyorum. O halde, akşam görüşmek üzere."

Halinden memnun görünen Sexton, telefonu kapattı.

Gabrielle, "Yeni bir Sexton hayranı mı?" diye sordu.

"Hızla çoğalıyorlar," dedi. "Bu adam ağır toplardan."

"Öyle olmalı. Onunla dairenizde mi buluşacaksınız?" Sexton genellikle dairesinin kutsal mahremiyetini, saklanacak tek bölgesini koruyan bir aslan gibi savunurdu.

Sexton omuzlarını silkti. "Evet. Onunla şahsi münasebete girmem gerektiğini düşündüm. Bu adam yarışın son evresinde çıkar sağlayabilir. Bu kişisel bağlantıları kurmaya devam etmem gerekiyor, bilirsin. Her şey itimat meselesi."

Sexton'ın günlük program defterini çıkaran Gabrielle başını salladı. "Takviminize işlememi ister misiniz?"

"Gerek yok. Zaten bu akşam evde vakit geçirmek istiyordum."

Akşama ait sayfayı bulan Gabrielle, Sexton'ın kendi elyazısıyla zaten kapatılmış olduğunu gördü. Büyük harflerle "K.G." yazıyordu. Sexton bunu kişisel mesele, kritik gece veya kimseyle görüşme manasında yazmış olabilirdi; hangisi olduğunu kimse bilemezdi. Senatör zaman zaman kendine bir "K.G." akşamı düzenleyip dairesinde geçirir, telefonları fişten çeker ve yapmaktan en çok keyif aldığı şeyin tadını çıkarırdı; eski dostlarıyla konyağını yudumlayıp o gece için siyaseti unutmuş gibi davranmak.

Gabrielle şaşkın bir ifadeyle ona baktı. "Demek işin, daha önceden planlanmış K.G. zamanını engellemesine izin vereceksiniz? Çok etkilendim."

"Bu adam beni vaktim olan bir akşam yakaladı. Onunla bir süre konuşacağım. Bakalım ne diyecek."

Gabrielle bu gizemli arayanın kim olduğunu sormak istedi ama Sexton'ın bilhassa açık davranmadığı belli oluyordu. Gabrielle burnunu ne zaman işin içine sokmaması gerektiğini öğrenmişti.

Çevre yolundan çıkıp Sexton'ın ofis binasına yöneldikleri sırada, Gabrielle bir kez daha Sexton'ın defterinde K.G. harflerinin yazıldığı saate baktı ve tuhaf biçimde Sexton'ın bu kişinin arayacağını bildiği hissine kapıldı.

27

NASA habiküresinin ortasındaki buzu, sondaj platformuyla Eyfel Kulesi'nin tuhaf bir maketinin karışımına benzeyen, on metre yüksekliğindeki üç ayaklı bir yapı iskelesi kaplamıştı. Devasa göktaşını çıkarmakta nasıl kullanılacağını kestiremeyen Rachel, cihazı inceliyordu.

Kulenin altında pek çok vinç, kalın cıvatalarla buza sabitlenmiş çelik levhalara tutturulmuştu. Vinçlere takılmış çelik kablolar, kulenin tepesindeki bir dizi makaradan geçiyordu. Buradan dimdik aşağı inen kablolar, buza açılmış dar deliklere sarkıyordu. İri cüsseli NASA adamları sırayla vinçleri sıkıştırıyorlardı. Her sıkışın ardından kablolar, adamlar demir alıyormuş gibi birkaç santim yukarı çekiliyordu.

Diğerleriyle birlikte kazı bölgesine yaklaşırken, *bir şeyleri iyice anlamadığım kesin,* diye düşündü. Adamlar göktaşını sanki buzun içinden öylece kaldırıyorlardı.

Yakınlardan gelen bir kadın sesi, "GERİLİMİ EŞİTLEYİN! LANET OLSUN!" diye bağırdı.

Rachel dönüp baktığında, yağa bulanmış parlak sarı kar kıyafetleri içinde ufak tefek bir kadın gördü. Arkası dönüktü ama Rachel buna rağmen operasyondan onun sorumlu olduğuna hiç şüphe duymadı. Klipsli defterine notlar alan kadın, nefret edilen bir eğitim subayı gibi ileri geri yürüyordu.

"*Bana yorulduk demeyin bayanlar!*"

Corky, "Hey Norah, zavallı NASA oğlanlarına patronluk yapmaktan vazgeç de gel biraz benimle flört et," diye seslendi.

Kadın arkasını bile dönmedi. "Sen misin Marlinson? O cılız sesini her yerde tanırım. Ergenlik çağına erişince bir daha gel."

Corky, Rachel'a döndü. "Norah cazibesiyle bizi ısıtıyor."

Hâlâ notlar alan Dr. Mangor, "Seni duydum, uzay çocuğu," diye çıkıştı. "Ve eğer popoma bakıyorsan şunu bil ki, bu kar pantolonları üstüne on beş kilo ekliyor."

Corky, "Merak etme," diye seslendi. "Beni çılgına çeviren senin o yünlü-mamut popon değil, sevimli kişiliğin."

"Yeme beni."

Corky yeniden güldü. "Harika haberlerim var Norah. Galiba Başkan'ın işe aldığı tek kadın sen değilsin."

"Yapma be. *Seni* işe aldı ya."

Tolland lafı devraldı. "Norah? Biriyle tanışmak için biraz vaktin var mı?"

Tolland'ın sesini duyan Norah hemen yaptığı işi bırakıp arkasını döndü. O katı tavrı anında yok olmuştu. "Mike!" Neşeli bir ifadeyle yanına koşturdu. "Birkaç saattir seni görmüyorum."

"Belgeseli düzenliyordum."

"Benim bölümüm nasıl?"

"Göz alıcı ve çok güzel görünüyorsun."

Corky, "Özel efektler kullandı," dedi.

Yorumu duymazdan gelen Norah, kibar fakat mesafeli bir tebessümle Rachel'a döndü. Tekrar dönüp Tolland'a baktı. "Umarım beni aldatmıyorsundur Mike."

Tolland'ın sert yüzü onları tanıştırırken hafifçe kızardı. "Norah, seni Rachel Sexton'la tanıştırmak istiyorum. Bayan Sexton haber alma teşkilatında çalışıyor ve Başkan'ın isteği üzerine burda bulunuyor. Babası Senatör Sedgewick Sexton."

Tanışmanın ardından Norah'nın yüzüne şaşkın bir ifade gelmişti. "Bunu anlamış gibi bile yapmayacağım." Rachel'a tokalaşması için gevşek bir el uzatırken, eldivenini bile çıkarmadı. "Dünyanın tepesine hoş geldiniz."

Rachel gülümsedi. "Teşekkürler." Sesinin sertliğine rağmen Norah Mangor'ın şirin ve yaramaz bir siması oluşuna şaşırmıştı. Kısa kesilmiş kahverengi saçlarının arasında griler vardı. Gözleriyse derin ve keskindi... iki buz kristali. Kendinden emin duruşu Rachel'ın hoşuna gitmişti.

Tolland, "Norah," dedi. "Ne yaptığını Rachel'a anlatacak birkaç dakikan var mı?"

Norah kaşlarını yay gibi yukarı kaldırdı. "Siz ikiniz birbirinizi ilk adınızla çağırmaya başladınız demek? Vay vay vay."

Corky homurdandı. "Sana söylemiştim Mike."

Tolland ile diğerleri kendi aralarında konuşup arkadan gelirlerken, Norah Mangor, Rachel'a kulenin çevresini gösteriyordu.

Norah bir yandan eliyle gösterirken, "Ayakların altındaki buzda açılmış delikleri görüyor musun?" diye sordu. Mesafeli ses tonu şimdi işine duyduğu şevkle yumuşamıştı.

Buzdaki deliklere göz gezdiren Rachel başını salladı. Her biri yaklaşık otuz santim çapındaydı ve içine birer çelik kablo sokulmuştu.

"Bu delikleri, göktaşından örnekler çıkartıp röntgenini çektiğimiz zaman açmıştık. Şimdiyse aynı delikleri, boşluklara ağır iş dişlilerini yerleştirmek ve göktaşına vidalamak için kullanıyoruz. Ayrıca her bir delikten otuz metrelik şerit kablolar sarkıtıp vida başlarını sanayi kancalarına taktık. Şimdi de göktaşını vinçle yukarı kaldırıyoruz. Yüzeye çıkarmaları bu bayanların saatlerini alacak ama çıkıyor işte."

Rachel, "Ben tam anladığıma emin değilim," dedi. "Göktaşı binlerce ton buzun altında. Onu nasıl kaldırıyorsunuz?"

Norah, yapı iskelesinin tepesinden aşağı, üçlü ayakların altındaki buza düşen kırmızı ışık huzmesinin çıktığı yeri işaret etti. Rachel bunu daha önce görmüştü ama bir çeşit optik gösterge olduğunu düşünmüştü; nesnenin gömülü olduğu yeri işaret eden bir ibre.

Norah, "Bu bir galyum arsenid yarı iletken lazer," dedi.

Işık huzmesine daha yakından bakan Rachel, minik bir delik açtığını ve buzun derinliklerinde parladığını gördü.

Norah, "Çok sıcak bir ışın," dedi. "Göktaşını kaldırırken ısıtıyoruz."

Rachel, kadının planının basitliğini kavradığında oldukça etkilenmişti. Norah lazer ışınını aşağı vererek, göktaşına çarpıncaya dek buzu eritmişti. Lazer ışınıyla erimeyecek kadar yoğun olan göktaşı, lazerin ısısını emip ısınıyor ve etrafındaki buzu eritiyordu. NASA çalışanları göktaşını yukarı çektiklerinde ısınmış taş, yukarı doğru yapılan basınçla birleştiğinde etrafındaki buzları eritiyor ve yüzeye çıkmak için kendine yol açıyordu. Göktaşının üstünde biriken erimiş su ise taşın kenarlarından süzülerek aşağıdaki boşluğu dolduruyordu.

Donmuş tereyağını kesen sıcak bir bıçak gibi.

Norah vinçlerin üstündeki NASA çalışanlarını gösterdi. "Jeneratörler bu yükü kaldıramaz, o yüzden insan gücü kullanıyorum."

İşçilerden biri, "Yalan!" diye lafa karıştı. "İnsan gücü kullanıyor, çünkü terlediğimizi görmek hoşuna gidiyor!"

Norah, "Sakin ol," diye çıkıştı. "İki gündür soğuk aldık diye işten kaytarıyorsunuz kızlar. Şimdi çekin bakalım."

İşçiler güldü.

"Peki bu işaretler ne işe yarıyor?" Rachel, kulenin etrafına gelişigüzel yerleştirilmiş gibi duran, otoyollardakilere benzeyen turuncu konileri gösterdi. Rachel benzer konileri kubbenin farklı köşelerinde de görmüştü.

Norah, "Çok önemli bir buzul bilimi aleti," dedi. "Onlara BBBK diyoruz. 'Buraya basarsan bileğini kırarsın'ın kısaltılmışı." İşaretlerden birini kaldırınca, buzulun derinliklerindeki dipsiz bir kuyuya inen daire şeklindeki delik meydana çıktı. "Basmamak lazım." İşareti yerine koydu. "Yapısal sürekliliği incelemek için buzulun her yerinde delikler açtık. Arkeolojide olduğu gibi, bir nesnenin kaç yıldır gömülü olduğu, yüzeyin ne kadar altında yattığından anlaşılır. Ne kadar aşağıdaysa, o kadar uzun zamandır orda demektir. Bu yüzden buzun altında bir nesne bulunduğunda, üstünde ne kadar buz biriktiğine bakarak, nesnenin oraya geliş tarihini belirleyebiliriz. Yaptığımız tarihlendirmenin doğruluğundan emin olmak için, buz katmanının farklı yerlerini inceleyerek, bölgenin depremle, yarılmayla, heyelanla ve diğer etkenlerle bozulmamış tek bir tabaka halinde bulunduğunu teyit ederiz."

"Peki bu buzul nasıl görünüyor?"

Norah, "Pürüzsüz," dedi. "Tek parça halinde, mükemmel bir tabaka. Hiçbir kusurlu çizgi ya da buzul kaybı yok. Bu göktaşı 'sabit düşüş' dediğimiz türden. 1716'da yeryüzüne indiğinden beri hiç el değmemiş ve bozulmamış."

Rachel duyduklarını biraz geç anlamıştı. "Tam olarak hangi *yılda* düştüğünü biliyor musunuz?"

Norah soruya şaşırmış gibiydi. "Elbette. Beni bu yüzden çağırdılar. Buzu okurum." Yakınlarda duran silindir şeklindeki buz tüplerini gösterdi. Saydam telefon direklerine benziyorlardı ve parlak turuncu renkte etiketlerle işaretlenmişlerdi. "Bu buz nüveleri donmuş jeolojik kayıtlar." Rachel'ı tüplerin yanına götürdü. "Yakından bakarsan buzdaki katmanları görebilirsin."

Rachel eğildi. Gerçekten de tüpün, parlaklık ve berraklık açısından ince farklılıklar gösteren sayısız buz katmanlarından oluştuğunu görebiliyordu. Katmanlar kâğıt inceliğinden yarım santim kalınlığa kadar çeşitlilik gösteriyordu.

Norah, "Her kış buzullara aşırı miktarda kar yağar," dedi. "Ve her bahar kısmi bir çözülme olur. Bu yüzden her mevsim yeni bir sıkışık katman görürüz. En üstten -yani en son kıştan- başlayarak aşağı doğru sayarız."

"Ağaçtaki halkaları saymak gibi."

"O kadar basit değil Bayan Sexton. Unutmayın ki biz, onlarca metre uzunluğundaki katmanları ölçüyoruz. Değerlendirme yapmak için iklimbilimsel işaretleri okumamız gerekir: yağış miktarı, havadaki kirlilik ve benzeri şeyler."

Tolland ile diğerleri şimdi onlara katılmışlardı. Tolland, Rachel'a gülümsedi. "Buz hakkında çok şey biliyor, öyle değil mi?"

Rachel tuhaf bir biçimde onu gördüğüne sevinmişti. "Evet, harika biri."

Tolland, "Ve son olarak, Dr. Mangor'ın verdiği 1716 tarihi kesinlikle doğru," dedi. "Biz buraya gelmeden önce NASA çarpışma için aynı yılı tespit etti. Dr. Mangor kendi nüvelerini çıkarttı, kendi incelemelerini yaptı ve NASA'nın yaptığı işi onayladı."

Rachel etkilenmişti.

Norah, "Ve ne tesadüftür ki," dedi. "Eski kâşifler 1716 yılında Kuzey Kanada semalarında parlak bir ateş topu gördüklerini iddia etmişlerdi. Göktaşına keşif liderinin anısına Jungersol Meteoru adı verildi."

Corky, "Yani, nüve tarihiyle tarihi kayıtların birbiriyle örtüşmesi, Jungersol'ın 1716'da gördüğünü belirttiği aynı göktaşının bir parçasına baktığımızı kanıtlamış oluyor," diye ekledi.

NASA işçilerinden biri, "Dr. Mangor!" diye seslendi. "Ön kancalar görünmeye başladı."

Norah, "Tur sona erdi millet," dedi. "Şimdi gerçeklik zamanı." Katlanan bir sandalye alıp üstüne çıktı ve var gücüyle bağırdı. "*Herkesin dikkatine, beş dakika içinde yüzeye çıkıyor!*"

Kubbenin her bir yanındaki bilim adamları, yemek ziline tepki veren Pavlov köpekleri gibi yaptıkları işi bıraktılar ve kazı alanına koşturdular.

Norah Mangor ellerini kalçalarına koyup hâkimiyet alanına göz gezdirdi. "Pekâlâ, *Titanik'i* çıkartalım bakalım."

28

Çoğalan kalabalığın içinde ilerleyen Norah, "Kenara çekilin!" diye haykırdı. İşçiler dağıldılar. Kontrolü ele alan Norah, kabloların hizalarıyla gerginliklerini inceleyerek havasını attı.

NASA çalışanlarından biri, "Kaldırın!" diye bağırdı. Adamlar vinçleri sıkılaştırınca, kablolar delikten bir metre daha yükseldi.

Kablolar yukarı doğru hareket ederken Rachel, kalabalığın bekleyiş içinde yavaş yavaş öne doğru ilerlediğini hissediyordu. Yanında duran Corky ile Tolland Noel çocuklarına benziyorlardı. Buzdaki deliğin arka tarafında beliren NASA müdürünün iri cüssesi, çıkarılış anını seyretmek için yerini aldı.

NASA çalışanlarından biri, "Makaralar!" diye bağırdı. "Öndekiler görünmeye başladı."

Deliklerden yükselen gri çelik kablolar yerini sarı zincirlere bırakmıştı.

"İki metre daha kaldı! Sallamayın!"

Yapı iskelesinin etrafındaki grup seansta ilahi bir hayalin görünmesini bekleyen izleyiciler gibi sessizliğe gömülmüşlerdi. Herkes ilk gören olmak için kıvranıyordu.

Ardından Rachel onu gördü.

İncelen buz katmanının altından göktaşının dumanlı formu belirmeye başlamıştı. Dikdörtgen ve karanlık şekil, ilk başta bulanıktı ama buzları eriterek yukarı çıktıkça belirginleşiyordu.

Bir teknisyen, "Daha sıkı!" diye bağırdı. Adamlar vinçleri sıkınca, yapı iskelesi gıcırdadı.

"Bir buçuk metre kaldı! Gerilimi eşit tutun!"

Rachel artık taşın üstündeki buzun, doğum yapmak üzere olan gebe bir hayvan gibi yukarı doğru esnediğini görebiliyordu. Tümseğin tepesinde, lazerin girdiği noktanın etrafında, buzda ufak bir daire eriyerek açılmaya ve delik giderek büyümeye başlamıştı.

Birisi, "Rahim genişledi!" diye bağırdı. "Dokuz yüz santimetre!"

Huzursuz bir kahkaha sessizliği bozdu.

"Tamam, lazeri kapatın!"

Birisi bir düğmeye bastı ve ışın kayboldu.

Ve sonra olay vuku buldu.

Dev kaya parçası, paleolitik bir tanrının öfkeli gelişi gibi yüzeyi dumanlar içinde kırdı. İri bir şekil buharların arasında buzdan çıktı. Vinçleri idare eden adamlar, taş tamamen buzdan kurtulup kaynayan su kuyusunun üstünde, kızgın bir halde sular damlatana dek asılmaya devam ettiler.

Rachel büyülendiğini hissediyordu.

Kablolarda sallanırken sular damlatan göktaşının floresan ışığında parlayan girintili yüzeyi, taşlanmış kuru erik gibi buruşuk ve kararmıştı. Taşın bir ucu yuvarlak ve düzdü. Bu kısmın atmosferde yol alırken parçalanıp koptuğu anlaşılıyordu.

Kavrulmuş füzyon kabuğa bakan Rachel, göktaşının dünyaya doğru alev topu halinde hızla düştüğünü hayal edebiliyordu. Ama bu yüzyıllar önce olmuştu. Şimdi ise yakalanan yaratık kablolardan sarkıyor ve vücudundan sular damlıyordu.

Av sona ermişti.

Bu olayın asıl dramatik yanı Rachel'a o anda dank etti. Önünde sallanan nesne başka bir dünyadan geliyordu, milyonlarca kilometre uzaktan. Ve içinde de insanın evrende yalnız olmadığının kanıtı vardı.

Bu anın coşkusu sanki herkesi aynı anda yakalamışçasına, kalabalık bir anda ıslık çalıp alkışlamaya başladı. Müdür bile kendini kaptırmış gibiydi. Çalışan erkek ve kadınların sırtına vurarak onları kutluyordu. Rachel onlara bakarken, birden NASA için sevindi. Geçmişte şansları iyi gitmemişti. Sonunda bir şeyler değişmeye başlamıştı. Bu anı hak ediyorlardı.

Buzdaki derin delik artık habikürenin içindeki küçük bir yüzme havuzunu andırıyordu. Altmış metre derinliğindeki havuzun erimiş sudan oluşan yüzeyi, kuyunun buzlu duvarlarına bir süre çarptıktan sonra duruldu. Kuyunun su çizgisi buzul yüzeyinin yaklaşık bir metre altındaydı. Bu aykırılığa göktaşının eksilen kütlesiyle, buzun erirken azalma niteliği sebep oluyordu.

Norah Mangor derhal deliğin etrafına BBBK işaretlerini dizdi. Delik açıkça görülebildiği halde, fazla yakına giden meraklı biri kaza eseri içine düştüğünde, sonuçları ölümcül olabilirdi. Kuyunun duvarları katı buzdan oluşuyordu, basacak yer yoktu ve yardım almaksızın dışarı tırmanmak imkânsızdı.

Lawrence Ekstrom buzun üstünde onlara doğru yürüdü. Hemen Norah Mangor'ın yanına gidip sıkıca tokalaştı. "İyi iş başardınız Dr. Mangor."

Norah, "Yazılı övgü bekliyorum," diye cevap verdi.

"Alacaksınız." Müdür şimdi Rachel'a dönmüştü. Daha neşeli, daha rahatlamış görünüyordu. "Söyler misiniz Bayan Sexton, profesyonel şüpheci ikna oldu mu?"

Rachel gülümsemekten kendini alamadı. "Afalladı demek daha doğru olur."

"Güzel. O halde beni takip edin."

Rachel, müdürü habikürenin karşı tarafında, sanayi tipi konteyneri andıran büyük metal bir karavanın yanına kadar izledi. Karavanın üstüne askeri kamuflaj desenleri boyanmış ve GTH harfleri basılmıştı.

Ekstrom, "Başkan'ı burdan arayacaksınız," dedi.

Rachel, *Güvenli Taşınabilir Haberleşme*, diye düşündü. Rachel barış zamanında NASA'nın kullanabileceğini hiç tahmin etmemiş olsa da, bu taşınabilir haberleşme araçları standart savaş alanı tertibatıydı. Ama Müdür Ekstrom'un geçmişi Pentagon'a dayanıyordu, bu yüzden bu türden oyuncaklar edinmesi olasıydı. GTH'nin başında dikilen iki silahlı nöbetçinin sert yüzü Rachel'da, dış dünyayla temas kurmanın sadece Müdür Ekstrom'un izniyle mümkün olabileceği hissini uyandırıyordu.

Görünüşe bakılırsa kapsama alanı dışındaki sadece ben değilim.

Ekstrom karavanın dışındaki nöbetçilerden biriyle konuştuktan sonra Rachel'a döndü. "İyi şanslar," dedi. Ve sonra gitti.

Nöbetçilerden biri karavan kapısına vurunca, kapı içeriden açıldı. İçeriden çıkan bir teknisyen, Rachel'a girmesini işaret etti. Rachel, onu takip etti.

GTH'nin içi karanlık ve havasızdı. Rachel tek bir bilgisayar ekranının mavimtırak ışığında telefon tertibatının, telsizin ve uydu haberleşme cihazlarının yerini görebildi. Kapalı yer korkusuna kapılmış gibiydi. İçeride, kış aylarında bodrumlarda hissedilen cinsten rutubetli bir hava hâkimdi.

"Lütfen buraya oturun Bayan Sexton." Teknisyen tekerlikli bir sandalye getirerek, Rachel'ı düz ekranlı monitörün karşısına oturttu. Önüne bir mikrofon yerleştirerek, başına büyük AKG kulaklıklarından taktı. Günlük şifre defterine baktıktan sonra teknisyen, yanında duran bir cihazın tuşlarına basarak uzun bir şifre girdi. Rachel'ın önündeki ekranda bir zaman ölçer belirdi.

00.60 SANİYE

Zaman ölçer geri sayıma başlayınca teknisyen hoşnut bir edayla başını salladı. "Bağlantıya bir dakika." Arkasını dönüp çıkarken, kapıyı arkasından çarparak kapattı. Rachel sürgünün dışarıdan kilitlendiğini duydu.

Harika.

Altmış saniyelik saatin geri sayımını seyredip karanlıkta beklerken, sabahtan beri ilk kez kendi başına kalabildiğini fark etti. Güne başlarken uyandığında kendisini nelerin beklediğine dair en ufak fikri yoktu. *Dünya dışı yaşam.* Bugün artık, tüm zamanların en popüler efsanesi, efsane olmaktan çıkmıştı.

Rachel bu göktaşının, babasının kampanyası için ne kadar yıkıcı olacağını henüz fark etmeye başlıyordu. NASA'ya ayrılan fonun kürtaj haklarıyla, refahla ve toplum sağlığıyla hiç alakası olmamasına rağmen babası bir alaka kurmuştu. Şimdi ise elinde patlayacaktı.

Birkaç saat içinde Amerikalılar bir kez daha NASA zaferinin coşkusuna kapılacaklardı. Gözü yaşlı hayalperestler belirecekti. Bilim adamlarının ağzı açık kalacaktı. Çocukların hayal dünyası özgürlüğe kavuşacaktı. Bu olağanüstü an, dolar sarfiyatı mevzusunu gölgeleyecek ve önemsiz kılacaktı. Başkan emsalsiz bir kahramana dönüşüp yükselirken, bu kutlamaların arasında ticarete yatkın senatör, maceraperest Amerikan ruhuna aykırı, dar görüşlü bir pinti gibi görünecekti.

Bilgisayardan uyarı sesi gelince Rachel başını kaldırdı.

00.05 SANİYE

Önündeki ekran birden titreşti ve bulanık bir Beyaz Saray amblemi belirdi. Kısa süre sonra bu resim yerini Başkan Herney'nin simasına bıraktı.

Gözlerinde muzip bir ışıltıyla, "Merhaba Rachel," dedi. "İlginç bir akşamüstü geçirdiğine eminim."

29

Senatör Sedgewick Sexton'ın ofisi, Kongre Binası'nın kuzeydoğusundaki C Caddesi'nde yer alan Philip A. Hart Senato Ofis Binası'ndaydı. Bina, eleştirmenlerin ofis binasından çok hapishaneye benzettiği, beyaz dörtgenlerden oluşan neomodern bir kafes görünümündeydi.

Gabrielle Ashe üçüncü katta, bilgisayarının önünde uzun bacaklarıyla ileri geri volta atıyordu. Ekranda yeni bir e-posta mesajı vardı. Bundan ne mana çıkartması gerektiğini kestiremiyordu.

İlk iki satırda şöyle yazıyordu:

SEDGEWICK CNN'DE ÇOK ETKİLEYİCİYDİ.
SANA BAŞKA HABERLERİM VAR.

Gabrielle son birkaç haftadır benzer mesajlar alıyordu. Gönderici adresi "whitehouse.gov" bölgesinden geliyormuş gibi görünse de sahteydi. Gizemli muhbirin Beyaz Saray'dan olduğu anlaşılıyordu ve bu kişi her kimse son zamanlarda NASA müdürüyle Başkan arasındaki gizli saklı toplantının haberi de dahil olmak üzere, Gabrielle'a siyasetle ilgili her türlü bilgiyi sağlayan bir kaynak haline gelmişti.

Gabrielle ilk başlarda e-postalara karşı kuşkucu yaklaşmıştı ama daha sonradan verilen ipuçlarını kontrol ettiğinde, bilginin sürekli doğru çıkması onu şaşırtmıştı. NASA'nın aşırı harcamaları hakkındaki bilgiler, planlanan ağır maliyetli görevler, NASA'nın dünya dışı yaşam arayışının sonuç getirmediğine ve fazla bütçe ayrıldığına dair veriler, hatta NASA'nın oy verenleri Başkan'dan uzaklaştırdığına dikkat çeken dahili fikir anketleri.

Senatörün gözündeki değerini kaybetmemek için Gabrielle, ona Beyaz Saray'dan e-posta yoluyla yardım aldığını söylememişti. Bilgiyi ona "kaynaklarından birinden" geliyormuş gibi aktarmıştı. Sexton ise her zaman takdir etmiş ve kaynağının *kim* olduğunu sormamıştı. Gabrielle senatörün, cinsel tavizler verdiğini düşündüğüne emindi. Ve ne yazık ki bu senatörü zırnık kadar rahatsız etmiyordu.

Adım atmayı bırakan Gabrielle bir kez daha gelen mesaja baktı. E-postaların içerdiği mana açıktı: Beyaz Saray'dan birisi, bu seçimleri Senatör Sexton'ın kazanmasını istiyor ve NASA'ya saldırması için ona yardım ediyordu.

Ama kim? Ve neden?

Gabrielle, *batan gemiden kaçan bir fare*, diye düşündü. Bir Beyaz Saray çalışanının, Başkan'ın makamını kaybetmek üzere olduğunu görerek işini sağlama bağlamak ya da görev değişiminin ardından başka bir pozisyonda çalışmak için galip geleceğini gördüğü adaya iyilik yapması Washington'da alışılmadık bir şey değildi. Görünüşe bakılırsa Sexton'ın zaferinin kokusunu alan biri, önceden yatırım yapmaya başlamıştı.

Gabrielle'ın ekranındaki mesaj sinirini bozuyordu. Bugüne dek aldıklarına benzemiyordu. İlk iki satır onu fazla rahatsız etmemişti. Ama son iki satırda yazanlar rahatsız ediyordu:

DOĞU RANDEVU KAPISI, 16.30
YALNIZ GEL.

Bilgi kaynağı daha önce hiç buluşmayı teklif etmemişti. Bununla birlikte Gabrielle yüz yüze görüşmek için gözlerden uzak bir yeri daha uygun buluyordu. *Doğu Randevu Kapısı?* Bildiği kadarıyla Washington'da sadece bir tane Doğu Randevu Kapısı vardı. *Beyaz Saray'ın önünde mi? Bir tür şaka mı bu?*

Gabrielle e-posta yoluyla cevap veremeyeceğini biliyordu; yazdıkları hep iletilemedi mesajıyla geri dönüyordu. Göndericinin isimsiz bir adresi vardı. Bu da şaşılacak bir şey değildi.

Sexton'a mı danışsam? Ama hemen bu fikirden vazgeçti. Ayrıca bu e-postadan bahsederse, ona diğer şeyleri de anlatması gerekecekti. Muhbirinin Gabrielle'a kendini güvende hissettirmek için gün ışığında ve kamuya açık bir yerde buluşmak istediğine karar verdi. Ayrıca bu kişi son iki haftadır ona yardım etmekten başka bir şey yapmamıştı. Bu kişi her kimse bir dost olduğu ortadaydı.

E-postayı son kez okuyan Gabrielle saate baktı. Bir saati kalmıştı.

30

Göktaşı buzun içinden başarıyla çıkartıldığından beri NASA müdürünün huzursuzluğu azalmıştı. Michael Tolland'ın çalıştığı bölüme doğru yürürken kendi kendine, *şimdi her şey yerli yerine oturmaya başladı*, diye düşündü. *Artık bizi hiçbir şey durduramaz.*

Televizyoncu bilim adamının arkasına kadar gelen Ekstrom, "Nasıl gidiyor?" diye sordu.

Başını bilgisayarından kaldıran Tolland, yorgun fakat heyecanlı görünüyordu. "Montaj kısmı nerdeyse bitti. Sizinkilerin çektiği filmlerden bazılarını yüklüyorum. Bitmesi yakındır."

"Güzel." Başkan, Ekstrom'dan, Tolland'ın belgeselini mümkün olan en kısa sürede Beyaz Saray'a göndermesini istemişti.

Başkan'ın bu projede Michael Tolland'ı kullanma isteğine şüpheyle bakmış olsa da, belgeselin bir kısmını görmek Ekstrom'un fikrini değiştirmişti. Televizyon yıldızının güçlü konuşma becerisi, sivil bilim adamlarıyla yapılan röportajlarla birleşince on beş dakikalık heyecan verici ve anlaşılır bir belgesele dönüşmüştü. Tolland NASA'nın başaramadığını kolayca elde etmişti; bilimsel bir keşfi, ukalalık taslamadan ortalama bir Amerikalının anlayacağı seviyede açıklamayı.

Ekstrom, "Montajı bitirince basına ayrılan bölüme getir. Dijital kopyayı birisi Beyaz Saray'a aktarır," dedi.

"Peki efendim." Tolland işine geri döndü.

Ekstrom yürümeye devam etti. Kuzey duvarına geldiğinde habiküre-nin "basına ayrılan bölümü"nün düzgün biçimde kurulmuş olduğunu görmek onu yüreklendirdi. Buzun üstüne büyük mavi bir halı serilmişti. Halının ortasına, üstünde mikrofonların yer aldığı, önünde NASA amblemli örtü sarkan uzun bir sempozyum masası yerleştirilmişti ve arka fonda dev bir Amerikan bayrağı asılıydı. Tiyatro sahnesini tamamlamak üzere göktaşı, sempozyum masasının hemen önündeki bir kızağın üstüne taşınmıştı.

Ekstrom bu bölümde bir kutlama havası estiğini gördüğüne memnundu. Çalışanların çoğu göktaşının çevresine toplanmışlar, ateşin etrafındaki kampçılar gibi ellerini sıcak nesneye uzatıyorlardı.

Ekstrom vaktin geldiğine karar verdi. Basına ayrılan bölgenin arkasındaki mukavva kutuların yanına gitti. Kutuları o sabah Grönland'dan getirtmişti.

Hoplayıp zıplayan çalışanlara kutu bira dağıtırken, "İçkiler benden!" diye bağırdı.

Birisi, "Hey patron!" diye seslendi. "Teşekkürler! Hem de soğukmuş bunlar!"

Ekstrom gülümsedi. "Buzda beklettim."

Herkes güldü.

Yüzünü buruşturarak elindeki biraya bakan bir başkası, "Durun bir dakika!" diye bağırdı. "Bunlar Kanada malı! Vatanseverliğiniz nerde kaldı sizin?"

"Arkadaşlar burda bütçemiz kısıtlı. En ucuz bunları bulabildim."

Daha büyük bir kahkaha koptu.

NASA televizyon ekibinden biri megafona, "*Sayın müşterilerin dikkatine,*" diye anons yaptı. "*Medya ışıklandırmasına geçmek üzereyiz. Geçici körlük yaşayabilirsiniz.*"

Birisi, "Ve karanlıkta öpüşmek yok," diye bağırdı. "Bu bir aile programı!"

Ekstrom, ekibi projektör ışıkları ve aydınlatmadaki son ayarlamaları yaparken, duyduğu esprilere keyifle gülüyordu.

"Medya ışıklandırmasına geçmeye beş, dört, üç, iki..."

Halojen ışıkları sönünce kubbenin içi aniden karardı. Birkaç saniye içinde tüm ışıklar sönmüştü. Kubbeye kör bir karanlık hâkimdi.

Birisi şakayla çığlık attı.

Bir başkası gülerek, "Kim kıçıma çimdik attı?" diye bağırdı.

Sadece kısa bir an süren karanlığı, medya ışıklarının güçlü parlaklığı deldi. Herkes gözlerini kısmıştı. Dönüşüm artık tamamlanmıştı; NASA habiküresinin kuzey çeyrek dairesi bir televizyon stüdyosu haline gelmişti. Kubbenin geri kalan kısmı, geniş bir samanlığı andırıyordu. Geri kalan kısımlardaki tek ışık, kavisli tavandan yansıyarak boş çalışma alanlarında uzun gölgeler meydana getiren medya ışıklarının zayıf uzantılarıydı.

Takımının göktaşı etrafında toplandığını görmekten mutluluk duyan Ekstrom karanlığa geçti. Kendini, yılbaşında ağacın etrafında eğlenen çocuklarını seyreden bir baba gibi hissediyordu.

Önünde nasıl bir felaketin uzandığını hiç bilmeyen Ekstrom, *bunu ne kadar çok hak ettiklerini bir tek Tanrı bilir*, diye duşunuyordu.

31

Hava değişiyordu.

Yaklaşan mücadelenin acıklı habercisi katabatik rüzgâr, uğuldayarak esti ve Delta Gücü'nün sığınağına şiddetle çarptı. Fırtına kaplamalarını germeyi bitiren Delta-Bir, içerideki iki ortağının yanına gitti. Bunu daha önce yaşamışlardı. Yakında geçecekti.

Delta-İki mikrobottan gelen canlı video görüntülerini seyrediyordu. "Şuna baksan iyi olur," dedi.

Delta-Bir yanına geldi. Kubbe, kuzey tarafındaki parlak aydınlık hariç tamamen karanlığa gömülmüştü. Habikürenin geri kalanının sadece ana hatları görünüyordu. "Bir şey değil," dedi. "Bu akşam için televizyon ışıklandırmalarını test ediyorlar."

"Sorun ışıklandırma değil." Delta-İki buzun ortasındaki karanlık lekeyi işaret etti; göktaşının çıkartıldığı su dolu deliği. "Sorun *bu.*"

Delta-Bir deliğe baktı. Etrafında hâlâ işaretler vardı ve suyun yüzeyi sakin görünüyordu. "Ben bir şey göremiyorum."

"Bir daha bak." Kumanda kolunu hareket ettirerek, mikrobotu deliğin üstüne doğru yönlendirdi.

Delta-Bir erimiş su havuzuna yakından bakınca, şaşkınlıkla geri çekilmesine neden olan bir şey gördü. "Bu da ne..."

Delta-Üç yanlarına gelip baktı. O da şaşırmıştı. "Tanrım. Bu göktaşının çıkartıldığı çukur mu? Su böyle mi yapar?"

Delta-Bir, "Hayır," dedi. "Kesinlikle yapmaz."

32

Rachel Sexton Washington D.C.'den dört bin beş yüz kilometre uzakta, büyük metal bir konteyner içinde oturduğu halde, kendini Beyaz Saray'a çağrılmış gibi baskı altında hissediyordu. Önündeki video telefonun ekranında, Beyaz Saray'daki iletişim odasında başkanlık ambleminin önünde oturan Başkan Zach Herney'nin berrak görüntüsü vardı. Dijital ses bağlantısı kusursuzdu ve o saniyelik gecikmeler de olmasa, adamın yan odada oturduğu düşünülebilirdi.

Neşeli ve samimi bir görüşme yapıyorlardı. Başkan, NASA keşfi ve sözcü olarak büyüleyici Michael Tolland'ı kullanma tercihi hakkında Rachel'ın olumlu düşüncelerine memnun olmuş gibiydi. Başkan iyimser ve espritüel bir havadaydı.

Sesi biraz daha ciddileşen Herney, "Mükemmel bir dünyada bu keşfin tamamıyla bilimsel kabul edileceği konusunda hemfikir olduğuna eminim," dedi. Durup öne eğildi ve yüzü tüm ekranı doldurdu. "Ne yazık ki mükemmel bir dünyada yaşamıyoruz ve ilan ettiğim anda NASA'nın zaferi bir siyaset maçına dönüşecek."

"İnandırıcı kanıtı ve açıklamasını yapmak için seçtiğiniz kişiyi düşününce, halkın ya da muhalefetin bu keşfi, doğruluğu ispatlanmış bir gerçek olarak kabul etmekten başka bir şey yapabileceğini sanmıyorum."

Herney neredeyse üzgün bir ifadeyle güldü. "Siyasetteki muhaliflerim gördüklerine *inanacaklardır* Rachel. Ama beni asıl kaygılandıran, gördüklerinden *hoşlanmayacak* olmaları."

Rachel, babasının adını zikretmemek için Başkan'ın büyük bir özen gösterdiğini fark etmişti. Sadece "muhalefetten" ve "siyasi muhaliflerden" bahsediyordu. "Peki siz muhaliflerinizin siyasi sebeplerden ötürü bunun bir aldatmaca olduğunu mu haykıracaklarını düşünüyorsunuz?"

"Oyunun kuralı bu. Tek yapmaları gereken, bu buluşun NASA ile Beyaz Saray arasında uydurulmuş siyasi bir aldatmaca olduğunu söyleyerek kuşku uyandırmak. Bunun ardından kendimi sorgulamaların ortasında bulacağım. Gazeteler NASA'nın dünya dışında yaşam kanıtları bulduğunu unutacak ve medya kendini aldatmacanın delillerini toplamaya adayacak. Ama bu buluşa atılan iftira hem bilim, hem Beyaz Saray ve samimi olmak gerekirse hem de ülke için kötü olacak."

"Siz de bu yüzden elinizde tam bir kanıt ve sivil bilim adamlarının tasdiki olmadan duyuru yapmayı ertelediniz."

"Bu bilgiyi, şüpheye hiç yer bırakmayacak şekilde sunmayı amaçlıyorum. Bu buluşun layık olduğu lekesiz itibarı kazanmasını istiyorum. NASA bunu hak ediyor."

Rachel'ın içgüdüleri kıpırdanmaya başlamıştı. *Benden ne istiyor?*

"Siz bana yardım etmek için eşsiz bir konumdasınız," diye devam etti. "Analiz uzmanlığındaki tecrübeleriniz ve rakibimle olan bağlarınız, bu buluş konusunda size muazzam bir güvenirlik sağlıyor."

Rachel'ın gözü açılıyordu. *Beni kullanmak istiyor... tıpkı Pickering'in söylediği gibi.*

Herney, "Bu keşfi, Beyaz Saray istihbarat irtibatım... ve rakibimin kızı olarak bizzat desteklemenizi rica ediyorum," dedi.

İşte söylemişti. Apaçık ifade etmişti.

Herney destek vermemi istiyor.

Rachel gerçekten de Zach Herney'nin bu türden siyasi nispetler yapmayacak biri olduğunu düşünmüştü. Rachel'ın kamu önünde destek vermesi, bu göktaşını babası için *kişisel* bir mesele haline getirecek ve senatör, kızının güvenirliğini sarsmadan buluşun güvenirliğine karşı saldırıya geçemeyecekti. Bu, "önce aileler" diyen bir adayın ölüm fermanı olurdu.

Ekrana bakan Rachel, "Samimi olmak gerekirse efendim," dedi. "Benden böyle bir şey istemenize çok şaşırdım."

Başkan bozulmuş gibiydi. "Yardım etmek sizi heyecanlandırır, diye düşünmüştüm."

"Heyecanlanmak mı? Efendim, babamla yaşadığım sürtüşmeleri bir kenara bırakalım, bu isteğiniz beni çok müşkül bir duruma sokuyor. Kamunun gözleri önünde babamla başa baş bir mücadeleye girmeden de yeterince sorun yaşıyorum. Bu adamdan hoşlanmadığımı her ne kadar itiraf etsem de, o benim babam ve açıkçası kamu önünde beni ona karşı kullanmak size yakışmaz."

"Durun biraz!" Herney ellerini havaya kaldırıp salladı. "Kamu önünde olacağını kim söyledi?"

Rachel duraksadı. "Saat yirmideki basın konferansında NASA müdürüne eşlik etmemi istediğinizi sandım."

Herney'nin kahkahası hoparlörlerde yankılandı. "Rachel, benim nasıl biri olduğumu sanıyorsun? Gerçekten de birisinin ulusal televizyonda babasını arkadan bıçaklamasını isteyeceğimi mi düşündün?"

"Ama dediniz ki..."

"NASA müdürünün bütün o ilgiyi baş düşmanının kızıyla paylaşmasını isteyeceğimi mi sandın? Seni küçümsemek istemem ama bu basın konferansı *bilimsel* bir sunum olacak. Göktaşları, fosiller ya da buzul yapılarıyla ilgili bilgin bu olaya daha fazla güvenirlik katar mı bilmiyorum."

Rachel kızardığını hissetti. "Ama o zaman... nasıl bir destek vermemi istemiştiniz?"

"Konumuna daha uygun bir şey."

"Dinliyorum efendim."

"Sen benim Beyaz Saray istihbarat bağlantımsın. Milli önem taşıyan meselelerde çalışanlarımı bilgilendirirsin."

"*Çalışanların* önünde mi destek vermemi istediniz?"

Yanlış anlaşma Herney'i hâlâ eğlendiriyor gibiydi. "Evet bunu istiyorum. Beyaz Saray'ın *dışında* karşılaşacağım şüphecilik, kendi çalışanlarımla kıyaslandığında hiç kalır. Burda büyük bir isyanın ortasındayız. Beyaz Saray'ın içindeki güvenirliğim çok sarsıldı. Çalışanlarım NASA'ya ayrılan fonu kesmem için bana yalvardılar. Onlara aldırış etmemem siyasi bir intihardı."

"Şu ana dek."

"Kesinlikle. Sabah da konuştuğumuz gibi bu buluşun zamanlaması siyasetin içindeki şüphecilerde kuşku uyandıracak ve hiç kimse benim çalışanlarımın şu an olduğu kadar şüpheci olamaz. Bu yüzden bu bilgiyi ilk duyduklarında..."

"*Çalışanlarınıza* henüz göktaşından bahsetmediniz mi?"

"Sadece en kıdemli birkaç danışmanım biliyor. Bu keşfi sır olarak saklamak çok önemliydi."

Rachel hayrete düşmüştü. *İsyan çıkmasına şaşmamak lazım.* "Ama ben bu sahada çalışmıyorum. Göktaşı pek de istihbaratla ilintili bir rapor sayılmaz."

"Geleneksel anlamda değil ama her zaman yaptığın işin tüm unsurları mevcut; ayıklanması gereken karmaşık veriler, siyasi yönleri..."

"Ben göktaşı uzmanı değilim efendim. Çalışanlarınıza NASA müdürü açıklama yapsa daha iyi olmaz mıydı?"

"Şaka mı yapıyorsun? Burdaki herkes ondan nefret ediyor. Çalışanlarımın gözünde o, beni başarısız yatırımlara yönelten bir satıcıdan başkası değil."

Rachel ne demek istediğini anlıyordu. "Peki Corky Marlinson? Astrofizik dalında Ulusal Bilim Madalyası var. Ona benden daha çok inanırlar."

"Benim çalışanlarım siyasetçi Rachel, bilim adamı değil. Sen Dr. Marlinson'la tanıştın. Bence müthiş biri ama beyninin sözel tarafını kullanmaya alışkın entelektüellerden oluşan takımıma bir astrofizikçi açıklama yaparsa, sudan çıkmış balığa dönerler. Benim kolay anlaşılır birine ihtiyacım var. O kişi sensin Rachel. Çalışanlarım senin yaptığın işi biliyorlar, ayrıca soyadın dikkate alındığında, çalışanlarımın dinleyebileceği tarafsız bir konuşmacı sayılırsın."

Rachel, Başkan'ın nazik tavrı karşısında yelkenlerinin suya indiğini hissediyordu. "En azından isteğinizle, rakibinizin kızı olmamın bir bağlantısı olduğunu kabul ediyorsunuz."

Başkan mahcup bir edayla güldü. "Elbette var. Ama tahmin edebileceğin gibi, kararın ne olursa olsun çalışanlarıma bir şekilde bu açıklama yapılacak. Sen bu iş için biçilmiş kaftansın Rachel. Bu açıklamayı yapmaya en yakışan kişi sensin ve ayrıca gelecek dönem çalışanlarımı Beyaz Saray'dan kovmak isteyen adamın çok yakın bir akrabasısın. Her iki yönden de güvenilirliğin var."

"Satış işinde olmalıymışsınız."

"İşin doğrusu öyleyim. Baban da öyle. Ve dürüst olmak gerekirse, karşılıklı bir anlaşma yapmak istiyorum." Başkan gözlüklerini çıkarıp Rachel'a baktı. Rachel, babasındaki güçten bir miktar bu adamda da olduğunu hissetti. "Senden bunu bir iyilik olarak rica ediyorum Rachel, üstelik yaptığın işin bir parçası olduğuna inanıyorum. Yanıtın nedir? Evet mi hayır mı? Çalışanlarıma bu konuyu açıklayacak mısın?"

Rachel GTH konteynerinde kapana kısıldığını hissetti. *Emrivaki yapmakta üstüne yok*. Video ekranındaki kararlılığı, dört bin beş yüz kilometre uzaktan bile kendini hissettiriyordu. Ayrıca hoşuna gitsin ya da gitmesin, bunun son derece mantıklı bir istek olduğunun da farkındaydı.

Rachel, "Ama şartlarım var," dedi.

Herney kaşlarını yukarı kaldırdı. "Ne gibi?"

"Çalışanlarınızla özel olarak görüşeceğim. Gazeteci olmayacak. Özel bir toplantı olmalı, tüm kamuoyu önünde destek vermeyeceğim."

"Söz veriyorum. Toplantı zaten çok özel bir yerde ayarlandı."

Rachel içini çekti. "Peki o halde."

Başkan'ın keyfi yerine gelmişti. "Çok güzel."

Rachel saatine baktığında, on altıyı geçtiğini görünce şaşırdı. Sersemlemiş bir halde, "Bir saniye," dedi. "Saat yirmide canlı yayına çıkacaksanız hiç vaktimiz yok. Beni buraya gönderdiğiniz o garip aygıtın içinde bile Beyaz Saray'a ulaşmam en az birkaç saat alır. Ayrıca konuşacaklarımı hazırlamam gerek ve..."

Başkan başını iki yana salladı. "Sanırım yeterince iyi açıklayamadım. Bu açıklamayı, şu an bulunduğun yerden video konferans aracılığıyla yapacaksın."

Rachel, "Ya," derken tereddüt içindeydi. "Saat kaç gibi düşünüyordunuz acaba?"

Herney sırıtarak, "Sahi," dedi. "Şimdiye ne dersin? Burda herkes toplanmış, büyük ve boş bir televizyon ekranına bakıyor. Seni bekliyorlar."

Rachel'ın tüm vücudu gerildi. "Efendim, hiç hazırlıklı değilim. Mümkün olsaydı..."

"Onlara gerçeği söyle yeter. Bu ne kadar zor olabilir?"

"Ama..."

Başkan ekrana doğru eğilerek, "Rachel," dedi. "Sen veri toplayıp ileterek para kazanıyorsun. Bu senin işin. Orda neler olduğunu anlat yeter." Video ileti cihazındaki bir düğmeye uzandı ama sonra durdu. "Ayrıca, sana iktidar mevkiini ayarladığım için sanırım memnun olacaksın."

Rachel, onun ne demek istediğini anlamadı ama sormak için çok geç kalmıştı. Başkan düğmeyi kaldırdı.

Rachel'ın önündeki ekran bir süreliğine karardı. Görüntü yeniden geldiğinde, Rachel hayatında gördüğü en cesaret kırıcı manzaraya bakıyordu. Beyaz Saray Oval Ofisi tam önünde duruyordu. Tıklım tıkıştı. Herkes ayaktaydı. Tüm Beyaz Saray çalışanları orada gibiydi. Ve hepsi de ona bakıyordu. Rachel kendi görüntüsünün Başkan'ın masasının üstünde göründüğünü fark etti.

İktidar mevkiinden konuşacağım. Rachel şimdiden terlemeye başlamıştı.

Beyaz Saray çalışanlarının yüzünden, Rachel'ı görmekten en az onun kadar şaşırdıkları anlaşılıyordu.

Çatlak bir ses, "Bayan Sexton?" diye seslendi.

Odadaki yüzleri tarayan Rachel, sonunda kimin konuştuğunu buldu. Ön sırada oturmaya hazırlanan sırık gibi bir kadındı. Marjorie Tench. Kadının kalabalığın içinde bile fark edilir bir görüntüsü vardı.

Halinden memnun bir sesle, "Bize katıldığınız için teşekkür ederiz Bayan Sexton," dedi. "Başkan bize verecek haberleriniz olduğunu söyledi."

33

Paleontolog Wailee Ming özel çalışma bölümünde tek başına oturmuş, karanlığın keyfini çıkartıyordu. İçi, akşam yaşanacak olayın beklentisiyle doluydu. *Yakında dünyanın en ünlü paleontologu olacağım.* Michael Tolland'ın belgeselde cömert davranarak, Ming'in yorumlarına bolca yer vermiş olmasını umuyordu.

Ming yaklaşan şöhretin hayalini kurarken, ayaklarının altındaki buzun hafifçe sarsılması, yerinden sıçramasına sebep oldu. Los Angeles'ta yaşadığı için gelişen deprem sezgileri, yerdeki en ufak sarsıntılara karşı bile hassasiyetini arttırmıştı. Ama Ming o an için bu titreşimlerin son derece normal olduğunu hatırlayarak saçmaladığını düşündü. Derin bir nefes verirken, içinden *sadece buzullar parçalanıyor*, diye geçirdi. Bu duruma hâlâ alışamamıştı. Birkaç saatte bir, buzulların bir köşesinden dev bir buz kütlesi kopup denize düşerken, geceleri uzaklardan gümbürtü sesleri geliyordu. Norah Mangor buna güzel bir isim bulmuştu. *Yeni buzdağlarının doğumu...*

Artık ayağa kalkmış olan Ming, kollarını esnetti. Habikürenin diğer tarafına bakınca, uzaklardaki televizyon ışıklarının altında bir kutlama hazırlığı yapıldığını gördü. Ming partilerden pek hoşlanan bir tip değildi, bu yüzden habikürenin diğer tarafına yöneldi.

Boş çalışma bölümlerinden oluşan labirent şimdi bir hayalet şehri andırıyordu. Kubbede kasvetli bir hava hâkimdi. İçeri giren serin esintiyi hisseden Ming, uzun devetüyü paltosunun düğmelerini ilikledi.

İleride göktaşının çıkarıldığı deliği görebiliyordu; tüm insanlık tarihinin en muhteşem fosillerinin alındığı noktayı. Dev metal tripod toplanmıştı ve etrafı işaretlerle çevrili kuyu, geniş bir buz garajında dikkat edilmesi gereken derin çukur gibi, ortada tek başına duruyordu. Ming arada güvenli bir mesafe bırakarak, deliğin etrafında yürüdü ve soğuk su dolu altmış metrelik çukura baktı. Yakında sular yeniden donarak, orada herhangi birinin bulunduğuna dair tüm izleri silecekti.

Ming, su havuzunun güzel bir manzara oluşturduğunu düşündü. Karanlıkta bile.

Özellikle karanlıkta.

Ming bu düşüncenin hemen ardından duraksadı. Sonra anladı.

Ters giden bir şeyler var.

Ming suya biraz daha yakından bakarken, az önceki hoşnutluğunun yerini aniden akıl karışıklığına bıraktığını hissetti. Gözlerini kırpıştırıp bir kez daha baktı ve bakışlarını hemen kubbenin karşı tarafına yöneltti... elli metre ötede, basına ayrılan bölgede kutlama yapan insanlara. Bulundukları yerden onu karanlıkta göremeyeceklerini biliyordu.

Bunu birine söylemeliyim, öyle değil mi?

Ming, onlara ne söyleyeceğini düşünürken suya bir daha baktı. Acaba gördüğü görsel bir yanılsama mıydı? Tuhaf bir yansıma olabilir miydi?

Emin olamayan Ming, işaretlerin önüne geçerek, deliğin kenarında çömeldi. Su seviyesi buz seviyesinin bir metre altındaydı. Daha iyi görmek için biraz daha yaklaştı. Evet, kesinlikle tuhaf bir şey vardı. Bunu anlamamak imkânsızdı ama kubbedeki ışıklar kararana kadar kendini belli etmemişti.

Ming ayağa kalktı. Birisi mutlaka bunu duymalıydı. Basına ayrılan bölüme doğru hızlı adımlarla yürümeye başladı. Sadece birkaç adım atmıştı ki, Ming olduğu yerde donakaldı. *Aman Tanrım!* Deliğin yanına dönerken, gözleri fal taşı gibi açılmıştı. Tam olarak şimdi anlamıştı.

Yüksek sesle, "İmkânsız," diye haykırdı.

Ama Ming tek açıklamanın bu olduğunu biliyordu. Kendi kendine, *iyi düşün,* dedi. *Mantıklı bir açıklaması olmalı.* Ama Ming düşündükçe, gördüğünün ne olduğu hakkında daha fazla ikna oluyordu. *Başka açıklaması yok!* NASA ile Corky Marlinson'ın böylesi şaşırtıcı bir şeyi gözden kaçırmış olmalarına inanmıyordu ama şikâyeti de yoktu.

Bu artık Wailee Ming'in keşfi!

Heyecandan titreyerek yakındaki çalışma bölmesine koştu ve bir deney tüpü buldu. Tek ihtiyacı olan az miktarda bir su örneğiydi. Kimse buna inanmayacaktı!

34

Önündeki ekranda gördüğü kalabalığa hitap ederken, sesini titretmemeye uğraşan Rachel, "Beyaz Saray'ın istihbarat muhatabı olarak görevim, dünyada siyasi açıdan hareketli bölgelere seyahat etmek, çalkantılı durumları analiz etmek, Başkan'a ve Beyaz Saray çalışanlarına rapor yazmak," dedi.

Saç diplerinde oluşan teri silen Rachel, hiç haber vermeden bu açıklamayı başına sardığı için, içinden Başkan'a küfretti.

"Daha önceki seyahatlerimde hiç bu kadar egzotik bir yere gelmemiştim." Rachel içinde bulunduğu konteyneri eliyle gösterdi. "İster inanın, ister inanmayın, şu anda size Kuzey Kutup Dairesi'nde doksan metre kalınlığındaki bir buz kütlesinin üstünden sesleniyorum."

Rachel önündeki ekranda gördüğü yüzlerde şaşkın bir bekleyiş ifadesi sezinledi. Oval Ofis'e doluşmalarının bir sebebi olduğunu elbette biliyorlardı ama herhalde hiçbiri bunun Kuzey Kutbu'ndaki gelişmelerle bir ilgisi olacağını tahmin etmemişti.

Yeniden terler birikmeye başlamıştı. *Söyleyeceklerini toparla Rachel. Bu senin işin.* "Bu akşam büyük bir onur, gurur ve... hepsinden öte büyük bir heyecanla karşınızdayım."

Boş bakışlar.

Öfkeyle terini silerken, *hay içine edeyim*, diye düşündü. *Bunu yapacağıma dair imza atmadım.* Rachel, eğer orada olsaydı annesinin ne diyeceğini çok iyi biliyordu: *Şüphen varsa, söyle gitsin!* Eski Yankee atasözü annesinin hayat felsefesi haline gelmişti, yani nasıl olursa olsun, gerçeği söylemek tüm güçlükleri ortadan kaldırır.

Derin bir nefes alan Rachel, dik oturarak doğruca kameranın içine baktı. "Affedersiniz arkadaşlar, Kuzey Kutbu'nda nasıl olup da kıçımdan ter aktığını merak edebilirsiniz... biraz gerginim."

Karşısındaki yüzler sanki bir an için sersemlemişti. Bazıları tutuk kahkahalar attılar.

Rachel, "Buna ek olarak, patronunuz tüm çalışanlarının karşısına çıkacağımı bana on saniye önce söyledi. Oval Ofis'e yapacağım ziyaret için böyle çetin bir sınav vereceğim aklıma gelmemişti," dedi.

Bu kez biraz daha fazla güldüler.

Bakışlarını ekranın alt köşesine indirerek, "Ve," dedi. "Başkan'ın masasında oturacağımı hiç tahmin etmemiştim... daha doğrusu masasının *üstünde!*"

Bunun ardından kahkahalar patladı. Rachel gevşemeye başladığını hissediyordu. *Onlara doğrudan söyle.*

"Durum şu." Rachel'ın sesi şimdi artık kendi sesi gibi çıkıyordu. Sakin ve anlaşılır. "Başkan Herney'nin geçen hafta medyadan uzak durmasının sebebi kampanyasına olan ilgisini kaybetmesi değildi, başka bir konuyla meşguldü. Çok daha önemli olduğunu düşündüğü bir meseleyle."

Rachel biraz duraksadı. Dinleyicilerle göz teması kuruyordu.

"Kuzey Kutbu'nda Milne Buzul Katmanı denilen bir yerde bilimsel bir keşif gerçekleşti. Başkan bu akşam saat yirmide yapacağı basın konferansıyla bunu dünyaya duyuracak. Bu buluşu, son zamanlarda şanstan yana yüzü gülmeyen ve artık mola vermeyi hak eden bir grup çalışkan Amerikalı gerçekleştirdi. NASA'dan bahsediyorum. Başkanı'nızın her türlü şartta NASA'nın yanında durmasıyla gurur duyabilirsiniz. Gösterdiği sadakat, görünüşe bakılırsa şimdi bir ödül getirmek üzere."

Rachel bunun tarihi açıdan ne kadar önemli olduğunu o an anladı. Boğazındaki düğümü çözmek için uğraş verdi ve devam etti.

"Veri analizi ve kanıtlama alanında uzmanlaşmış bir istihbarat memuru olarak, NASA keşfini incelemek için Başkan'ın çağırdığı pek çok kişiden biriyim. Keşfi şahsen inceledim ve siyasi etkilerden uzak, son derece güvenilir, gerek devlet memuru, gerekse sivil pek çok bilim adamıyla görüştüm. Az sonra sizlere vereceğim bilginin gerçek ve tarafsız olduğu benim profesyonel görüşümdür. Bunun dışında Başkan'ın, aslında geçen hafta severek yapabileceği duyuruyu, makamına ve Amerikalılara beslediği iyi niyetle erteleyerek, takdire değer bir özen ve ihtimam gösterdiğini düşünüyorum."

Rachel karşısındaki kalabalığın birbirlerine şaşkın bakışlar fırlattıklarını gördü. Bakışlarını yeniden ona çevirdiklerinde, tüm dikkatlerini kendisine verdiklerini biliyordu.

"Bayanlar baylar, bu ofiste şimdiye dek açıklanmış en heyecan verici bilgi olduğu konusunda hemfikir olacağınız bir şeyi duymak üzeresiniz."

35

Habikürenin içinde dolaşan mikrobottan Delta Gücü'ne iletilen kuşbakışı görüntü, yenilikçi film yarışması ödülü kazanabilecek cinstendi: loş ışıklar, göktaşının çıkartıldığı deliğin pırıltıları ve devetüyü paltosu dev kanatlar gibi açılmış, yerde yatan iyi giyimli Asyalı. Adamın su örneği almaya çalıştığı belli oluyordu.

Delta-Üç, "Onu durdurmalıyız," dedi.

Delta-Bir, ona hak veriyordu. Milne Buzul Katmanı, takımının güç kullanarak koruma yetkisine sahip olduğu sırlar barındırıyordu.

Kumanda kolunu hâlâ elinden bırakmamış olan Delta-İki, "Onu nasıl durduracağız?" diye sordu. "Bu mikrobotların öyle bir donanımı yok."

Delta-Bir kaşlarını çattı. Habikürede uçan mikrobot, uzun uçuşlar için tasarlanmış bir keşif modeliydi. En fazla bir karasinek kadar tehlikeli olabilirdi.

Delta-Üç, "İdareciyi aramalıyız," dedi.

Delta-Bir, Wailee Ming'in kenarda tek başına dikkatlice eğilmiş görüntüsüne baktı. Yakınında kimse yoktu ve buzlu suyun, insanın atacağı çığlıkları bastırma gibi bir özelliği vardı. "Kumandayı bana ver."

Kumanda kolunu tutan asker, "Ne yapıyorsun?" diye sordu.

Delta-Bir kumandayı alarak, "Eğitimini aldığımız şeyi," diye cevabını verdi. "Doğaçlama."

36

Wailee Ming göktaşının çıkartıldığı deliğin yanında yüzükoyun yatmış, kenardan sarkıttığı sağ koluyla su örneği almaya çalışıyordu. Gözleri onu kesinlikle yanıltmıyordu; şimdi yüzüyle su arasında sadece bir metre kadar mesafe kaldığından, her şeyi tüm ayrıntılarıyla görebiliyordu.

Bu inanılmaz!

Kendini biraz daha zorlayan Ming, su yüzeyine erişmeye çalışarak elindeki deney tüpünü uzattı. Birkaç santim daha uzanması yetecekti.

Kolunu daha fazla uzatamayan Ming, kenara biraz daha yaklaştı. Botlarının burnunu buza iyice saplayarak, sol eliyle kenara sımsıkı tutundu. Bir kez daha sağ kolunu gittiği yere kadar uzattı. *Az kaldı.* Biraz daha yaklaştı. *Evet!* Deney tüpünün kenarı suya değiyordu. Sıvı tüpün içine dolarken, Ming hayret içinde seyrediyordu.

Ardından, hiç beklenmedik bir anda anlaşılmaz bir şey oldu. Karanlığın içinde, silahtan çıkan mermi gibi bir metal parçası fırladı. Sağ gözüne çarpmadan önce Ming bu nesneyi bir an için görebildi.

İnsanın gözünü korumak için verdiği tepki öylesine güçlüydü ki, beyni Ming'e herhangi bir ani harekette bulunduğu takdirde dengesini bozacağını söylediği halde, kendini geri çekti. Acıdan çok şaşkınlıkla verilmiş bir tepkiydi. Ming'in yüzüne daha yakın olan sol eli, saldırıya uğrayan gözünü korumak için ani bir refleksle yukarı kalktı. Elini yüzüne götürürken, hata yaptığını biliyordu.Tüm ağırlığını öne vermiş bir haldeyken, tek desteğini de kaybettiği için Wailee Ming sendeledi. Kendini toparlamakta çok geç kalmıştı. Elinden deney tüpünü düşürdü. Düşüşünü engellemek için kaygan buza tutunmaya çalışırken, aşağıdaki karanlık deliğe doğru kaydı.

Sadece bir metre düştüğü halde, buzlu suya baş aşağı çarpan Ming, saatte seksen kilometre hızla yüzü asfalta çarpmış gibi hissetti. Yüzünü içine alan sıvı öylesine soğuktu ki, yakıcı asit gibi bir etkisi vardı. Bir anda paniğe kapılmasına sebep oldu.

Baş aşağı ve karanlıkta kalan Ming yön duygusunu kaybetti ve yüzeye çıkmak için ne tarafa döneceğini şaşırdı. Ağır devetüyü paltosu onu buzlu sudan korudu, ama sadece bir iki saniyeliğine. Sonunda kendini doğrultan Ming nefes almaya çalışarak ağzından baloncular çıkartırken, sular sırtına ve göğsüne doluyor, vücudunu kaplayan soğuk neredeyse ciğerlerini parçalıyordu.

Soluk soluğa, "İm... daaat," diyebildi ama sadece bir inilti çıkartabilecek kadar nefes alabilmişti. Nefesinin tükendiğini hissediyordu.

"İmm... daat!" Haykırışlarını kendi bile zor duyuyordu. Ming güçlükle çukurun kenarına yaklaşarak kendini yukarı çekmeye çalıştı. Önünde dümdüz bir buz duvarı vardı. Tutunacak hiçbir yer yoktu. Suyun altında botlarıyla basacak bir yer arayarak duvarı tekmeledi. Hiçbir şey yoktu. Kenara uzanarak yukarı çıkmak için debelendi. Sadece bir metre uzaktaydı.

Ming'in kasları tepki vermekte zorlanmaya başlamıştı. Kenara ulaşmak için duvara tutunup kendini yukarı çekmeye çalışırken, bacaklarını daha büyük bir gayretle çırptı. Vücudu kurşun gibi ağırlaşmış, ciğerleriyse sanki bir piton sıkıyormuş gibi nefessiz kalmıştı. Suyu iyice çeken paltosu her geçen saniye ağırlaşıyor, onu aşağı çekiyordu. Ming paltosunu çıkarmaya çalıştı ama ağır kumaş vücuduna yapışmıştı.

"Yardım... edin!"

Artık korkuya kapılmıştı.

Ming bir zamanlar akla gelebilecek en korkunç ölüm şeklinin boğulma olduğunu okumuştu. Bu tecrübeyi yaşayacağı hiç aklına gelmemişti. Kasları beyninin komutlarına itaat etmeyi reddediyor, ama yine de başını suyun üstünde tutmaya çalışıyordu. Hissizleşmiş parmaklarıyla çukurun duvarlarını tırmalarken, ıslak kıyafetleri onu aşağı çekiyordu.

Artık sadece zihninin içinde çığlıklar atabiliyordu.

Ve sonra gerçekleşti.

Ming suyun altına battı. Kendi ölümünün yaklaştığının farkına varma korkusunu yaşayacağını hiç tahmin etmemişti. Ama işte oradaydı... buzdaki altmış metrelik deliğin içinde yavaşça batıyordu. Gözlerinin önünden onlarca sahne geçti. Çocukluğuna ait sahneler. Kariyeri. Birinin onu orada bulup bulmayacağını düşündü. Yoksa dibi boylayıp donacak... sonsuza dek buzullarda saklı mı kalacaktı?

Ming'in ciğerlerindeki oksijen tükenmişti. Yüzeye çıkmaya çalışarak nefesini tuttu. *Nefes al!* Hissizleşen dudaklarını birbirine kenetleyip bu içgüdüyü bastırmaya çalıştı. *Nefes al!* Çaresizce yukarı doğru yüzmeye çalıştı. *Nefes al!* Ölümcül bir mantığa karşı refleks savaşı sırasında, Ming'in nefes alma içgüdüsü bir anda ağzını kapalı tutma çabalarına galip geldi.

Wailee Ming nefes aldı.

Ciğerlerine dolan suyun, akciğer dokularını yakan sıcak yağ gibi bir etkisi vardı. İçten dışa doğru yandığını hissetti. Ne yazık ki, su hemen öldürmüyordu. Ming buzlu suyu ciğerlerine çekerek yedi korkunç saniye geçirdi. Her nefes bir öncekinden daha acı vericiydi. İçine çektiği su, vücudunun ümitsizce ihtiyaç duyduklarının hiçbirini sağlamıyordu.

En sonunda buzlu karanlığa doğru batan Ming, bilincini kaybettiğini hissetti. Etrafını çevreleyen suda minik pırıltılar gördü. Hayatında gördüğü en güzel şeydi.

37

Beyaz Saray'ın Doğu Randevu Kapısı, East Executive Caddesi'nde Doğu Parkı'yla Hazine Bakanlığı arasındaydı. Beyrut'taki deniz piyadeleri kışlasına yapılan saldırının ardından döşenen parmaklıklar ve beton dubalar, bu girişe misafirperverlikten çok uzak bir hava kazandırmıştı.

Kapının dışında duran Gabrielle Ashe saatine bakarken, gerginliğinin arttığını hissediyordu. Saat 16.45 olmuştu ve henüz hiç kimse aramamıştı.

DOĞU RANDEVU KAPISI, 16.30 YALNIZ GEL.

İşte geldim, diye düşündü. *Sen neredesin?*

Kalabalık turistlerin yüzlerini inceleyen Gabrielle birisinin dikkatini çekmesini bekliyordu. Birkaç adam ona şöyle bir göz atıp yoluna devam etti. Gabrielle bunun iyi bir fikir olup olmadığını sorgulamaya başlamıştı. Nöbetçi kulübesindeki Gizli Servis memurunun artık gözünü ona diktiğini fark etmişti. Muhbirinin korkaklık yaptığına karar verdi. Ağır parmaklıkların ardından son bir kez Beyaz Saray'a göz gezdiren Gabrielle içini çekti ve gitmek üzere arkasını döndü.

Gizli Servis memuru arkasından, "Gabrielle Ashe?" diye seslendi.

Yüreği ağzına gelen Gabrielle topukları üstünde döndü. *Evet?*

Nöbetçi kulübesindeki adam, ona el salladı. Asık suratlı ve zayıf biriydi. "Görüşeceğiniz kişi sizi bekliyor." Ana kapının kilidini açarak, ona içeri girmesini işaret etti.

Gabrielle'ın ayakları yerinden kımıldamıyordu. "İçeri mi gireceğim?"

Adam başını salladı. "Sizi beklettiğim için özür dilememi istediler."

Açık kapı girişine bakan Gabrielle, hâlâ kıpırdayamıyordu. *Neler oluyor!* Bunu hiç mi hiç beklememişti.

Şimdi sabırsız görünen adam. "Siz Gabrielle Ashe'siniz, öyle değil mi?" diye sordu.

"Evet, ama..."

"O halde beni izlemenizi şiddetle tavsiye ederim."

Gabrielle'ın ayakları harekete geçmişti. Eşikten adımını atar atmaz, kapı arkasından çarparak kapandı.

38

Gün ışığından mahrum geçirdiği iki gün, Michael Tolland'ın biyolojik saatini bozmuştu. Saati akşamüstü olduğunu gösterdiği halde, vücudu gece yarısı olduğu konusunda ısrar ediyordu. Artık belgeselindeki son değişiklikleri yapmış olan Tolland, tüm video dosyasını dijital bir video diskine kaydetti ve karanlık kubbede yola koyuldu. Basına ayrılmış ışıklı bölgeye vardığında diski, sunumu denetlemekle görevli bir NASA medya teknisyenine verdi.

Video diskini tutarken göz kırpan teknisyen, "Teşekkürler Mike," dedi. "İzlenmesi gereken televizyon programlarına yeni bir anlam getirecek, öyle değil mi?"

Tolland yorgun bir edayla güldü. "Umarım Başkan'ın hoşuna gider."

"Hiç şüphem yok. Her neyse, sen işini bitirdin. Artık oturup gösterinin tadını çıkart."

"Teşekkürler." Parlak ışıklarla aydınlatılmış basına ayrılan bölgede duran Tolland, göktaşını Kanada birasıyla kutlayan neşeli NASA çalışanlarına göz gezdirdi. Tolland kutlamaya katılmak istediği halde, kendini bitap, duygusal açıdansa tükenmiş hissediyordu. Etrafta Rachel Sexton'a bakındı ama herhalde hâlâ Başkan'la konuşuyordu.

Tolland, *Başkan, onu yayına çıkarmak istiyor*, diye düşündü. Onu suçlamıyordu; göktaşı hakkında konuşanlara ek olarak Rachel mükemmel görünürdü. İyi görünüşünün yanı sıra Rachel'da, Tolland'ın tanıştığı kadınlarda nadiren rastladığı etkileyici bir tavır ve kendine güven vardı. Ama Tolland'ın tanıdığı kadınların çoğu televizyondandı, ya güç sahibi acımasız kadınlar ya da kendilerine aslında kesinlikle sahip olmadıkları muhteşem bir "karakter" havası verenler.

Kalabalıklaşan NASA çalışanlarının yanından sessizce uzaklaşan Tolland, diğer sivil bilim adamlarının nereye kaybolduklarını düşünürken, kubbedeki ara yollarda yürüyordu. Eğer onlar da kendisinin yarısı kadar yorgun hissediyorlarsa, büyük an gelmeden önce şekerleme yapıyor olmalıydılar. Tolland biraz ötede, terk edilmiş deliğin etrafındaki BBBK işaretlerinin oluşturduğu çemberi görebiliyordu. Başının üstündeki boş kubbe, uzak hatıraların boğuk sesleriyle yankılanıyor gibiydi. Tolland onları umursamamaya çalıştı.

Kendi kendine, *hayaletleri düşünme,* dedi. Bu gibi zamanlarda genellikle yakasını bırakmazlardı, yorgun ya da yalnız olduğu zamanlarda; kişisel bir zafer kazandığında veya bir kutlama yaptığında. Bir ses, *o şimdi seninle olmalıydı,* diye fısıldadı. Karanlıkta tek başına dururken, geçmişin hatıraları arasında kayboldu.

Celia Birch yüksek lisans yaptığı sırada sevgilisiydi. Bir Sevgililer Günü'nde onu en sevdiği restorana götürmüştü. Garson Celia'nın tatlısını getirdiğinde, beraberinde tek bir gül ve pırlanta yüzük gelmişti. Celia hemen anlamıştı. Gözlerinde yaşlarla, Tolland'ı hayatında olmadığı kadar mutlu eden tek kelimeyi söylemişti.

"Evet."

Heyecanla dolup taşan çift, Celia'nın fen öğretmeni olarak iş bulduğu Pasadena yakınlarında küçük bir eve taşınmıştı. Maaşı fazla yüksek olmasa da bir başlangıçtı. Ayrıca Tolland'ın rüyalarını süsleyen jeolojik araştırma gemisindeki işi bulduğu San Diego'daki Scripps Oşinografi Enstitüsü'ne yakındı. Tolland'ın işi üç ya da dört gün evden uzaklaşmasını gerektiriyordu ama Celia ile bir araya gelmeleri her defasında tutkulu ve heyecanlı oluyordu.

Tolland denizdeyken maceralarından bazılarını Celia için videoya kaydetmeye başlamış, gemide yaptığı işin mini belgesellerini çekmişti. Bir seferin ardından, denizaltı penceresinden çektiği bulanık bir kayıtla eve dönmüştü; kimsenin varlığından bile haberdar olmadığı tuhaf bir kemotropik mürekkepbalığının ilk görüntüleriyle. Tolland bu kayıtta sunum yaparken, coşkuyla adeta denizaltıdan haykırıyordu.

Bu derinliklerde, demişti heyecanla, *gerçekten de binlerce keşfedilmemiş tür yaşıyor! Biz sadece yüzeydekilerin bir kısmını biliyoruz! Derinlerde hiçbirimizin hayal edemeyeceği gizemler var!*

Celia, kocasının şevkine ve yaptığı kısa bilimsel açıklamalara hayran kalmıştı. Bir hevesle bu kaydı sınıftakilere göstermiş ve bir anda aranan bir video olmuştu. Diğer öğretmenler ödünç almak istiyorlardı. Aileler kopyasını almak istemişlerdi. Herkes sabırsızlıkla Michael'ın bir sonraki kaydını bekliyor gibiydi. Birden Celia'nın aklına bir fikir gelmişti. NBC'de çalışan bir okul arkadaşını arayıp ona video bandının kopyasını gönderdi.

İki ay sonra Michael Tolland, Celia'nın yanına gelip Kingman Plajı'nda birlikte yürümeye teklif etti. Umutlarını ve hayallerini paylaşmak için gittikleri, onlar için özel bir yerdi.

Tolland, "Sana söylemek istediğim bir şey var," dedi.

Sular ayaklarını yalarken Celia durup kocasının elini tuttu. "Ne o?"

Tolland coşkuyla konuşuyordu. "Geçen hafta NBC televizyonundan aradılar. Bir deniz belgeseli dizisi sunmam gerektiğini düşünüyorlar. Bu harika. Gelecek yıl deneme yayını yapmak istiyorlar. İnanabiliyor musun?"

Celia parıldayan gözlerle onu öptü. "İnanıyorum. Harika olacak."

Altı ay sonra Celia ağrılardan şikâyet etmeye başladığında, Tolland'la birlikte Catalina açıklarında seyrediyorlardı. Birkaç hafta umursamadılar ama sonunda ağrılar arttı. Celia muayene olmaya gitti.

Bir anda Tolland'ın hayal dünyası kâbusa dönüşmüştü. Celia hastaydı. Çok hastaydı.

Doktorlar, "İlerlemiş lenfoma," diye açıklıyorlardı. "Onun yaşındakilerde ender rastlanır ama duyulmamış değil."

Celia ile Tolland sayısız klinikle hastaneye gidip uzmanlara danışmışlardı. Cevap hep aynıydı. Tedavi edilemez.

Bunu kabul edemem! Tolland derhal Scripps Enstitüsü'ndeki işinden istifa edip NBC belgeselini bir kenara attı ve tüm enerjisiyle sevgisini Celia'nın iyileşmesine yoğunlaştırdı. Celia da acıya zarafetini bozmadan katlanarak büyük bir mücadele veriyor, bu sadece Tolland'ın onu daha çok sevmesine neden oluyordu. Onu Kingman Plajı'nda uzun yürüyüşlere çıkardı, diyet yemeklerini hazırladı ve iyileştiği zaman yapacaklarına dair hikâyeler anlattı.

Ama bunlar gerçekleşmeyecekti.

Michael Tolland sadece altı ay sonra kendini, soğuk bir hastane odasında ölmekte olan karısının yanında otururken buldu. Artık karısının yüzünü tanıyamıyordu. Kanserin amansızlığıyla sadece kemoterapinin acımasızlığı baş edebiliyordu. Celia artık iskelet gibi kalmıştı. En zor olanı son saatlerdi.

Boğuk bir sesle, "Michael," dedi. "Vakit geldi."

"Hayır." Tolland'ın gözleri yerinden fırlamıştı.

Celia, "Yaşamaya devam edeceksin," dedi. "Etmek zorundasın. Başka bir aşk bulacağına söz ver."

"Asla başka aşk istemeyeceğim." Tolland bunu içtenlikle söylemişti.

"Öğrenmek zorundasın."

Celia haziran ayında güneşli bir pazar sabahı ölmüştü. Michael Tolland kendini, palamarından kurtulup kudurmuş bir denizde sürüklenen gemi gibi hissediyordu. Pusulası şaşmıştı. Haftalarca kendini kaybetmiş bir şekilde dolaştı. Arkadaşları yardım etmeye çalıştı ama gururu acımalarına katlanamazdı.

Sonunda, *bir seçim yapmam gerek*, diye düşündü. *Çalışırsın ya da ölürsün.*

Zor bir karar veren Tolland, kendini *Amazing Seas* çalışmalarına verdi. Program gerçek anlamda hayatını kurtarmıştı. Takip eden dört yıl boyunca Tolland'ın belgeseli alıp başını gitti. Arkadaşlarının çöpçatanlık uğraşılarına rağmen Tolland sadece birkaç kişiyle çıktı. Hepsi de fiyaskoyla ya da karşılıklı hayal kırıklığıyla sonuçlanınca Tolland bu işten vazgeçerek sosyal hayatındaki eksikliğin suçunu yoğun iş temposuna yükledi. Ama yakın arkadaşları işin gerçeğini biliyordu; Michael Tolland henüz hazır değildi.

Göktaşının çıkartıldığı çukur Tolland'ın önünde belirince, onu acı dolu düşüncelerinden çekip aldı. Hatıralarının sıkıntısını üzerinden atarak, deliğe yaklaştı. Karanlık kubbede, deliğin içindeki erimiş suyun adeta gerçeküstü ve büyülü bir güzelliği vardı. Havuzun yüzeyi, ay ışığının aydınlattığı bir göl gibi parlıyordu. Tolland'ın gözleri su yüzeyindeki ışıltılara kaydı. Sanki birisi suyun üstüne mavi-yeşil pırıltılar serpiştirmişti. Uzun bir süre bu pırıltılara baktı.

Tuhaf gelen bir şey vardı.

İlk baktığında, parıldayan suyun, kubbedeki projektör ışıklarını yansıttığını düşünmüştü. Ama şimdi öyle olmadığını anlıyordu. Pırıltıların yeşil bir rengi vardı ve sanki belirli bir ritimle yanıp sönüyorlardı. Sanki suyun yüzeyi canlıydı ve kendi kendini aydınlatıyordu.

Tereddüde düşen Tolland, daha yakından bakmak için işaretlerin arkasına ilerledi.

Habikürenin diğer ucundaki Rachel Sexton, GTH konteynerinden çıkıp karanlığa girdi. Çevresini kuşatan karanlık kubbede yönünü şaşırarak, bir süre durdu. Habiküre, artık sadece kuzey duvarına yaslanmış medya ışıklarının yansımasıyla aydınlanan geniş bir mağaraya dönüşmüştü. Karanlık yüzünden cesaretini kaybeden Rachel, içgüdüsel olarak basına ayrılmış aydınlık bölgeye doğru yürümeye başladı.

Beyaz Saray çalışanlarına verdiği brifingden memnundu. Başkan'ın yaptığı emrivakinin şaşkınlığını üstünden attıktan sonra, göktaşı hakkında bildiği her şeyi kolay bir dille aktarmıştı. Konuştukça, başkanlık çalışanlarının yüzlerindeki kuşkucu şok ifadesinin, umut dolu bir inanç ve en sonunda hayretle kabullenişe dönüşünü izlemişti.

İçlerinden birinin ansızın, "Dünya dışında yaşam mı?" diye bağırdığını duymuştu. "Bunun ne anlama geldiğini biliyor musunuz?"

Bir başkası, "Evet," diye cevaplamıştı. "Bu seçimi kazanacağımız anlamına geliyor."

Rachel basına ayrılmış hareketli bölüme yaklaşırken, az sonra yapılacak duyuruyu düşündü. Babasının, kendisini ve kampanyasını bir kerede ezip geçecek başkanlık silindiriyle hezimete uğramayı gerçekten hak edip etmediğini düşünmekten kendini alamadı.

Cevap elbette, evet idi.

Babasına karşı zaaf gösterdiği zamanlarda Rachel Sexton'ın annesini hatırlaması yetiyordu. Katherine Sexton. Sedgewick Sexton'ın ona verdiği acı ve utancın affı yoktu... akşam eve geç gelmeler, kendini dev aynasında gören davranışlar ve parfüm kokmalar. Babası sahte din duygularının ardına saklanıyordu. Yalan söyleyip aldatırken, Katherine'nin onu terk etmeyeceğini biliyordu.

Evet, diye karar verdi. *Senatör Sexton hak ettiğini bulacak.*

Basına ayrılan bölümdeki kalabalık neşe içindeydi. Herkesin elinde bira vardı. Rachel kendini erkekler partisindeki kız öğrenci gibi hissederek kalabalığa yaklaştı. Michael Tolland'ın nereye gittiğini merak ediyordu.

Corky Marlinson yanına geldi. "Mike'ı mı arıyorsun?"

Rachel şaşırmıştı. "Şey... hayır... sayılır."

Corky başını bıkkınlıkla iki yana salladı. "Biliyordum. Mike az önce ayrıldı. Sanırım biraz şekerleme yapmaya gitti." Corky gözlerini kısarak loş kubbeye baktı. "Ama yine de onu yakalayabilirsin sanırım." Muzip bir tebessümün ardından eliyle işaret etti. "Mike suyu ne zaman görse büyüsüne kapılır."

Corky'nin karşı tarafı işaret eden parmağını gözleriyle takip eden Rachel, göktaşının çıkartıldığı çukurun başında duran Michael Tolland'ın siluetini gördü.

"Ne yapıyor?" diye sordu. "Orası biraz tehlikeli."

Corky sırıttı. "Su döküyor herhalde. Haydi gidip arkadan itelim."

Rachel ile Corky karanlık kubbede, göktaşının çıkartıldığı deliğe doğru ilerlediler. Michael Tolland'a yaklaştıkları sırada, Corky, ona seslendi.

"Hey, balıkadam! Dalgıç kıyafetlerin nerde?"

Tolland arkasını döndü. Rachel, loş ışıkta bile Tolland'ın vakur ifadesini görebiliyordu. Yüzü, ışık aşağıdan vuruyormuş gibi garip bir şekilde aydınlanıyordu.

"Her şey yolunda mı Mike?" diye sordu.

"Pek sayılmaz." Tolland suyu işaret etti.

İkaz işaretlerinin yanına gelen Corky, çukurun başındaki Tolland'a katıldı. Suya bakar bakmaz Corky'nin ruh hali duruldu. Çukurun çevresindeki işaretlere doğru yürüyen Rachel yanlarına geldi. Deliğe göz gezdirince, yüzeyde gördüğü mavi-yeşil pırıltılar onu hayrete düşürdü. Suyun üstünde sanki neon toz zerreleri yüzüyordu. Yeşil ışık verip sönüyor gibiydiler. Çok güzel bir görüntü oluşturuyordu.

Yerden bir buz parçası alan Tolland, suyun içine fırlattı. Buzun düştüğü yerde sıçrayan su, fosforlu yeşil ışıkla yakamozlandı.

Endişeli görünen Corky, "Mike," dedi. "Lütfen bunun ne olduğunu bildiğini söyle."

Tolland kaşlarını çattı. "Ne olduğunu gayet iyi biliyorum. Yalnız burda *ne işi* var onu anlayamadım."

39

Işıldayan suya bakan Tolland, "Burda kamçılılar var," dedi.

"Kaçıranlar mı var?" Corky yüzünü astı. "Kendi adına konuş."

Rachel, Michael Tolland'ın espri kaldıracak havada olmadığını anlıyordu.

Tolland, "Nasıl olur bilmiyorum ama bir şekilde bu suda biyolüminesan çift kirpikli planktonlar var," dedi.

Rachel, "Biyolüminesan ne?" dedi. *İngilizce konuş.*

"Lüsiferin denilen lüminesan bir katalizörü okside edebilen tekhücreli plankton."

Bu İngilizce miydi?

Derin bir nefes alan Tolland, arkadaşına döndü. "Corky, bu delikten çıkardığımız göktaşında yaşayan organizmalar bulunması olasılığı var mı?"

Corky bir kahkaha patlattı. "Ciddi olalım Mike."

"Ben ciddiyim."

"Hiç ihtimal yok Mike! İnan bana, eğer NASA yetkilileri o taşta dünya dışı yaşayan organizmalar olduğundan en ufak bir şüphe duysalardı, emin ol asla ordan alıp da, açık havaya çıkartmazlardı."

Tolland bir nebze rahatlamış görünse de, daha derin bir esrar bu huzuru bozuyordu. Tolland, "Mikroskopla bakmadan emin olamam ama," dedi. "Pyrrophyta filumundan biyolüminesan bir plankton gibime geliyor. Ateş bitkisi anlamına gelir. Kuzey Buz Denizi bunlarla doludur."

Corky omuzlarını silkti. "O halde neden uzaydan olup olmadıklarını merak ettin?"

Tolland, "Çünkü göktaşı buzulların altında gömülüydü; kar yağışıyla biriken tatlı su. O delikteki su, buzulların erimesiyle oluştu ve üç yüz yıldır donmuş haldeydi. Deniz canlıları oraya nasıl girmiş olabilir?" dedi.

Tolland'ın açıklaması uzun bir sessizlik getirmişti.

Havuzun kenarında duran Rachel, aklını baktığı şeye vermeye çalıştı. *Göktaşının çıkartıldığı delikteki biyolüminesan plankton. Ne anlama geliyor?*

Tolland, "Aşağıda bir çatlak olmalı," dedi. "Tek açıklaması bu. Planktonlar deliğin içine, okyanus sularının sızdığı bir yarıktan girmiş olmalı."

Rachel anlamamıştı. "Sızmak mı? Nerden?" Okyanustan buraya kadar IceRover'la yaptığı uzun yolculuğu hatırladı. "Sahil burdan en az üç kilometre uzakta."

Corky ile Tolland, Rachel'a tuhaf bir bakış fırlattılar. Corky, "Doğrusunu istersen," dedi. "Okyanus tam *altımızda.* Bu buz kütlesi yüzüyor."

Zihni fena halde karışan Rachel, iki adama baktı. "Yüzüyor mu? Ama... biz buzulun üstündeyiz."

Tolland, "Evet buzulun üstündeyiz," dedi. "Ama karada değiliz. Buzullar bazen büyük kara parçalarından koparak denize karışırlar. Buz sudan daha hafif olduğu için buzullar yüzmeye devam eder, okyanusun üstünde buzdan dev bir sal gibi gezinirler. Buz katmanının açıklaması budur... buzulların yüzen kısmı." Duraksadı. "Şu anda denizden yaklaşık bir buçuk kilometre uzaktayız."

İyice sersemleşen Rachel, bir anda huzursuzluğa kapıldı. Tam da etrafında gördüklerine alışırken, Kuzey Buz Denizi üstünde durmak fikri korkuya kapılmasına neden olmuştu.

Tolland, onun tedirginliğini sezmiş gibiydi. Ayağını kendinden emin bir edayla yere vurdu. "Endişelenme. Bu buz doksan metre kalınlığında, bunun altmış metresi, bardağın içindeki buz küpü gibi suyun altında yüzüyor. Bu buz katmanını oldukça sağlam kılar. Üstüne gökdelen bile inşa edilebilir."

Tam manasıyla ikna olmayan Rachel donuk bir ifadeyle başını salladı. Kuruntuları bir yana, Tolland'ın planktonların geldiği yer hakkındaki teorisini yeni yeni anlamaya başlıyordu. *Buradan okyanusa kadar inen bir çatlak olduğunu düşünüyor, bu yoldan planktonlar yukarıdaki deliğe çıkıyorlar*. Rachel bunun mantıklı olduğuna karar verdi ama yine de canını sıkan bir ikilem vardı. Yapısal sürekliliğini doğrulamak için buzdan sayısız nüve çıkartan Norah Mangor, buzulun bütünlüğünden çok emin konuşmuştu.

Rachel, Tolland'a baktı. "Buzulun kusursuzluğunun, tüm katman tarihlendirme kayıtlarının temeli olduğunu sanıyordum. Dr. Mangor buzulda hiç çatlak veya yarık bulunmadığını söylememiş miydi?"

Corky kaşlarını çattı. "Anlaşılan buz kraliçesi bu işi yüzüne gözüne bulaştırdı."

Rachel, *bunu yüksek sesle söyleme, yoksa buz kazmasını kafana yersin,* diye düşündü.

Tolland fosforlu yaratıklara bakarken, çenesini sıvazladı. "Başka hiçbir açıklaması yok. *Mutlaka* bir çatlak olmalı. Okyanusun üstündeki buz katmanının ağırlığı, plankton açısından zengin deniz suyunu, deliğe doğru yukarı itiyor olmalı."

Rachel, *ne çatlakmış ama*, diye düşündü. Eğer buradaki buz kalınlığı doksan metre ve deliğin derinliği altmış metre idiyse, varsayılan bu çatlak katı buzda otuz metre boyunca ilerliyor olmalıydı. *Norah Mangor'ın deney nüvelerinde hiç çatlak izine rastlanmamıştı.*

Tolland, Corky'ye, "Bana bir iyilik yap," dedi. "Gidip Norah'yı bul. Tanrı'ya dua edelim de bu buzul hakkında bize söylemediği bir şeyler biliyor olsun. Ming'i de bul, belki bize bu parıldayan hayvancıkların ne olduğunu söyler."

Corky yola koyulmuştu.

Yeniden deliğe göz atan Tolland, arkasından, "Acele etsen iyi olur," diye seslendi. "Bu biyolüminesansın zayıfladığına yemin edebilirim".

Rachel deliğe baktı. Yeşil renk kesinlikle eskisi kadar parlak değildi.

Parkasını çıkaran Tolland, deliğin yanında yere uzandı.

Aklı karışan Rachel, onu seyrediyordu. "Mike?"

"Tuzlu su sızıyor mu, onu anlamak istiyorum."

"Paltosuz buzun üstünde yatarak mı?"

"Hı-hı." Tolland karnının üstünde deliğin kenarına yaklaştı. Parkanın bir kolunu kenarda tutarak, diğer kolu suya değinceye kadar aşağı sarkıttı. "Dünyanın bir numaralı okyanus bilginlerinin kullandığı, son derece kesin sonuçlar veren bir tuzluluk testtir. Buna 'ıslak ceketi yalamak' denir."

Buzul katmanının üstündeki Delta-Bir kumanda başında mücadele verirken, deliğin etrafında toplanan kalabalığın üstünde uçan hasar görmüş mikrobotu yönlendirmeye çabalıyordu. Aşağıdan gelen sohbetlerden anlaşıldığı kadarıyla, işler çabuk çözülmeye başlamıştı.

"İdareciyi arayın," dedi. "Ciddi bir sorunumuz var."

40

Gabrielle Ashe, bir gün başkanlık sarayında çalışıp ülkenin geleceğini yönlendiren elit takımın bir parçası olma hayalleriyle, gençliğinde sayısız kez Beyaz Saray'a yapılan halk turlarına katılmıştı. Ama o anda, dünyanın başka bir yerinde olmayı tercih ederdi.

Gizli Servis memuru Gabrielle'ı gösterişli giriş salonuna alırken, isimsiz muhbirinin ne yapmaya çalıştığını merak ediyordu. Gabrielle'ı

Beyaz Saray'a davet etmek akıl kârı değildi. *Ya beni görürlerse?* Son zamanlarda Senatör Sexton'ın sağ kolu olarak medyada fazlaca görünmüştü. Birisi mutlaka onu tanıyacaktı.

"Bayan Ashe?"

Gabrielle başını kaldırıp baktı. Giriş salonunda kibar yüzlü bir nöbetçi ona içtenlikle gülümsedi. "Lütfen şuraya bakın." Eliyle işaret etti.

Flaş ampulü, gösterdiği yere bakan Gabrielle'ın gözünü aldı.

"Teşekkürler bayan." Onu bir masaya götüren nöbetçi, bir kalem uzattı. "Lütfen giriş kaydını imzalayın." Önüne deri ciltli ağır bir defter itti.

Gabrielle kayıt sayfasına baktı. Önündeki sayfa boştu. Bir zamanlar, Beyaz Saray ziyaretçilerinin, ziyaretin gizliliğini korumak adına kendi boş sayfalarını imzaladıklarını duyduğunu hatırladı. Kendi adının karşılığını imzaladı.

Gizli bir görüşme için bu kadarı çok fazla.

Metal detektörden geçen Gabrielle'a, bunun ardından üstünkörü bir arama yapıldı.

Nöbetçi gülümsedi. "Hoşça vakit geçirin Bayan Ashe."

Gabrielle, Gizli Servis memurunu, seramik kaplı koridordan ikinci bir güvenlik masasına kadar takip etti. Burada bir başka nöbetçi, yapraklama makinesinden çıkan ziyaretçi kartlarını düzenliyordu. Bir delik açıp ip bağladıktan sonra Gabrielle'ın başından geçirdi. Plastik hâlâ sıcaktı. Kimliğin üstündeki resim, on beş saniye önce koridorun aşağısında çektikleri şipşak fotoğraftı.

Gabrielle etkilenmişti. *Hükümetin verimsiz çalıştığını kim söylüyor?*

Yola devam ederlerken, Gizli Servis memuru onu Beyaz Saray'ın derinliklerine götürüyordu. Her adımda Gabrielle'ın huzursuzluğu biraz daha artıyordu. Gizemli daveti her kim yaptıysa, görüşmeyi gizli tutmak gibi bir kaygısı olmadığı anlaşılıyordu. Gabrielle'a resmi bir ziyaretçi kartı çıkartılmış ve ziyaretçi defterini imzalamıştı. Şimdiyse, halk turlarının toplandığı Beyaz Saray'ın birinci katında ayan beyan yürüyordu.

Tur rehberlerinden biri turistlere, "Burası da Porselen Odası," diyordu. "Nancy Reagan'ın 1981 yılında, dikkat çekici bir harcama olarak tartışma başlatan 952 dolarlık yemek takımı burda."

Gizli Servis memuru Gabrielle'ı turun yanından geçirip başka bir turun aşağı indiği geniş bir mermer merdivene doğru götürdü. Rehber, "Üç yüz metrekarelik Doğu Odası'na girmek üzeresiniz," diye anlatıyordu. "Bir zamanlar Abigail Adams, John Adams'ın çamaşırlarını buraya asardı. Ardından, James Madison pazarlığa oturmadan önce, Dolley Madison'ın eyalet başkanlarıyla içki içtiği Kırmızı Oda'ya geçeceğiz."

Turistler güldüler.

Merdivenin önünden geçen Gabrielle binanın, bir dizi ip ve barikatla kapatılmış daha özel bir bölümüne doğru ilerledi. Buradan, Gabrielle'ın sadece kitaplarda ve televizyonda gördüğü bir odaya girdiler. Nefesi daralıyordu.

Tanrım, burası Harita Odası!

Hiçbir tur buraya giremezdi. Odanın dışa doğru açılabilen panel duvarları, kat kat dizilmiş dünya haritalarını gösterirdi. Burası, Roosevelt'in II. Dünya Savaşı'nı planladığı yerdi. Fakat aynı zamanda Clinton, Monica Lewinsky'yle olan ilişkisini bu odada itiraf etmişti. Gabrielle bu özel düşünceyi aklından uzaklaştırdı. En önemlisi, Harita Odası'nın Batı Kanadı'na -Beyaz Saray'da asıl siyasal ağırlıklı kişilerin çalıştığı bölüm- giden bir geçit olmasıydı. Gabrielle Ashe'in gitmeyi umduğu en son yer burasıydı. E-postaları açıkgöz bir genç stajyerin ya da daha önemsiz ofislerden birinde çalışan bir sekreterin gönderdiğini sanmıştı. Öyle olmadığı ortadaydı.

Batı Kanadı'na gidiyorum.

Gizli Servis memuru, onu, halı serili koridorun sonuna kadar götürdü ve isimsiz bir kapının önünde durdu. Kapıyı vurdu. Gabrielle'ın kalbi hızla çarpıyordu.

İçeriden birisi, "Açık," diye seslendi.

Adam kapıyı açarak, Gabrielle'a içeri girmesini işaret etti.

Gabrielle içeri adımını attı. Panjurları aşağı indirilmiş loş bir odaydı. Karanlıkta masa başında oturan bir kişinin belli belirsiz siluetini seçebiliyordu.

"Bayan Ashe?" Ses, sigara dumanlarının arkasından gelmişti. "Hoş geldiniz."

Gabrielle'ın gözleri karanlığa alışırken, tanıdık bir simayı çıkartmaya başlayınca, tüm kasları hayretle gerildi. *Bana e-posta gönderen kişi BU mu?*

Marjorie Tench soğuk bir sesle, "Geldiğiniz için teşekkür ederim," dedi.

Gabrielle, "Bayan... Tench?" diye kekelerken, birden nefes alamaz oldu.

"Bana Marjorie diyebilirsin." Sigara dumanını burnundan ejderha gibi üfleyen çirkin kadın ayağa kalktı. "Sen ve ben çok iyi dost olacağız."

41

Göktaşının çıkartıldığı deliğin başında Tolland, Rachel ve Corky'yle birlikte duran Norah Mangor, çukurun zifiri karanlığına bakıyordu. "Mike," dedi. "Akıllısın ama delisin. Burda biyolüminesan falan yok."

Tolland şimdi videoya çekmediğine yanıyordu; Corky, Norah ile Ming'i aramaya gittiğinde biyolüminesan sönmeye başlamıştı. Birkaç dakika içinde tüm parıldama durmuştu.

Tolland suya başka bir buz parçası fırlattı ama hiçbir şey olmadı. Yeşil sular sıçramamıştı.

Corky, "Nereye kayboldular?" diye sordu.

Tolland'ın iyi bir fikri vardı. Biyolüminesan -doğadaki en zeki savunma mekanizmalarından biri- baskı altındaki planktonlar için doğal bir tepkiydi. Daha büyük organizmalar tarafından tüketileceğini sezen planktonlar, ilk saldırganları korkutacak daha büyük yırtıcıları çekme ümidiyle yanıp sönerdi. Bu kez, bir çatlaktan giren planktonlar birdenbire kendilerini tatlı su ortamında bulmuş ve tatlı su onları yavaşça öldürürken panikle biyolüminesansa başlamışlardı. "Sanırım öldüler."

Norah, "Bence öldürüldüler," diye dalga geçti. "Paskalya tavşanı gelip onları yedi."

Corky öfkeyle ona baktı. "Işıldamayı ben de gördüm Norah."

"LSD almadan önce mi aldıktan sonra mı?"

Corky, "Bu konuda neden yalan söyleyelim?" diye sordu.

"Erkekler yalan söyler."

"Evet, kadınlarla yatmak için, ama biyolüminesan planktonlar hakkında asla yalan söylemezler."

Tolland içini çekti. "Norah, buzun altındaki okyanuslarda planktonların yaşadığını bildiğine eminim."

Norah öfkeyle, "Mike," dedi. "Lütfen bana işimi anlatma. Kuzey Kutbu'ndaki buz katmanlarında iki yüzden fazla diyatom türü yaşar. On dört ototrofik nanokamçılılar, yirmi heterotrof kamçılı, kırk heterotrof çift kirpikli ve çok-kıllılar, çiftayaklılar, kürekayaklılar, krill'lerle balıklar da dahil olmak üzere, sürüyle çokhücreli türü. Başka sorusu olan var mı?"

Tolland suratını asmıştı. "Demek ki Kuzey Kutbu faunasını benden daha iyi biliyorsun ve altımızda pek çok yaşam türü olduğu konusunda hemfikiriz. O zaman neden biyolüminesan planktonlar gördüğümüzden şüpheleniyorsun?"

"Çünkü Mike, bu çukur sımsıkı *kapalı*. Kapalı bir tatlı su ortamı. Buraya hiçbir okyanus planktonu giremez!"

Tolland, "Ben suda tuz tadı aldım," diye ısrar etti. "Çok az ama var. Buraya bir şekilde tuzlu su giriyor."

Norah şüpheci bir tavırla, "Peki," dedi. "Tuz tadı aldın. Ter içindeki eski parkanın kolunu yaladın ve KYYT yoğunluk taramalarıyla on beş farklı nüve örneğinin yanlış olduğuna karar verdin."

Tolland ispatlamak için parkasının ıslak kolunu uzattı.

"Mike, lanet ceketinin kolunu yalamayacağım." Deliğe baktı. "Peki sözde plankton sürülerinin neden bu sözde çatlağa girdiklerini sorabilir miyim acaba?"

Tolland cesurca, "Isı olabilir mi?" dedi. "Isı pek çok deniz canlısını etkiler. Göktaşını çıkartırken onu ısıttık. Planktonlar içgüdüsel olarak, delikteki daha sıcak ortama çekilmiş olabilirler."

Corky başını salladı. "Kulağa mantıklı geliyor."

"Mantıklı mı?" Norah gözlerini devirdi. "Biliyor musunuz, ödüllü bir fizikçiyle, dünyaca ünlü bir okyanus bilgini için oldukça kalın kafalı tiplersiniz. Acaba hiç aklınıza geldi mi, bir çatlak olsa bile -ki sizi temin ederim yok- deniz suyunun bu kuyuya girmesine fiziksel açıdan imkân ihtimal yok." Acınaklı bir küçümsemeyle onlara baktı.

Corky, "Ama Norah..." diye başlayacak oldu.

"Beyler! Burda deniz seviyesinin *üstündeyiz.*" Ayağını buza vurdu. "Alo? Bu buz kütlesi denizden otuz metre yukarıda. Bu buz katmanının sonundaki büyük uçurumu hatırlıyor musunuz? Okyanustan daha yukardayız. Eğer bu havuza ilerleyen bir çatlak varsa, suyun kuyudan *dışarı* akması lazım, içeri değil. Buna yerçekimi denir."

Tolland ile Corky birbirlerine baktılar.

Corky, "Kahretsin," dedi. "Bunu düşünmemiştim."

Norah eliyle su dolu havuzu gösterdi. "Ayrıca su seviyesinin hiç değişmediğini fark etmiş olmalısınız."

Tolland kendini aptal gibi hissediyordu. Norah kesinlikle haklıydı. Eğer bir çatlak varsa suyun *dışarı* akması gerekiyordu, içeri değil. Tolland bundan sonra ne yapacağını düşünerek uzunca bir süre sessizce ayakta durdu.

"Pekâlâ." Tolland içini çekti. "Görünüşe bakılırsa çatlak teorisi mantığa aykırı. Ama suda biyolüminesan gördük. Çıkarılacak tek sonuç bunun kapalı bir ortam olmadığı. Buz tarihlendirme verilerinin, buzulun bütünlüğü önermesine dayandığını biliyorum ama..."

"Önerme mi?" Norah'nın son derece rahatsızlık duyduğu belli oluyordu. "Bunlar sadece *benim* verilerim değil Mike, unuttun mu? NASA da aynı sonuçlara vardı. *Hepimiz* buzulun tek parçalılığını teyit ettik. Çatlak yok."

Tolland kubbenin diğer tarafında, basın konferansı verilecek bölümün etrafında toplanmış kalabalığa baktı. "Her ne oluyorsa, samimiyetle söylüyorum, sanırım müdüre bildirmemiz gerekecek ve..."

"Tam saçmalık!" Norah öfkeyle tıslıyordu. "Bu buzul katmanının hiç bozulmamış olduğunu söylüyorum. Tuz tadı alındı veya saçma sapan halüsinasyonlar görüldü diye nüve verilerimin sorgulanmasına izin veremem." Hışımla yakınlardaki bir araç gereç bölümüne gitti ve bazı aletler almaya başladı. "Doğru düzgün su örneği alıp burda tuzlu su planktonu olmadığını size göstereceğim... ölü ya da diri!"

Norah erimiş havuzdan su örneği almak için iple steril bir pipet uzatırken, Rachel ile diğerleri onu seyretti. Norah, minyatür teleskopu andıran minik bir aletin içine birkaç damla akıttı. Ardından aleti, kubbenin diğer tarafından yayılan ışığa doğru tutarak mercekten baktı. Saniyeler geçmeden lanet okumaya başlamıştı.

"Aman Tanrım!" Aleti sallayan Norah bir kez daha baktı. "Lanet olsun! Bu refraktometre bozulmuş olmalı!"

Corky sevinerek, "Tuzlu su mu?" diye sordu.

Norah kaşlarını çattı. "Kısmen. Yüzde üç deniz suyu içerdiğini gösteriyor, ki bu kesinlikle imkânsız. Bu buzul bir kar yığını. Saf tatlı sudan oluştu. Hiç tuz olmamalı." Norah örneği yakınındaki bir mikroskoba götürerek, inceledi. Homurdanıyordu.

Tolland, "Plankton mu?" diye sordu.

"*G. Polihedra*" derken sesi artık yatışmıştı. "Biz buzul uzmanlarının buz katmanları altındaki okyanuslarda sıkça rastladığı bir plankton türüdür." Omzunun üstünden Tolland'a göz attı. "Ölmüşler. Yüzde üç tuzlu su içeren bir ortamda yaşayamadıkları anlaşılıyor."

Dördü, derin kuyunun yanında bir süre sessizce durdular.

Rachel, bu çelişkinin buluş açısından ne anlam ifade ettiğini anlamaya çalışıyordu. Göktaşının açtığı ufuklarla kıyaslandığında bu çıkmaz çok ufak görünüyordu, ama yine de bir istihbarat uzmanı olan Rachel, bundan çok daha küçük sorunlar yüzünden nice teorilerin suya düştüğünü görmüştü.

"Burda neler oluyor?" Ses uğultuyu andırıyordu.

Herkes başını kaldırıp baktı. Karanlığın içinden NASA müdürünün kaba saba silueti belirdi.

Tolland, "Havuzdaki suyla ilgili küçük bir tereddüdümüz var," dedi. "Çözmeye çalışıyoruz."

Corky adeta neşe içindeydi. "Norah'nın buz verileri hapı yuttu."

Norah, "Bir tarafımı ye," diye fısıldadı.

Müdür kalın kaşlarını çatarak yanlarına yaklaştı. "Buz verilerinin nesi varmış?"

Tolland kararsız bir edayla içini çekti. "Göktaşının çıkartıldığı havuzda yüzde üç oranında tuzlu suya rastladık, ki bu da göktaşının hiç bozulmamış tatlı su buzulunda saklı kaldığı buzulbilim raporuyla çelişiyor." Durdu. "Ayrıca planktonlar da var."

Ekstrom kızmış gibiydi. "Bu elbette imkânsız. Bu buzulda hiç çatlak yok. KYYT taramaları bunu doğruluyor. Bu göktaşı tek parça halindeki buz yatağında gömülüydü."

Rachel, Ekstrom'un haklı olduğunu biliyordu. NASA'nın yoğunluk taramalarına bakılacak olursa, buz katmanı taş gibi sağlamdı. Göktaşının her tarafı onlarca metre donmuş buzulla örtülüydü. Hiç çatlak yoktu. Rachel yoğunluk taramalarının nasıl yapıldığını hayal etmeye çalışırken, garip bir düşünceye kapıldı...

Ekstrom, "Ayrıca," diyordu. "Dr. Mangor'ın nüve örnekleri buzulun bütünlüğünü teyit etti."

Refraktometreyi masanın üstüne vuran Norah, "Kesinlikle!" dedi. "Çifte teyit. Buzda hiç çatlak çizgisi yok. Bu yüzden tuz ve plankton için hiçbir açıklama bulamıyoruz."

Sesindeki yürekliliğe kendi bile şaşıran Rachel, "Doğrusunu isterseniz," dedi. "Başka bir ihtimal var." Ani bir ilhamla, en akla gelmeyecek hatıraları canlanmıştı.

Şimdi herkes dönmüş ona bakıyordu. Yüzlerinde aşikâr bir kuşku ifadesi vardı.

Rachel gülümsedi. "Tuz ve planktonun son derece mantıklı bir açıklaması var." Tolland'a iğneleyici bir bakış fırlattı. "Ve samimi olmak gerekirse Mike, senin aklına nasıl gelmediğine şaşırdım."

42

"Buzulda *donmuş* plankton mu?" Corky Marlinson, Rachel'ın açıklamasından ikna olmuş gibi değildi. "Hevesin kursağında kalsın istemem ama genellikle bir şey donunca ölür. Bu küçük haylazlar bize göz kırpıyordu, unuttun mu yoksa?"

Etkilenmiş gözlerle Rachel'a bakan Tolland, "Aslında," dedi. "Haklı olabilir. Ortam gerektirdiğinde zahiri ölüm yaşayan birkaç tür var. Bir zamanlar bu fenomen hakkında bir bölüm hazırlamıştım."

Rachel başını salladı. "Göllerde donan ve buzlar çözülene kadar beklemek zorunda kalan turnabalıklarını göstermiştin. Ayrıca çöllerde bünyesindeki tüm suyu kaybeden, onlarca yıl bu şekilde kalan ve yağmur yağdığında yeniden hayata dönen, tardigrad böceği denen mikroorganizmalardan bahsetmiştin."

Tolland kendi kendine güldü. "Demek programımı gerçekten seyrediyorsun."

Rachel biraz utangaç bir tavırla omuzlarını silkti.

Norah, "Ne söylemeye çalışıyorsunuz Bayan Sexton?" diye sordu.

Tolland, "Şunu söylemeye çalışıyor," dedi. "Ki ben bunu daha önce fark etmiş olmalıydım. O programda bahsettiğim türlerden biri, her kış Kuzey Kutbu'ndaki buzullarda donan, orda kış uykusuna yatan ve her yaz buzullar eridiğinde yüzüp giden bir plankton türüydü." Tolland duraksadı. "O programda gösterdiğim türler burda gördüğümüz biyolüminesan türlerden değildi ama aynı şey olmuş olabilir."

Michael Tolland onun fikrini beğendiği için heyecanlanan Rachel, "Donmuş planktonlar burda gördüğümüz her şeyi açıklayabilir," dedi. "Geçmiş bir zamanda buzulda bir çatlak açılmış olabilir, plankton açısından zengin tuzlu suyla dolar ve sonra yeniden donar. Ya bu buzulda *donmuş* tuzlu su cepleri varsa? Donmuş plankton barındıran donmuş deniz suyu. Düşünün, siz ısıtılmış göktaşını yukarı kaldırırken donmuş bir tuzlu su cebinden geçmiş olabilir. Tuzlu sudan oluşan buz erir, planktonları kış uykusundan uyandırır ve tatlı suya az miktarda tuzlu su karışır."

"Ah, Tanrı aşkına!" Norah karşıt bir ifadeyle inler gibi ses çıkardı. "Birden *herkes* buzul uzmanı oldu!"

Corky de şüpheyle bakıyordu. "Ama KYYT yoğunluk taraması yaparken tuzlu su buz ceplerini tespit etmez miydi? Ne de olsa deniz suyu buzuyla tatlı su buzlarının yoğunluğu birbirinden farklı."

Rachel, "Çok az farklı," dedi.

Norah, "Yüzde dört önemli bir farktır," diye karşı çıktı.

Rachel, "Evet *laboratuvarda,*" diye cevap verdi. "Ama KYYT ölçümlerini 120 mil yukardan yapıyor. Bilgisayarlar belirgin -buz ve balçık, granit ve kireçtaşı- farklılıkları ayırt etmek üzere tasarlandı." Müdüre döndü. "KYYT uzaydan yoğunluk ölçerken, tuzlu su buzuyla tatlı su buzunu birbirinden ayırt edemediğini düşünmekte haksız mıyım?"

Müdür başını salladı. "Doğru. Yüzde dörtlük oran, KYYT'un hata payı eşiğinin altında. Uydu tatlı su buzuyla tuzlu su buzunu aynı kabul etmiştir."

Tolland şimdi merak etmiş gibi görünüyordu. "Bu aynı zamanda havuzdaki suyun sabit seviyede kalmasını da açıklar." Norah'ya baktı. "Delikte gördüğün planktonlara ne deniyordu?"

Norah, "*G. Polihedra,*" dedi. "*Şimdi de G. Polihedra* buzda kış uykusuna yatabilir mi diye merak ediyorsunuzdur. Cevabın *evet* oluşu sizi sevindirecektir. Kesinlikle. *G. Polihedra* buz katmanları etrafında sürüler halinde bulunur, biyolüminesan yapar ve buzun içinde kış uykusuna yatabilir. Başka soru var mı?"

Herkes birbirine baktı. Norah'nın ses tonundan, devamında bir "ama" geleceği anlaşılıyordu; yine de Rachel'ın teorisini doğrulamış gibiydi.

Tolland, "O halde," dedi. "Mümkün olduğunu söylüyorsun, öyle değil mi? Bu teori mantıklı mı?"

Norah, "Elbette," dedi. "Tam bir geri zekâlıysan."

Rachel öfkeyle atıldı. "Pardon anlayamadım?"

Norah Mangor ile Rachel bakışlarını birbirlerine diktiler. "Sanırım sizin mesleğinizde bilginin azlığı tehlikeli bir şeydir, yanılıyor muyum? İnanın bana, aynısı buzulbilim için de geçerli." Norah gözlerini etrafındaki dört kişide teker teker gezdirdi. "Bunu şimdi herkesin anlaması için bir kez ve son olarak açıklayacağım. Bayan Sexton'ın ileri sürdüğü tuzlu su cepleri vardır. Buzul uzmanları bunlara yarık derler. Bununla birlikte yarıklar tuzlu su ceplerinden değil, uzantıları saç teli kalınlığında olan tuzlu su buz ağlarından meydana gelirler. Bu derinlikteki havuzda yüzde üç oranında tuzlu su olması için, o göktaşının bayağı fazla yarıktan geçmesi gerekiyor."

Ekstrom kaşlarını çattı. "Yani mümkün mü, değil mi?"

Norah sert bir dille, "İmkânı yok," dedi. "Kesinlikle mümkün değil. Nüve örneklerinde tuzlu su buz ceplerine mutlaka rastlardım."

Rachel, "Nüve örnekleri gelişigüzel noktalardan çıkartılmadı mı?" diye sordu. "Acaba talihsizlik eseri, nüvelerin çıkartıldığı yerler deniz buzu ceplerini ıskalamış olabilir mi?"

"Ben göktaşının tam üstünden nüveler çıkarttım. Sonra da her yanından birkaç santim mesafede onlarca örnek aldım. Daha yakını olamazdı."

"Sadece sordum."

Norah, "Su götürür bir mesele," dedi. "Tuzlu su yarıklarına sadece *mevsimlik* -her mevsim oluşan ve sonra eriyen- buzlarda rastlanır. Milne Buzul Katmanı *sürekli* buzdur; dağlarda oluşan ve buzuldan parçalar kopup denize düşene kadar bozulmadan duran buz. Bu esrarlı fenomeni açıklamakta donmuş planktonlar ne kadar uygun görünürse görünsün, sizi temin ederim bu buzulda hiç donmuş plankton ağı yok."

Grup yeniden sessizleşmişti.

Donmuş plankton teorisinin çürümesine karşın, Rachel'ın sistematik veri analizi bu reddi kabul edemiyordu. Rachel'ın içgüdüleri altlarındaki buzulda donmuş planktonlar bulunmasının, bilmecenin en basit çözümü olduğunu söylüyordu. *Occam'ın Usturası Prensibi,* diye düşündü. UKO'daki eğitmenleri bunu bilinçaltına kazımışlardı. *Birden fazla açıklama olduğunda, en basiti genellikle doğrudur.*

Buz nüvesi verileri yanlış çıktığı takdirde Norah Mangor'ın kaybedecek çok şeyi vardı. Rachel, belki de Norah'nın planktonu görünce buzulun bütünlüğü konusunda hata yaptığını fark ettiğinden ve şimdi de hatasını örtbas etmeye çalıştığından şüphelendi.

Rachel, "Tek bildiğim," dedi. "Az önce tüm Beyaz Saray çalışanlarına brifing verip onlara bu göktaşının bozulmamış bir buz yatağında bulunduğunu, orda gömülü durduğunu ve Jungersol denilen ünlü bir meteordan koptuğu 1716'dan beri hiç el değmediğini söylediğim. Bu gerçek sanırım şu anda tartışılır oldu."

NASA müdürü ciddi bir ifadeyle susuyordu.

Tolland boğazını temizledi. "Rachel'a katılmak zorundayım. Havuzda tuzlu su ve plankton vardı. Açıklaması ne olursa olsun, bu havuzun kapalı bir ortam olmadığı anlaşılıyor. Kapalı olduğunu söyleyemeyiz."

Corky huzursuz görünüyordu. "Eee, millet, burda astrofizikten bahsetmek istemem ama benim mesleğimde hata yaptığımızda genellikle *milyarlarca* yıldan bahsederiz. Gerçekten de bu plankton/tuzlu su karışımı o kadar önemli mi? Yani, göktaşının çevresindeki buzun kusursuzluğu, göktaşının kendisini etkilemez, öyle değil mi? Elimizde hâlâ fosiller var. Kimse onların gerçekliğini sorgulamıyor. Buz nüvesi verilerinde hata yaptığımız ortaya çıksa da, kimsenin umurunda olmaz. Sadece başka bir gezegende yaşam kanıtı bulmamızla ilgileneceklerdir."

Rachel, "Üzgünüm Dr. Marlinson," dedi. "Veri analizi yaparak geçimini sağlayan biri olarak, size katılamadığımı belirtmek zorundayım. NASA'nın bu akşam sunacağı verilerdeki en ufak bir kusurun, tüm keşfin inanılırlığını sarsma ihtimali var. Buna fosillerin gerçekliği de dahil."

Corky'nin ağzı açık kalmıştı. "Sen neden bahsediyorsun? Bu fosiller reddedilemez."

"Ben biliyorum. Siz biliyorsunuz. Ama eğer halk, NASA'nın bilinçli olarak şüpheli buz nüvesi verilerini sunduğu düşüncesine kapılırsa, inanın bana, o anda NASA'nın başka hangi konularda yalan söylediğini merak etmeye başlayacaktır."

Norah parlayan gözlerle ileri doğru adım attı. "Benim buz nüvesi verilerim şüpheli değil." Müdüre döndü. "Bu buz katmanının hiçbir yerinde saklı kalmış deniz buzu bulunmadığını size kanıtlayabilirim!"

Müdür uzunca bir süre ona baktı. "Nasıl?"

Norah planını açıkladı. Bitirdiğinde, Rachel bunun mantıklı bir fikir olduğunu kabul etmek zorunda kaldı.

Müdür o kadar emin görünmüyordu. "Sonuçlar kesin olacak, öyle mi?"

Norah, "Yüzde yüz doğrulanmış olacak," diyerek onu temin etti. "O göktaşının yakınlarında bir damla bile donmuş tuzlu su varsa, bunu göreceksiniz. Birkaç damlası bile cihazımda Times Meydanı gibi ışıldayacaktır."

Müdürün asker kesimi saçlarının altındaki kaşları çatıldı. "Fazla vakit kalmadı. Basın konferansına birkaç saat var."

"Yirmi dakika sonra dönerim."

"Ne kadar uzaklaşacağını söylemiştin?"

"Çok fazla değil. İki yüz metre yeterli olur."

Ekstrom başını salladı. "Güvenli olduğundan emin misin?"

Norah, "Yanıma işaret fişeği alırım," diye yanıt verdi. "Ayrıca Mike da benimle gelecek."

Tolland birden başını dikleştirdi. "Öyle mi yapacağım?"

"Evet öyle Mike! Birbirimize destek olacağız. Sert bir rüzgâr estiğinde, arkamda bir çift güçlü kol olsun isterim."

"Ama..."

Tolland'a dönen müdür, "Haklı," dedi. "Tek başına gidemez. Onunla birlikte birkaç adamımı gönderebilirdim ama dürüst olmak gerekirse, gerçekten sorun olup olmadığını öğrenene kadar şu plankton meselesinin kendi aramızda kalmasını tercih ediyorum."

Tolland isteksizce başını salladı.

Rachel, "Ben de gitmek isterim," dedi.

Norah olduğu yerde kobra yılanı gibi döndü. "İstersin tabi ya."

Müdür aklına yeni bir fikir gelmiş gibi, "Aslında," dedi. "Sanırım dörtlü destek sistemi çok daha güvenli olur. Eğer siz ikiniz giderseniz ve Mike kayarsa sen onu asla tutamazsın. Dört kişi ikiden çok daha güvenli olacaktır." Durup Corky'ye baktı. "Yani bu, ya siz ya da Dr. Ming gideceksiniz anlamına geliyor." Ekstrom habikürede gözlerini gezdirdi. "Sahi Dr. Ming nerde?"

Tolland, "Bir süredir onu görmüyorum," dedi. "Belki kestiriyordur."

Ekstrom, Corky'ye döndü. "Dr. Marlinson, onlarla birlikte gitmenizi salık veremem ama..."

Corky, "Nerden çıktı şimdi?" dedi. "Aynı sahneye tanık olmak başımıza ne işler açtı."

Norah, "Hayır!" diye haykırdı. "Dört kişi bizi yavaşlatır. Mike ve ben yalnız gideceğiz."

"Yalnız gitmiyorsunuz." Müdür gayet kesin konuşmuştu. "İpe bağlanmanın dörtlü tasarlanmasının bir nedeni var ve biz de bu işi mümkün olduğunca güvenli yoldan yapacağız. İhtiyacım olan son şey, NASA tarihindeki en büyük basın konferansından birkaç saat önce bir kaza yaşanması."

43

Gabrielle Ashe, Marjorie Tench'in boğucu odasında otururken nedensiz bir tedirginlik hissediyordu. *Bu kadın benden ne istiyor olabilir?* Odadaki tek masanın arkasında oturan Tench sandalyesinde öne doğru eğildi. Yüzünün sert çizgileri, Gabrielle'ın huzursuzluğuna memnun olmuş gibiydi.

Pakette hafifçe vurarak yeni bir sigara çıkartan Tench, "Duman rahatsız ediyor mu?" diye sordu.

Gabrielle, "Hayır," diye yalan söyledi.

Tench sigarasını yakmıştı bile. "Sen ve adayın bu kampanya esnasında NASA'yla hayli ilgilendiniz."

Öfkesini gizlemek için çaba göstermeyen Gabrielle, "Evet," dedi. "Birileri cesaretlendirmişti. Açıklama istiyorum."

Tench masumca dudaklarını büktü. "NASA'ya saldırman için neden sana e-postayla bilgi gönderdiğimi bilmek mi istiyorsun?"

"Gönderdiğiniz bilgiler Başkanı'nıza zarar verdi."

"Kısa vadede evet."

Tench'in sesindeki uğursuz tonlama Gabrielle'ın keyfini kaçırmıştı. "Bu ne anlama geliyor?"

"Rahatla Gabrielle. Gönderdiğim e-postalar işleri fazla değiştirmedi. Ben devreye girmeden önce de Senatör Sexton NASA'ya takmıştı. Ben sadece mesajını netleştirmesine yardımcı oldum. Ne tarafta durduğunu açıkça gösterdi."

"Ne tarafta durduğunu mu gösterdi?"

"Kesinlikle." Tench gülümseyince lekeli dişleri meydana çıktı. "Bu akşamüstü CNN'de oldukça etkileyici olduğunu söylemek zorundayım."

Gabrielle, Tench'in kaçamaklı cevap terbiyecisi soruları karşısında senatörün verdiği tepkiyi hatırladı. *Evet, NASA'yı kaldırırdım.* Sexton köşeye sıkışmış ama sert oynamıştı. Doğru hareket buydu. Yoksa değil miydi? Tench'in kendinden emin görüntüsü Gabrielle'da, bir şeyleri eksik bildiği hissini uyandırıyordu.

Tench aniden ayağa kalkınca, sırık gibi vücudu küçücük yeri doldurdu. Dudaklarından sarkan sigarayla duvardaki kasanın yanına gidip sarı bir zarf çıkardı. Masaya dönüp yeniden oturdu.

Gabrielle zarfa göz attı.

Zarfı elinde floş ruvayal tutan bir poker oyuncusu gibi kucaklayan Tench, gülümsüyordu. Heyecanlı bekleyişin tadını çıkartıyormuş gibi, sararmış parmak uçlarıyla zarfın kenarına sürekli vurarak sinir bozucu sesler çıkartıyordu.

Gabrielle bunun sadece kendini suçlu hissetmesinden kaynaklandığını biliyordu ama zarfın içinde senatörle yaşadığı cinsel ilişkiye dair bir ipucu olmasından korkuyordu. *Saçmalama*, diye düşündü. Bu olay Sexton'ın kilitli ofis odasında mesai saatinden sonra yaşanmıştı. Beyaz Saray'ın elinde herhangi bir delil olsaydı, bunu şimdiye dek çoktan kamuya duyururlardı.

Gabrielle, *belki şüpheleniyorlardır*, diye düşündü, *ama ellerinde kanıt yok.*

Tench sigarasını ezerek söndürdü. "Bayan Ashe, farkında mısınız değil misiniz bilmiyorum ama Washington'da 1996'dan beri sahne arkasında süregelen bir savaşın içine düştünüz."

Bu açılış konuşması kesinlikle Gabrielle'ın beklediği türden değildi. "Anlayamadım?"

Tench bir sigara daha yaktı. İnce dudakları sigarayı kavrarken, sigaranın ucu kıpkırmızı parladı. "Uzayı Ticari Kullanıma Açma Kanunu denilen yasa tasarısı hakkında ne biliyorsun?"

Gabrielle bunu daha önce hiç duymamıştı. Omuzlarını silkti.

Tench, "Sahi mi?" dedi. "Buna çok şaşırdım. Adayınızın savunduğu ilkeler düşünülünce. Uzayı Ticari Kullanıma Açma Kanunu 1996'da Senatör Walker tarafından ortaya atıldı. Yasa tasarısı esas itibarıyla, aya insan gönderdiğinden beri kayda değer bir iş yapamayan NASA'nın başarısızlığını ele alıyor. NASA hisselerinin derhal özel uzay şirketlerine satılarak özelleştirilmesini öngörüyor. Böylece NASA'nın vergi mükelleflerine bindirdiği yük ortadan kaldırılacak ve serbest piyasa sistemiyle uzay daha etkin biçimde keşfedilecek."

Gabrielle NASA'nın açtığı sıkıntılara çare olarak özelleştirilmesi gerektiğinin öne sürüldüğünü duymuştu ama bu fikrin resmi bir yasa tasarısı şekline dönüştürüldüğünden haberi yoktu.

Tench, "Bu ticari kullanıma açma yasa tasarısı Kongre'ye dört kez sunuldu," dedi. "Uranyum üretimi gibi devlet işletmelerinin başarıyla özelleştirildiği tasarılara benziyordu. Kongre önüne gelen ticari kullanıma açma tasarısını dört kez kabul etti. Bereket versin ki Beyaz Saray her seferinde veto etti. Zachary Herney iki kez veto etmek mecburiyetinde kaldı."

"Yani?"

"Yani, Senatör Sexton Başkan olduğu takdirde kesinlikle destekleyeceği bir yasa tasarısı. Sexton'ın eline geçen ilk fırsatta NASA hisselerini vicdanı hiç sızlamadan satacağına inanmak için nedenlerim var. Kısacası, adayınız vergilerin uzay keşfine harcanmasındansa NASA'nın özelleştirilmesini tercih edecektir."

"Bildiğim kadarıyla senatör kamu önünde Uzayı Ticari Kullanıma Açma Kanunu'ndan yana olduğunu hiç belirtmedi."

"Doğru. Ama takip ettiği politikayı bilen biri olarak, bunu desteklediğini öğrenmek seni şaşırtmayacaktır."

"Serbest piyasa sistemleri verimliliği arttırır."

"Bunu 'evet' olarak kabul ediyorum." Tench, ona bakıyordu. "Ne yazık ki, NASA'nın özelleştirilmesi berbat bir fikir ve yasa tasarısı ortaya atıldığından beri Beyaz Saray yönetimlerinin bunu reddetmesinin sayısız sebebi var."

Gabrielle, "Uzayın özelleştirilmesine karşıt fikirleri duymuştum," dedi. "Kaygınızı anlıyorum."

"Anlıyor musun?" Tench, ona doğru eğildi. "*Hangi* fikirleri duydun?"

Gabrielle tedirginlikle oturduğu yerde kıpırdandı. "Şey, daha çok standart kuramsal korkular... NASA'yı özelleştirirsek, kârlı girişimler uğruna uzayla ilgili mevcut bilgi araştırmalarımızın çabucak terk edileceği."

"Doğru. Uzay bilimi göz açıp kapayıncaya kadar yok olur. Özel uzay şirketleri evrenimizi incelemek için para harcamak yerine, asteroitlerin altını üstüne getirir, uzayda turist otelleri inşa eder, ticari uydu fırlatma hizmetleri sunarlar. Özel şirketler milyarlarca dolara mal olduğu halde, hiçbir maddi getirisi olmayacaksa, neden evrenimizin köklerini araştırmakla uğraşsın?"

Gabrielle, "Uğraşmazlar," diye karşılık verdi. "Ama ilmi hedeflere fon sağlamak amacıyla Uzay Bilimi için Milli Bağış Sistemi kurulabilir."

"Böyle bir sistem zaten var. İsmi NASA."

Gabrielle susmuştu.

Tench, "Kâr sağlamak için bilimi bir kenara bırakmak işin önemsiz kısmı," dedi. "Özel sektörün uzayda dilediği gibi at koşturmasına izin verince meydana gelecek kaosla kıyaslandığında hafif kalıyor.Yeniden vahşi batı günlerine döneceğiz. Ayda ve uzayda hak iddia eden ve bu iddialarını güç kullanarak korumaya kalkan öncüler göreceğiz. Geceleri gökyüzünde yanıp sönen neon reklam panoları yapmak isteyen şirketlerin dilekçe verdiklerini duydum. Uzay otelleriyle turistik işletmelerin, çöplerini uzay boşluğuna atmak ve yörünge etrafında dönen çöp yığınları oluşturmak istediklerini gördüm. Hatta daha dün, ölüleri yörüngeye fırlatarak uzayı mozoleye çevirmek isteyen bir şirketin verdiği teklifi okudum. Telekomünikasyon uydularının cesetlerle çarpıştığını hayal edebiliyor musun? Geçen hafta ofisime gelen milyarder bir CEO, yakın alan bir asteroiti yeryüzünün daha yakınına çekip değerli mineral madenleri aramak istiyordu. Bu adama asteroitleri dünya yörüngesine yaklaştırmanın küresel felaket tehlikesi taşıdığını hatırlatmak zorunda kaldım! Bayan Ashe, sizi temin ederim, eğer bu yasa tasarısı geçerse uzaya doluşan girişimciler füze bilimi uzmanları olmayacak. Bunlar cüzdanı kabarık ama kafası sığ girişimciler olacaklar."

Gabrielle, "İnandırıcı iddialar," dedi. "Ama eminim senatör yasa tasarısını oylamak durumunda kalırsa bu meseleleri dikkate alacaktır. Tüm bunların benimle ne ilgisi olduğunu sorabilir miyim?"

Tench gözlerini kısarak, bakışlarını sigarasına çevirdi. "Pek çok kişi uzaydan çokça para kazanmayı bekliyor ve siyasi lobi tüm sınırlamalarla engelleri kaldırmak için kollarını sıvıyor. Özelleştirmeye karşı... uzaydaki anarşiye karşı geriye kalan tek engel başkanlık ofisinin veto hakkı."

"O halde Zach Herney'ye yasa tasarısını veto etmesini tavsiye ederim."

"Benim korkum sizin adayınızın seçildiği takdirde o kadar ihtiyatlı davranmayacağı."

"Bir kez daha söylüyorum, yasa tasarısını değerlendirme konumuna geldiğinde senatör tüm meseleleri göz önünde bulunduracaktır."

Tench tam anlamıyla ikna olmuşa benzemiyordu. "Senatör Sexton medya reklamlarına ne kadar harcıyor biliyor musun?"

Soru onu hazırlıksız yakalamıştı. "Bu meblağ halka ait değil."

"Ayda üç milyondan fazla."

Gabrielle omuzlarını silkti. "Öyle diyorsanız öyledir." Yakın bir rakam vermişti.

"Bu çok yüklü bir miktar."

"Onun harcayacak çok parası var."

"Evet, iyi planlama yaptı. Ya da daha doğrusu iyi bir *evlilik* yaptı." Tench sigarasını üflemek için durdu. "Karısı Katherine'e yazık oldu. Ölümü senatörü fena sarstı." Bunun ardından son derece yapmacık bir iç çekiş geldi. "Ölümünün üstünden pek fazla zaman da geçmedi, öyle değil mi?"

"Sadede gelin, yoksa gidiyorum."

Ciğerleri sarsılır gibi öksüren Tench, sarı zarfa uzandı. İnce bir zımbalı kâğıt tomarı çıkarıp Gabrielle'a uzattı. "Sexton'ın mali kayıtları."

Gabrielle belgeleri utanç içinde inceledi. Kayıtlar yıllar öncesine kadar uzanıyordu. Gabrielle, Sexton'ın maddi durumunun işleyişini tam olarak bilmese de, verilerin doğru olduğunu sezinledi... banka hesapları, kredi kartı hesapları, faiz borçları, hisse senetleri, gayrimenkul senetleri, borçlar, sermaye kazançları ve zarar. "Bunlar özel bilgiler. Nerden buldunuz?"

"Kaynağım seni ilgilendirmez. Ama bu rakamları incelemek için biraz vakit harcarsan, Senatör Sexton'ın şu anda harcadığı paraya aslında sahip olmadığını göreceksin. Katherine öldükten sonra kötü yatırımlar, lüks harcamalar ve zafer kazandıracak umuduyla satın aldıkları, kendisine kalan mirasın büyük kısmını tüketti. Altı ay önce adayınızın cebinde metelik yoktu."

Gabrielle bunun blöf olabileceğini düşündü. Sexton hiç de meteliksiz biriymiş gibi davranmıyordu. Her hafta reklam harcamalarını arttırıyordu.

Tench, "Adayınız," diye devam etti. "Şu anda Başkan'dan dört kat fazla harcama yapıyor. Ve şahsına ait hiç parası yok."

"Pek çok bağış alıyoruz."

"Evet, bazıları yasal."

Gabrielle başını kaldırdı. "Anlayamadım?"

Tench oturduğu yerde öne doğru eğilince Gabrielle nefesinin nikotin kokusunu aldı. "Gabrielle Ashe, sana bir soru soracağım ve cevap vermeden önce iyice düşünmeni tavsiye derim. Gelecek birkaç yılını hapiste geçirip geçirmeyeceğini belirleyebilir. Senatör Sexton'ın, NASA'nın özelleştirilmesiyle milyarlar kazanacak uzay şirketlerinden kampanyası için büyük miktarlarda, yasadışı rüşvet aldığının farkında mısın?"

Gabrielle bakakalmıştı. "Bu çok saçma bir itham!"

"Bu durumdan haberin olmadığını mı söylüyorsun?"

"Senatör ileri sürdüğünüz miktarlarda rüşvet alsaydı haberim olurdu diye düşünüyorum."

Tench soğuk bir ifadeyle gülümsedi. "Gabrielle, Senatör Sexton'ın seninle *çok* şey paylaştığını anlıyorum ama bu adam hakkında bilmediklerinin hayli fazla olduğuna emin olabilirsin."

Gabrielle ayağa kalktı. "Toplantı sona erdi."

Dosyadakilerin geri kalanını çıkarıp masanın üstüne yayan Tench, "Tam tersine," dedi. "Toplantı yeni başlıyor."

44

Habikürenin "harekât öncesi odası"ndaki Rachel, NASA'nın Mark IX mikroiklim yaşam kıyafetlerinden birinin içine girerken, kendini astronot gibi hissetti. Kapüşonlu, tek parça siyah tulum, şişer dalgıç kıyafetlerini andırıyordu. Çift katlı, hafızalı köpük kumaşa, giyen kişinin hem sıcak, hem de soğuk ortamlarda vücut ısısını dengede tutmasına yardımcı olmak için yoğun bir jel pompalanmış kanallar oturtulmuştu.

Rachel sıkı kapüşonu başına geçirirken, gözleri NASA müdürüne takıldı. Bu küçük görevin gerekliliğinden hoşnut olmamış bir ifadeyle, kapıda nöbetçi gibi duruyordu.

Norah Mangor diğerlerini giydirirken, mırıldanarak küfrediyordu. Corky'ye kıyafetini uzatarak, "İşte tıknazlar için bir tane," dedi.

Tolland kendi kıyafetini yarı yarıya giymişti.

Rachel fermuarını tamamen kapattıktan sonra, Norah, onun yan tarafındaki tıpayı büyük bir dalış tüpünü andıran gri kutudan sarkan, şişirme tüpüne bağladı.

Vanayı açan Norah, "Nefes al," dedi.

Rachel bir tıslama duydu ve ardından kıyafetin içine verilen jeli hissetti. Hafızalı köpük genişleyince tulum onu sımsıkı sardı ve kıyafetin iç kısmı vücuduna oturdu. Bu his ona, plastik eldivenle elini suya daldırmayı anımsatmıştı. Kapüşon başının etrafında şişerek kulaklarını bastırınca, sesler boğuk gelmeye başladı. *Kozanın içindeyim.*

Norah, "Mark IX'un en güzel yanı dolgusu," dedi. "Kıçının üstüne düşsen de bir şey hissetmezsin."

Rachel inanmıştı. Kendini minderin içine hapsolmuş gibi hissediyordu.

Norah, Rachel'a bazı aletler uzattı... bir buz kazması, ip kancası ve Rachel'ın belindeki kemere taktığı karabina.

Aletlere bakan Rachel, "Bunlara gerek var mı?" diye sordu. "İki yüz metre gitmek için?"

Norah gözlerini kısarak baktı. "Gelmek istiyor musun, istemiyor musun?"

Tolland, Rachel'a güven verici bir tavırla başını salladı. "Norah sadece temkinli davranıyor."

Dolum deposuna bağlanıp kıyafetini şişiren Corky hayret etmiş gibi görünüyordu. "Kendimi dev bir prezervatif giymiş gibi hissediyorum."

Norah nefret edercesine homurdandı. "Sanki çok iyi biliyormuşsun gibi konuşma bakir oğlan."

Tolland yere çömelip Rachel'ın yanına oturdu. Rachel kalın botlarıyla kramponlarını bağlarken ona hafifçe tebessüm etti. "Gelmek istediğine emin misin?" Gözlerinde Rachel'ı kendine çeken koruyucu bir kaygı vardı.

Rachel, kendinden emin şekilde başını sallayışının, artan korkusunu gizlemiş olmasını diledi. *İki yüz metre... o kadar da uzak değil.* "Sen sadece açık denizlerde heyecan yaşanır sanıyordun, değil mi?"

Tolland kramponlarını bağlarken gülüyordu. "Sıvı suyu bu donmuş maddeye tercih ettiğimi anladım."

Rachel, "Ben hiçbir zaman ikisinin de hayranı olmadım," dedi. "Küçükken buzun içine düştüm. O zamandan beri beni rahatsız ediyor."

Tolland sempatik gözlerle ona baktı. "Bunu duyduğuma üzüldüm. Tüm bunlar bittiğinde gelip *Goya*'da beni ziyaret etmelisin. Su hakkındaki düşüncelerini değiştireceğim. Söz."

Davet Rachel'ı şaşırtmıştı. *Goya* Tolland'ın araştırma gemisiydi; gerek *Amazing Seas*'de üstlendiği rol, gerekse okyanusların en garip görünüşlü gemisi olması açısından iyi biliniyordu. *Goya*'ya yapacağı ziyaretin sinirlerini bozacağını bilmesine rağmen, reddedemeyeceği bir fırsattı.

Krampon kilitleriyle uğraşan Tolland, "Şu anda New Jersey'nin on iki mil açığında demirli," dedi.

"Alışılmadık bir yer."

"Hiç değil. Atlantik kıyısı inanılmaz bir yer. Başkan işimi bölmeden önce, yeni bir belgesel çekmeye hazırlanıyorduk."

Rachel güldü. "Ne hakkında belgesel çekecektiniz?"

"*Sphyrna mokarran ve megaplumes.*"(*)

Rachel suratını astı. "Sorduğum iyi oldu."

Kramponlarını bağlamayı bitiren Tolland başını kaldırıp baktı. "Sahiden, orda birkaç hafta çekim yapacağım. Washington Jersey sahiline fazla uzak sayılmaz. Döndüğünde kalk gel. Hayatını sudan korkarak geçirmene gerek yok. Ekibim senin için kırmızı halı serecektir."

Norah'nın sesi boru gibi çıktı. "Gidiyor muyuz, yoksa siz ikinize biraz mumla şampanya mı getireyim?"

45

Gabrielle Ashe, Marjorie Tench'in masasına yayılmış belgelerle ne yapması gerektiğini bilemiyordu. Kâğıtların arasında mektup fotokopile-

---

(*) Okyanusun altındaki magma kubbelerinin üstünde oluşan sıcak ve soğuk akıntıların oluşturduğu girdap.

riyle telefon görüşmesi dökümleri vardı ve hepsi de Senatör Sexton'ın özel uzay şirketleriyle gizli bir diyalog içinde olduğu iddiasını doğrular nitelikteydi.

Tench, Gabrielle'ın önüne birkaç bulanık siyah-beyaz fotoğraf itti. "Sanırım bunları yeni öğreniyorsun?"

Gabrielle fotoğraflara baktı. İlk kare, Senatör Sexton'ın yeraltı garajına benzer bir yerde taksiden indiğini gösteriyordu. *Sexton asla taksiye binmez.* Gabrielle ikinci resme baktı; park halindeki beyaz bir karavana binen Sexton'ın telefotosu. Karavandaki yaşlı bir adam, onu bekliyor gibiydi.

Fotoğrafların sahte olabileceğinden şüphelenen Gabrielle, "Bu kim?" dedi.

"USV'den önemli biri."

Gabrielle tereddüt ediyordu. "Uzay Sınırları Vakfı mı?"

USV, bir nevi özel uzay şirketleri "birliği" sayılırdı. Uzay müteahhitlerini, girişimcileri, teşebbüs sermayedarlarını -uzaya gitmek isteyen her türlü özel kuruluşu- temsil ediyordu. ABD uzay programının, özel şirketlerin uzaya uçuş yapmalarını engellemek için haksız ticari hilelere başvurduğunu iddia ederek, NASA'yı eleştiriyordu.

Tench, "USV şu anda, bir kısmı Uzayı Ticari Kullanıma Açma Kanunu'nun onaylanmasını bekleyen çok zengin teşebbüsleri de içeren, yüzden fazla büyük tüzel kişiyi temsil ediyor," dedi.

Gabrielle bunu düşündü. Senatör, ihtilaflı lobileşme faaliyetleri yüzünden onlarla fazla yakınlaşmamaya dikkat etse de, USV birtakım bariz nedenlerden ötürü Sexton'ın kampanyasını alenen destekliyordu. Yakın zaman önce USV, NASA'yı aslında zarar ettiği halde hâlâ işlemeye devam ederek, özel şirketlere karşı haksız rekabet yaratan, "yasadışı bir tekel" olmakla suçlayan bir duyuru yayınlamıştı. USV'ye göre, AT&T'nin bir haberleşme uydusu fırlatması gerektiğinde pek çok özel uzay şirketi bu işi makul bir fiyat olan 50 milyon dolar karşılığında yapmayı teklif ediyordu. Ama ne yazık ki NASA her seferinde işin içine girerek, kendisine beş katına mal olduğu halde AT&T'nin uydularına yirmi beş milyona fırlatmayı teklif ediyordu. USV avukatları, *NASA uzaydaki tekelini zararına iş yaparak koruyor*, diyorlardı. *Vergi mükellefleri de hesabı ödüyor.*

Tench, "Bu fotoğraf," dedi. "Adayınızın özel uzay teşebbüslerini temsil eden bir organizasyonla gizli görüşmeler yaptığını gösteriyor." Tench masanın üstündeki diğer belgeleri işaret etti. "Ayrıca USV üye şirketlerinden büyük miktarlarda para toplanmak üzere talimat verildiğini -özsermayeleriyle eşit miktarda- ve Senatör Sexton'ın banka hesaplarına aktarıldığını şirket içindeki yazışmalardan biliyoruz. Doğrusu, bu özel uzay kuruluşları Sexton'ı başkanlığa getirmek için para yardımında bulunuyorlar. Seçildiği takdirde ticari kullanıma açma yasa tasarısını geçirip, NASA'yı özelleştirmeyi kabul ettiğini düşünmekten başka çarem kalmıyor."

Gabrielle kâğıt yığınlarına ikna olmamış gözlerle baktı. "Rakibinin, kampanyası için yasadışı maddi yardım aldığına dair delilleri olduğu halde, Beyaz Saray'ın bir nedenden ötürü bunu saklı tuttuğuna inanmamı mı bekliyorsunuz?"

"Sen neye inanırdın?"

Gabrielle öfkeyle baktı. "Samimi olmak gerekirse, hile yapmaktaki beceriniz düşünüldüğünde, düzmece belgelerle ve bir Beyaz Saray çalışanının masaüstü bilgisayarında ürettiği fotoğraflarla beni kandırmanız daha mantıklı geliyor."

"İtiraf ediyorum ki bu mümkün. Ama doğru değil."

"Değil mi? O halde tüm bu iç yazışmaları o şirketlerden nasıl aldınız? Bu delilleri onca şirketten çalacak kadar kaynak Beyaz Saray'ın bile imkânlarını aşıyor."

"Haklısın. Bu bilgi buraya talep dışı bir hediye olarak geldi."

Gabrielle artık hiçbir şey düşünemez olmuştu.

Tench, "Ah, evet," dedi. "Bunlardan hayli temin ettik. Başkan'ın iktidarda kalmasını isteyen pek çok güçlü siyasi dostu var. Hatırlarsan, sizin adayınız her taraftan kesinti yapılması gerektiğini ileri sürüyordu, ki bunların çoğu da burda, Washington'daydı. Senatör Sexton FBI'ın kabarık bütçesini hükümetin aşırı harcamalarına örnek göstermekten hiç çekinmedi. IRS'e de dokundurmaktan geri kalmamıştı. Belki bürodan ya da vergi dairesinden birileri biraz kızmıştır."

Gabrielle imayı anlamıştı. FBI ile IRS'de çalışanların bu türden bilgiyi ele geçirme imkânı vardı. Sonra da Başkan'ın seçilmesine yardımcı olmak için talep dışı bir iyilik yapmış olabilirlerdi. Ama Gabrielle'ın asıl inanamadığı, Senatör Sexton'ın kampanyasına yasadışı fon sağlamasıydı. Gabrielle, "Eğer bu veriler doğruysa, ki son derece şüpheliyim, neden halka duyurmadınız?" diye karşı çıktı.

"Sence neden olabilir?"

"Çünkü bilgiyi yasadışı yollardan topladınız."

"Elimize nasıl geçtiği hiç fark etmez."

"Elbette fark eder. Oturumda kabul edilmezler."

"Ne oturumu? 'Güvenilir kaynaktan' hikâyeyi fotoğraflarla birlikte bir gazeteye sızdırmamız yeterli. Masumluğu kanıtlanana kadar Sexton suçlu konumunda kalırdı. Zaten NASA karşıtı aleni tavırları, rüşvet aldığının görsel kanıtı kabul edilirdi."

Gabrielle bunun doğru olduğunu biliyordu. "İyi," dedi. "O halde neden bilgiyi sızdırmadınız?"

"Çünkü olumsuz. Başkan kampanyasında olumsuzluklardan faydalanmayacağına söz verdi ve mümkün olduğunca bu sözüne sadık kalmak istiyor."

Ya, haklısın! "Yani bana Başkan o kadar dürüst ki, insanlar olumsuzluklardan faydalandığını düşünmesin diye halka duyurmayı reddetti mi diyorsun?"

"Ülke için olumsuz. Pek çoğu dürüst insanların kurduğu düzinelerce özel şirketi ima ediyor. ABD Senatosu'nu lekeler ve ülkenin morali açısından kötü olur. Sahtekâr siyasetçiler *tüm* siyasetçilere zarar verir. Amerikalılar liderlerine güvenmek isterler. Bu çirkin bir soruşturma olur, üstelik büyük ihtimalle bir ABD senatörüyle pek çok uzay şirketi yetkilisini hapse gönderir."

Tench'in mantığı doğru olsa da, Gabrielle hâlâ iddialardan şüpheleniyordu. "Tüm bunların benimle ne ilgisi var?"

"Basit düşünün Bayan Ashe, bu belgeleri elimizden çıkarırsak, adayınız kampanyasına yasadışı finansman sağlamakla suçlanacak, senatörlük koltuğunu kaybedecek ve galiba hapsi boylayacak." Tench duraksadı. "Ama tabi..."

Gabrielle, başdanışmanın gözlerinde sinsi bir pırıltı gördü. "Ama tabi *ne?*"

Tench sigarasından uzun bir nefes çekti. "Tüm bunların yaşanmaması için sen bize yardım edersen."

Odaya kasvetli bir sessizlik hâkim oldu.

Tench hırıl hırıl öksürdü. "Gabrielle, dinle beni, bu talihsiz bilgiyi üç sebepten ötürü seninle paylaşmaya karar verdim. Öncelikle, sana Zach Herney'nin ülke refahını kişisel çıkarlarının üstünde tutan, dürüst bir adam olduğunu göstermek için. İkinci olarak, adayınızın sandığın kadar güvenilir bir adam olmadığından seni haberdar etmek için. Ve üçüncü olarak, az sonra yapacağım teklife seni ikna etmek için."

"Bu nasıl bir teklif?"

"Sana doğru olanı yapman için bir şans tanıyorum. *Vatanseverlik* teklifi. Belki bilmiyorsundur, Washington'ı nahoş skandallardan koruyabilecek önemli bir konumdasın. Eğer senden isteyeceğimi yapabilirsen, belki Başkan'ın takımında bir yer bile bulabilirsin."

Başkan'ın takımında bir yer mi? Gabrielle duyduklarına inanmıyordu. "Bayan Tench, aklınızda her ne varsa şunu bilin ki, bana şantaj veya emrivaki yapılmasından veya üstünlük taslanmasından hoşlanmam. Yaptığı siyasete inandığım için senatörün kampanyasında çalışıyorum. Ve eğer *bu* Zach Herney'nin siyasi nüfuzunu kullandığının bir göstergesiyse, onunla bir bağlantımın olması beni hiç ilgilendirmiyor! Eğer Senatör Sexton hakkında elinizde bir şey varsa, basına sızdırın. Samimi olmak gerekirse, ben tüm bunların aldatmaca olduğunu düşünüyorum."

Tench kederli bir tavırla içini çekti. "Gabrielle, adayınızın yasadışı mali destek aldığı bir gerçek. Üzgünüm. Ona güvendiğini biliyorum." Sesini alçalttı. "Dinle bak, sadede geliyorum. Eğer mecbur kalırsak Başkan bu finansman meselesini gündeme getirecek ama olaylar çok çirkinleşecek. Bu skandal kanunları çiğneyen pek çok büyük ABD şirketini kapsıyor. Pek çok masum insan bunun bedelini ödeyecek." Derin derin içini çekti. "Başkan ve ben... senatörün ahlak anlayışını başka bir yoldan ifşa etmek istiyoruz. Daha sakin ve... masum kişilerin zarar görmeyeceği bir yoldan." Tench sigarasını bırakıp kollarını kavuşturdu. "Senatörle bir ilişki yaşadığını kamu önünde itiraf etmeni istiyoruz."

Gabrielle'ın tüm vücudu kaskatı kesildi. Tench kendinden son derece emin konuşmuştu. Gabrielle bunun *imkânsız* olduğunu biliyordu. Hiç kanıt yoktu. Cinsel ilişki, senatörün ofisinin kilitli kapısı ardında sadece bir kez yaşanmıştı. *Tench'in elinde delil yok. Yem atıyor.* Gabrielle normal ses tonuyla konuşmak için kendini zorladı. "Çok fazla zanda bulunuyorsunuz Bayan Tench."

"Hangisini zannediyorum? İlişki yaşadığınızı mı? Yoksa adayınızı terk edeceğini mi?"

"Her ikisini de."

Tench kısa ve sert bir gülümsemeyle ayağa kalktı. "Eh, bu gerçeklerden birini şimdilik bir kenara bırakalım o halde, olur mu?" Yeniden duvardaki kasanın yanına gidip, bu sefer kırmızı bir dosyayla döndü. Üstünde Beyaz Saray mührü vardı. Klipsi açtı, zarfı hafifçe vurarak çıkardı ve içindekileri Gabrielle'ın önünde masanın üstüne boşalttı.

Düzinelerce renkli fotoğraf masanın üstüne dökülürken, Gabrielle tüm kariyerinin gözleri önünde yittiğini hissetti.

46

Habikürenin dışındaki katabatik rüzgâr, Tolland'ın alışkın olduğu okyanus rüzgârlarına hiç benzemiyordu. Okyanusta rüzgâr, akıntıların ve basınç cephelerinin sonucunda meydana çıkıp, sağanak fırtınalarla geliyordu. Katabatik ise, basit fiziğin kölesiydi; met dalgası gibi buzuldan aşağı inen ağır soğuk hava. Tolland'ın hayatında tecrübe ettiği en çetin fırtına hızına ulaşıyordu. Saatte yirmi deniz miliyle estiğinde denizcilerin rüyası gerçek olurdu ama seksen deniz mili hızla esen katabatik, karadakiler için bile kâbusa dönüşebilirdi. Tolland durup arkaya eğilirse, kasırganın kendisini sürükleyebileceğini fark etti.

Şiddetli hava akımını Tolland için daha da sinir bozucu hale getiren şey, buz katmanı eğiminin rüzgâr yönünde oluşuydu. Buz, üç kilometre ötedeki okyanusa doğru hafifçe meylediyordu. Botlarına bağlı Pitbull Rapido kramponlarının sivri çivilerine rağmen Tolland, yanlış bir adım atarsa fırtınaya kapılıp, sonsuz buz eğiminde kayacağı düşüncesinin huzursuzluğunu yaşıyordu. Norah Mangor'un iki dakikalık buzulda güvenlik kursu şimdi yetersiz gelmeye başlamıştı.

Habikürede giyindikleri sırada Norah, T şeklinde hafif bir aleti her birinin kemerine bağlarken, *pirana buz kazması*, demişti. *Standart bıçak, muz bıçak, çekiç ve keser. Aklınızda tutmanız gereken tek şey şu, eğer içinizden biri düşerse veya fırtınaya kapılırsa, bir eliniz üst tarafta diğeri sapında kazmayı tutun, muz bıçağını buza saplayın ve kramponları yere basarak üstüne düşün.*

Bu güven verici sözlerin ardından Norah, her birinin YAK takımlarını bağlamıştı. Gözlüklerini takmışlar ve akşamüstü karanlığında yola koyulmuşlardı.

Şimdi dört kişi, onları birbirlerinden ayıran on metrelik halatlarla, düz bir çizgi halinde buzuldan aşağı yol alıyorlardı. En önde Norah, arkasında Corky, sonra Rachel ve kuyrukta Tolland vardı.

Habiküreden uzaklaştıkça, Tolland tedirginliğinin arttığını hissediyordu. Şişirilmiş kıyafetinin içinde, sıcak olmasına rağmen, kendini uzak bir gezegene giden yolunu kaybetmiş uzay yolcusu gibi hissediyordu. Ay, toplanan fırtına bulutları arkasında kaybolunca, buzul deliksiz bir karanlığa gömüldü. Tolland'ın sırtına sürekli bir baskı uygulayan katabatik rüzgâr, her dakika biraz daha kuvvetleniyor gibiydi. Gözlüklerinin ardındaki gözleri, etrafındaki engin boşluğu görmek için çabalarken, bu yerde gerçek bir tehlike sezinlemeye başladı. NASA'nın güvenlik tedbirleri abartılı olsun ya da olmasın, müdürün iki yerine dört hayatı tehlikeye atmasına şaşırmıştı. Özellikle de bu iki hayattan biri bir senatörün kızına, diğeriyse ünlü bir astrofizikçiye aitken. Tolland, Rachel ile Corky'ye karşı koruyucu hisler beslemesine şaşırmamıştı. Bir gemi kaptanı olarak, etrafındakiler için sorumluluk hissetmeye alışkındı.

"Arkamdan ayrılmayın," diye bağıran Norah'nın sesini rüzgâr yutuyordu. "Bırakın kızak götürsün."

Norah'nın deney ekipmanını taşıyan alüminyum kızak, dev bir Flexible Flyer'ı andırıyordu. Kızağa, Norah'nın son birkaç gündür buzulda kullandığı tanı cihazları ve güvenlik aksesuarları yerleştirilmişti. Tüm ekipmanı -akü kutusu, güvenlik fişekleri ve güçlü bir projektör- muhafazalı plastik bir tentenin altına bağlanmıştı. Ağır yüke rağmen kızak uzun ve düz paten demirlerinin üstünde hiç zorlanmadan kayıyordu. En hafif eğimlerde bile kızak aşağı kendiliğinden kayıyor, Norah ise kızağın yolu tayin etmesine izin veriyormuşçasına çok az bir güç kullanıyordu.

Grup ile habiküre arasındaki mesafenin açıldığını sezinleyen Tolland, omzunun üstünden baktı. Sadece elli metre mesafedeki kubbe, karanlığın içinde görünmez olmuştu.

Tolland, "Geri dönüş yolumuzu bulabileceğimiz konusunda endişeleniyor musun?" diye seslendi. "Habiküre nerdeyse görün..." Sözleri, Norah'nın elinde parlayan fişeğin gürültülü ıslığıyla kesildi. Kırmızı-beyaz parlama, etraflarını on metre çapında aydınlatmıştı. Norah topuğuyla kar yüzeyinde küçük bir çukur açıp deliğin rüzgârüstü yönünde karları yığdı. Sonra fişeği girintinin içine sapladı.

Norah, "İleri teknoloji ekmek kırıntısı," diye bağırdı.

Rachel, "Ekmek kırıntısı mı?" diye sorarken, gözlerini ani ışıktan koruyordu.

Norah, "Hansel ve Gretel," diye bağırdı. "Bu fişekler bir saat yanar; dönüş yolunu bulmak için çok vaktimiz var."

Bunun ardından Norah yeniden yola koyularak onları buzuldan aşağı, bir kez daha karanlığın içine doğru götürmeye başladı.

47

Marjorie Tench'in odasından hışımla çıkan Gabrielle, nerdeyse bir sekreteri yere seriyordu. Yerin dibine geçen Gabrielle'ın tek görebildiği fotoğraflar ve birbirine geçmiş kollarla bacaklardı. Yüzler zevk içinde kendinden geçmişti.

Fotoğrafların nasıl çekildiği konusunda hiç fikri yoktu ama gerçek olduklarını biliyordu. Senatör Sexton'ın ofisinde çekilmişlerdi ve sanki gizli kamerayla yukarıdan çekilmişlerdi. *Tanrım bana yardım et.* Fotoğraflardan birinde, senatörün masasındaki resmi görünüşlü belgelerin üstüne serilmiş vücutlarıyla sevişen Gabrielle ile Sexton görünüyordu.

Marjorie Tench, Harita Odası'nın önünde Gabrielle'a yetişti. Tench'in elinde, kırmızı fotoğraf zarfı vardı. "Verdiğin tepkide bu fotoğrafların gerçekliğine inandığını anlıyorum." Başkan'ın başdanışmanı keyifli görünüyordu. "Umarım diğer verilerimizin de doğruluğuna seni ikna eder. Aynı kaynaktan geldiler."

Gabrielle koridorun sonuna doğru ilerlerken, tüm vücudunun kıpkırmızı kesildiğini hissetti. *Çıkış hangi cehennemde?*

Tench'in sırık bacakları ona yetişmekte hiç zorlanmadı. "Senatör Sexton, ikinizin sadece arkadaş olduğunuza tüm dünyanın önünde yemin etti. Televizyonda yayınlanan açıklaması oldukça ikna ediciydi." Tench başıyla, omzunun arkasını işaret etti. "Aslında hafızanı tazelemek istersen, ofisimde bir bant kaydı var."

Gabrielle'ın hafızasını tazelemeye ihtiyacı yoktu. Basın konferansını gayet iyi hatırlıyordu. Sexton'ın yalanlaması hem samimi, hem de kendinden emindi.

Tench hiç de hayal kırıklığına uğramışa benzemeyen bir sesle konuştu. "Büyük talihsizlik ama Senatör Sexton Amerikalıların gözünün içine bakıp utanmadan yalan söyledi. Halkın bunu öğrenmeye hakkı var. Ve *öğrenecekler.* Bu konuyla şahsen ilgileneceğim. Şimdi tek sorun halkın bunu nerden öğreneceği. Biz en iyisi senin söylemen diye düşünüyoruz."

Gabrielle serseme dönmüştü. "Gerçekten de kendi adayımın linç edilmesine yardım edeceğimi mi sanıyorsun?"

Tench'in yüzüne ciddi bir ifade geldi. "Ben burda başka bir seçenek sunmaya çalışıyorum Gabrielle. Başını dik tutup gerçeği söyleyerek herkesi büyük bir utançtan kurtarman için sana şans tanıyorum. Tek ihtiyacım olan, ilişkinizi itiraf ettiğin imzalı bir açıklama."

Gabrielle donakalmıştı. "Ne!"

"Elbette. İmzalı açıklama, ülkeyi bu çirkinliklerden uzak tutarak, senatörle *sessizce* uğraşmamıza imkân sağlar. Teklifim çok basit: Açıklamayı benim için imzala ve bu fotoğraflar da bir daha gün ışığına çıkmasın."

"Açıklama mı istiyorsunuz?"

"Teknik olarak aslında yeminli beyan gerekirdi ama bu binada bir noterimiz var..."

"Delirmişsin." Gabrielle yeniden yürümeye başlamıştı.

Yanına giden Tench'in sesi şimdi biraz daha öfkeliydi. "Senatör Sexton öyle ya da böyle batıyor Gabrielle. Ben sana sabah gazetesinde kendi çıplak kıçını görmeden bu işten sıyrılman için bir şans tanıyorum! Başkan dürüst bir adam ve bu fotoğrafların halka gösterilmesini *istemiyor.* Bana yeminli beyan verirsen ve ilişkiyi kendi ağzından itiraf edersen, hepimiz bir nebze şerefimizi koruyabiliriz."

"Ben satılık değilim."

"Ama adayınız kesinlikle öyle. Tehlikeli bir adam ve kanunları çiğniyor."

"Kanunları mı çiğniyor? Ofislere gizlice girip yasadışı fotoğraflar çeken sizsiniz! Watergate'i hiç duydun mu?"

"Bu pisliğin toplanmasıyla bizim hiç ilgimiz yok. Bu fotoğraflar, USV kampanya bağışları bilgisini veren aynı kaynaktan geldi. Birileri ikinizi yakın takibe almış."

Gabrielle, ziyaretçi kartını aldığı güvenlik masasının önünden hızla geçti. Kartı yırtar gibi çıkardı ve büyük gözlü görevliye fırlattı. Tench hâlâ peşindeydi.

Çıkışa yaklaşırlarken Tench, "Çabuk karar vermen gerekiyor Bayan Ashe," dedi. "Ya bana senatörle yattığına dair yeminli beyan getirirsin ya da bu akşam saat yirmide Başkan her şeyi halka duyurmak zorunda kalır. Sexton'ın mali bağlantıları, fotoğraflarınız ve dönen dolaplar. İnan bana, halk senin her şey seyirci kalıp Sexton'ın ilişkiniz hakkında yalan söylemesine izin verdiğini görünce, onunla birlikte sen de yanarsın."

Kapıyı gören Gabrielle, doğruca oraya yöneldi.

"Bu akşam saat yirmide masamda olsun Gabrielle. Akıllı ol." Tench, tam dışarı çıkarken fotoğrafların durduğu dosyayı ona fırlattı. "Sende kalsın tatlım. Bizde daha çok var."

48

Rachel Sexton buzuldan aşağı gecenin kör karanlığına inerken, içinin ürperdiğini hissediyordu. Zihninden sinir bozucu görüntüler geçiyordu... göktaşı, fosforışıl planktonlar, Norah Mangor'ın buz nüveleriyle ilgili bir hata yapması ihtimali.

Onlara göktaşının tam üstünden ve her yanından buz nüveleri çıkardığını hatırlatan Norah, *hiç bozulmamış tatlı su buzu*, diye iddia etmişti.

Buzulda plankton içeren tuzlu su yarıkları olsaydı, bunu mutlaka görürdü. Öyle değil mi? Yine de Rachel'ın sezgileri en basit çözüm konusunda diretiyordu.

Bu buzulda donmuş planktonlar var.

On dakika ve dört fişek sonra Rachel ile diğerleri habiküreden yaklaşık 250 metre uzaktaydı. Norah aniden durdu. Kuyu kazmak için mükemmel noktayı esrarengiz bir şekilde sezen, değnekle su arayan cadı sesiyle, "Burası," dedi.

Rachel dönüp arkalarındaki yokuşa baktı. Habiküre karanlıkta gözden kaybolalı çok olmuştu ama en uzaktaki zayıf bir yıldız gibi yanıp sönen fişeklerin çizdiği hat, açıkça görülebiliyordu. Fişekler, titizlikle hesaplanmış pist gibi mükemmel bir düz çizgi oluşturuyorlardı. Rachel, Norah'nın becerilerinden etkilenmişti.

Rachel'ın fişeklere hayranlıkla baktığını gören Norah, "Kızağın önden gitmesine izin vermemizin bir başka nedeni," dedi. "Paten demirleri düz. Kızağı yerçekimine bırakıp müdahale etmezsek, düz bir çizgi halinde ilerlemeyi garantiye almış oluruz."

Tolland, "Harika bir hile," dedi. "Keşke açık denizde de böyle bir şey yapılabilse."

Aşağıdaki okyanusu düşünen Rachel, *burası açık deniz*, diye düşündü. Bir an için, en uzaktaki fişek dikkatini çekmişti. Görünürden kaybolmuştu. Sanki önünden geçen bir nesne yüzünden ışık engellenmişti. Ama kısa süre sonra ışık yeniden belirdi. Rachel aniden tedirginleşti. Rüzgâra karşı, "Norah," diye seslendi. "Burda kutup ayıları var mıydı?"

Buzul uzmanı son fişeği hazırlıyordu. Onu ya duymadı ya da duymazdan geldi.

Tolland, "Kutup ayıları fok balıklarını yer," diye seslendi. "Sadece yaşam alanlarına girildiği zaman insanlara saldırırlar."

"Ama burası kutup ayılarının ülkesi, öyle değil mi?" Rachel hangi kutupta ayılar, hangisinde penguenler olduğunu hep karıştırırdı.

Tolland, "Evet," diye bağırarak karşılık verdi. "Arktik ismi kutup ayılarından gelir. *Arktos* ayının Yunancasıdır."

Muhteşem. Rachel endişeyle karanlığa göz gezdirdi.

Tolland, "Antarktika'da kutup ayısı yoktur," dedi. "Bu yüzden oraya *Anti-arktos* denir."

Rachel, "Teşekkürler Mike," diye seslendi. "Kutup ayılarıyla ilgili bu kadar konuşmak yeterli."

Tolland kahkaha attı. "Haklısın. Üzgünüm."

Norah son fişeği kara sapladı. Yine kırmızımsı ışığa boğulan dörtlü, rüzgâr geçirmez siyah tulumlarının içinde hayli şişkin görünüyordu. Fişekten yayılan ışık çemberinin ardında dünyanın geri kalan kısmı, siyah bir örtüyle kaplanmış gibi hiç görünmüyordu.

Rachel ile diğerleri bakarken, Norah ayağını sıkıca bastı ve kızağı eğimden birkaç metre yukarı, durdukları yere döndürmek için dikkatle hareket etti. Sonra ipi sıkıca tutarak yere çömeldi ve eliyle kızağın frenlerini açtı; kızağı sabit tutmak için buza saplanan dört sivri çivi. Bunu yaptıktan sonra ayağa kalktı ve üstünü silkeledi. Belindeki ipler artık gevşek duruyordu.

Norah, "Pekâlâ," diye bağırdı. "İşe başlama zamanı."

Kızağın rüzgâraltı tarafına dolanan buzul uzmanı, ekipmanın üstündeki koruyucu tenteyi tutan kopçaları açmaya başladı. Norah'ya biraz sert davrandığını düşünen Rachel, arka kanadı çözmesine yardım etmek için yanına gitti.

Başını aniden kaldıran Norah, "Tanrım, HAYIR!" diye bağırdı. "Bunu *sakın* yapma!"

Geri çekilen Rachel'ın aklı karışmıştı.

Norah, "Rüzgârüstü tarafı asla çözme!" dedi. "Rüzgâr tulumuna döner. Bu kızak aerodinamik tünele kapılan şemsiye gibi uçar gider!"

Rachel geriye adım attı. "Üzgünüm. Ben..."

Norah öfkeliydi. "Sen ve uzay çocuğu burda olmamalıydınız."

Rachel, *hiçbirimiz olmamalıydık,* diye düşündü.

Müdürün Corky ile Sexton'ı onlarla beraber göndermesine lanet okuyan Norah, *amatörler*, diye hayıflanıyordu. *Bu palyaçolar yüzünden burada biri ölecek.* Norah'nın o anda yapmak istediği en son şey bebek bakıcılığıydı.

"Mike," dedi. "TAR'ı kızaktan çıkarmak için yardıma ihtiyacım var."

Tolland onun Toprak Altı Radarı çıkarıp buza yerleştirmesine yardım etti. Aygıt, alüminyum bir gövdeye paralel bağlanmış üç minyatür kar küreme bıçağına benziyordu. Cihazın uzunluğu bir metreden fazla değildi ve bir akım zayıflatıcıyla kızaktaki bir deniz bataryasına kablolarla bağlıydı.

Corky rüzgâra karşı, "Radar bu mu?" diye seslendi.

Norah sessizce başını salladı. Toprak Altı Radar, deniz suyu buzunu KYYT'den daha iyi algılayacak donanıma sahipti. TAR vericisi, buza elektromanyetik enerji vuruşları gönderiyor ve bu vuruşlar, farklı kristal yapılarında farklı sekmeler yapıyordu. Saf tatlı su, yassı ve kısa kafesler biçiminde donuyordu. Deniz suyu ise sodyum içerdiğinden, iç içe geçmiş veya çatallı kafes biçiminde donuyordu. Bu da sekme sayılarının azalmasına ve TAR vuruşlarının düzensiz olarak geri tepmesine neden oluyordu.

Norah makineyi çalıştırdı. "Sesin yankılanmasından faydalanarak, deliğin etrafındaki buzulun bir nevi kesit kopyasını çıkaracağım," diye seslendi. "Makinenin iç donanımı buzulun kesitini çıkarıp yazılı çıktı verecek. Deniz buzu varsa gölge gibi görünecek."

"Yazılı çıktı mı?" Tolland şaşırmışa benziyordu. "Burda yazdırabiliyor musun?"

Norah, TAR'dan tentenin altındaki bir aygıta giden kabloyu işaret etti. "Yazdırmaktan başka çare yok. Bilgisayar ekranları bataryadan fazlasıyla harcıyor, bu yüzden buzul uzmanları verileri ısı aktarım yazıcılarında yazdırırlar. Renkler pek göz alıcı değil ama lazer toneri eksi yirminin altında kümeleniyor. Alaska'da bunu öğrenirken, acı bir ders aldım."

Norah herkesin TAR'ın aşağı tarafında durmasını istedi. Bu sırada kendisi de vericiyi, üç futbol sahası uzaklıktaki göktaşı deliğinin etrafını tarayacak şekilde hazırlamaya koyuldu. Ama Norah gece karanlığında geldikleri yöne doğru bakınca hiçbir şey göremedi. "Mike, TAR vericisini göktaşının olduğu yerle hizalamam gerekiyor ama bu fişek gözlerimi aldı. Işıktan kurtaracak kadar yukarı çıkacağım. Kollarımı fişeklerle aynı hizada tutacağım, sen de TAR'ın üstündeki ayarlamaları yap."

Radar cihazının yanında diz çöken Tolland başını salladı.

Norah meyilden yukarı habiküreye doğru hareket ederken, kramponlarını sıkıca basıp, rüzgâra karşı öne eğildi. Katabatik rüzgâr bu akşam tahmin ettiğinden çok daha kuvvetliydi ve bir fırtınanın yaklaştığını hissediyordu. Fark etmezdi. Birkaç dakika içinde buradaki işleri bitecekti. *Haklı olduğumu görecekler.* Norah habiküreye doğru yirmi metre tırmandı. Belindeki halat gerildiğinde, karanlığın tam kenarına varmıştı.

Norah başını kaldırıp arkasındaki buzula baktı. Gözleri karanlığa alışırken, birkaç derece solundaki fişeklerin düz çizgisi yavaşça belirmeye başladı. Fişeklerle aynı hizaya gelinceye kadar yavaş yavaş kenara ilerledi. Ardından, vücudunu dondurup kollarını pusula gibi uzatarak doğru vektörü gösterdi. "Şimdi aynı hizadayım!" diye seslendi.

TAR vericisini ayarlayan Tolland, kolunu salladı. "Hazır!"

Meyilden yukarı son bir kez bakan Norah, ışıklı dönüş yolu için şükretti. Ama bakarken tuhaf bir şey olmuştu. Bir an için, en yakın fişek sanki tamamen gözden kayboldu. Norah söndüğünden endişelenmek üzereyken fişek yeniden kendini gösterdi. Aksine emin olmasaydı, fişekle kendi arasından bir şey geçtiğini zannedebilirdi. Tabi ki orada kimse yoktu... elbette müdür suçluluk duyup, peşlerinden bir NASA ekibi göndermediyse. Nedense Norah'nın bundan şüphesi vardı. Büyük ihtimalle hiçbir şey olmadığına karar verdi. Ani bir esinti, fişeği geçici bir süreliğine söndürmüş olabilirdi.

Norah TAR'ın yanında döndü. "Hepsi hizada mı?"

Tolland omuzlarını silkti. "Sanırım öyle."

Norah kızaktaki kontrol cihazının yanına gidip bir düğmeye bastı. TAR'dan tiz bir ses yükseldi ve sonra sustu. Norah, "Tamam," dedi. "Bitti."

Corky, "Bu kadar mı?" diye sordu.

"Şimdi hazırlık yapıyor. Asıl sonuçların çıkması bir saniye sürer."

Kızağın üstündeki ısı aktarım yazıcısı vınlayıp, tıkırdamaya başlamıştı bile. Yazıcı, şeffaf bir plastik örtünün içindeydi ve ağır ağır kalın, kıvrık bir kâğıt çıkarıyordu. Norah cihazın yazdırmayı tamamlamasını bekledikten sonra elini plastiğin altına uzatıp çıktıyı aldı. Herkesin görebilmesi için çıktıyı fişeğin yanına götürürken, *görecekler,* diye düşünüyordu. *Tuzlu su çıkmayacak.*

Herkes fişeğin yanında durup, çıktıyı eldivenleriyle sımsıkı kavrayan Norah'nın etrafına toplanmıştı. Derin bir nefes alıp, verileri incelemek için kâğıdı açtı. Kâğıttaki görüntü, dehşetle geri çekilmesine neden oldu.

Gördüğüne inanmakta güçlük çeken Norah, "Ah, Tanrım!" dedi. Beklendiği üzere çıktıda, suyla dolu göktaşı deliğinin net bir kesiti görünüyordu. Ama Norah'nın görmeyi hiç beklemediği şey, çukurun içinde yüzen insan bedeni biçimindeki grimsi şekildi. Kanı donmuştu. "Ah Tanrım... delikte bir ceset var."

Herkes hayretten susup kalmıştı.

Ceset, dar havuzun içinde hayalet gibi baş aşağı yüzüyordu. Cesedin etrafında pelerin gibi dalgalanan esrarengiz bir hare vardı. Norah bu harenin ne olduğunu anlamıştı. TAR, kurbanın ağır paltosunun belli belirsiz uzantılarını algılamıştı, ki bu ancak uzun ve sık devetüyü olabilirdi.

Fısıltıyla, "Bu... Ming," dedi. "Kaymış olmalı..."

Norah Mangor delikte Ming'in cesedini görmenin, TAR çıktısında karşılaşacağı iki şoktan daha hafifi olacağını asla tahmin edemezdi. Gözlerini havuzun daha aşağısına kaydırdığında, başka bir şey gördü.

Deliğin altındaki buz...

Norah bakakalmıştı. İlk önce taramada bir sorun olduğunu düşündü. Sonra, resmi biraz daha yakından inceleyince, içindeki huzursuzluk güçlenmeye başlayan fırtına gibi arttı. Dönüp çıktılara daha dikkatle bakarken kâğıt uçları rüzgârla pırpırlıyordu.

Ama... bu imkânsız!

Acı gerçek kendini belli etmişti. Bunu fark etmek ölüm gibi bir şeydi. Ming'i unutmuştu.

Norah artık anlıyordu. *Delikteki tuzlu su!* Fişeğin yanı başında dizlerinin üstüne çöktü. Güçlükle nefes alıyordu. Elindeki kâğıtları hâlâ sımsıkı tutarken titremeye başlamıştı.

Tanrım... hiç aklıma gelmemişti.

Ardından, ani bir intikam dürtüsüyle başını NASA habiküresinden tarafa çevirdi. "Sizi hergeleler!" diye çığlık atarken, sesi rüzgâra sürüklendi. "Sizi lanet olası *hergeleler!*"

Sadece on beş metre ötede, karanlıkta bekleyen Delta-Bir, CrypTalk cihazını ağzına götürüp idarecisine sadece bir kelime söyledi. "Anladılar."

49

Şaşkınlık içindeki Michael Tolland TAR çıktısını titreyen ellerinden çekip aldığında, Norah Mangor hâlâ buzun üstünde diz çökmüş vaziyetteydi. Ming'in yüzen cesedini görmüş olmaktan ötürü sarsılan Tolland, dikkatini toplayıp, önündeki resmi anlamaya çalıştı.

Göktaşının çıkarıldığı deliğin yüzeyden altmış metre aşağı inen kesitini görüyordu. Ming'in kuyunun içinde yüzen cesedini gördü. Gözleri biraz daha aşağı kayınca, bir şeyin yanlış göründüğünü fark etti. Deliğin tam *altında,* koyu renkte bir deniz buzu kolonu, aşağıdaki okyanusa kadar uzanıyordu. Dikey tuzlu su buzu oldukça büyüktü; çapı delikle aynıydı.

Tolland'ın omzunun üstünden bakan Rachel, "Tanrım!" diye bağırdı. "Göktaşının çıkarıldığı delik, buzuldan okyanusa kadar uzanıyormuş gibi görünüyor!"

Gördüklerinin tek açıklaması olabileceği gerçeğini kabullenmekte zorlanan Tolland, olduğu yere çakılı kalmıştı. Corky de aynı derecede şaşkındı.

Norah, "Birisi buzulun altını delmiş!" diye bağırdı. Gözleri hırsla kocaman açılmıştı. "Birisi kasıtlı olarak o taşı buzun altından içeri *yerleştirmiş!*"

Tolland'ın içindeki idealist Norah'nın söylediklerine inanmak istemese de, bilim adamı yanı haklı olabileceğini biliyordu. Okyanusun üstünde yüzen Milne Buzul Katmanı'nın altında, denizaltıların rahatlıkla dolaşabileceği pek çok açıklık vardı. Suyun altında her şey hafiflediğinden, Tolland'ın tek kişilik araştırma Triton'u büyüklüğünde bir denizaltı bile göktaşını yük kollarıyla kolaylıkla taşıyabilirdi. Denizaltı okyanustan yaklaşıp buz katmanının altına dalmış ve buzu aşağıdan yukarı doğru delmiş olabilirdi. Daha sonra göktaşını yerleştirmek için, uzayabilen yük kolunu ya da şişer balonları kullanması olasıydı. Göktaşı yerine yerleştirildikten sonra, deliğin içine yükselen okyanus suyu donmaya başlayacaktı. Delik, göktaşını taşıyacak kadar kapandıktan sonra, denizaltı yük kolunu geri çekip ortadan kaybolarak, tünelin geri kalanının mühürlenmesi ve kuşkuya mahal bırakacak tüm izlerin silinmesi Doğa Ana'ya bırakmış olabilirdi.

Çıktıyı Tolland'ın elinden alıp inceleyen Rachel, "Ama niye?" diye sordu. "Bunu neden yapsınlar? TAR'ın çalıştığından emin misiniz?"

"Tabi ki eminim! Ayrıca çıktı, suda fosforışıl bakteriler olduğunu mükemmel biçimde açıklıyor!"

Tolland, Norah'nın mantığının tüylerini ürpertecek kadar doğru olduğunu itiraf etmek zorundaydı. Çift kirpikli fosforesan planktonlar içgüdülerini takip ederek delikten yukarı yüzmüş, göktaşının altında kapana kısılmış ve buzda donmuş olmalıydılar. Daha sonra Norah göktaşını ısıttığında, altındaki buz erimiş ve plankton serbest kalmıştı. Yine yukarı, tuzlu su yetersizliğinden ötürü ölecekleri, habikürenin içindeki yüzeye doğru yüzmüşlerdi.

Corky, "Bu saçmalık!" diye seslendi. "NASA'nın elinde dünya dışı fosiller barındıran bir göktaşı var. Nerde bulunduğu neden bu kadar önemli olsun? Niye buz katmanının altına gömme gereksinimini duysunlar ki?"

Norah sinirle, "Kim bilir," diye karşılık verdi. "Ama TAR çıktıları yalan söylemez. Kandırıldık. Bu göktaşı Jungersol Meteoru'nun bir parçası değil. Buzun içine yakın zaman önce yerleştirildi. Geçtiğimiz yıl olmalı, yoksa planktonlar ölürdü!" TAR cihazını toplayıp kızağa bağlamaya başlamıştı bile. "Geri dönüp birilerine söylemeliyiz. Başkan elindeki tüm o yanlış verilerle duyuru yapmak üzere! NASA onu kandırdı!"

Rachel, "Dur biraz!" diye seslendi. "Emin olmak için en azından bir tarama daha yapmalıyız. Tüm bunlar hiç mantıklı değil. Kim inanır?"

Kızağı hazırlayan Norah, "Herkes," dedi. "Habiküreden içeri girip, göktaşının altından bir başka nüve örneği çıkarınca ve onunda da tuzlu su içerdiği meydana çıkınca, seni temin ederim *herkes* inanacak!"

Norah cihazları taşıyan kızağın frenlerini bırakıp, yeniden habiküreye doğru çevirdi ve kramponlarını buza sıkıca basıp, arkasındaki kızağı inanılmaz bir rahatlıkla çekerek, meyilden yukarı yola koyuldu.

Işıklı çemberin yanına doğru yol alırken birbirine bağlı grubu peşinden çekerek, "Gidelim!" diye bağırdı. "NASA'nın orda ne işler çevirdiğini bilmiyorum ama piyon gibi kullanılmaktan hiç hoşlanmadığımı gayet iyi biliyorum ve..."

Norah Mangor'ın başı, görünmeyen bir güç tarafından alnına darbe yemiş gibi arkaya düştü. Boğuk bir inleme sesi çıkardı, sendeledi ve sırtüstü buza yığıldı. Neredeyse aynı anda Corky feryat edip omzu arkadan çekilmiş gibi yerinde döndü. Acıyla kıvranarak buza düştü.

Rachel bir anda elindeki çıktıyı, Ming'i, göktaşını ve buzun altındaki garip tüneli unutmuştu. Küçük bir topun kulağının yanından geçip, şakağını sıyırdığını hissetti. İçgüdüsel olarak dizlerinin üstüne çöküp, Tolland'ı da aşağı çekti.

Tolland, "Neler oluyor!" diye bağırdı.

Rachel'ın tek aklına gelen dolu fırtınasıydı -buzuldan aşağı esen buz topları- ama Corky ile Norah'yı vuran güç düşünüldüğünde, doluların saatte yüz elli kilometre hızla hareket etmeleri gerekirdi. Bilye büyüklüğündeki nesneler tuhaf biçimde Rachel ile Tolland'ın üstüne yağıyor, şiddetli buz topları etraflarına düşüyordu. Karınüstü yatan Rachel, botlarının burnundaki kramponları buza sapladı ve bulabildiği tek sipere doğru hamle yaptı. Kızak. Hemen ardından sürünerek gelen Tolland, Rachel'ın yanında çömeldi.

Tolland korumasız şekilde buzun üstünde yatan Norah ile Corky'ye baktı. Halatı tutup çekmeye çalışırken, "Onları iplerinden çek!" diye bağırdı.

Ama halat kızağa dolanmıştı.

Rachel çıktıyı Mark IX tulumunun Velcro cebine tıkıştırdı ve halatı kızağın demirlerinden kurtarmak için elleriyle dizlerinin üstünde uğraş vermeye başladı. Tolland tam arkasındaydı.

Doğa Ana Corky ile Norah'dan vazgeçmiş gibi, şimdi doluları var gücüyle kızağa, doğruca Tolland ile Rachel'ın üstüne yağdırıyordu. Bilyelerden bir tanesi kızağın tentesine düştükten sonra sıçrayıp, Rachel'ın ceketinin koluna kondu.

Rachel gördüğü anda donakaldı. Şaşkınlığı aniden dehşete dönüştü. Bu "dolu taneleri" insan yapımıydı. Kolundaki buz topu, kiraz büyüklüğünde kusursuz bir küre şeklindeydi. Pürüzsüz yüzeyin etrafından, pres makinesinde şekil verilmiş eski misketler gibi tek çizgi halinde geçen bir çentik vardı. Küre şeklindeki saçmalar hiç kuşkusuz insan yapımıydı.

Buz mermileri...

Askeri bilgilere vakıf biri olan Rachel, deney aşamasındaki yeni "DM" -Doğaçlama Mühimmat- silahlarına aşinaydı. Karı buz mermisi biçiminde sıkıştıran kar tüfekleri, kumu cam bilyelere dönüştüren çöl tüfekleri, kemikleri kırabilecek güçte sıvı su fışkırtan su bazlı silahlar. Doğaçlama Mühimmat'ın konvansiyonel silahlar karşısında pek çok açıdan üstünlüğü vardı, çünkü DM silahları bulunabilir kaynakları kullanıyordu. Askerleri ağır konvansiyonel mermileri taşıma külfetinden kurtararak bulunduğu bölgede cephane üretmelerine imkân sağlıyordu. Rachel o anda üstlerine yağan buz toplarının, tüfeğin şarjörüne doldurularak sıkıştırıldığını biliyordu.

İstihbarat dünyasında sıkça rastlandığı üzere, birisi ne kadar fazla şey bilirse, senaryo o kadar dehşet verici oluyordu. Durum şimdi de farklı değildi. Rachel bu konuda cahil kalmayı tercih ederdi ama DM silahları hakkındaki bilgisi onu tüyler ürpertici tek bir sonuca götürüyordu: Deney aşamasındaki DM silahlarını kullanma yetkisine sahip tek birim olan, bir çeşit ABD Özel Operasyonlar gücünün saldırısına uğruyorlardı.

Askeri gizli operasyonlar biriminin varlığı beraberinde daha da ürkütücü bir şeyin farkına varmasına neden olmuştu: Bu saldırıdan sağ kurtulma ihtimali sıfıra yakındı.

Buz mermilerinden biri bulduğu açıklıktan girip kızağın üstündeki cihazlardan geçerek karnına çarptığında, bu düşünceleri sona erdi. Dolgulu Mark IX kıyafetinin içinde olmasına rağmen, görünmez bir boks şampiyonundan karnına yumruk yemiş gibi hissediyordu. Gözlerinin etrafında yıldızlar uçuşmaya başlamıştı. Geriye doğru sendelerken, dengesini korumak için kızaktaki cihazlara tutundu. Norah Mangor'ın ipini bırakarak, Rachel'a yardım etmek için hamle yapan Tolland çok geç kalmıştı. Rachel geriye doğru düşerken, cihazları da beraberinde çekti. Cihazların altında Tolland ile birlikte buza yuvarlandılar.

"Bunlar... mermi," derken, ciğerlerindeki hava boşalmıştı. "Kaç!"

50

Federal Triangle İstasyonu'ndan ayrılan Washington MetroRail metrosu, Gabrielle'a göre, Beyaz Saray'dan yeterince hızlı uzaklaşmıyordu. Dışarıdaki karanlık şekiller pencerenin önünden bulanık bir şekilde geçerken, vagonun boş bir köşesinde kaskatı oturuyordu. Gabrielle'ın kucağında duran Marjorie Tench'in verdiği büyük kırmızı zarf, adeta on ton ağırlığındaydı.

Tren Sexton'ın ofis binasına doğru hızlanırken, *Sexton'la konuşmalıyım,* diye düşündü. *Hemen!*

Şimdi vagonun kararıp beliren loş ışığında oturan Gabrielle, hayal görmesine neden olan bir ilacın etkisindeymiş gibi hissediyordu. Başının üstünde yanıp sönen ışıklar, ağır çekim diskotek flaşları gibiydi. Kasvetli tünel, her iki yandan yükselen derin bir kanyonu andırıyordu.

Biri bana bunun yaşanmadığını söylesin.

Kucağındaki zarfa göz attı. Kapağı açıp elini içine uzattı ve fotoğraflardan birini çıkardı. Bir süre kuvvetle parlayan tren ışıkları, şok edici bir resmi aydınlattı. Ofisinde çırılçıplak yatan Sedgewick Sexton, Gabrielle'ın çıplak bedeni yanında uzanırken, tatmin olmuş yüzünü tam da kameraya dönmüştü.

Titreyerek fotoğrafı zarfın içine tıkıştırdı ve zarfı beceriksizce kapatmaya çalıştı.

Bitti.

Vagon tünelden çıkıp L'Enfant Meydanı yakınlarındaki raylara tırmanır tırmanmaz Gabrielle cep telefonunu çıkarıp senatörü özel hattından aradı. Telesekreter mesajı cevap verdi. Şaşıran Gabrielle, senatörü ofisinden aradı. Bu kez sekreteri cevap verdi.

"Ben Gabrielle. Yerinde mi?"

Sekreterin sesi sinirliydi. "Nerelerdeydin? Seni arıyordu."

"Uzun süren bir toplantım vardı. Onunla hemen şimdi konuşmam gerek."

"Sabaha kadar beklemek zorundasın. Westbrooke'da."

Sexton'ın D.C.'deki ikametgâhı, Westbrooke Semti Lüks Apartmanları'ndaydı. Gabrielle, "Özel hattını açmıyor," dedi.

Sekreter, "Bu akşamı K.G. olarak geçmiş," diye hatırlattı. "Erkenden çıktı."

Gabrielle yüzünü astı. *Kişisel mesele*. Heyecandan, Sexton'ın kendisine evde tek başına bir gece ayarladığını unutmuştu. K.G. zamanlarında rahatsız edilmemek konusunda çok hassastı. *Ancak bina yanarsa kapımı çalın*, derdi. *Bunun dışındaki her şey sabaha kadar bekleyebilir.* Gabrielle, Sexton'ın binasının kesinlikle yandığına karar verdi. "Benim için ona ulaşman lazım."

"İmkânsız."

"Bu iş çok ciddi, gerçekten..."

"Hayır, ben gerçek anlamda imkânsız diyorum. Dışarı çıkarken çağrı cihazını masamda bıraktı ve bütün akşam boyunca rahatsız edilmek istemediğini söyledi. Çok sertti." Duraksadı. "Her zamankinden daha fazla."

Kahretsin. "Peki teşekkürler." Gabrielle cep telefonunu kapattı.

Metro vagonundaki kayıt, "*L'Enfant Meydanı,*" diye anons yaptı. "*Tüm istasyonlara gider.*"

Gözlerini kapatan Gabrielle düşüncelerinden kurtulmaya çalıştı ama yıkıcı görüntüler aklından çıkmıyordu... kendisinin ve senatörün renkli fotoğrafları... Sexton'ın rüşvet aldığını kanıtlayan belge yığını. Gabrielle hâlâ Tench'in isteklerini duyar gibiydi. *Doğru olanı yap. Yeminli beyanı imzala. İlişkiyi itiraf et.*

Tren gıcırtılar çıkararak istasyona girerken, Gabrielle fotoğraflar basına yansıdığı takdirde senatörün ne yapacağını tahmin etmeye çalıştı. Aklına ilk gelen şey onu hem şaşırttı, hem de utandırdı.

Sexton yalan söyleyecekti.

Kendi adayıyla ilgili aklına ilk gelen şey bu muydu?

Evet. Yalan söyleyecekti... hem de büyük bir ustalıkla.

Eğer bu fotoğraflar Gabrielle ilişkiyi itiraf etmeden basına yansırsa, senatör fotoğrafların acımasız bir sahtekârlık olduğunu iddia edecekti. Dijital kurgu fotoğraf çağındaydılar; internete giren herhangi biri, başka insanların, genellikle de şehvetli pozlar veren porno yıldızlarının vücutlarına yüzleri eklenmiş ünlülerin rötuşlu fotoğraflarını görebilirdi. Gabrielle, senatörün televizyon kamerasına bakarak inandırıcı bir ifadeyle ilişkileri hakkında yalan söylediğine zaten şahit olmuştu; tüm dünyayı bu fotoğrafların kariyerini mahvetmek için hazırlanmış başarısız bir saldırı olduğuna ikna edecekti. Sexton öfkeyle saldırıya geçecek, hatta belki de sahteciliği Başkan'ın emretmiş olduğunu ima edecekti.

Gabrielle birden ümitlendi.

Beyaz Saray bunlardan hiçbirinin gerçekliğini ispatlayamaz!

Tench'in Gabrielle'a oynadığı iktidar oyunu basit olduğu kadar acımasızdı: İlişkini itiraf et ya da Sexton'ın hapsi boylamasını seyret. Birden son derece mantıklı gelmeye başlamıştı. Beyaz Saray'ın, Gabrielle'ın ilişkiyi itiraf etmesine ihtiyacı vardı yoksa fotoğrafların kıymeti kalmayacaktı. Aniden güveni yerine gelen Gabrielle'ın keyfi de yerine gelmişti.

Tren durup kapılar kayarak açıldığında, Gabrielle'ın beynindeki bir başka kapı da açıldı ve yüreklendirici bir ihtimali aklına getirdi.

Belki de Tench'in rüşvet hakkında anlattığı her şey yalandı.

Zaten Gabrielle ne görmüştü ki? Hiçbir şey kesin değildi: banka evraklarının fotokopileri, Sexton'ın garajda çekilmiş bulanık bir fotoğrafı. Hepsinin de sahte olma ihtimali vardı. Tench, *hepsini* doğru kabul eder ümidiyle, gerçek fotoğrafların yanı sıra Gabrielle'a uydurma mali belgeleri de göstermiş olabilirdi. Buna "birleşmeli doğrulama" denirdi ve siyasetçiler şüpheli görüşleri yutturmak istediklerinde bu yola başvururlardı.

Gabrielle kendi kendine, *Sexton masum,* dedi. Beyaz Saray çaresizdi ve Gabrielle'ı ilişkilerini halka açıklamakla korkutarak tehlikeli bir kumar oynamaya karar vermişlerdi. Gabrielle'ın Sexton'ı kamu önünde yalnız bırakmasını istiyorlardı; skandal çıkaracak biçimde. Tench, ona, *vaktin varken kendini kurtar,* demişti. *Bu akşam saat yirmiye kadar vaktin var.* Zorla satışta son perde. *Her şey yerli yerine uyuyor,* diye düşündü.

Bir şey hariç...

Bulmacanın kafa karıştıran tek parçası, Tench'in Gabrielle'a NASA aleyhtarı e-postalar göndermesiydi. Bu kesinlikle, Sexton'ın NASA karşıtı olduğunu belli etmesini istedikleri içindi, böylece bunu kendisine karşı kullanabileceklerdi. Yoksa başka bir anlamı mı vardı? Gabrielle, e-postaların bile son derece mantıklı bir açıklaması olduğunu fark etmişti.

Peki ya e-postaları Tench göndermediyse?

Tench, verileri Gabrielle'a gönderen hain bir çalışanı yakalayıp, bu kişiyi işten atmış ve sonra duruma el atarak, Gabrielle'ı görüşmeye çağıran son mesajı kendisi göndermiş olabilirdi. *Tench kasıtlı olarak -Gabrielle'ı tuzağa düşürmek için- NASA'yla ilgili verileri sızdıran kendisiymiş gibi davranmış olabilirdi.*

L'Enfant Meydanı'ndaki metronun hidrolikleri, kapılar kapanmaya hazırlanırken ıslık çalıyordu.

Aklından düşünceler hızla geçerken, Gabrielle dışarıdaki perona baktı. Şüphelerinin mantıklı olup olmadığı ya da bunların sadece hüsnükuruntudan mı ibaret olduğu konusunda hiçbir fikri yoktu ama her ne halt dönüyorsa dönsün, derhal senatörle konuşması gerektiğini biliyordu. K.G. akşamı olsun ya da olmasın.

Fotoğrafların durduğu zarfı sıkıca kavrayan Gabrielle, trenin kapıları tıslayarak kapanırken dışarı fırladı. İstikametini değiştirmişti.

Westbrooke Semti Apartmanları.

51

Savaş ya da sıvış.

Bir biyolog olan Tolland, bir organizma tehlikeyi sezinlediğinde bu tür fizyolojik değişikliklerin yaşandığını biliyordu. Beyin zarına hücum eden adrenalin, nabzı yükseltiyor ve beyine en eski içgüdüsel biyolojik kararı alma emrini veriyordu: savaşmak ya da sıvışmak.

Tolland'ın içgüdüleri ona kaçmasını söylese de, mantığı ona hâlâ Norah'ya bağlı olduğunu hatırlatıyordu. Zaten kaçacak yer yoktu. Saklanacak tek yer habiküreydi ama saldırganlar her kimse, buzulun üstünde bir yerde pozisyon almışlar ve bu seçeneğin yolunu kesmişlerdi. Arkasındaki engin buz katmanı iki mil boyunca uzanıyor ve buz denizine açılan dik yamaçla son buluyordu. O yöne kaçmak, soğuktan ölmek anlamına gelirdi. Kaçış yollarının üstündeki engeller bir yana, Tolland diğerlerini bırakamayacağını biliyordu. Rachel ile Tolland'a bağlı olan Norah ile Corky hâlâ açıktaydılar.

Buz mermileri ekipmanı taşıyan devrilmiş kızağa çarpmaya devam ederken, Tolland, Rachel'ın yanında yerdeydi. Darmadağınık aletleri kurcalayarak bir silah, fişek, telsiz... herhangi bir şey aradı.

Rachel, "Kaç," diye seslenirken nefes almakta hâlâ güçlük çekiyordu.

Sonra, buz mermisi yağmuru tuhaf biçimde aniden durdu. Kuvvetli rüzgâra rağmen etraf sakinleşmiş gibiydi... sanki fırtına birden durmuştu.

İşte o anda dikkatle kızağın etrafına bakan Tolland, hayatında gördüğü en korkunç manzaralardan birine şahit oldu.

Karanlıktan aydınlığa doğru hortlak gibi sessizce kayan üç figür belirdi. Soğuğa dayanıklı beyaz kar kıyafetleri giymişlerdi. Ellerinde kayak batonları yoktu ama Tolland'ın hiç görmediği türden büyük tüfekler taşıyorlardı. Kayakları da eşit derecede tuhaftı. Fütürist ve kısa kayaklar, daha çok uzatılmış Rollerblade'leri andırıyordu.

Savaşı kazandıklarından eminmiş gibi serinkanlılıkla en yakındaki kurbanlarının -kendinden geçmiş haldeki Norah Mangor- yanına gidip durdular. Titreyerek dizlerinin üstüne kalkan Tolland, kızağın üstünden saldırganlara baktı. Ziyaretçiler esrarengiz elektronik gözlüklerinin ardından ona baktılar. Umursamadıkları belli oluyordu.

En azından o an için.

Delta-Bir, önünde bilinçsizce buzda yatan kadına bakarken hiç vicdan azabı duymadı. Emirleri yerine getirmek için eğitilmişti, sorgulamak için değil.

Kadın termal, siyah ve kalın bir kıyafet giyiyordu ve yüzünün yanında darbe izi vardı. Kısa ve zor nefes alıyordu. DM buz tüfeklerinden biri hedefi bulmuş ve onu kendinden geçmiş vaziyette yere sermişti.

Artık işi bitirme vakti gelmişti.

Delta-Bir, bilinçsiz kadının yanında diz çökerken takım arkadaşları tüfeklerini diğer hedeflere doğrulttular; biri, buzun üstünde şuursuzca yatan ufak tefek adama, öbürüyse, diğer iki kurbanın saklandığı devrilmiş kızağa. Adamları kolaylıkla işi bitirebilirdi ama diğer üç kurban silahsızdı ve kaçacak yerleri yoktu. Acele edip hepsinin işini aynı anda bitirmek dikkatsizlik olurdu. *Çok gerekli olmadıkça asla dikkatini bölme. Bir seferde bir rakiple uğraş.* Delta Gücü eğitimini aldığı üzere, bu kişileri aynı anda öldürebilirdi. Ama işin ilginç tarafı, nasıl öldüklerine dair arkalarında hiç iz bırakmayacak olmalarıydı.

Bilinçsizce yatan kadının yanında çömelen Delta-Bir, termal eldivenlerini çıkarıp eline bir avuç kar aldı. Karı sıkıştırıp kadının ağzını açtı ve boğazından aşağı tıkmaya başladı. Karı nefes borusundan mümkün olduğunca derine iterek, tüm ağzını doldurdu. Kadın üç dakika içinde ölecekti.

Rus mafyasının icat ettiği tekniğin adı *byelaya smert* idi; beyaz ölüm. Bu kurban, boğazındaki kar erimeden boğulacaktı. Ama öldükten sonra vücudu, karı eritecek kadar sıcak kalacaktı. Cinayetten şüphelenilse bile, hemen bulunabilecek bir cinayet silahı ya da şiddet kullanıldığına dair bir kanıt olmayacaktı. Sonunda birisi anlasa da, bu onlara zaman kazandıracaktı. Buz mermileri kara karışarak ortamda kaybolacak ve bu kadının başındaki darbe izi, kayıp buza düştüğü için oluşmuş gibi görünecekti; bu güçlü fırtınalarda pek de şaşırtıcı değildi.

Diğer üç kişi de aynı şekilde etkisiz hale getirilip öldürüleceklerdi. Ardından Delta-Bir, onları kızağa dolduracak, istikametlerinden birkaç metre öteye çekecek, halatlarını yeniden bağlayacak ve cesetlerini yerleştirecekti. Birkaç saat sonra dördü de, görünüşte aşırı soğuğa maruz kalmış, hipotermi kurbanları olarak donmuş halde bulunacaklardı. Onları bulan kişi yollarından saparak ne yaptıklarını merak edecekti ama kimse onların ölmesine şaşırmayacaktı. Her şeyden önce fişekleri sönmüştü, hava şartları tehlikeliydi ve Milne Buzul Katmanı'nda kaybolmak ölüm demekti.

Delta-Bir, kadının boğazına kar doldurmayı bitirmişti. Dikkatini diğerlerine çevirmeden önce kadının kolanlarını söktü. Daha sonra tekrar bağlayacaktı ama şu anda kızağın arkasındaki diğer iki kişinin bu kurbanı güvenli bir yere çekme fikrine kapılmalarını istemiyordu.

Michael Tolland zihninde yaratabileceğinden çok daha kötü bir cinayet şekline tanık olmuştu. Norah Mangor'ı diğerlerinden ayıran saldırganlar, dikkatlerini Corky'ye çeviriyorlardı.

Bir şeyler yapmam lazım!

Kendine gelmeye başlayan Corky inliyor ve yerinde doğrulmaya çalışıyordu ama askerlerden biri onu tekrar geri itip üstüne abandı ve kollarının üstüne dizleriyle bastırarak adeta buza çiviledi. Corky'nin acı dolu feryadı, aynı anda hızlanan rüzgâr tarafından yutuldu.

Çılgınca bir dehşete kapılan Tolland devrik kızağın içindekileri aceleyle karıştırdı. *Burada bir şey olmalı! Bir silah! Herhangi bir şey!* Tek görebildiği, buz mermilerinin, büyük kısmını tanınmayacak hale getirdiği bir tanımlama cihazıydı. Rachel ise yanında, kendini kaldırmak için buz kazmasını kullanarak doğrulmaya çalışıyordu. "Kaç... Mike."

Tolland, Rachel'ın bileğine bağlı kazmaya göz gezdirdi. Silah olarak kullanılabilirdi. Bir nevi. Tolland, küçük bir kazmayla üç adama saldırırsa ne olacağını düşünüyordu.

İntihar.

Rachel yan dönüp doğrulurken, onun arkasındaki bir şey Tolland'ın gözüne ilişti. Büyükçe bir vinil torba. Torbanın içinde fişek ya da telsiz olmasına dua ederek, arkasına geçti ve torbayı kavradı. Düzgünce katlanmış büyük bir Mylar bezi buldu. İşe yaramazdı. Tolland'ın araştırma gemisinde de benzer bir şey vardı. Bu, kişisel bilgisayardan daha ağır olmayan hava tahmin cihazlarını taşımak için tasarlanmış bir meteoroloji balonuydu. Norah'nın balonunun, özellikle de helyum deposu yokken hiçbir faydası dokunmayacaktı.

Corky'nin çırpınış sesleri artarken, Tolland yıllardır duymadığı bir çaresizlik hissine kapıldı. Ümitsizlik. Mağlubiyet. Ölmeden önce insanın hayatının gözlerinin önünden geçmesi klişesine uygun olarak, Tolland'ın çocukluk anıları beklenmedik bir anda zihninde canlandılar. San Pedro'da yelken yapıyor, denizcilerin eski eğlencesi olan balon açmayı öğreniyordu; düğümlü bir ipe tutunarak okyanusun üstüne sarkarken, suya batıp çıktıkça neşeleniyor, çan ipinde sallanan çocuklar gibi alçalıp yükseliyordu. Kaderi ise dalgalanan balona ve okyanus rüzgârının keyfine bağlıydı.

Tolland'ın gözleri o anda elinde tuttuğu Mylar balonuna çevrildi. Zihni eski anılara dalmamıştı, ona bir çözüm sunmaya çalışıyordu! *Balon açmak.*

Tolland balonun etrafındaki koruyucu torbayı açarken, Corky hâlâ üstündeki kişiyle mücadele ediyordu. Tolland, bu planın kazanma ihtimalinin çok az olduğunu biliyordu ama geri kalan tüm ihtimaller onlar için mutlak ölüm anlamına geliyordu. Katlanmış Mylar bezini sıkıca kavradı. Üstündeki klipste bir uyarı yazısı vardı: DİKKAT: 10 DENİZ MİLİNDEN HIZLI ESEN RÜZGÂRLARDA KULLANILMAZ.

Canı cehenneme! Birden fora olmaması için balonu sımsıkı tutarak, yanında duran Rachel'ın üstüne çıktı. Ona biraz daha sokulurken, Rachel'ın gözlerindeki şaşkınlığı görebiliyordu. "Bunu tut," diye bağırdı.

Rachel'a katlanmış kumaşı veren Tolland, boştaki eliyle balonun yük kancasını, belindeki karabinalardan birine geçirdi. Ardından, diğer tarafa dönerek, kancayı Rachel'ın karabinalarından birine taktı.

Tolland ile Rachel artık tek vücut olmuşlardı.

Kalçadan bağlanmışlardı.

Aralarındaki ip karın üstünden yerde mücadele eden Corky'ye kadar uzanıyordu... ve oradan da Norah Mangor'ın on metre yanında boşta duran kancaya.

Tolland kendi kendine, *Norah'yı çoktan kaybettik*, dedi. *Yapabileceğin hiçbir şey yok.*

Saldırganlar kıvranıp duran Corky'nin üstüne çullanmışlardı ve boğazından içeri tıkmak üzere avuçlarına kar dolduruyorlardı. Tolland vakitlerinin tükenmek üzere olduğunu biliyordu.

Tolland, katlanmış balonu Rachel'ın elinden aldı. Bez, kâğıt mendil kadar hafifti ve aynı zamanda çok sağlam. *Haydi bakalım.* "Sıkı tutun!"

Rachel, "Mike?" dedi. "Ne..."

Tolland, Mylar'ı başlarının üstüne, havaya doğru savurdu. Uğuldayan rüzgâr balonu kapıp paraşüt gibi açtı. Anında dolan bez, şaklama sesleriyle dalgalanıyordu.

Kolanlarının hızla ve birden çekildiğini hisseden Tolland, katabatik rüzgârın gücünü hafife aldığını anladı. Saniyeler içinde Rachel ile birlikte neredeyse havalanıp buzuldan aşağı sürüklenmeye başlamışlardı. Bir süre sonra Tolland, Corky Marlinson'ı çeken ipin gerildiğini hissetti. Yirmi metre geride, dehşet içindeki arkadaşı saldırganlarının altından kurtulup içlerinden birini sırtüstü yuvarlamıştı. Buzun üstünde hızlanmaya başlayan Corky, insanın kanını donduracak bir çığlık attı ve devrilmiş kızağa çarpmaktan son anda kurtuldu. Corky'nin arkasından ucu boşta sallanan ikinci bir ip sürükleniyordu... Norah Mangor'a bağlı olan ip.

Tolland kendi kendine, *yapabileceğin hiçbir şey yok,* dedi.

Üç kişi birbirine karışmış kuklalar gibi buzuldan aşağı kayıyordu. Arkalarından buz mermileri yağıyordu ama Tolland saldırganların şanslarını kaybettiklerini biliyordu. Arkalarında kalan beyaz giyinmiş askerler, fişeklerin ışığında parlak noktacıklara dönüşerek gitgide kayboldular.

Tolland artık aşırı ivmelenme nedeniyle buzun dolgulu kıyafetini yırttığını hissediyordu. Ayrıca kaçmış olmanın verdiği rahatlık fazla uzun sürmedi. Üç kilometreden az bir mesafe sonra Milne Buzul Katmanı bir uçurumla aniden son buluyordu ve ardında... Kuzey Buz Denizi ölümcül kıyılarına otuz metrelik bir düşüş onları bekliyordu.

52

Marjorie Tench, Beyaz Saray Haberleşme Ofisi'ne -yukarıdaki Haberleşme Merkezi'nde hazırlanan basın bültenlerinin neşredildiği bilgisayarlı yayın odası- doğru merdivenlerden aşağı inerken gülümsüyordu. Gabrielle Ashe'le yaptığı toplantı iyi geçmişti. Gabrielle'ın ilişkiyi itiraf ettiği yeminli bir beyan verip vermeyeceği belli değildi ama kesinlikle denemeye değerdi.

Tench, *Gabrielle kendini ondan kurtaracak kadar akıllı biri,* diye düşündü. Ama Sexton'ın düşüşünün ne kadar feci olacağına dair zavallı kızın hiçbir fikri yoktu.

Başkan'ın birkaç saat sonra vereceği basın konferansı Sexton'ı dize getirecekti. Bu sonuç cepteydi. Gabrielle Ashe ise, işbirliği yaptığı takdirde, Sexton'ı utançtan yerin dibine geçirecek darbeyi vuracaktı. Sabah olduğunda Tench, Sexton'ın yalanlama yaptığı kayıtlarla beraber Gabrielle'ın yeminli beyanını basına verebilirdi.

Bir taşla iki kuş.

Her şeyden önce siyaset, sadece seçimi kazanmak demek değil, tartışılmaz şekilde kazanmak demekti; yani vizyonu taşıma kuvvetine sahip olmak. Tarih boyunca az oy farkıyla iktidara gelen tüm başkanlar aşağı yukarı aynı durumları yaşamışlardı; yarışa başlar başlamaz yıpratılırlardı ve Kongre bunu unutmalarına asla izin vermezdi.

Benzer şekilde, Senatör Sexton'ın kampanyasının çöküşü de hayli kapsamlı olacaktı; hem siyasi ilkelerine, hem de ahlak anlayışına yönelik çifte saldırı. Washington'da "her yandan" diye bilinen bu strateji, askeri savaş sanatından aşırılmıştı. *Düşmanı iki cephede birden savaşmaya zorla.* Adaylardan biri rakibi hakkında olumsuz bir bilgiye sahip olduğunda, genellikle aynı anda halka duyurmak için ikinci olumsuz bilgiyi edinmeyi beklerdi. Çift uçlu bir saldırı daima tek atıştan daha etkili olurdu, özellikle de çifte saldırı kampanyanın farklı yönlerini kapsadığında; ilki siyasi ilkelerini, ikincisi karakterini. *Siyasi* bir saldırıyı çürütmek mantık, *karaktere* yönelik saldırıyı çürütmek ise ihtiras gerektirirdi; ikisiyle aynı anda mücadele etmek, neredeyse imkânsız bir denge kurmayı zorunlu kılıyordu.

Bu akşam Senatör Sexton, büyüleyici NASA zaferinin getireceği siyasi kâbustan uyanmak için kendini zorlayacak ama önemli bir bayan çalışanı tarafından yalancılıkla suçlanırken, NASA karşısındaki tavrını korumak mecburiyetinde kalırsa, vaziyeti daha da vahim olacaktı.

Haberleşme Ofisi'nin kapısına varan Tench, başlayacak savaşın heyecanıyla canlandığını hissetti. Siyaset savaş demekti. Derin bir nefes alıp saatine baktı. 18.15. İlk el ateşlenmek üzereydi.

İçeri girdi.

Haberleşme Ofisi yer darlığından değil, fazlasına ihtiyaç olmadığından küçük bir yerdi. Dünyadaki en verimli kitle haberleşme istasyonlarından biriydi ve sadece beş çalışanı vardı. Şu anda elektronik cihazlarının başındaki beş eleman, silahın ateşlenmesini bekleyen yüzücüler gibi duruyorlardı.

Hazırlar. Tench bunu, gözlerindeki hırslı bakışlardan anlamıştı.

Bu minik ofisin, sadece iki saatte hazırlanarak, dünyadaki medeni nüfusun üçte birine ulaşması ona her zaman hayret verirdi. Dünyadaki haber kaynaklarıyla on binlerce bağlantısı bulunan -en büyük televizyon şirketlerinden, en küçük kasaba gazetelerine kadar- Beyaz Saray Haberleşme Ofisi, birkaç tuşa basarak uzanıp dünyaya erişebilirdi.

Bilgisayarlar faksla, Maine'den Moskova'ya kadar radyo, televizyon, yazılı basın ve internet dünyasındaki haber organlarının gelen kutularına basın bültenleri yolluyorlardı. Toplu e-posta programları çevrimiçi haber bağlantılarını engelliyordu. Otomatik çağrı programları, binlerce medya yöneticisini arayarak, sesli haber kayıtlarını dinletiyordu. Son dakika haberleri yayınlayan bir web sayfası içeriğini sürekli güncelliyordu. "Canlı yayın" haber kaynaklarına -CNN, NBC, ABC, CBS, yabancı karteller- her yönden saldırıya geçilecek ve ücretsiz canlı yayın taahhüdü verilecekti. Bu şebekelerin yayınladığı diğer her türlü yayın, acil bir başkanlık duyurusu için kesintiye uğrayacaktı.

Medyanın her alanında yayın yapılacaktı.

Tench birliklerini teftiş eden bir general gibi uzun adımlarla fotokopi masasına yürüdü ve şimdi tüm ileti cihazlarında gönderilmeyi bekleyen "önemli haber" çıktısını eline aldı.

Okuduğunda kahkahasını bastırmak zorunda kaldı. Yayınlanmak üzere bekleyen haber aslında üstünkörü geçilmişti -duyurudan çok reklam niteliğindeydi- ama Başkan, Haberleşme Ofisi'nin lafı fazla uzatmamasını emretmişti. Onlar da öyle yapmışlardı. Bu metin mükemmeldi; anahtar kelimeler açısından zengin, içeriğiyse kısa. Müthiş bir karışım. Gelen posta kutularında "anahtar kelime tarama" programları kullanan haber organları bile bu mesajın bir sürü bayrakla işaretlendiğini görecekti:

Kimden: Beyaz Saray Haberleşme Ofisi
Konu: Acil Başkanlık Duyurusu

Bu akşam Doğu Bölgesi saatiyle 20.00'de *Birleşik Devletler Başkanı* Beyaz Saray brifing salonundan *acil* bir basın konferansı verecektir. Duyuru konusu mevcut durumda *gizli* tutulmaktadır. Canlı A/V yayınına her zamanki kanallarla imkân sağlanmıştır.

Kâğıdı masanın üstüne bırakan Marjorie Tench, Haberleşme Ofisi'nde etrafına bakarak çalışanlara etkilenmiş bir edayla başını salladı. Herkes heyecanlıydı.

Bir sigara yakıp tüttürürken heyecanın yükselmesini bekledi. Sonunda sırıttı. "Bayanlar baylar. Motorları çalıştırın."

53

Tüm mantıklı düşünceler Rachel Sexton'ın aklından silinmişti. Artık göktaşını, esrarengiz TAR çıktısını, Ming'i, buzuldaki korkunç saldırıyı düşünmüyordu. Şu anda önemli olan tek bir şey vardı.

Hayatta kalmak.

Buz, sonsuz ve kaygan bir otoyol gibi altından kayıp gidiyordu. Korkudan hissizleştiği için mi yoksa koruyucu kıyafet sebebiyle mi bilmiyordu ama hiç acı hissetmiyordu. Hiçbir şey hissetmiyordu.

Şimdilik.

Yan yatmış bir halde Tolland'a belinden bağlı giden Rachel, onu tuhaf bir şekilde kucaklamıştı. Rüzgarla, yarış arabasının arkasındaki paraşüt gibi şişen balon, önlerinde dalgalanıyordu. Arkalarından gelen Corky, kontrolden çıkmış römork gibi oradan oraya savruluyordu. Saldırıya uğradıkları yeri gösteren işaret fişekleri uzaklaşıp, gözden kaybolmuştu.

Onlar hızlandıkça, buza sürtünen naylon Mark IX kıyafetlerinden çıkan ıslık sesi artıyordu. Ne hızla gittiklerine dair Rachel'ın hiçbir fikri yoktu ama rüzgâr saatte en az doksan beş kilometre hızla esiyordu ve altlarındaki sürtünmesiz pist, her geçen saniye daha hızlı kayıyordu. Görünüşe bakılırsa, dayanıklı Mylar balonun yırtılmaya veya yükünü atmaya niyeti yoktu.

Rachel *kurtulmamız lazım*, diye düşündü. Öldürücü bir kuvvetten diğerine koşuyorlardı. *Okyanusa bir buçuk kilometreden az kaldı!* Buzlu su düşüncesi dehşet dolu hatıralarını canlandırdı.

Rüzgâr kuvvetlenince hızları arttı. Arkalarından sürüklenen Corky korkunç bir çığlık attı. Rachel, bu hızla giderlerse, uçurumdan buzlu suya düşmelerine birkaç dakika kaldığını biliyordu.

Tolland'ın da aklından benzer düşünceler geçtiği belliydi, çünkü vücutlarına taktığı yük kancasıyla mücadele ediyordu.

"Kancayı çıkaramıyorum!" diye seslendi. "İp çok gergin!"

Rachel rüzgârdaki anlık bir dinginliğin Tolland'ın işini kolaylaştırmasını diledi ama katabatik rüzgâr aynı kesintisiz kuvvetle esiyordu. Yardım etmeye çalışan Rachel vücudunu yan döndürüp, kramponlarından birinin burnunu buza çarptı. Havaya buz parçacıkları saçıldı. Hızları biraz kesilmişti.

Ayağını yerden kaldırarak, "Şimdi!" diye bağırdı.

Balonun yük ipindeki gerilim bir an için hafifledi. Gevşeyen ipten istifade etmek isteyen Tolland birden asılıp, yük kancasını karabinalarından kurtarmaya çalıştı. Olmuyordu.

"Bir daha!" diye bağırdı.

Bu kez ikisi birden dönüp, kramponlarını buza vurarak havaya iki katı buz parçacığı savurdular. Bu, balonu biraz daha yavaşlatmıştı.

"Şimdi!"

Tolland'ın verdiği işaretle aynı anda bıraktılar. Balon yeniden ileri doğru sürüklenirken, Tolland başparmağını karabinanın kilidine bastırıp, açmaya çalışarak kancayı çevirdi. Bu kez biraz daha yaklaşmasına rağmen, ipin daha fazla gevşemesi gerekiyordu. Norah karabinaların, üstünde herhangi bir gerilim olduğu takdirde asla açılmayacak şekilde özel olarak üretilen, birinci sınıf Joker güvenlik kancaları oluşuyla böbürlenmişti.

Bu ironiyi hiç mi hiç eğlenceli bulmayan Rachel, *güvenlik kancaları yüzünden öleceğiz*, diye düşündü.

Tolland, "Bir kez daha!" diye bağırdı.

Tüm enerjisini ve umudunu toplayan Rachel, dönebildiği kadar yan dönüp iki ayağını birden buza vurdu. Sırtını bükerek, tüm ağırlığını parmak uçlarına vermeye çalıştı. Her ikisi de karınlarının üstüne dönene ve kemerlerindeki bağlantı ipi iyice gerene kadar Tolland da onun yaptıklarını tekrar etti. Tolland ayaklarını yere vurunca Rachel sırtını biraz daha eğdi. Sarsıntı, bacaklarından yukarı şok dalgaları gönderiyordu. Bilekleri kırılacakmış gibi hissediyordu.

"Öyle kal... öyle kal..." Tolland hızları azalırken Joker klipsi kurtarmak için iki büklüm olmuştu. "Az kaldı..."

Rachel'ın kramponları aniden koptu. Botlarından çıkan metal çiviler, Corky'nin üstünden sekerek karanlığa doğru yuvarlandılar. Balon birden ileri fırlayıp Tolland ile Rachel'ı yana savurdu. Tolland'ın elindeki kanca kaydı.

"Kahretsin!"

Zapt edildiğine öfkelenmiş gibi hızla ileri fırlayan Mylar balon, onları daha da kuvvetli çekerek buzuldan aşağı denize doğru sürüklüyordu. Rachel hızla uçuruma doğru ilerlediklerinin bilincindeydi ama Kuzey Buz Denizi'ne yapacakları otuz metrelik düşüşten önce başka bir tehlikeyle karşılaşacaklardı. Yollarının üstünde üç dev kar kümesi duruyordu. Mark IX kıyafetlerinin koruyucu dolgusuna karşın, kar tepeciklerine süratle çarpmak fikri Rachel'a dehşet veriyordu.

İplerle ümitsizce mücadele eden Rachel, balondan kurtulmanın bir yolunu bulmaya çalıştı. İşte o zaman buzdan gelen ritmik tıkırtı seslerini duydu; çıplak buza vuran hafif metalin tıkırtıları.

Kazma.

Rachel korkudan, kemerindeki ipe iliştirilmiş kazmayı tamamıyla unutmuştu. Hafif alüminyum alet, bacağının yanında sıçrayıp duruyordu. Başını kaldırıp, balonun yük kablosuna baktı. Kalın, sağlam, şeritli naylon.

Aşağı uzanıp zıplayan kazmaya erişmeye çalıştı. Sapından tutup, kendine doğru çekerken elastik ip uzadı. Hâlâ yan tarafa dönük duran Rachel, kollarını başının üstüne kaldırmakta zorlandı ve kazmanın dişli ucunu kalın kabloya yerleştirdi. Gergin kabloyu acemice kesmeye başladı.

Kendi kazmasına uzanan Tolland, "Evet!" diye bağırdı.

Yan tarafının üstünde kayan Rachel, kolları yukarıya uzanmış, kabloyu kesiyordu. Kablo oldukça gergindi ve naylon iplikler tek tek aşınmaya başlamıştı. Tolland kendi kazmasını kavrayıp döndü, kollarını başından yukarı kaldırdı ve aynı noktayı altından kesmeye çalıştı. Orman işçileri gibi işbirliği içinde çalışırlarken, muz bıçakları birbirine çarpıyordu.

Rachel, *başaracağız*, diye düşündü. *Kopacak!*

Önlerindeki gri Mylar balon, aniden yukarı havalandı. Balonun arazi yapısıyla uyumlu hareket ettiğini fark eden Rachel dehşete kapıldı.

Gelmişlerdi.

Kar kümeleri.

Tepesine çıkmadan önce beyaz duvarı kısa bir an için görebildiler. Yamaca çarptıklarında Rachel'ın yediği darbe, ciğerlerindeki havayı boşalttı ve elindeki kazmanın düşmesine neden oldu. Rachel, atlama rampasına sürüklenen bir su kayakçısı gibi vücudunun kar yığınından yukarı sürüklenip, fırlatılacağını hissetti. Tolland'la birlikte aniden baş döndürücü bir kuvvetle yukarı fırladılar. Altlarında, kar kümelerinin arasındaki boşluk uzanıyordu. Kablo aşınmış olmasına rağmen kopmamıştı ve hızlanan vücutlarını yukarı taşıyarak, ilk boşluğun üstünden aşırdı. Rachel bir an için önlerinde ne olduğunu gördü. İki kar tepeciği daha vardı -kısa bir düzlük- ve sonra denize düşüş.

Corky Marlinson'ın tiz çığlığı, dili tutulan Rachel'ın yaşadığı dehşeti adeta seslendirmişti. Arkalarından gelen Corky, ilk tepeciğin üstünden sürüklendi. Üçü de havalanmıştı. Balon, avcıyla bağlarını koparmak isteyen vahşi bir hayvan gibi onları yukarı çekiyordu.

Birdenbire başlarının üstünden, silah ateşi gibi bir şaklama sesi geldi. Aşınan ip koptu ve parçalanan ucu Rachel'ın suratına çarptı. O anda düşmeye başladılar. Mylar balon başlarının üstünde bir yerde kontrolden çıkıp dalgalanarak... denize doğru uçtu.

Karabinalarla iplere dolanan Rachel ile Tolland, yere iniyorlardı. İkinci beyaz tepecik önlerinde yükselirken Rachel kendini çarpmaya hazırladı. İkinci tepeciği son anda sıyırıp arkasından aşağı doğru kayarlarken, dolgulu kıyafetleri çarpmanın etkisini kısmen hafifletti. Dünya etrafında kollar, bacaklar ve buz karmaşası halinde dönerken, Rachel hızla aşağı, ortadaki açıklığa doğru kaydığını hissediyordu. Diğer tepeciğe çarpmadan önce yavaşlamak için içgüdüsel olarak, kollarıyla bacaklarını açtı. Biraz yavaşladıklarını hissetti ama saniyeler içinde Tolland'la birlikte yeniden yukarı çıkmaya başlamışlardı. Tepeye gelip düşüşe geçtiklerinde tekrar ağırlık yokmuş gibi bir hisse kapıldı. Korkuya kapılan Rachel, yamaçtan aşağı, son düzlüğe doğru ölümcül düşüşe geçtiklerini düşündü... Milne Buzul Katmanı'nın son yirmi beş metresi.

Uçuruma doğru savrulurlarken Rachel, Corky'nin ipi çektiğini hissetti. Yavaşlıyorlardı. Ama çok geç kaldığını biliyordu. Buzul hızla son bulurken Rachel çaresizce çığlık attı.

Ve sonra olan oldu.

Buzulun kenarı altlarından kaydı. Rachel'ın hatırladığı son şey düştüğüydü.

54

Westbrooke Semti Apartmanları, 2201 N Caddesi NW'de yer alır ve Washington'daki ender tartışmasız doğru adreslerden biridir. Gabrielle yaldızlı döner kapıdan hızla içerideki kulakları sağır edici çeşmenin aktığı mermer lobiye girdi.

Danışma masasındaki kapıcı, onu gördüğüne şaşırmış gibiydi. "Bayan Ashe? Bu akşam geleceğinizi bilmiyordum."

"Geç kalıyorum." Gabrielle çabucak defteri imzaladı. Yukarıdaki saat 18.22'yi gösteriyordu.

Kapıcı başını kaşıdı. "Senatör, bana bir liste verdi ama siz..."

"Onlara en çok faydası dokunan kişileri daima unuturlar." Çarpık bir gülümsemeyle önünden geçip asansöre yürüdü.

Kapıcı şimdi tedirgin görünüyordu. "Arasam iyi olacak."

Gabrielle asansöre binerken, "Teşekkürler," dedi. *Senatörün telefonu fişten çekili.*

Asansörle dokuzuncu kata çıkan Gabrielle, şık koridorun sonuna doğru yürüdü. Sexton'ın kapısının önünde, iri kıyım özel korumalarından -kaliteli korumalar- birinin oturduğunu görebiliyordu. Canı sıkkın gibiydi. Gabrielle güvenliği işbaşında gördüğüne şaşırmıştı ama şaşkınlığı korumanınki kadar değildi. Gabrielle yaklaşınca ayağa fırladı.

Koridorun yarısına gelen Gabrielle, "Biliyorum," diye seslendi. "Bu akşam K.G. ve rahatsız edilmek istemiyor."

Koruma kesin bir ifadeyle başını salladı. "Hiçbir ziyaretçinin girmemesi konusunda çok kesin emirler verdi..."

"Acil durum."

Koruma vücuduyla girişi kapattı. "Özel bir toplantı yapıyor."

"Sahi mi?" Gabrielle koltuğunun altından kırmızı zarfı çıkardı. Beyaz Saray mührünü adamın gözüne soktu. "Oval Ofis'ten geliyorum. Bu bilgiyi senatöre iletmem lazım. Eski dostları bu akşam her ne yapıyorsa, birkaç dakika onsuz yapacaklar. Şimdi bırak da içeri gireyim."

Zarfın üstündeki Beyaz Saray mührünü gören korumanın yelkenleri biraz suya inmişti.

Gabrielle, *bana bunu açtırma*, diye düşündü.

"Dosyayı bırakın," dedi. "Ben kendisine iletirim."

"Zor yaparsın. Senatöre bunu elden iletmek için Beyaz Saray'dan kesin emir aldım. Eğer onunla hemen konuşmazsam, yarın hepimiz kendimize iş ararız. Anlıyor musun?"

Korumanın kafası oldukça karışmış gibiydi. Gabrielle, senatörün bu akşam ziyaretçi kabul etmeyeceği konusunda her zamankinden daha sert olduğunu sezinledi. Son hamleyi yapmak üzere harekete geçti. Beyaz Saray zarfını korumanın yüzüne tutarak sesini alçalttı ve Washington'daki tüm güvenlik görevlilerinin korktuğu üç kelimeyi fısıldadı.

"Durumun ciddiyetini anlamıyorsun."

Siyasetçilere göre, güvenlik personeli *asla* durumun ciddiyetini anlamazlardı ve bu durumdan nefret ederlerdi. Ellerine silah verilir, karanlıkta bekletilirlerdi. Emirlere itaat etmeleri mi, yoksa işlerini kaybetme pahasına katır inadıyla ciddi krizleri görmezden gelmeleri mi gerektiğine hiçbir zaman emin olamazlardı.

Koruma güçlükle yutkunarak, Beyaz Saray zarfına bir kez daha göz attı. "Peki ama senatöre içeri girmeyi sizin *talep ettiğinizi* söyleyeceğim."

Kapının kilidini açınca, Gabrielle, onun fikrini değiştirmesine fırsat vermeden önüne atladı. Daireden içeri girip, sessizce, kapıyı arkasından kapattı ve tekrar kilitledi.

Antrede duran Gabrielle, Sexton'ın koridorun sonundaki çalışma odasından gelen boğuk sesleri duyabiliyordu; erkek seslerini. Belli ki bu akşamki K.G., Sexton'ın telefonda bahsettiği özel toplantı değildi.

Gabrielle koridorda çalışma odasına doğru ilerlerken, yarım düzine pahalı -kaliteli yün ve tüvit- erkek paltosunun asılı durduğu açık bir dolabın önünden geçti. Yerde bir sürü evrak çantası vardı. Görünüşe bakılırsa bu akşam işi koridorda bırakmışlardı. Evrak çantalarından biri gözüne ilişmesiydi, önlerinden geçip gidecekti. Üstünde tanınmış bir şirketin logosu vardı. Parlak kırmızı bir füze.

Durup okumak için çömeldi:

AMERİKA UZAY A.Ş.

Şaşkınlık içinde diğer evrak çantalarını inceledi.

BEAL UZAY SANAYİ, MICROCOSM A.Ş., ROTARY FÜZE ŞİRKETİ, KISTLER UZAY SANAYİ.

Marjorie Tench'in çirkin sesi kulaklarında yankılandı. *Sexton'ın özel uzay şirketlerinden rüşvet aldığının farkında mısın?*

Karanlık koridorun sonunda, senatörün çalışma odasına giden kemerli girişe bakarken Gabrielle'ın kalbi hızla atıyordu. Konuşması, geldiğini belirtmesi gerektiğini biliyordu ama usulca ilerlemekten kendini alıkoyamadı. Kemerli girişe birkaç santim mesafede sessizce durup... arkadan gelen konuşmaları dinledi.

55

Delta-Üç kızağı ve Norah Mangor'ın cesedini toplamak için geride kalırken, diğer iki asker avlarının peşinden hızla buzuldan aşağı ilerliyordu.

Ayaklarında ElektroTread güçlü kayakları vardı. Fast Trax motorlu kayaklardan sonra tasarlanan gelişmiş ElektroTread'ler, minyatür tank paletleri takılmış kar kayaklarıydı, ayağa giyilen motorlu kızaklar gibi. Hız, işaret ve başparmak uçlarının aynı anda, sağ ele giyilen eldivendeki iki plakaya basılmasıyla kontrol ediliyordu. Ayağın etrafındaki güçlü jel batarya hem yalıtımı iki katına çıkarıyor, hem de kayakların sessizce kaymasına imkân sağlıyordu. Tepeden aşağı inerken ağırlığın ve dönen paletlerin yarattığı kinetik enerji, kendiliğinden bir sonraki tırmanış için pilleri şarj ediyordu.

Delta-Bir rüzgârı arkasına alarak iyice çömeldi ve denize doğru kayarken önünde uzanan buzulu inceledi. Gece görüşü sistemi, Deniz Piyadeleri'nin kullandığı Patriot modelinden çok gelişmişti. Delta-Bir, 40x90 mm altı-element lens, üç-element Magnification Doubler(*) ve Super Long Range

(*) Çift kat büyüteç.

IR(*) monte edilmiş bir gözlüğün ardından bakıyordu. Dışarıdaki dünya, alışıldık yeşil yerine, saydam bir mavi renkte görünüyordu. Kuzey Kutbu gibi aşırı yansıtıcı araziler için özel olarak bu renkte tasarlanmıştı.

İlk kar tepeciğine yaklaştığında, tümseğin üstünden geçip ilerleyen yeni bozulmuş kardaki parlak şeritler, gece karanlığında neon bir ok gibi Delta-Bir'in gözlüklerine yansıdı. Görünüşe bakılırsa üç kaçak, uydurma yelkenlerini sökmeyi ya unutmuş ya da başaramamışlardı. Her iki koşulda da, son tümseğe ulaşana kadar balondan kurtulmadılarsa, şimdi okyanusun bir yerlerindeydiler. Delta-Bir, peşinde olduğu kişilerin koruyucu kıyafetlerinin suda hayatta kalma sürelerini uzatacağını biliyordu ama okyanus akıntıları onları denizin açıklarına çekecekti. Boğulmaları kaçınılmazdı.

Emin olmasına rağmen Delta-Bir asla varsayımlarla hareket etmemek üzere eğitilmişti. Cesetleri görmesi gerekiyordu. İyice çömelerek parmaklarını birbirine bastırdı ve ilk tümseği hızla tırmandı.

Aldığı darbeleri sayan Michael Tolland kıpırdamadan yatıyordu. Hırpalanmıştı ama herhangi bir kemiğinin kırıldığını hissetmiyordu. Jel dolgulu Mark IX kıyafetinin kendisini ciddi bir travmadan koruduğuna şüphesi yoktu. Gözlerini açarken aklını yavaş yavaş topluyordu. Burada her şey daha sakin görünüyordu... daha sessiz. Rüzgar hâlâ uğulduyordu ama eskisi kadar şiddetli değildi.

Kenarı aşmıştık, öyle değil mi?

Kendine gelen Tolland, birbirine kilitli karabinaları dönmüş bir halde, buzda Rachel Sexton'la neredeyse dik açıyla üst üste yattığını fark etti. Altındaki Rachel'ın nefes aldığını hissedebiliyor ama yüzünü göremiyordu. Dönerek üstünden inerken, kasları ona güçlükle cevap veriyordu.

"Rachel?..." Tolland sesinin çıkıp çıkmadığına emin değildi.

(*) Süper uzun menzil enfraruj.

Tolland sancılı yolculuklarının son saniyelerini hatırladı; balonun yukarı doğru sürüklenişi, yük kablosunun kopuşu, vücutlarının tümsekten aşağı düşmesi, son tümseği aşmaları, kenara doğru kaymaları ve buzulun sona ermesi. Tolland ile Rachel düşmüşlerdi ama bu düşüş tuhaf biçimde kısa sürmüştü. Denize düşmek yerine, yaklaşık üç metre kadar düşüp başka bir buz tabakasına çarpmışlar ve bir müddet kaydıktan sonra peşlerinden gelen Corky'nin ağırlığıyla durmuşlardı.

Başını kaldıran Tolland denize doğru baktı. Biraz uzakta buzulun son bulduğu uçurumun ardından gelen okyanus seslerini duyabiliyordu. Gözlerini yeniden buzula çevirip gece karanlığında görmek için kendini zorladı. Arkada yirmi metre kadar uzakta, üstlerine sarkıyormuş gibi görünen yüksek bir buz duvarı vardı. İşte o an neler olduğunu anlayabildi. Bir şekilde asıl buz katmanından daha aşağıdaki bir buz setine düşmüşlerdi. Bu bölüm, hokey pisti büyüklüğünde düz bir alandı ve bir kısmı çökmüştü; her an okyanusa devrilmeye hazır duruyordu.

Üstünde yattığı tehlikeli düzlüğe göz gezdiren Tolland, *parçalanan buzullar*, diye düşündü. Üç tarafı okyanusa inen uçurumlarla çevrili, dev bir balkon gibi buzuldan sarkan, kare şeklinde geniş bir parçaydı. Buzulla sadece arka tarafından bağlıydı ve Tolland bu bağlantının pek kalıcı olmadığını görebiliyordu. Aşağıdaki tabakanın Milne Buzul Katmanı'na tutunduğu sınırda, yaklaşık bir metrelik bir çatlak vardı. Bu savaşı yerçekimi kazanacak gibi görünüyordu.

Tolland için çatlaktan daha korkutucu olan, Corky Marlinson'ın buzda kıpırtısız yatan vücudunu görmek oldu. Corky on metre uzakta, onlara bağlı gergin ipin ucunda yatıyordu.

Tolland ayağa kalkmaya çalıştı ama hâlâ Rachel'a bağlıydı. Farklı bir pozisyon alarak, birbirine geçmiş karabinaları açmaya çalıştı.

Doğrulmaya gayret eden Rachel sersemlemiş görünüyordu. "Biz... aşağı düşmedik mi?" Şaşkınlık içinde konuşuyordu.

Sonunda kendini çözen Tolland, "Aşağıdaki buz parçasının üstüne düştük," dedi. "Corky'ye yardım etmeliyim."

Tolland acıyla ayağa kalkmaya çalıştı ama ayaklarında güç kalmamıştı. İpi yakalayıp kendine çekti. Corky, buzun üstünde onlara doğru kaymaya başladı. Onlarca kez çektiği Corky, sonunda birkaç metre öteye kadar gelmişti.

Corky Marlinson dayak yemiş gibi görünüyordu. Gözlüklerini kaybetmişti, yanağında kötü bir kesik vardı ve burnu kanıyordu. Dönüp öfkeli bir ifadeyle Tolland'a baktığında, Tolland'ın onun ölmüş olabileceğine dair endişeleri kayboldu.

"Tanrım," diye mırıldandı. "O küçük oyun neydi öyle!"

Tolland rahatladığını hissetti.

Artık doğrulmuş olan Rachel gözlerini kırpıştırıyordu. Etrafına baktı. "Burdan... gitmemiz lazım. Bu buz tabakası düşecekmiş gibi görünüyor."

Tolland, ona kesinlikle katılıyordu. Tek soru bunu nasıl yapacaklarıydı.

Çözüm üzerinde tartışacak vakitleri yoktu. Başlarının üstündeki buzuldan tanıdık bir vızıltı sesi geldi. Bakışlarını yukarı çeviren Tolland, beyazlar giyinmiş iki kişinin kayarak kenara gelip aynı anda durduklarını gördü. Bir süre orada duran iki adam, ölümcül darbeyi vurmadan önce şah matın keyfini çıkaran satranç ustaları gibi avlarına baktılar.

Delta-Bir, üç kaçağın hâlâ yaşadığına şaşırmıştı. Yine de bunun geçici bir durum olduğunu biliyordu. Buzulun, denize doğru kaçınılmaz dalışa başlamış olan bölümüne düşmüşlerdi. Bunlar da diğer kadın gibi etkisiz hale getirilip, öldürülebilirdi ama çok daha kesin bir çözüm kendiliğinden belirmişti. Hem de cesetlerin asla bulunamayacağı bir şekilde.

Kenardan aşağı bakan Delta-Bir, buzulla ona tutunan buz tabakası arasında açılmaya başlayan yarığı inceledi. Üç firarinin durduğu buz tabakası oldukça tehlikeli görünüyordu. Her an kırılıp okyanusa düşmeye hazırdı.

Neden şimdi olmasın...

Buradaki buzullarda geceler, kulakları sağır edici gümbürtülerle bölünürdü: buzuldan kopan ve okyanusa düşen buz kütlelerinin sesi. Kimin dikkatini çekerdi?

Öldürmeye hazırlanırken salgıladığı adrenaline eşlik eden o tanıdık sıcaklığı hisseden Delta-Bir, malzeme çantasına uzanıp ağır, limon şeklinde bir nesne çıkardı. Askeri saldırı timlerinin kullandığı nesneye alev ses aralığı deniyordu; ani parlamalar ve sağır edici şok dalgalarıyla düşmanı geçici olarak etkisiz hale getiren, öldürücü etkisi olmayan şok bombası. Ama Delta-Bir, alev ses aralığının bu akşam son derece öldürücü olacağını biliyordu.

Kenarda pozisyonunu aldı ve yarığın inceldiği noktaya dek ne kadar ilerlediğini hesaplamaya çalıştı. Altı metre mi? On beş metre mi? Fark etmeyeceğini biliyordu. Planı kesinlikle etkili olacaktı.

Sayısız infaz tecrübesinin verdiği serinkanlılıkla, bombanın çevirmeli kadranını on saniyelik gecikmeye ayarladıktan sonra pimi çekti ve bombayı aşağıdaki yarığa fırlattı. Karanlığa düşen bomba gözden kayboldu.

Kar tepeceğinin üstüne geri çekilen Delta-Bir ile ortağı beklediler. Görülesi bir manzara olacaktı.

Hezeyana kapılmış olmasına rağmen Rachel Sexton, saldırganların yarığa ne fırlattıklarını gayet iyi tahmin edebiliyordu. Bakışlarını üstünde durdukları buz tabakasına dikip, kaçınılmaz olanı gören Michael Tolland'ın, ya aynı tahminde bulunduğundan ya da Rachel'ın gözlerindeki korkuyu sezinlediğinden beti benzi atmıştı.

Rachel'ın altındaki buz, şimşekler çakan fırtına bulutu gibi içten aydınlandı. Esrarengiz beyaz saydamlık her yöne yayılmıştı. Etraflarındaki buzul, yüz metre çapında bembeyaz parladı. Ardından şok geldi. Deprem gibi gümbürtülü değil, kuvvetle gelen sağır edici bir şok dalgasıydı. Rachel, buzdan gelen titreşimlerin vücuduna yayıldığını hissetti.

Sivri uzantı birden, buz katmanıyla altlarındaki buz blokunun arasına takoz sıkıştırılmış gibi, tüyler ürpertici bir çatlama sesiyle kopmaya başladı. Rachel'la Tolland'ın gözleri dehşetle birbirine kilitlendi. Yakınlardaki Corky çığlık attı.

Aşağıdaki kısım düşüyordu.

Binlerce ton ağırlığındaki buz blokunun üstünde asılı kalan Rachel, bir an ağırlık yokmuş gibi bir hisse kapıldı. Buzdağından buz denizine doğru kayıyorlardı.

56

Dev buz tabakası Milne Buzul Katmanı'ndan aşağı havaya parçacıklar saçarak kayarken, buzun buza sürterken çıkardığı ses Rachel'ın kulak zarını delecekti. Buz kütlesi denize inerken yavaşladı ve Rachel'ın daha önce ağırlık yokmuş gibi hissettiği vücudu buzun tepesine kondu. Tolland ile Corky yakınına sertçe düştüler.

Buz tabakası denizin derinliklerine doğru batarken Rachel, halatı birkaç metre uzun gelen banji atlayıcısının altındaki toprak gibi, okyanusun hız kesici etkisiyle yukarı yükselen köpüklü yüzeyini görebiliyordu. Yükseldi... yükseldi... ve işte oradaydı. Çocukluk kâbusu geri gelmişti. *Buz... su... karanlık.* En büyük korkusu.

Buz kütlesinin tepesi su çizgisinin altına kaydı ve dondurucu Kuzey Buz Denizi kenarlardan sel gibi aştı. Okyanus etrafını kuşatırken, Rachel denizin içine çekildiğini hissetti. Tuzlu suyun çarptığı yüzünün korumasız derisi gerildi ve yandı. Artık altındaki buzun yüzeyi görünmüyordu. Rachel kıyafetindeki suyun üstünde kalan jelin de yardımıyla yeniden yüzeye çıkmak için mücadele etti. Ağzına aldığı tuzlu suyu geri püskürttü. İplere dolanan diğerlerinin, yakınlarında debelenip durduğunu görebiliyordu. Rachel kendini doğrulttuğu anda Tolland seslendi.

"Yeniden yukarı çıkıyor!"

Sözleri yankılanırken, Rachel altındaki suyun yukarı doğru ittiğini hissetti. Buz kütlesi, yönünü tersine değiştirmeye çalışan dev bir lokomotif gibi, suyun altında inleyerek durmuş ve şimdi tam altlarından yukarı çıkmaya başlamıştı. Batık dev kütle buzul seviyesine çıkmak için kendine yol açarken, düşük frekansta bir gümbürtü sudan yukarı yükseliyordu.

Yukarı çıktıkça hızlanan buz kütlesi karanlıkta kendini göstermeye başlamıştı. Rachel yükseldiğini hissetti. Vücudu buzla temas ederken, okyanus suları bulandı. Buz onu milyonlarca galon deniz suyuyla yukarı kaldırırken, denge sağlamaya çalışarak boşuna mücadele etti. Yüzeye fırlayan dev buz kütlesi ağırlık merkezini bulmaya çalışırken inip kalkıyor ve sallanıyordu. Rachel kendini, geniş düzlüğün üstünde beline gelen suda sürüklenirken buldu. Sular yüzeyden çekilirken akıntı Rachel'ı kapmış, kenara doğru sürüklüyordu. Karınüstü kayan Rachel, hızla kenara yaklaştığını gördü.

Dayan! Annesi, Rachel çocukluğunda buz gölünün altında debelenirken kullandığı aynı sesle sesleniyordu. *Dayan! Sakın batma!*

Gerilen ipleri ciğerlerinde kalan tüm havayı da boşaltmıştı. Kenardan sadece birkaç metre ötede aniden durdu. Olduğu yerde savruldu. On metre ötede, hâlâ kendisine bağlı olan Corky'nin hantal vücudunu görebiliyordu. O da durmuştu. Buzun üstündc aksi yönlcrdc kaymışlar vc Corky'nin çekiş kuvveti Rachel'ı durdurmuştu. Sular okyanusa dökülüp sığlaşırken, Corky'nin yanında başka bir karanlık figür belirdi. Corky'nin ipini tutup bir yandan tuzlu su kusarken, elleriyle dizlerinin üstünde duruyordu.

Michael Tolland.

Buzun üstünde kalan son sular da onu yalayıp geçerken, Rachel dehşet içinde sessizce yatmış, okyanusun sesini dinliyordu. Sonra, ölümcül soğuğun ilk belirtilerini hissederek elleriyle dizlerinin üstüne doğruldu. Buzdağı devasa bir buz küpü gibi hâlâ ileri geri sallanıyordu. Çılgına dönmüş bir halde ve acı içinde diğerlerinin yanına doğru emeklemeye başladı.

Yukarıda buzulun üstünde duran Delta-Bir, gece görüş gözlükleriyle Kuzey Buz Denizi'nin en yeni buzdağının etrafındaki sulara göz gezdirdi.

Suda ceset görmediğine şaşırmıyordu. Okyanus karanlıktı ve avlarının giydiği kıyafetlerle bereler siyahtı.

Gözlerini suda yüzen buz kütlesinde gezdirirken, odağı ayarlamakta zorlanıyordu. Güçlü okyanus akıntılarıyla denize açılıp, çoktan uzaklaşmaya başlamıştı. Beklenmedik bir şey gördüğü sırada, bakışlarını denize çevirmek üzereydi. Buzun üstündeki üç siyah karaltı. *Bunlar ceset mi?* Delta-Bir karaltıları odaklamaya çalıştı.

Delta-İki, "Bir şey mi gördün?" diye sordu.

Büyütecini odaklayan Delta-Bir hiçbir şey söylemedi. Buz adasının üstünde, bir arada kıpırdamadan duran üç insan bedeni görmek onu şaşırtmıştı. Delta-Bir'in ölü ya da diri olduklarına dair hiçbir fikri yoktu. Hayatta olsalar bile, korumalı giysilerine karşın bir saate kadar ölürlerdi; ıslanmışlardı, fırtına yaklaşıyordu ve gezegendeki en amansız okyanuslardan birine doğru sürükleniyorlardı. Cesetleri asla bulunmayacaktı.

Uçuruma arkasına dönen Delta-Bir, "Sadece gölgeler," dedi. "Üsse geri dönelim."

57

Senatör Sedgewick Sexton, Courvoisier konyak kadehini Westbrook dairesindeki şömine rafının üstüne koydu ve düşüncelerini toplarken bir süre ateşi karıştırdı. Şimdi çalışma odasındaki altı adam sessizce oturuyor... bekliyordu. Havadan sudan konuşmalar sona ermişti. Senatör Sexton'ın konuya girme zamanı gelmişti. Diğerleri bunu biliyorlardı. O bunu biliyordu.

Siyaset satış demekti.

Güven kur. Onların sorunlarını anladığını bilsinler.

Onlara dönen Sexton, "Bildiğiniz gibi," dedi. "Geçtiğimiz aylarda sizinle aynı pozisyonda pek çok kişiyle görüştüm." Gülümseyip oturdu ve onlarla aynı seviyeye geldi. "Evime sadece sizleri çağırdım. Sizler özel kişilersiniz ve sizinle tanışmak beni onurlandırdı."

Sexton ellerini kavuşturarak, gözlerini odada gezdirirken her biriyle göz teması kurdu. Ardından bakışlarını ilk başladığı noktaya yöneltti; kovboy şapkalı şişman adama.

Sexton, "Houston Uzay Sanayi," dedi. "Geldiğinize sevindim."

Teksas'lı homurdandı. "Bu kasabadan nefret ediyorum."

"Sizi suçlayamam. Washington size adil davranmadı."

Teksas'lı şapkasının altından baktı ama bir şey söylemedi.

Sexton, "On iki yıl önce," diye başladı. "ABD hükümetine bir teklif yaptınız. Onlara beş milyar dolara bir ABD uzay istasyonu kurmayı teklif ettiniz."

"Evet yaptım. Taslaklar hâlâ bende."

"Ama NASA hükümeti, ABD uzay istasyonunun bir *NASA* projesi olması gerektiğine ikna etti."

"Doğru. NASA yaklaşık on yıl önce inşaata başladı."

"On yıl. Bununla birlikte, NASA uzay istasyonu tam manasıyla çalışmaya başlamamakla kalmadı, proje sizin teklifinizin *yirmi* katına mal oldu. Amerikalı bir vergi mükellefi olarak, tiksiniyorum."

Odadan fikir birliği homurtuları yükseldi. Sexton gözlerini yeniden gruba çevirdi.

Şimdi herkese hitap eden senatör, "Pek çoğunuzun şirketlerinin uçuş başına elli milyon dolar gibi cüzi bir rakam karşılığı özel uzay mekikleri fırlatmayı teklif ettiğinizi biliyorum," dedi.

Bu kez daha fazla onayladılar.

"Ama NASA uçuş başına otuz sekiz milyon dolar alarak fiyatları kırıyor... ki *aslında* uçuş başına maliyetleri yüz elli milyon doların üstünde!"

Adamlardan biri, "Bizi bu şekilde uzayın dışında tutuyorlar," dedi. "Özel şirketler, yüzde dört yüz zararla mekik fırlatıp hâlâ varlığını sürdüren bir şirketle rekabet edemez."

Sexton, "Buna *mecbur* değilsiniz," dedi.

Herkes başını salladı.

Sexton şimdi, dosyasını ilgiyle okuduğu ciddi görünüşlü girişimciye dönmüştü. Sexton'ın kampanyasına fon sağlayan pek çok girişimci gibi bu adam da eski bir askeri mühendisti. Düşük maaş ve hükümet bürokrasisi yüzünden hayal kırıklığına uğramış ve geleceğini uzayda aramak için askeri görevinden istifa etmişti.

Başını umutsuzca sallayan Sexton, "Kistler Uzay Sanayi," dedi. "Şirketiniz, NASA'nın kilo başına yirmi bin dolarlık maliyetine karşılık, dört bin dolara yük taşıyabilecek bir mekik tasarlayıp üretti," dedi. Daha etkili olması için biraz durdu. "Buna rağmen hiç müşteriniz yok."

Adam, "Neden müşterim olsun ki?" diye karşılık verdi. "Geçen hafta NASA bir telekomünikasyon uydusu fırlatmak için Motorola'dan kilo başına bin altı yüz yirmi dört dolar isteyerek önümüzü kesti. Hükümet o uyduyu yüzde dokuz yüz zararla fırlattı!"

Sexton başını salladı. Vergi mükellefleri farkında olmadan, rakiplerinden on kat düşük verimle çalışan bir kuruma mali destek sağlıyorlardı. Boğuk bir sesle, "Maalesef NASA'nın uzaydaki rekabeti engellemek için elinden geleni yaptığı anlaşılıyor. Hizmeti piyasa değerinin altında ücretlendirerek özel uzay şirketlerini saf dışı bırakıyor," dedi.

Teksas'lı, "Uzay Wal-Mart'çılığı," dedi.

Sexton, *iyi benzetme*, diye düşündü. *Bunu unutmayayım*. Wal-Mart yeni bir bölgeye girip, ürünleri piyasa değerinin altında satarak yerel rakipleri işten çekilmek zorunda bırakmakla tanınırdı.

Teksas'lı, Sam Amca müşterilerimi çalmak için benim paramı kullansın diye milyonlarca dolar vergi ödemekten bıktım usandım," dedi.

Sexton, "Sizi duyuyorum," dedi. "Anlıyorum."

Şık giyimli bir adam, "Kurumsal sponsorluğa izin verilmemesi Rotary Füze Şirketi'ni bitiriyor," dedi. "Sponsorluk karşıtı yasalar kanuna aykırı!"

"Yürekten katılıyorum." Sexton, NASA'nın uzaydaki tekelini sürdürmesinin başka bir yolunun, uzay araçlarının üstündeki reklamlara yasak getiren federal emirler çıkarmak olduğunu öğrendiğinde şok olmuştu. Özel şirketlerin kurumsal sponsorluk ve reklam logolarıyla -profesyonel yarış arabası sürücüleri gibi- fon sağlamalarına izin verilmiyor, uzay araçlarına sadece ABD kelimesiyle şirket ismi yazılabiliyordu. Reklamlara senede 185 milyar dolar harcanan bir ülkede, özel uzay şirketlerinin kasasına reklam gelirlerinden bir dolar bile girmemişti.

Adamlardan biri, "Bu soygunculuk," diye lafa daldı. "Şirketim ülkenin ilk turist mekiğini fırlatmak için gelecek mayıs ayına kadar ticaret hayatında kalmayı ümit ediyor. Basında çok geniş yer verileceğini tahmin ediyoruz. Nike Şirketi mekiğin yanına Nike logosu ve 'Sadece yap!' yazdırmak için yedi milyon dolar teklif etti. Pepsi bunun iki katını 'Pepsi: Yeni neslin seçimi' için önerdi. Ama federal yasalar gereğince, mekiğimiz reklam alırsa uzaya fırlatamıyoruz!"

Senatör Sexton, "Bu doğru," dedi. "Ve eğer ben seçilirsem, bu sponsorluk karşıtı yasayı kaldıracağım. Bu bir söz. Yeryüzünün her santimetrekaresinde olduğu gibi uzay da reklamlara açık olmalı."

Sexton seyircilerine bakarak, gözlerini onlara dikti ve daha ciddi bir sesle konuştu. "Ama yine de NASA'nın özelleştirilmesine en büyük engeli yasaların değil, halktaki kanının oluşturduğunu unutmamalıyız. Amerikalıların çoğu hâlâ Amerikan uzay programını abartılı değerlendiriyor. Hâlâ NASA'nın *gerekli* bir hükümet kuruluşu olduğuna inanıyorlar."

Adamlardan biri, "Şu kahrolası Hollywood filmleri yüzünden!" dedi. "Tanrı aşkına kaç tane NASA dünyayı katil asteroitten kurtarıyor filmi çekilebilir? Bu propaganda!"

Sexton, Hollywood'da NASA filmlerinin bu kadar fazla çekilmesinin nedeninin ekonomik olduğunu biliyordu. Oldukça tutulan *Top Gun Zor Silah* filminin -iki saatlik ABD Hava Kuvvetleri reklamı gibi oynatılan, bir jet pilotu Tom Cruise şaheseri- ardından NASA Hollywood'daki halkla ilişkiler potansiyelini fark etmişti. NASA usulca, film şirketlerine NASA'nın tüm çarpıcı sahnelerinde -fırlatma rampaları, görev kontrol ve eğitim binaları- *bedava* film çekebilme imkânı teklif etmeye başlamıştı. Başka yerlerde film çektiklerinde muazzam lisans ücretleri ödemeye alışkın yapımcılar, "bedava" NASA film setlerinde çalışarak bütçeden milyonlarca dolar tasarruf sağlama imkânına balıklama atladılar. Elbette sadece NASA senaryoyu onayladığında Hollywood bu imkâna kavuşuyordu.

Bir İspanyol, "Halkın beynini yıkamaktan başka bir şey değil," diye homurdandı. "Filmler reklam propagandalarının yarısı kadar kötü olamaz. Yaşlı bir vatandaşı uzaya göndermek niye? NASA şimdi de bir mekiğin tüm ekibini kadınlardan kurmayı düşünüyor. Hepsi reklam için!"

İçini çeken Sexton, acıklı bir ses tonuyla konuştu. "Doğru ve sanırım seksenlerde Milli Eğitim Bakanlığı parasız kalıp da, NASA'yı eğitime harcanabilecek milyonları israf etmekle suçladığında neler olduğunu hatırlatmama gerek yoktur. Eğitim dostu olduğunu göstermek için NASA hemen bir halkla ilişkiler gösterisi düzenlemişti. Uzaya bir devlet okulu öğretmeni yolladılar." Sexton durdu. "Christa McAuliffe'i hepiniz hatırlarsınız."

Odada kimse konuşmuyordu.

Ateşin önünde aniden duran Sexton, "Beyler," dedi. "Hepimizin geleceğinin iyiliği için Amerika'nın gerçeği anlama zamanının geldiğine inanıyorum. Amerikalıların artık NASA'nın bizi göklere çıkartmak yerine uzay keşfinin önünü tıkadığını anlaması gerek. Uzayın diğer endüstrilerden bir farkı yok ve özel sektörü bunun dışında tutmak suç kabul edilir. Bilgisayar endüstrisini ele alalım, her hafta yetişmekte güçlük çektiğimiz ilerlemeler kaydediliyor! Neden? Çünkü bilgisayar endüstrisi serbest piyasa sistemine dayalı. Verim ve vizyon *kârla* ödüllendiriliyor. Bilgisayar endüstrisini devlet işletseydi ne olurdu hayal edin. Ortaçağda kalmıştık. Uzayda ilerleyemiyoruz. Uzay keşfini, ait olduğu özel sektörün ellerine bırakmalıyız. Amerikalılar büyümeyi, işi ve gerçekleşen hayalleri gördügünde hayrete düşecek. Serbest piyasa sisteminin bizi uzayda yeni boyutlara taşıyacağına inanıyorum. Seçilirsem, bilimdeki son ufukların kapısının kilidini açmayı ve onu açık bırakmayı kendime görev edineceğim."

Sexton konyak kadehini kaldırdı.

"Dostlarım, bu akşam buraya güveninize layık biri olup olmadığıma karar vermek için geldiniz. Umarım güveninizi kazanırım. Yatırımcılar şirketlerini nasıl kuruyorlarsa, başkanlarını da öyle belirlerler. Hisse sahipleri nasıl getiri beklerlerse, siz siyasi yatırımcılar da öyle getiri beklersiniz. Bu akşam size verdiğim mesaj gayet basit: Bana yatırım yaparsanız, sizi asla unutmam. Hiçbir zaman. Ortak tek bir hedefimiz var."

Sexton kadehini onlara doğru kaldırdı.

"Sizlerin de yardımıyla dostlarım, yakında Beyaz Saray'da olacağım... ve sizler de hayallerinize kavuşacaksınız."

Sadece dört metre ötede karanlıkta duran Gabrielle Ashe kaskatı kesilmişti. Çalışma odasından birbirine çarpan kristal kadeh sesleriyle, ateşin çıtırtıları geliyordu.

58

Genç NASA teknisyeni panikle habiküreden içeri girdi. *Korkunç bir şey oldu!* Müdür Ekstrom'u basına ayrılan bölümün yanında buldu.

Koşuşturan teknisyen soluk soluğa, "Efendim," dedi. "Bir kaza oldu!"

Derin düşüncelere dalarak başka meselelere kafa yorduğu anlaşılan Ekstrom, ona döndü. "Ne dedin? Kaza mı? Nerde?"

"Göktaşının çıkartıldığı delikte. Yüzeye bir ceset çıktı. Dr. Wailee Ming."

Ekstrom'un yüzü ifadesizdi. "Dr. Ming mi? Ama..."

"Onu çıkarttık ama artık çok geçti. Ölmüş."

"Tanrı aşkına. Ne zamandır orda?"

"Yaklaşık bir saat diye düşünüyoruz. İçine düşüp dibe batmış gibi görünüyor, cesedi şişince yeniden yüzeye çıkmış."

Ekstrom'un kırmızı cildi mosmor kesilmişti. "Lanet olsun! Bunu başka bilen var mı?"

"Hiç kimse efendim. Sadece iki kişi. Onu dışarı çıkarttık ama düşündük ki önce size söylersek..."

"Doğru olanı yapmışsınız." Ekstrom derin derin içini çekti. "Dr. Ming'in cesedini hemen saklayın. Hiçbir şey söylemeyin."

Teknisyenin aklı karışmıştı. "Ama efendim, ben..."

Ekstrom elini adamın omzuna koydu. "Beni dikkatle dinle. Bu, büyük üzüntü duyduğum trajik bir olay. Elbette zamanı geldiğinde konuyla uygun biçimde ilgileneceğim. Ama şimdi sırası değil."

"Cesedi *saklamamı* mı istiyorsunuz?"

Ekstrom'un soğuk mavi gözleri onu delip geçti. "Bir düşün. Diğerlerine söyleyebiliriz ama ne işe yarar? Basın konferansına yaklaşık bir saat kaldı. Ölümcül bir kaza yaşandığını duyurmak bu buluşu gölgeler, ayrıca moralleri bozar. Dr. Ming dikkatsiz bir hata yaptı; bunun bedelini NASA'ya ödetmeye niyetim yok. Şu sivil bilim adamları, zafer anımızı yaptıkları hatalarla gölgelemelerine izin vermesem de yeterince ilgi çektiler. Dr. Ming'in ölümü basın konferansı sona erinceye dek sır olarak kalacak. Anladın mı?"

Rengi solan adam başını salladı. "Cesedini saklayacağım."

59

Michael Tolland okyanusun hiç acıyıp tereddüt etmeden kurban aldığını bilecek kadar denizde vakit geçirmişti. Geniş buz tabakasının üstünde bitap vaziyette yatarken, yüksek Milne Buzul Katmanı'nın gittikçe uzaklaşan siluetini görebiliyordu. Elizabeth Adaları'ndan gelen güçlü akıntının kutup buzulları etrafında dönerek sonunda kuzey Rusya açıklarına vardığını biliyordu. Ama önemi yoktu. Aylar sürerdi.

Herhalde otuz dakikamız kalmıştır... en fazla kırk beş dakika.

Jel dolgulu kıyafetlerinin koruyucu yalıtımı olmasa çoktan öleceklerini biliyordu. Bereket versin ki, Mark IX'ları ıslanmalarını önlemişti; soğuk havada hayatta kalmanın başlıca şartı. Vücutlarının etrafındaki termal jel düşüşün etkisini hafifletmekle kalmamış, vücut ısılarını da korumalarına yardımcı olmuştu.

Yakında hipotermi başlayacaktı. Kan, önemli iç organları korumak için vücudun içlerine çekilirken, kollar ve bacaklarda hafif bir uyuşukluk şeklinde kendini gösterecekti. Nabız ve solunum yavaşlayıp, beyni oksijensiz bırakırken, çılgınca halüsinasyonlar baş gösterecekti. Ardından vücut, geri kalan ısıyı koruyabilmek için son bir gayretle kalp ve solunum hariç tüm organların çalışmasını durduracaktı. Bunu bilinçsizlik takip edecekti. Sonunda, beyindeki kalp ve solunum merkezleri aynı anda fonksiyonlarını kesecekti.

Bakışlarını Rachel'a çeviren Tolland, onu kurtarmak için bir şeyler yapabilmeyi diledi.

Rachel Sexton'ın vücuduna yayılan uyuşukluk, tahmin ettiğinden daha az acı veriyordu. Mutluluk verici bir uyuşturucu gibiydi. *Doğal morfin.* Düşerken gözlüklerini kaybetmişti ve soğukta gözlerini açmakta zorlanıyordu.

Yakınlarında Tolland'la Corky'nin buzun üstünde durduğunu görebiliyordu. Tolland üzgün gözlerle ona bakıyordu. Corky kımıldıyordu ama acı çektiği belliydi. Sağ yanağı parçalanmıştı ve kanıyordu.

Rachel zihninde cevapları ararken vücudu sarsılarak titriyordu. *Kim? Neden?* İçinde artan bunaltı hissiyle kafası karıştı. Hiçbir şey anlam ifade etmiyordu. Uykusunu getiren görünmez bir güçle sakinleşen Rachel, vücudunun yavaşça şalterlerini kapattığını hissediyordu. Bununla mücadele etti. Şimdi içinde parlayan ateşli bir öfkenin alevlerini körüklemeye çalışıyordu.

Bizi öldürmeye çalıştılar! Gözlerini kısarak tehlikeli denize bakınca, saldırganların başarılı olduğunu anladı. *Öldük sayılır.* Milne Buzul Katmanı'nda oynanan ölümcül oyun hakkındaki tüm gerçeği öğrenecek kadar yaşayamayacağını bildiği halde, suçlanacak kişiyi tahmin edebiliyordu.

En çok Müdür Ekstrom kârlı çıkacaktı. Onları dışarı gönderen Ekstrom'du. Pentagon ve Özel Operasyonlar'la bağları vardı. *Ama Ekstrom göktaşını buzun altına yerleştirmekle ne elde etmiş olabilir? İnsanın bu işten kazancı ne olur?*

Zach Herney'yi aklından geçiren Rachel, Başkan'ın komplocularla ortak olup olmadığını ya da perde arkasında yer alıp almadığını düşündü. *Herney hiçbir şey bilmiyor. O masum.* Başkan'ın NASA tarafından aldatıldığı belliydi. Artık Herney'nin NASA'yla ilgili duyuruyu yapmasına bir saat kalmıştı. Ve bunu dört sivil bilim adamının onay verdiği belgesel görüntüleriyle yapacaktı.

Dört *ölü* sivil bilim adamı.

Artık Rachel'ın basın konferansını durdurabilmek için yapabileceği hiçbir şey yoktu ama bu saldırıdan sorumlu kişinin yanına kâr kalmayacağına yemin etti.

Tüm gücünü toplayan Rachel olduğu yerde oturmaya çalıştı. Bacakları mermer gibiydi. Kollarını ve bacaklarını bükerken tüm eklemleri acıyla kıvrandı. Kendini yavaşça dizlerinin üstüne kaldırarak, buzun üstünde denge kurdu. Başı dönüyordu. Okyanus etrafında çalkalanıyordu. Yakınında yatan Tolland meraklı gözlerle ona baktı. Rachel, dua ettiğini düşündüğünü tahmin etti. Aslında az sonra teşebbüs edeceği şey düşünüldüğünde onları ancak dualar kurtarabilecek olsa da, elbette bunu yapmıyordu.

Rachel'ın beceriksizce beline giden eli, hâlâ kemerine bağlı duran buz kazmasını buldu. Kaskatı parmaklarıyla kazmanın sapını kavradı.

Kazmayı ters duran T şeklinde çevirdi. Sonra, tüm enerjisiyle sapı buza indirdi. *Pat.* Tekrar. *Pat.* Damarlarındaki kan kristalleşmiş şeker gibi bir his veriyordu. *Pat.* Tolland hayretle ona bakıyordu. Rachel kazmayı bir kez daha indirdi. *Pat.*

Tolland dirseğinin üstünde doğrulmaya çalıştı. "Ra... chel?"

Cevap vermedi. Sahip olduğu tüm enerjiye ihtiyacı vardı. *Pat. Pat.*

Tolland, "Bu kadar kuzeyde..." dedi. "OAD'nın duyabileceğini... sanmıyorum."

Rachel şaşırarak ona döndü. Tolland'ın okyanus bilimci olduğunu ve yapmaya çalıştığı şeyi anlayabileceğini unutmuştu. *Muhakeme doğru... ama OAD'yı çağırmıyorum.*

Vurmaya devam etti.

OAD, şimdilerde okyanus bilimcilerin balinaları dinlemek için kullandıkları Soğuk Savaş döneminden kalma bir Okyanusaltı Akustik Düzeni'ydi. Sualtındaki sesler yüzlerce mil kat ettiği için dünya çapında elli dokuz sualtı mikrofonundan oluşan OAD şebekesi gezegendeki okyanusların oldukça büyük bir kısmını dinleyebiliyordu. Ne yazık ki Kuzey Kutbu'nun bu ücra köşesi bu alana dahil değildi ama Rachel okyanus tabanını dinleyen başkaları olduğunu biliyordu; dünyadaki çok az kişinin varlığından haberdar olduğu kimseler. Vurmaya devam etti. Mesajı basit ve anlaşılırdı.

PAT. PAT. PAT.

PAT... PAT... PAT...

PAT. PAT. PAT.

Rachel yaptığının hayatlarını kurtaracağı hayaline kapılmamıştı; zaten vücudunu kaplayan soğuk gerginliği hissetmeye başlamıştı. Önünde yaşanacak yarım saati bile kaldığından şüpheliydi. Artık kurtulmak ihtimal dahilinde değildi. Ama bu yaptığının kurtulmakla ilgisi yoktu.

PAT. PAT. PAT.

PAT... PAT... PAT...

PAT. PAT. PAT.

Tolland, "Zaman... kalmadı..." dedi.

Rachel, *bizimle ilgisi... yok,* diye düşündü. *Cebimdeki bilgiyle ilgisi var.* Mark IX kıyafetinin Velcro cebindeki suç delili TAR çıktısını gözlerinin önüne getirdi. *TAR çıktısını UKO'ya ulaştırmalıyım... en yakın zamanda.*

Rachel bu haldeyken bile mesajını alacaklarından emindi. Seksenlerin ortalarında UKO, OAD'yı otuz kat daha güçlü bir düzenle değiştirmişti. Küresel kapsama: Classic Wizard, UKO'nun okyanus tabanındaki 12 milyon dolarlık kulağı. Birkaç saat içinde, İngiltere Menwith Hill'deki UKO/NSA dinleme üssünde bulunan Cray süper bilgisayarları, Kuzey Kutbu hidrofonlarının birinden gelen düzensiz sekansları yakalayacak, şifrenin SOS çağrısı olduğunu çözecek, koordinatları belirleyecek ve Grönland'daki Thule Hava Kuvvetleri Üssü'nden bir kurtarma uçağı kaldıracaktı. Uçak buzdağının üstünde üç kişi bulacaktı. Donmuş ve ölü olarak. İçlerinden biri UKO çalışanı çıkacaktı... ve cebinde tuhaf bir termal kâğıt bulunacaktı.

Bir TAR çıktısı.

Norah Mangor'ın son mirası.

Cankurtaranlar çıktıyı incelediklerinde, göktaşının altındaki gizemli tünel meydana çıkacaktı. Rachel bundan sonra neler olacağını tahmin edemiyordu ama en azından bu sır buzun üstünde onlarla birlikte kaybolmayacaktı.

60

Beyaz Saray'a her yeni gelen Başkan'a, eski Beyaz Saray mobilyalarından oluşan paha biçilmez koleksiyonların saklandığı ağır korumalı üç depoya özel bir tur düzenlenirdi. Bu depolarda George Washington'a kadar eski başkanlar tarafından kullanılan masalar, gümüş eşyalar, ofis malzemeleri, yataklar ve diğer eşyalar bulunurdu. Göreve başlayan Başkan tur sırasında dilediği yadigârı seçer ve kendi döneminde Beyaz Saray'ın dekorasyonunda kullanırdı. Sadece Lincoln Yatak Odası'ndaki yatak hiç değişmeyen bir Beyaz Saray mobilyasıydı. İşin tuhafı, Lincoln o yatakta hiç yatmamıştı.

Zach Herney'nin Oval Ofis'te şu an oturduğu masa bir zamanlar, çok sevdiği Harry Truman'a aitti. Modern standartlara göre küçük kalan bu masa, Zach Herney'ye "sorumsuzluğun" burada sona erdiğini ve yönetiminin her türlü kusurundan kendisinin mesul olduğunu hatırlatıyordu. Herney bu sorumluluğu taşımaktan onur duyuyor ve işin bitmesi adına çalışanlarını ne gerekiyorsa yapmaya motive etmek için elinden geleni yapıyordu.

Ofisten içeri göz atan sekreter, "Sayın Başkan?" diye seslendi. "Telefonunuz bağlandı."

Herney elini salladı. "Teşekkürler."

Telefona uzandı. Bu görüşmeyi gizli yapmayı tercih ederdi ama şu anda buna imkân olmadığını gayet iyi biliyordu. Tepesinde sivrisinek gibi dolaşan iki makyaj uzmanı, yüzüyle saçlarına çekidüzen veriyorlardı. Masasının tam önünde bir televizyon ekibi hazırlanıyor ve heyecanla strateji belirleyen danışman sürüleriyle halkla ilişkiler uzmanları ofiste fink atıyordu.

Bir saat kaldı...

Herney özel telefonunda yanan düğmeye bastı. "Lawrence? Orda mısın?"

"Burdayım." NASA müdürünün sesi kaygılı ve mesafeliydi.

"Orda her şey yolunda mı?"

"Fırtına tehlikesi geçmedi ama çalışanlarım uydu bağlantısının etkilenmeyeceğini söylediler. Hazırız. Bir saatten geri sayıyoruz."

"Mükemmel. Umarım moraller yerindedir."

"Yerinde. Çalışanlarım heyecanlı. Doğrusunu istersen az önce bira içtik."

Herney kahkaha attı. "Bunu duyduğuma sevindim. Dinle, bunu yapmadan önce arayıp sana teşekkür etmek istedim. Bu akşam, büyük bir akşam olacak."

Sesi biraz şüpheli gelen müdür, duraksadı. "Öyle olacak efendim. Bunun için uzun zamandır bekliyoruz."

Herney tereddüt etti. "Sesin bitap geliyor."

"Biraz gün ışığına ve gerçek bir yatağa ihtiyacım var."

"Bir saat daha. Kameralara gülümse, anın tadını çıkar, sonra seni D.C.'ye geri getirecek bir uçak göndeririz."

"Dörtgözle bekliyorum." Adamın yeniden sesi kesilmişti.

Yetenekli bir delege olan Herney, dinleme ve satır aralarında söylenenleri duyma eğitimi almıştı. Müdürün sesi bir şeylerin ters gittiğini söylüyordu. "Orda her şeyin yolunda olduğuna emin misin?"

"Kesinlikle. Tüm sistemler çalışıyor." Müdür konuyu değiştirmekte sabırsız davranıyordu. "Michael Tolland'ın belgeselinin son bölümünü gördün mü?"

Herney, "Şimdi seyrettim," dedi. "Harika bir iş çıkardı."

"Evet. Onu çağırman iyi oldu."

"Hâlâ sivilleri işe karıştırdığım için bana kızgın mısın?"

"Hem de nasıl!" Müdür her zamanki güçlü sesiyle homurdandı.

Bu, Herney'ye kendini daha iyi hissettirdi. *Ekstrom iyi,* diye düşündü. *Sadece biraz yorgun.* "Tamam, bir saat sonra uyduyla görüşürüz. Gidip olay yaratacak bir şeyler anlatalım."

"Tamam."

"Hey Lawrence?" Herney'nin sesi şimdi daha kısık ve ciddi çıkıyordu. "Orda çok iyi iş yaptın. Bunu asla unutmayacağım."

Habikürenin yakınlarında rüzgârla mücadele eden Delta-Üç, Norah Mangor'ın devrilen kızağını düzeltip toplamaya çalışıyordu. Tüm teçhizatı yükledikten sonra vinil örtüyü gerdi ve Mangor'ın ölü bedenini bağlayarak üstüne yerleştirdi. Kızağı farklı istikamete doğru iteceği sırada, iki ortağı buzuldan yukarı kayarak yanına geldiler.

Delta-Bir, "Planlar değişti," diye rüzgâra karşı bağırdı. "Diğer üçü kenardan aşağı düştü."

Delta-Üç şaşırmamıştı. Bunun ne anlama geldiğini biliyordu. Delta Gücü'nün, buzul üstünde kaza kurbanı dört ceset bırakma planı artık geçerli bir ihtimal değildi. Bir cesedi tek başına bırakmak, cevaplardan çok soru yaratırdı. "Temizleyelim mi?" diye sordu.

Delta-Bir başını salladı. "Ben fişekleri saklarım, siz ikiniz de kızaktan kurtulun."

Delta-Bir dikkatle bilim adamlarının bıraktığı izlerin üstünde ilerleyip, orada bulunduklarına dair her türlü ipucunu toplarken, Delta-Üç ile ortağı yüklü kızağı buzuldan aşağı sürüklediler. Tümseklerden geçerken biraz mücadele ettikten sonra, sonunda Milne Buzul Katmanı'nın sonundaki uçuruma vardılar. İtmeleriyle beraber, Norah Mangor ile kızağı sessizce kenardan aşağı, Kuzey Buz Denizi'ne kaydı.

Delta-Üç, *tertemiz oldu*, diye düşündü.

Üsse geri dönerlerken, kayaklarının bıraktığı izleri rüzgârın sildiğini görmek onu sevindirmişti.

61

Nükleer denizaltı *Charlotte* beş gündür Kuzey Buz Denizi'ndeydi. Burada bulunuşu son derece gizli tutuluyordu.

Bir Los Angeles-sınıfı denizaltı olan *Charlotte* "dinlemek ama duyulmamak" üzere tasarlanmıştı. Kırk iki tonluk türbin motorları, titreşimlere yol açmamak için askıya alınmıştı. Gizli ve sessiz ilerlemesi gerektiği halde LA-sınıfı denizaltı ardında, sudaki tüm keşif denizaltılarından daha büyük bir iz bırakıyordu. Burundan kıça 108 metre gelen gövde NFL futbol sahasına yerleştirilse, her iki kaleyi de delip geçerdi. ABD Deniz Kuvvetleri'nin ilk Hollanda-sınıfı denizaltısından yedi kat uzun olan *Charlotte*, tamamen daldığında 6927 ton su ile yer değiştiriyor ve otuz beş deniz mili hızla seyredebiliyordu.

Geminin normal seyir derinliği, yukarıdaki sonar yansımaları bozarak denizaltının radarda görünmemesini sağlayan doğal ısı derecesi termoklinin hemen altındaydı. 148 kişilik mürettebat ve azami elli metre dalış derinliğiyle gemi, Birleşik Devletler Deniz Kuvvetleri'nin en gelişmiş denizaltısı ve okyanus deviydi. Buharlaşan elektroliz oksijen sistemi, iki nükleer reaktörü ve mühendislik harikası donanımı sayesinde, hiç yüzeye çıkmadan dünya etrafında yirmi bir tur dönebilirdi. Çoğu gemide olduğu gibi mürettebat dışkısı otuz kiloluk bloklar halinde sıkıştırılarak okyanusa boşaltılıyordu; bu dev dışkı bloklarına şakayla "balina boku" denirdi.

Sonar odasındaki osilatör ekranının karşısında oturan teknisyen, dünyadaki en iyilerden biriydi. Beyni, ses ve dalga biçimlerinin bir sözlüğü gibiydi. Düzinelerce Rus denizaltı pervanesinin, yüzlerce deniz canlısının ve hatta Japonya kadar uzaklardan gelen sualtı volkanlarının sesini ayırt edebilirdi.

Ama şu anda yavan ve tekrarlayan bir yankıyı dinliyordu. Kolayca anlaşıldığı halde beklenmedik bir sesti.

Kulaklığını katalog asistanına uzatarak, "Kulaklıklarıma gelen sese inanmayacaksın," dedi.

Kulaklığı başına geçiren asistanı inanamayan bir ifadeyle bakıyordu. "Tanrım. Gün gibi ortada. Ne yapacağız?"

Sonar teknisyeni, kaptanı aramak üzere telefona sarılmıştı bile.

Denizaltı kaptanı sonar odasına geldiğinde teknisyen, hoparlörü açarak sonardan gelen sesleri dinletti.

Kaptan ifadesiz bir yüzle dinledi.

PAT. PAT. PAT.

PAT... PAT... PAT...

Daha yavaş. Daha yavaş. Ses düzeni ağırlaşıyor, hafifliyordu.

Kaptan, "Koordinatlar nedir?" diye sordu.

Teknisyen sesini düzeltti. "Doğrusu efendim, yüzeyden geliyor, sancağın üç mil uzağından."

62

Senatör Sexton'ın çalışma odasının dışındaki karanlık koridorda duran Gabrielle Ashe'in bacakları titriyordu. Kıpırdamadan durduğundan değil, dinledikleri yüzünden yaşadığı hayal kırıklığından. İçerideki odada yapılan toplantı devam ediyordu ama Gabrielle'ın başka bir kelime duymasına gerek kalmamıştı. Acı gerçek ortadaydı.

Senatör Sexton özel uzay kuruluşlarından rüşvet alıyor. Marjorie Tench gerçeği söylemişti.

Gabrielle'ın vücuduna yayılan tiksinti, uğradığı ihanetten kaynaklanıyordu. Sexton'a inanmıştı. Onun için savaş vermişti. *Bunu nasıl yapar?* Gabrielle, senatörün özel hayatını korumak için kamu önünde ara sıra yalan söylediğine şahit olmuştu ama bu iş siyasetle ilgiliydi. Yasaları çiğniyordu.

Daha seçilmedi ama Beyaz Saray'ı satmaya başlamış bile!

Gabrielle artık senatörü destekleyemeyeceğini biliyordu. NASA'nın özelleştirilmesi yasa tasarısını geçirmeye söz vermek, hukuku ve demokratik sistemi küçümseyip saymamak demekti. Senatör herkes için en iyisi olduğuna *inansa* bile, bu kararı satmak, Kongre'nin, danışmanların, oy verenlerin ve lobicilerin tartışmalarına kulak asmadan hükümetin yasama yürütme yargı organlarının suratına kapıyı çarpmak anlamına geliyordu. En önemlisi de, alenen zenginden yana çıkıp dürüst yatırımcıları hiçe sayan Sexton, NASA'nın özelleştirileceğine garanti vererek bu ön bilginin -yani içeriden verilen bilgi- suistimal edilmesine zemin hazırlamış oluyordu.

Midesi bulanan Gabrielle ne yapacağını düşündü.

Arkasında çalan telefon, koridordaki sessizliği bozmuştu. Gabrielle şaşkınlıkla arkasını döndü. Ses, antredeki dolaptan geliyordu; ziyaretçilerden birinin paltosundaki cep telefonundan.

Çalışma odasında Teksas aksanıyla konuşan biri, "İzninizle arkadaşlar," dedi. "Beni arıyorlar."

Gabrielle, adamın ayağa kalktığını duyabiliyordu. *Buraya geliyor!* Topukları üstünde dönüp halının üstünde geldiği yöne geri koşturdu. Koridorun ortasına varınca, Teksas'lının odadan koridora çıkmasıyla beraber, sola dönüp karanlık mutfağa gizlendi. Olduğu yerde kalan Gabrielle, karanlıkta kıpırdamadan duruyordu.

Teksas'lı, onun farkına varmadan yanından yürüyüp geçti.

Hızla çarpan kalbinin gümbürtüsüyle beraber, Teksas'lının dolabı karıştırdığını duyabiliyordu. Sonunda çalan telefonuna cevap verdi.

"Evet?... Ne zaman?... Sahi mi? Açarız şimdi. Sağ ol." Telefonu kapatıp çalışma odasına yönelen adam, yürürken seslendi. "Hey! Televizyonu açın. Zach Herney acil bir basın konferansı verecekmiş galiba. Saat yirmide. Tüm kanallardan. Ya Çin'e savaş açıyoruz ya da Uluslararası Uzay İstasyonu okyanusa düştü."

Birisi, "İşte buna içilir!" diye bağırdı.

Herkes güldü.

Gabrielle mutfağın etrafında döndüğünü hissediyordu. *Saat yirmide basın konferansı mı?* Galiba Tench blöf yapmamıştı. İlişkisini itiraf ettiği yeminli beyanı getirmesi için Gabrielle'a saat yirmiye kadar müddet vermişti. Tench, ona, *çok geç olmadan senatörle arana mesafe koy,* demişti. Gabrielle Beyaz Saray'ın bu süreyi ertesi günün gazetelerine yetişmesi için verdiğini sanmıştı ama artık kendi iddialarını kamuya duyuracakları anlaşılıyordu.

Acil bir basın konferansı mı? Gabrielle düşündükçe daha da tuhaf buluyordu. *Herney bu pislikle kendisi mi uğraşacak? Tek başına mı?*

Çalışma odasındaki televizyon açıldı. Bangır bangır bağırıyordu. Haber spikeri heyecanla konuşuyordu. "Beyaz Saray bu akşamki sürpriz başkanlık duyurusuyla ilgili ipucu vermedi. Spekülasyonlar devam ediyor. Bazı siyaset uzmanları, son zamanlarda kampanyası iyi gitmeyen Başkan Zach Herney'nin ikinci dönem seçimlerden çekilmeye hazırlandığını duyuracağını düşünüyor."

Odadan ümit dolu sevinç sesleri yükseldi.

Gabrielle bunun saçma olduğunu düşündü. Beyaz Saray'ın Sexton hakkında sahip olduğu onca kirli dosyadan sonra, Başkan'ın bu akşam havlu atmasına imkân yoktu. *Bu basın konferansı başka bir konuyla ilgili.* Gabrielle bunun ne olduğu hakkında önceden uyarıldığını düşününce karnına ağrılar saplandı.

Giderek artan bir telaşla saatine baktı. Bir saatten az kalmıştı. Bir karar vermesi gerekiyordu ve tam olarak kiminle konuşması gerektiğini biliyordu. Fotoğrafların durduğu zarfı kolunun altına sıkıştırarak, sessizce daireden dışarı çıktı.

Koridordaki koruma rahatlamış görünüyordu. "İçerden gelen neşeli sesleri duydum. Galiba başardınız."

Yavan bir gülümsemeyle asansöre yöneldi.

Dışarıda çökmeye başlayan akşam, her zamankinden daha soğuktu. Bir taksi durdurarak, arabaya bindi ve ne yaptığını tam olarak bildiği konusunda kendi kendine güven verdi.

Şoföre, "ABC televizyon stüdyoları," dedi. "Acele et."

63

Buzun üstünde yan yatan Michael Tolland, başını artık hissetmediği kolunun üstüne dayamıştı. Gözkapakları ağırlaşmış olsa da, açık tutmak için kendini zorluyordu. Tuhaf biçimde sallanıp durduğu geniş manzaralı noktadan, dünyasının son görüntülerini -sadece su ve buz- izliyordu. Hiçbir şeyin göründüğü gibi olmadığı bir güne yakışır bir sondu.

Suda yüzen buz parçasına esrarengiz bir sükûnet çökmeye başlamıştı. Rachel ile Corky'nin sesi kesilmiş, vurma sesi durmuştu. Buzuldan uzaklaştıkça rüzgâr sakinleşiyordu. Tolland kendi vücudunun da sakinleştiğini hissetti. Kulaklarını sıkıca örten berenin altından, kafasının içine yayılan kendi nefes alış sesini duyabiliyordu. Yavaşlıyor... seyrekleşiyordu. Gemiden kaçan mürettebat gibi uzuvlarından çekilerek, bilincini açık tutmak için son bir gayretle hayati organlarına akan kanının yarattığı basınç hissiyle vücudu artık mücadele edemiyordu.

Kaybedeceği bir savaş verdiğini biliyordu.

Tuhaftır ki, artık acı hissetmiyordu. O aşamayı geçmişti. Şimdi şişiriliyormuş gibi bir his hâkimdi. Uyuşukluk. Dalgalanmak. Refleksleri tepki vermeyi kesmeye başladığında -ilk önce göz kırpmayı- Tolland'ın görüşü bulanıklaştı. Gözünün korneası ile merceği arasındaki sıvı donuyordu. Bakışlarını arkasına, artık ay ışığında belli belirsiz beyaz bir siluet halinde görünen Milne Buzul Katmanı'na çevirdi.

Ruhu yenilgiyi kabul ediyordu. Varlıkla yokluk arasındaki ince çizgide gidip gelen Tolland, uzaktaki okyanus dalgalarını seyretti. Rüzgâr etrafında uğulduyordu.

O andan itibaren hayal görmeye başladı. Bilincini kaybetmesine saniyeler kalmış olmasına rağmen, tuhaftır ki kurtulduğunu hayal etmiyordu. Sıcak ve huzur verici hayaller görmüyordu. Kurduğu son düş dehşet vericiydi.

Buzdağının yanında, yüzeyi tüyler ürpertici bir uğultuyla yararak, sudan bir canavar yükseliyordu. Efsanevi bir deniz canavarı gibiydi: kaygan, siyah ve ölümcüldü, etrafında sular köpürüyordu. Tolland gözlerini kırpıştırmak için kendini zorladı. Görüşü bir nebze netleşmişti. Canavar, küçük bir tekneye kafa atan dev bir köpekbalığı gibi yükselerek yaklaşıyordu. Dev cüssesiyle önünde belirdi, derisi ıslaktı ve parlıyordu.

Bulanık görüntü kararmıştı ve artık sadece sesi geliyordu. Metalin metale sürtünme sesi. Buzu gıcırdatan dişler. Yaklaşıyordu. Bedenleri alıp götürüyordu.

Rachel...

Tolland sert bir şekilde birisinin onu yakaladığını hissetti.

Sonra, kendinden geçti.

64

Gabrielle Ashe, ABC Haber'in üçüncü kattaki yapım odasına son sürat koşarak girdi. Buna rağmen, odadakilerden daha yavaş hareket ediyordu. Yapım odası günün yirmi dört saati hararetli bir koşuşturma içinde olurdu ama şu anda karşısında duran kübik odadaki hava, tavana vuran borsa seansını andırıyordu. Gözleri fal taşı gibi açılmış editörler bölmelerin tepesinden birbirlerine bağırıyor, ellerindeki faksları sallayan muhabirler bir bölmeden diğerine koşuşturarak notları birbiriyle karşılaştırıyor, zıvanadan çıkmış stajyerler getir götür işlerinin arasında Snickers ile Mountain Dew atıştırıyordu.

Gabrielle ABC'ye Yolanda Cole'u görmeye gelmişti.

Yolanda genellikle prodüksiyonun en havalı bölümünde dururdu; düşünmek için sessizliğe ihtiyaç duyan karar mercilerine ayrılan cam duvarlı özel ofisler. Ama Yolanda bu akşam hengamenin ortasındaydı. Gabrielle'ı gördüğünde her zamanki yaygarayı kopardı.

"Gabs!" Yolanda batik bir şal almış ve bağa çerçeveli gözlükler takmıştı. Her zamanki gibi üstünden gösterişli takılar sallanıyordu. Yolanda el sallayarak paytak yürüyüşüyle yanına geldi. "Sarılayım!"

Yolanda Cole on beş yıldır Washington'daki ABC Haber'in yayın yönetmeniydi. Çilli bir Polonyalı olan Yolanda, herkesin "Anne" diye çağırdığı tıknaz ve seyrek saçlı bir kadındı. Anaçlığı ve şakacılığı, haber kapmakta gösterdiği acımasızlığı örtüyordu. Gabrielle, Yolanda'yla, Washington'a geldikten kısa süre sonra katıldığı Politikadaki Kadınlar Semineri'nde tanışmıştı. Gabrielle'ın geçmişi, D.C.'de kadın olmanın zorlukları ve son olarak da Elvis Presley'den bahsetmişlerdi. Bu, onları şaşırtan ortak bir tutkuydu. Yolanda, Gabrielle'ı kanatlarının altına almış ve bağlantı kurmasında yardımcı olmuştu. Gabrielle hâlâ hal hatır sormak için ayda bir iki kez ona uğrardı.

Gabrielle, onu sıkıca kucakladı. Yolanda'nın coşkusu, moralini düzeltmeye başlamıştı bile.

Geriye doğru adım atan Yolanda, baştan aşağı Gabrielle'ı süzdü. "Yüz yıl yaşlanmış gibi görünüyorsun! Sana ne oldu?"

Gabrielle sesini alçalttı. "Başım dertte Yolanda."

"Sokakta öyle demiyorlar. Seninki yükselişe geçmiş."

"Özel olarak konuşabileceğimiz bir yer var mı?"

"Zamanlaman kötü tatlım. Başkan yaklaşık yarım saat sonra basın konferansı verecek ve ne hakkında olduğuna dair en küçük bir ipucu alamadık. Uzman gözüyle yorum yapmam gerekiyor ama elim kolum bağlı."

"Basın konferansının ne hakkında olduğunu biliyorum."

Gözlüklerini aşağı indiren Yolanda, şüpheyle bakıyordu. "Gabrielle, Beyaz Saray'daki irtibatımız bu konuda hiçbir şey söyleyemiyor. Sexton'ın kampanyasının bilgiyi önceden edindiğini mi söylüyorsun?"

"Hayır, bilgiyi önceden edinen *benim.* Bana beş dakikanı ayır. Her şeyi anlatacağım."

Yolanda, Gabrielle'ın elindeki Beyaz Saray zarfına göz attı. "Bu Beyaz Saray dahili yazışma zarfı. Onu nerde buldun?"

"Bu akşamüstü Marjorie Tench'le yaptığım özel görüşmede."

Yolanda bir süre ona baktı. "Beni izle."

Yolanda'nın cam duvarlı kübik odasında Gabrielle, güvendiği dostuna sırrına açıklayarak, Sexton'la yaşadığı bir gecelik ilişkiyi itiraf etti ve Tench'in elinde delil olarak fotoğrafların bulunduğunu söyledi.

Yüzüne geniş bir gülümseme yayılan Yolanda, kahkaha atıp başını iki yana salladı. Anlaşılan hiçbir şeye şaşırmayacak kadar uzun süredir Washington'da gazetecilik yapıyordu. "Ah Gabs, Sexton'la senin ilişkiye girdiğinizi tahmin ediyordum. Hiç şaşırmadım. O, bu konuda ün yapmış biri, sen de hoş bir kızsın. Fotoğraflar kötü olmuş. Ama ben olsam endişelenmezdim."

Endişelenmez miydin?

Gabrielle, Tench'in Sexton'ı uzay şirketlerinden yasadışı rüşvet almakla suçladığını ve az önce bu gerçeği doğrulayan gizli bir toplantıya kulak misafiri olduğunu açıkladı. Yolanda'nın yüzünde hâlâ hazla dolu bir hayret ya da kaygı belirtisi yoktu. Gabrielle, ona bu konuda ne yapmayı düşündüğünü söylediğinde her şey bir anda değişti.

Yolanda şimdi evhamlı görünüyordu. "Gabrielle, eğer ABD senatörüyle yattığını ve o yalan söylerken yanında durduğunu itiraf eden resmi bir evrak vermek istiyorsan, bu senin bileceğin iş. Ama bak sana söylüyorum, senin için çok kötü olur. Senin için ne anlama geldiğini oturup uzun uzun düşünmelisin."

"Beni dinlemiyorsun. O kadar vaktim yok!"

"*Dinliyorum* canım ve zaman ne kadar kısıtlı olursa olsun, insanın yapacağı, yapmayacağı belli başlı şeyler vardır. Bir ABD senatörünü seks skandalıyla satamazsın. Bu intihar olur. Bak sana söylüyorum, eğer bir Başkan adayını alaşağı edersen, arabana atlayıp D.C.'den mümkün olduğunca uzağa kaçmalısın. Adın çıkacak. Pek çok kişi adayını başkanlığa yükseltmek için çokça para harcıyor. Burda çok büyük paralar ve güç söz konusu; insanların uğruna cinayet işlediği bir güç."

Gabrielle artık konuşmuyordu.

Yolanda, "Bence," dedi. "Tench, senin paniğe kapılıp aptalca bir şey yapman ümidiyle hareket etti. Kendini ortaya atıp ilişkiyi itiraf etmen gibi." Gabrielle'ın elindeki kırmızı zarfı işaret etti. "Sexton'la senin o pozların, ikinizden biri doğruluğunu itiraf edinceye dek hiçbir şey ifade etmez. Beyaz Saray bu fotoğrafları basına sızdırırsa, Sexton'ın sahte olduklarını iddia ederek Başkan'ın suratına fırlatacağını biliyor."

"Bunu düşündüm ama kampanya için rüşvet alınması meselesi hâlâ..."

"Tatlım, iyi düşün. Eğer Beyaz Saray rüşvet iddialarını hâlâ kamuya duyurmadıysa, bunu yapmaya niyeti yok demektir. Başkan olumsuz kampanyacılık yapılmaması konusunda hayli ciddi. Tahminimce uzay endüstrisi skandalını kendine saklayıp, şu seks meselesini örtbas etmekle seni korkutacağı ümidiyle Tench'i peşine saldı. Böylece kendi adayını sırtından bıçaklatacak."

Gabrielle bunu düşündü. Yolanda mantıklı konuşuyordu ama hâlâ tuhaf gelen bir şeyler vardı. Gabrielle camdan, telaş içindeki haber odasını işaret etti. "Yolanda, siz büyük bir başkanlık basın konferansı için hazırlık yapıyorsunuz. Başkan rüşvet ya da seksten bahsetmeyecekse, ne hakkında konuşacak?"

Yolanda şaşırmıştı. "Dur biraz. Sen bu basın konferansının Sexton'la senin hakkında olduğunu mu düşünüyorsun?"

"Ya da rüşvet. Veya her ikisi birden. Tench, bana itirafnameyi imzalamak için bu akşam yirmiye kadar vaktim olduğunu söyledi yoksa Başkan yaptığı duyuruda..."

Yolanda'nın kahkahası odanın camlarını sarsmıştı. "Ah lütfen! Dur biraz! Beni öldüreceksin!"

Gabrielle şaka kaldıracak havada değildi. "Ne!"

Yolanda kahkahalarının arasında konuşmayı başardı. "Gabs dinle, bu konuda bana güven. On altı yıldır Beyaz Saray'la ilgileniyorum ve

Zach Herney'nin *dünya* medyasını, Senatör Sexton'ın kampanyasına kirli para aldığından şüphelendiğini veya seninle yattığını söylemek için toplamasına imkân yok. Bu senin *sızdırdığın* bilgi. Başkanlar kampanyalara yasadışı olduğundan şüpheli para yardımı alındığı veya seks konusunda hayıflanmak için yayın akışını bölerek popülerlik kazanmazlar."

Gabrielle, "Şüpheli mi?" diye lafa daldı. "Yasa tasarısı hakkındaki kararını, milyonlarca dolarlık reklam parası karşılığında satmak oldukça şüpheli bir mesele!"

"Sexton'ın bunu yaptığından *emin* misin?" Yolanda'nın sesi ciddileşmişti. "Ulusal televizyonda eteğini aşağı indirecek kadar emin misin? Bunu düşün. Bu günlerde bir işi yaptırmak için güç birliği gerekiyor ve kampanya parası toplamak karışık bir mesele. Belki de Sexton'ın toplantısı son derece yasaldı."

Gabrielle, "Kanunları çiğniyor," dedi. *Yoksa öyle yapmıyor mu?*

"Ya da Marjorie Tench, senin buna inanmanı istedi. Adaylar her zaman büyük şirketlerden el altından yardım kabul eder. Hoş olmayabilir ama yasadışı da sayılmaz. Aslına bakarsan, yasal davaların çoğu paranın nerden geldiğiyle değil, adayın onu nasıl harcadığıyla ilgilenir."

Artık emin olamayan Gabrielle, tereddüt etti.

"Gabs, bu akşamüstü Beyaz Saray sana oyun oynadı. Seni kendi adayına karşı kullanmak istediler ve şu ana kadar sen de blöflerini yedin. Güvenecek birini arasaydım, Marjorie Tench gibi birinin gemisine atlamadan önce Sexton'a yapışırdım."

Yolanda'nın telefonu çaldı. Başını sallayıp, hı-hı diyerek cevap verdi ve notlar aldı. Sonunda, "İlginç," dedi. "Hemen geliyorum. Teşekkürler."

Yolanda telefonu kapatıp kaşını kaldırarak ona döndü. "Gabs, sanırım paçayı kurtardın. Aynen tahmin ettiğim gibi."

"Neler oluyor?"

"Henüz emin değilim ama sana şu kadarını söyleyebilirim. Başkan'ın basın konferansının seks skandallarıyla veya kampanya parasıyla alakası yok."

Bir an ümide kapılan Gabrielle, ona inanmak istedi. "Bunu nerden biliyorsun?"

"İçerden biri basın konferansının NASA'yla ilgili olduğu bilgisini sızdırdı."

Gabrielle aniden doğruldu. "NASA mı?"

Yolanda göz kırptı. "Şanslı gecen olabilir. Bence Başkan Herney, Senatör Sexton yüzünden o kadar baskı altına girdi ki, Uluslararası Uzay İstasyonu'nun fişini çekmekten başka çaresi kalmadı. Dünya medyasını çağırmasının nedeni bu olabilir."

Uzay istasyonunu sona erdiren bir basın konferansı mı? Gabrielle'ın aklı ermiyordu.

Yolanda ayağa kalktı. "Akşamüstü Tench'in söylediklerine gelince. Herhalde Başkan kötü bir haberle halka duyuru yapmadan önce, Sexton'ın ayağını kaydırmak için son bir hamle yaptı. Bir diğerinin başarısız başkanlığından dikkatleri uzaklaştırmak için seks skandalı gibisi yoktur. Her neyse Gabs, yapacak işlerim var. Sana tavsiyem: kendine bir fincan kahve al, burda otur, televizyonumu aç ve bunu bizimle birlikte seyret. Gösterinin başlamasına yirmi dakika var ve sana diyorum ki, Başkan'ın bu akşam ucuz işler peşinde koşmasına imkân yok. Bütün dünya onu seyredecek. Söyleyeceği her neyse, büyük önem taşıyor olmalı." Güven telkin edici bir ifadeyle göz kırptı. "Şimdi zarfı bana ver."

"Ne?"

Yolanda kararlılıkla elini uzattı. "O fotoğraflar bu iş bitene kadar masamda kilitli duracak. Aptalca bir şey yapmayacağından emin olmak istiyorum."

Gabrielle istemeden zarfı ona verdi.

Fotoğrafları özenle masasının çekmecesine kilitleyen Yolanda, anahtarı cebine attı. "Bana teşekkür edeceksin Gabs, yemin ederim." Dışarı çıkarken, şakayla Gabrielle'ın saçlarını karıştırdı. "Dik otur. Galiba iyi haberler yolda."

Cam odada tek başına oturan Gabrielle, Yolanda'nın neşeli tavırlarının moralini düzeltmesini bekledi. Ama tek düşünebildiği, akşamüstü Marjorie Tench'in yüzündeki halinden memnun gülümsemeydi. Başkan'ın dünyaya ne söyleyeceğini tahmin edemiyordu ama Senatör Sexton için iyi haber olmadığı kesindi.

65

Rachel Sexton diri diri yandığını hissediyordu.

Ateş yağıyor!

Gözlerini açmaya çalıştı ama tek görebildiği buharlı şekillerle göz alıcı ışıklardı. Üstüne yağmur yağıyordu. Haşlayıcı sıcak yağmur. Çıplak tenine dökülüyordu. Yan yatmıştı ve vücudunun altındaki sıcak döşemeyi hissedebiliyordu. Yukarıdan düşen yakıcı sıvıdan kendini korumaya çalışarak, cenin pozisyonuna gelecek şekilde biraz daha kıvrıldı. Burnuna kimyasalların kokusu geliyordu. Klor olabilirdi. Sürünerek uzaklaşmak istedi ama yapamadı. Omuzlarından bastıran güçlü eller onu tutuyordu.

Bırakın gideyim! Yanıyorum!

İçgüdüsel olarak yine kaçmaya çalıştı ama bir kez daha güçlü eller onu zapt etti. Amerikan aksanıyla konuşan bir adam, "Olduğun yerde kal," dedi. Profesyoneldi. "Yakında bitecek."

Rachel, *ne bitecek*, diye düşündü. *Acı mı? Hayatım mı?* Görüşünü netleştirmeye çalıştı. İçerideki ışık çok parlaktı. Odanın küçük olduğunu sezinledi. Sıkışıktı. Tavan alçaktı.

"Yanıyorum!" Rachel'ın çığlığı fısıltı halinde çıkmıştı.

Ses, "İyi durumdasın," dedi. "Bu su ılık. Güven bana."

Rachel yarı çıplak vaziyette olduğunu fark etti, üstünde sadece ıslak iç çamaşırları vardı. Utanç hissetmedi; aklı başka sorularla meşguldü.

Hatıralar canlanmaya başlamıştı. Buz katmanı. TAR. Saldırı. *Kim? Neredeyim?* Parçaları bir araya getirmeye çalıştı ama kafası, birbirine takılmış dişliler gibi çalışmıyordu. Tüm o zihin karmaşasının içinde tek bir düşünce belirdi: *Michael ve Corky... onlar nerede?*

Gözlerindeki bulanıklığı gidermeye çalıştı ama tek görebildiği tepesine dikilen adamlardı. Hepsi de aynı mavi tulumları giymişlerdi. Konuşmak istedi ama ağzından tek bir kelime çıkmıyordu. Derisindeki yanma hissi yerini, kaslarına sismik sarsıntılar gibi yayılan acı dalgalarına bıraktı.

Başında duran adam, "Kendini bırak," dedi. "Kanın yeniden kas sistemine akması lazım." Doktor gibi konuşuyordu. "Kollarınla bacaklarını elinden geldiğince hareket ettir."

Rachel'ın bedenine işkence eden acı, her bir kası çekiçle dövülüyormuş gibi hissettiriyordu. Göğsü kasılmış bir halde döşemenin üstünde yatarken, güçlükle nefes alıyordu.

Adam, "Kollarınla bacaklarını hareket ettir," diye ısrar etti. "Ne kadar acıdığının önemi yok."

Rachel denedi. Her hareketi eklemlerine bıçak saplanmış gibi hissettiriyordu. Fıskıyelerden yeniden sıcak sular dökülüyordu. Yine haşlanıyordu. Acı devam ediyordu. Daha fazla dayanamayacağını düşündüğü anda, birinin kendisine iğne yaptığını hissetti. Acı hızla kayboluyor, şiddeti azalıyor, rahat bırakıyordu. Titremeler yavaşladı. Yeniden nefes aldığını hissetti.

Şimdi vücudunu başka bir his kaplamıştı, iğne batmaları. Her yerine iğneler batıyordu. Milyonlarca minik iğne ucu, her hareket ettiğinde biraz daha şiddetle batıyordu. Kıpırdamamaya çalıştı ama su fıskıyeleri onu hırpalamaya devam etti. Başında duran adam kollarını tutmuş hareket ettiriyordu.

Tanrım bu acı veriyor! Rachel karşı koyamayacak kadar güçsüzdü. Yanaklarından aşağı bitkinlik ve acı gözyaşları aktı. Gözlerini sıkıca kapayarak, dünyayı dışarıda bıraktı.

Sonunda iğne batmaları hafiflemişti. Yukarıdan yağan yağmur durdu. Rachel gözlerini açtığında daha iyi görüyordu.

O zaman onları gördü.

Corky ile Tolland titreyerek, yarı çıplak ve sırılsıklam bir halde yanında yatıyorlardı. Yüzlerindeki ıstıraplı ifadeden, onların da aynı tecrübeyi yaşadığını anladı. Michael Tolland'ın kahverengi gözlerine kan oturmuştu ve donuk bakıyordu. Rachel'ı gördüğünde, titreyen mavi dudaklarıyla zar zor gülümsedi.

Rachel tuhaf ortamı görmek için doğrulmaya çalıştı. Üçü de, küçük bir duş odasının zemininde, yarı çıplak halde titreyerek yatıyordu.

66

Güçlü kollar onu yukarı kaldırdı.

Rachel, güçlü yabancıların vücudunu kurulayıp battaniyelere sardığını hissetti. Bir çeşit hasta yatağına yerleştiriliyor, kollarına, bacaklarına ve ayaklarına masaj yapılıyordu. Kolundan başka bir iğne yedi.

Birisi, "Adrenalin," dedi.

Rachel damarlarında ilerleyen ilacın yaşam gücü gibi, kaslarını canlandırdığını hissetti. Karnında hâlâ davul gibi gergin dondurucu bir boşluk hissetmesine rağmen, kanın kol ve bacaklarına yavaşça döndüğünü sezdi.

Ölümden döndüm.

Uzağı görmeye çalıştı. Adamlar vücutlarına masaj yaparken battaniyeler içinde titreyerek yatan Corky ve Tolland'a da iğne yapılıyordu. Rachel'ın, bu gizemli adamlar topluluğunun hayatlarını kurtardığına hiç şüphesi yoktu. Yardım etmek için kıyafetleriyle duşa girdikleri anlaşılan adamların çoğu ıslaktı. Kim oldukları ya da Rachel ile diğerlerine vaktinde nasıl yetiştikleri onu ilgilendirmiyordu. Şu anda hiçbir şeyi değiştirmezdi. *Yaşıyoruz.*

Rachel, "Nerdeyiz?" diyebildi. Konuşmaya çalışmak kadar basit bir eylem başının şiddetle ağrımasına neden olmuştu.

Ona masaj yapan adam, "Los Angeles- sınıfı denizaltının revirinde..."

Birisi, "*Hazır ol,*" diye seslendi.

Rachel etrafında bir kargaşa yaşandığını sezince, doğrulmaya çalıştı. Mavili adamlardan biri battaniyeleri kaldırıp destek vererek ona yardımcı oldu. Gözlerini ovuşturan Rachel, odaya birinin girdiğini gördü.

Gelen kişi güçlü bir Afrika kökenli Amerikalıydı. Yakışıklı ve otoriter. Haki renkte üniforma giyiyordu. Rachel'a yaklaşırken, "Rahat," diye emir verdi. Siyah gözleriyle Rachel'ı süzdü. Derin ve etkili sesiyle, "Harold Brown," dedi. "U.S.S. *Charlotte*'ın kaptanıyım. Peki siz kimsiniz?"

Rachel, *U.S.S. Charlotte*, diye düşündü. İsim bir yerlerden tanıdık geliyordu. "Sexton..." diye cevap verdi. "Ben Rachel Sexton."

Adam şaşırmış görünüyordu. Biraz daha yakınına gelerek, onu dikkatle inceledi. "Olur şey değil. Demek sizsiniz."

Rachel hiçbir şey anlamıyordu. *Beni tanıyor mu?* Rachel, adamı tanımadığına emindi. Yine de gözleri adamın yüzünden göğsündeki etikete kaydığında, ABD DENİZ KUVVETLERİ kelimeleriyle çevrili çapayı kavrayan o tanıdık kartal amblemini gördü.

Charlotte ismini nereden tanıdığını şimdi anlıyordu.

Kaptan, "Gemiye hoş geldiniz Bayan Sexton," dedi. "Bu geminin keşif raporlarını özetlemiştiniz. Kim olduğunuzu biliyorum."

"Ama bu sularda ne arıyorsunuz?" diye mırıldandı.

Kaptanın yüzü biraz sertleşmişti. "Samimi olmak gerekirse Bayan Sexton, ben de size aynı soruyu soracaktım."

Konuşmak için ağzını açan Tolland yerinde doğruldu. Rachel başını sertçe iki yana sallayarak onu susturdu. *Burada olmaz. Şimdi olmaz.* Tolland ile Corky'nin ilk iş göktaşı ve saldırıdan bahsetmek isteyeceklerine hiç şüphesi yoktu ama bu kesinlikle denizaltı mürettebatının önünde tartışılacak bir konu değildi. İstihbarat dünyasında krizin boyutları ne olursa olsun, GÜVENLİK her şeyden önce gelirdi; göktaşı meselesi çok gizli bir konuydu.

Kaptana, "UKO direktörü William Pickering ile görüşmem lazım," dedi. "Özel olarak ve hemen."

Kendi gemisinde emir almaya alışkın olmadığı anlaşılan kaptan, kaşlarını yukarı kaldırdı.

"İletmem gereken çok önemli bilgiler var."

Kaptan uzun süre ona baktı. "Vücut ısınız normale dönsün, ondan sonra UKO direktörü ile sizi görüştüreceğim."

"Çok acil efendim. Ben..." Rachel o an sustu. Ecza dolabının üstündeki duvarda duran saat gözüne ilişmişti.

19.51.

Rachel bakakalmıştı. "Bu... bu saat doğru mu?"

"Deniz Kuvvetleri gemisindesiniz bayan. Saatlerimiz dakiktir."

"Ve bu... *Doğu Bölgesi* saati mi?"

"Evet. Norfolk'tan yola çıktık."

Sersemleşen Rachel, *Tanrım*, diye düşündü. *Saat hâlâ 19.51 mi?* Kendinden geçeli saatler olduğunu zannediyordu. Ama saat henüz yirmi bile olmamıştı. *Başkan henüz göktaşını kamuya duyurmadı!* Hâlâ *onu durduracak vaktim var!* Hemen battaniyeye sarınarak yataktan aşağı indi. Bacakları titriyordu. "Hemen Başkan'la konuşmalıyım."

Kaptanın aklı karışmışa benziyordu. "Ne başkanıyla?"

"Birleşik Devletler."

"William Pickering'le görüşmek istediğinizi sanıyordum."

"Vaktim yok. Başkan'la görüşmem lazım."

Dev cüssesiyle yolu kapayan kaptan, kıpırdamıyordu. "Anladığım kadarıyla Başkan çok önemli bir canlı basın konferansı vermek üzere. Özel telefon görüşmelerini kabul ettiğini sanmıyorum."

Rachel sendeleyen bacaklarının üstünde elinden geldiğince dik durup, kaptanın gözlerinin içine bakmaya çalıştı. "Size durumu açıklayabileceğim güvenlik iznine sahip değilsiniz, ama Başkan korkunç bir hata yapmak üzere. Kendisine mutlaka duyması gereken bir haber iletmeliyim. Şimdi. Bana güvenmek zorundasınız."

Kaptan uzun süre ona baktı. Kaşlarını çatarak, yeniden saate baktı. "Dokuz dakika var. Bu kadar kısa sürede Beyaz Saray'la güvenli bir bağlantı kuramam. Sadece radyofon bağlantısı kurabilirim. Güvenli değil. Ayrıca anten derinliğine çıkmamız gerekir bu da birkaç..."

"Yapın! Hemen!"

67

Beyaz Saray telefon santrali, Doğu Kanadı'nın alt katında yer alıyordu. Üç santral memuru her daim görev başında bulunurdu. Şu anda santralde iki memur oturuyordu. Üçüncüsü Brifing Salonu'na doğru son sürat koşturuyordu. Elinde telsiz bir telefon taşıyordu. Aramayı Oval Ofis'e yönlendirmeye çalışmıştı ama Başkan basın konferansına başlamak üzereydi. Cep telefonlarından yardımcılarına ulaşmaya çalışmıştı ama televizyon brifinglerinden önce, çekimleri bölmemek için Brifing Salonu ve etrafındaki tüm cep telefonları kapatılırdı.

Böylesi bir zamanda Başkan'a telsiz telefon taşımak olmayacak bir işti, ama Beyaz Saray'ın UKO bağlantısı, canlı yayından önce Başkan'a acil bir bilgi iletmesi gerektiği iddiasıyla aradığında, santral memuru hiç tereddüt etmeden yerinden fırlamıştı. Şimdi asıl sorun, oraya vaktinde yetişip yetişemeyeceğiydi.

Rachel Sexton, U.S.S. *Charlotte*'taki küçük bir muayene odasında telefon ahizesini kulağına yapıştırmış, Başkan'la konuşmayı bekliyordu. Hâlâ berbat görünen Corky ile Tolland yanı başındaydılar. Corky'nin yanağında beş dikiş ve derin bir yara izi vardı. Üçüne de Thinsulate termal iç çamaşırları, Deniz Kuvvetleri uçuş tulumları, büyük çoraplar ve balıkçı çizmeleri giydirilmişti. Elinde sıcak bir bardak bayat kahve tutan Rachel, kendini yeniden insan gibi hissetmeye başlamıştı.

Tolland, "Niye bekletiyorlar?" diye bastırdı. "Saat on dokuz elli altı oldu."

Rachel'ın aklına bir sebep gelmiyordu. Beyaz Saray santral memurlarından birine başarıyla ulaşmış, kim olduğunu ve bunun acil bir durum olduğunu açıklamıştı. Sempatik davranan operatör, Rachel'ı beklemeye almıştı. Herhalde şimdi de Rachel'ı Başkan'a bağlama işini kendine birincil görev edinmişti.

Rachel, *dört dakika*, diye düşündü. *Acele et!*

Gözlerini kapayan Rachel, düşüncelerini toparlamaya çalıştı. Zor bir gün olmuştu. Kendi kendine, *nükleer bir denizaltıdayım,* derken, herhangi bir yerde bulunduğu için şanslı olduğunun bilincindeydi. Denizaltı kaptanının söylediğine göre, *Charlotte* iki gün önce Bering Denizi'ndeki rutin seyrini yaparken, Milne Buzul Katmanı'ndan anormal sualtı sesleri gelmişti: delme ve motor sesleri, yoğun telsiz şifresi trafiği. Onlara rotalarını değiştirmeleri ve sessizce durup dinlemeleri söylenmişti. Bir saat kadar önce buz katmanından gelen patlama sesini duymuş ve kontrol etmek üzere harekete geçmişlerdi. Rachel'ın SOS çağrısını o zaman duymuşlardı.

"Üç dakika kaldı!" Tolland saate bakarken endişeli bir sesle konuşuyordu.

Rachel'ın artık asabı bozulmaya başlamıştı. Bu kadar uzun sürmesine sebep neydi? Başkan çağrısına neden cevap vermiyordu? Zach Herney sahip olduğu verilerle duyuru yaparsa...

Bu düşünceyi zorla aklından uzaklaştıran Rachel, ahizeyi salladı. *Aç şunu!*

Beyaz Saray santral memuru Brifing Salonu'nun sahne girişine daldığında, sayıları artan elemanlarla karşılaştı. Herkes son hazırlıkları yaparken, heyecanla konuşuyordu. Başkan'ın yirmi metre ötedeki girişte beklediğini gördü. Makyözler hâlâ saçını tarıyorlardı.

Kalabalığın arasından geçmeye çalışan santral memuru, "Yol açın!" dedi. "Başkan'a telefon var. Affedersiniz. Yol açın!"

Bir medya koordinatörü, "*Canlı yayına iki dakika!*" diye bağırdı.

Telefonu sımsıkı kavrayan memur, itişip kakışarak Başkan'a doğru yürümeye devam etti. Nefes nefese, "Başkan'a telefon var!" dedi. "Yol açın!"

Yolunun üstüne dev bir engel çıkmıştı. Marjorie Tench. Başdanışman onaylamayan bir ifadeyle uzun yüzünü buruşturdu. "Neler oluyor?"

"Acil durum!" Santral memurunun nefesi kesilmişti. "Telefon Başkan'a."

Tench şüpheyle bakıyordu. "Şimdi olmaz, yapamazsın!"

"Arayan Rachel Sexton. Acil olduğunu söylüyor."

Tench öfkeden çok şaşkınlıkla yüzünü buruşturuyor gibiydi. Telsiz telefona baktı. "Bu Beyaz Saray hattı. Güvenli değil."

"Hayır efendim. Ama gelen çağrı zaten hatta. Radyofondan arıyor. Başkan'la hemen konuşması gerekiyormuş."

"*Canlı yayına doksan saniye!*"

Tench soğuk gözlerini ona dikerek, örümceğe benzeyen elini uzattı. "Telefonu bana ver."

Santral memurunun kalbi hızla çarpıyordu. "Bayan Sexton doğrudan Başkan Herney'le görüşmek istiyor. Başkan'la konuşana kadar basın konferansını ertelememi istedi. Onu..."

Santral memuruna doğru adım atan Tench, öfkeli bir fısıltıyla konuşuyordu. "Sana bu işlerin nasıl yürüdüğünü anlatayım. Emirleri Başkan'ın rakibinin kızından değil, benden alıyorsun. Ben ne halt döndüğünü anlayana kadar Başkan'a en fazla bu kadar yaklaşabileceğine seni temin ederim."

Santral memuru, etrafı mikrofon teknisyenleri, kuaförler ve konuşmasındaki son değişiklikleri yapan elemanlarla çevrili Başkan'a baktı.

Televizyon danışmanı, "Altmış saniye!" diye bağırdı.

Rachel Sexton telefon hattında nihayet bir tıkırtı duyduğunda, *Charlotte*'taki daracık odada aşağı yukarı volta atıyordu.

Kaba bir ses cevap verdi. "Alo?"

Rachel, "Başkan Herney?" diye afalladı.

Ses, "Marjorie Tench," diye düzeltti. "Ben Başkan'ın başdanışmanıyım. Her kimseniz sizi uyarmalıyım, Beyaz Saray'ı telefonla işletmek yasalara..."

Tanrı aşkına! "İşletmiyorum! Ben Rachel Sexton. Sizin UKO bağlantınız ve..."

"Rachel Sexton'ın kim olduğunu biliyorum bayan. Ve sizin o olduğunuzdan şüphem var. Büyük bir başkanlık yayınını durdurmamı istemek için Beyaz Saray'ın güvenli olmayan hattından aradınız. Sizin gibi biri için bu pek uygun bir..."

Rachel, "Dinleyin," diye parladı. "Tüm çalışanlarınıza birkaç saat önce göktaşı hakkında brifing verdim. Siz ön sırada oturuyordunuz. Başkan'ın masasının üstündeki televizyon ekranından beni seyrettiniz! Sorunuz var mı?"

Tench bir süre sustu. "Bayan Sexton, bunun anlamı nedir?"

"Bunun anlamı şu ki, Başkan'ı durdurmalısınız! Göktaşı hakkındaki bilgiler tümüyle yanlış! Göktaşının buzulun altından oraya yerleştirildiğini öğrendik. Kimin neden yaptığını bilmiyorum! Ama işler burda göründüğü gibi değil! Başkan ciddi biçimde yanlış verileri sunmak üzere ve şiddetle tavsiye ederim..."

"Bekle lanet olası bir dakika!" Tench sesini alçaltmıştı. "Ne söylediğinin farkında mısın?"

"Evet! NASA müdürünün geniş çaplı bir oyun hazırladığını düşünüyorum ve Başkan Herney bu tuzağa düşmek üzere. Konferansı en azından on dakika erteleyin ki, kendisine burda olupbitenleri anlatabileyim. Tanrı aşkına, biri bizi öldürmeye çalıştı!"

Tench'in sesi buz gibiydi. "Bayan Sexton, size bir uyarıda bulunacağım. Bu kampanyada Beyaz Saray'a yardım etmek konusunda farklı bir düşünceniz varsa, bunu o göktaşıyla ilgili verileri Başkan için doğrulamadan önce düşünmeliydiniz."

"Ne!" *Acaba beni dinliyor mu?*

"Sergilediğiniz tavırlar midemi bulandırdı. Güvenli olmayan bir hattan aramak ucuz bir numara. Göktaşıyla ilgili verilerin yanlış olduğunu ima etmek, hah! Nasıl bir istihbarat görevlisi Beyaz Saray'ı radyofondan arayıp gizli bilgilerden bahseder? Belli ki bu mesajı başka birilerinin duymasını ümit ediyorsunuz."

"Bu yüzden Norah Mangor öldürüldü! Dr. Ming de öldü. Uyarmak zorunda..."

"Orda dur! Ne tür bir oyun oynadığını bilmiyorum ama sana -ve bu telefonu dinleyen herkese- hatırlatırım ki, Beyaz Saray'ın elinde NA-

SA'nın en iyi bilim adamlarının, pek çok ünlü sivil bilim adamının ve *senin* Bayan Sexton, göktaşıyla ilgili bilgilerin doğruluğunu teyit eden video kayıtları var. Acaba neden hikâyeni birden değiştirmeye karar verdiğini merak ediyorum. Sebebi her ne olursa olsun, şu andan itibaren Beyaz Saray görevinden alındığını kabul edebilirsin ve eğer bu keşfi daha fazla saçma iddiayla gölgelemeye çalışırsan, seni temin ederim Beyaz Saray'la NASA seni iftiradan öyle hızlı dava eder ki, hapsi boylamadan önce bavulunu toplayacak zaman bile bulamazsın."

Rachel konuşmak için ağzını açtı ama tek kelime edemedi.

Tench, "Zach Herney, sana karşı cömert davrandı," diye lafa atladı. "Ve bu iş bana ucuz bir Sexton gösterisi gibi geliyor. Hemen vazgeç yoksa ödetiriz. Yemin ederim."

Telefon kapandı.

Kaptan kapıyı vurduğunda Rachel'ın ağzı hâlâ açıktı.

İçeri göz atan kaptan, "Bayan Sexton?" dedi. "Ulusal Kanada Radyosu'ndan zayıf sinyaller alıyoruz. Başkan Zach Herney basın konferansına başladı."

68

Beyaz Saray Brifing Salonu'ndaki podyumda duran Zach Herney, medya ışıklarının sıcaklığını hissederken tüm dünyanın seyrettiğini biliyordu. Beyaz Saray Basın Ofisi'nin başlattığı medya saldırısı, söylentilerle yayılmıştı. Duyurunun yapılacağını televizyondan, radyodan ya da internet haberlerinden duymayanlar, komşularından, iş arkadaşlarından veya ailesinden duymuştu. Saat 20.00 olduğunda, mağarada yaşamayan herkes Başkan'ın duyurusu hakkında yorum yapıyordu. Dünyadaki bar ve salonlarda milyonlarca insan merak içinde televizyonun karşısına geçmişlerdi.

Zach Herney bu gibi zamanlarda -dünyayla yüz yüze geldiğinde- makamının ağırlığını gerçekten hissediyordu. İktidarın bağışıklık yapmadığını söyleyenler onu yaşamamışlardı. Ama Herney konuşmasına başladığında bir şeylerin ters gittiğini hissetti. Sahne korkusu olan biri değildi, bu yüzden şu anda içinde belirmeye başlayan korkuya bir anlam veremiyordu.

Kendi kendine, *seyircinin kalabalıklığı yüzünden,* dedi. Ama yine de başka bir şey olduğunu biliyordu. İçgüdüsel. Gördüğü bir şey yüzünden.

Çok küçük bir şeydi, ama yine de...

Kendi kendine unutması gerektiğini söyledi. Hiçbir şey yoktu. Ama yine de aklına takılmıştı.

Tench.

Dakikalar önce Herney sahneye çıkmaya hazırlanırken, Marjorie Tench'i sarı koridorda telsiz telefonla konuşurken görmüştü. Kendi başına bu bile garipti ama onun yanında duran Beyaz Saray santral memurunun korkudan bembeyaz kesilen yüzü durumu daha da garipleştiriyordu. Herney, Tench'in telefon görüşmesini duyamamıştı ama tartıştığını görebilmişti. Tench, Başkan'ın ender şahit olduğu bir hiddet ve öfkeyle tartışıyordu. Bir süre durup merakla ona bakmıştı.

Tench başparmağını yukarı kaldırıp, her şey yolunda işareti yapmıştı. Herney, onun *hiç kimseye* hiçbir zaman her şey yolunda işareti yaptığını görmemişti. Sahneye çıkarken, Herney'nin aklında kalan son görüntü buydu.

Ellesmere Adası'ndaki NASA habiküresinde basına ayrılan bölümde duran mavi halının üstünde, Müdür Lawrence Ekstrom yanında NASA yetkilileri ve bilim adamlarıyla, uzun sempozyum masasının ortasına oturmuştu. Onlara karşı duran geniş bir ekrandan Başkan'ın açılış konuşması naklen yayınlanıyordu. Monitörlerin etrafında toplanmış diğer NA-

SA çalışanları, başkomutanları basın konferansına başlarken heyecandan yerlerinde duramıyorlardı.

Her zamankinden daha ciddi bir tonla konuşan Herney, "İyi akşamlar," dedi. "Sevgili vatandaşlarım ve dünyadaki dostlarım..."

Ekstrom, karşısında büyük bir özenle sergilenen siyah taşa göz gezdirdi. Gözleri, dev bir Amerikan bayrağı ve NASA logosunun önünde, en önemli çalışanlarıyla yan yana kendisini seyrettiği yakındaki bir monitöre kaydı. Çarpıcı ışıklar, sahnenin neomodern bir tablo gibi görünmesine neden olmuştu; son akşam yemeğindeki on iki havari. Zach Herney tüm bu olanları siyasi bir gösteriye dönüştürmüştü. *Herney'nin başka şansı yoktu.* Ekstrom yine de kendini, topluluklar için Tanrı'yı ambalajlayan bir televizyon vaizi gibi hissediyordu.

Beş dakika içinde Başkan, Ekstrom'u ve onun NASA çalışanlarını tanıtacaktı. Ardından, dünyanın tepesindeki bir uydu bağlantısıyla NASA, bu haberi dünyayla paylaşan Başkan'a eşlik edecekti. Buluşun nasıl gerçekleştiğini ve uzay bilimi için ne anlama geldiğini anlatan kısa bir konuşmanın ve karşılıklı sırt sıvazlamaların ardından, NASA ile Başkan görevi ünlü bilim adamı Michael Tolland'a devredecekti. Yaklaşık on beş dakika onun belgeseli gösterilecekti. Daha sonra güvenirlik ve hayranlık doruğa vurmuşken, Ekstrom ile Başkan gelecek günlerde NASA'nın yapacağı basın konferanslarıyla daha fazla bilgi aktarılacağının sözünü verip iyi geceler dileyeceklerdi.

Ekstrom oturup sırasının gelmesini beklerken, içinde derin bir utanç hissetti. Böyle hissedeceğini biliyordu. Bunu bekliyordu.

Yalan söylemişti... gerçekleri saklamıştı.

Ama artık yalanlar bir şekilde önemsiz görünüyordu. Ekstrom'un içinde daha büyük bir sıkıntı vardı.

ABC yapım odasındaki karmaşanın içinde Gabrielle Ashe, kafalarını tavandan sarkan televizyon monitörlerine çevirmiş düzinelerce yabancıyla omuz omza duruyordu. O an geldiğinde bir sessizlik çöktü. Gabrielle gözlerini kapatıp açtığında kendi çıplak bedenine bakmamak için dua etti.

Senatör Sexton'ın çalışma odasında heyecanlı bir hava esiyordu. Şimdi tüm misafirleri ayakta durmuş, gözlerini büyük ekran televizyona kilitlemişlerdi.

Dünyanın karşısına çıkan Zach Herney, her nedense tuhaf bir selamlama yapmıştı. Sanki kararsız gibiydi.

Sexton, *zayıf görünüyor*, diye düşündü. *O asla zayıf görünmez.*

Birisi, "Şuna bakın," diye fısıldadı. "Haberler kötü olmalı."

Sexton, *acaba uzay istasyonu mu*, diye düşündü.

Herney kameranın içine bakıp derin bir nefes aldı. "Dostlarım, günlerdir bu duyuruyu nasıl yapmam gerektiğini düşünüp duruyorum..."

Senatör Sexton *tek bir kelime* söylemesini diliyordu. *Beceremedik.*

Herney bir süre NASA'nın bu seçimlere malzeme olmasının ne büyük bir talihsizlik olduğunu ve duyurusunun zamanlaması için özür dileyerek başlangıç yapması gerektiğini hissettiğini anlattı.

"Bu duyuruyu herhangi bir başka tarihte yapmayı tercih ederdim," dedi. "Yaşadığımız siyasi gerginlik, hayalperestleri şüpheci haline getirdi ve Başkan'ınız olarak, yeni öğrendiğim bu bilgiyi sizinle paylaşmaktan başka seçeneğim kalmadı." Gülümsedi. "Öyle görünüyor ki, kainatın mucizeleri insanların programlarına uymuyor... başkanlarınkine bile."

Sexton'ın odasındaki herkes sanki aynı anda çökmüştü. *Ne?*

Herney, "İki hafta önce NASA'nın Kutupsal Yörüngeli Yoğunluk Tarayıcısı, Ellesmere Adası'ndaki Milne Buzul Katmanı'nın üstünden geçti. Kuzey Buz Denizi'ndeki sekseninci paralelin üstündeki ıssız bir kara parçası," dedi.

Sexton ile diğerleri şaşkın gözlerle birbirlerine baktılar.

Herney devam etti. "Bu NASA uydusu, buzun altmış metre altında yüksek yoğunluklu büyük bir taş gömülü olduğunu tespit etti." Herney ilk defa gülümsüyordu. "Verileri alan NASA o an YGS'nin bir göktaşı bulduğundan şüphelenmişti."

Ayağa kalkan Sexton, "Göktaşı mı?" diye söylendi. "Haber bu mu?"

"NASA, nüve örnekleri çıkartmak için buz katmanına bir ekip gönderdi. İşte o zaman NASA..." Duraksadı. "Samimi olmak gerekirse, yüzyılın bilimsel keşfini yaptılar."

Sexton kuşkulu adımlarla televizyona yaklaştı. *Hayır...* Misafirleri tedirginlikle yerlerinde kıpırdandılar.

Herney, "Bayanlar baylar," diye anons yaptı. "Birkaç saat önce NASA Kuzey Kutbu'ndan sekiz tonluk bir göktaşı çıkardı ki..." Başkan yeniden durup, tüm dünyanın öne doğru eğilmesi için zaman tanıdı. "Bu göktaşında bir hayat biçiminin *fosilleri* var. Düzinelerce. Dünya dışındaki hayatın tartışmasız ispatı."

Bunun ardından Başkan'ın arkasındaki ekranda muhteşem bir görüntü aydınlandı; kararmış taşın içine gömülü böceğimsi bir yaratığın mükemmel netlikte fosili.

Sexton'ın çalışma odasındaki altı misafir, dehşetle koskocaman açtıkları gözlerle ayağa fırladılar. Sexton olduğu yerde donakalmıştı.

Başkan, "Dostlarım," dedi. "Arkamdaki fosil 190 milyon yaşında. Kuzey Buz Denizi'ne üç yüzyıl önce çarpan Jungersol Meteoru diye bilinen meteoritin bir parçası olduğu anlaşıldı. NASA'nın yeni YGS uydusu bu meteorit parçasını buz katmanına gömülü halde buldu. NASA ile yönetim kadrosu geçtiğimiz iki hafta süresince bu büyük buluşu halka duyurmadan önce her açıdan teyit etmek için büyük özen gösterdi. Önümüzdeki yarım saat içinde, sayısız NASA ve sivil bilim adamını dinleyecek, hepinizin tanıyacağından emin olduğum bir kişinin hazırladığı belgeseli seyredeceksiniz. Devam etmeden önce, Kuzey Kutup Dairesi'nin üstündeki uydudan canlı bağlantıyla, bu tarihi anı liderliğine, vizyonuna ve çalışkanlığına borçlu olduğumuz birini selamlamak istiyorum. Sizlere büyük bir gururla NASA Müdürü Lawrence Ekstrom'u takdim ediyorum."

Herney mükemmel bir zamanlamayla ekrana döndü.

Göktaşının resmi çözünerek yerini, iriyapısıyla göze çarpan Lawrence Ekstrom'un etrafındaki NASA bilim adamlarının oturduğu uzun masaya bıraktı.

"Teşekkürler Sayın Başkan." Ayağa kalkıp kameranın içine bakan Ekstrom'un ciddi ve mağrur bir ifadesi vardı. "Sizlerle NASA'nın bu en muhteşem anını paylaşmak bana büyük bir onur veriyor."

Ekstrom coşkuyla NASA ve keşfinden bahsetti. Vatanperverlik ve zafer naralarıyla, ünlü bilim adamı Michael Tolland'ın sunduğu belgesele kusursuz bir geçiş yaptı.

Senatör Sexton bunları seyrederken televizyonun önünde dizlerinin üstüne çöküp kır saçlarını yoldu. *Hayır! Tanrım, hayır!*

69

Brifing Salonu'nun neşeli hengâmesinden uzaklaşıp, Batı Kanadı'ndaki özel odasına giden Marjorie Tench'in kan beynine sıçramıştı. Kutlama yapacak havada değildi. Rachel Sexton'dan gelen telefonu hiç beklemiyordu.

Hayal kırıcıydı.

Odasının kapısını çarparak kapattı, ağır adımlarla masasına yürüdü ve Beyaz Saray santralini aradı. "William Pickering. UKO."

Bir sigara yakan Tench, operatör, Pickering'i bağlayana kadar odada volta attı. Pickering'in normalde akşam olduğundan eve gitmiş olması gerekiyordu. Ancak büyük gürültü koparan Beyaz Saray basın konferansı sebebiyle, dünyada UKO direktörünün önceden haberi olmaksızın nelerin döndüğünü merak edeceğini, bu yüzden televizyon ekranının karşısına yapışıp tüm akşamı ofiste geçireceğini tahmin etti.

Tench, Başkan, Rachel Sexton'ı Milne'e göndermek istediğini söylediğinde önsezilerine güvenmediği için kendine lanet etti. Gereksiz bir risk alındığını düşünerek kaygılanmıştı. Ama Başkan, Beyaz Saray çalışanlarının haftalardır kötümser bir ruh hali içinde olduklarını ve haberi içeriden duyduklarında NASA buluşundan şüphe edeceklerini söyleyerek Tench'i ikna etmişti. Herney'nin de vaat ettiği gibi Rachel Sexton'ın verdiği destek şüpheleri gidermiş ve Beyaz Saray çalışanlarını birlik içinde hareket etmeye sevk etmişti. Tench bunun paha biçilmez olduğunu itiraf etmek zorundaydı. Ama Rachel Sexton tavrını değiştirmişti.

Kaltak beni güvenli olmayan hattan aradı.

Rachel Sexton'ın bu keşfin güvenirliğini sarsmaya niyet ettiği belli oluyordu. Tench'in tek tesellisi, Rachel'ın konuşmasını Başkan'ın videoya kaydettiğini bilmesiydi. *Tanrı'ya şükür.* Herney kendini en azından bu kadar garantiye almıştı. Tench, buna ihtiyaç duyacaklarından korkmaya başlıyordu.

Ama şu anda Tench kanamayı başka yoldan durdurmayı düşünüyordu. Rachel Sexton akıllı bir kadındı ve eğer gerçekten Beyaz Saray ile NASA'ya kafa tutmak niyetindeyse, çok güçlü ittifaklara ihtiyacı olacaktı. Tench'in ilk aklına gelen isim William Pickering idi. Pickering'in NASA hakkında neler hissettiğini biliyordu. Rachel'dan önce Pickering'e ulaşması gerekti.

Hattaki berrak ses, "Bayan Tench?" dedi. "Ben William Pickering. Bu onuru neye borçluyum?"

Tench arkadan gelen televizyon sesini duyabiliyordu. NASA yayını. Sesindeki tondan hâlâ basın konferansının etkisinde olduğu anlaşılıyordu. "Biraz vaktiniz var mı direktör?"

"Ben kutlamalarla meşgul olacağınızı düşünüyordum. Sizin için büyük bir gece oldu. NASA ile Başkan meydana geri dönmüş gibi görünüyor."

Tench, onun sesinde sitemle karışık bir şaşkınlık sezinledi. Sistem hiç kuşkusuz, son dakika haberini dünyayla aynı anda öğrenmekten nefret ettiği içindi.

Yıkılan köprüleri onarmaya çalışan Tench, "Beyaz Saray ve NASA size bilgi vermemek zorunda kaldığı için özür dilerim," dedi.

Pickering, "UKO'nun birkaç hafta önce ordaki NASA faaliyetlerini tespit edip soruşturma başlattığının farkındasınızdır," dedi.

Tench suratını astı. *Çok kızmış.* "Evet biliyorum. Ama..."

"NASA bunun hiç önemli olmadığını söyledi. Bir çeşit ağır hava koşulları eğitimi yaptıklarını söylediler. Ekipmanları falan deniyorlarmış." Pickering durdu. "Yalanı yuttuk."

Tench, "Buna *yalan* demeyelim," dedi. "Daha çok gerekli yanıltmaydı. Keşfin büyüklüğü dikkate alındığında, NASA'nın bunu gizli tutmaktaki hassasiyetini anlayabilirsiniz."

"Belki halktan gizli tutmayı anlayabilirim."

William Pickering gibi adamların kitabında küsmeye yer yoktu. Tench elinden ancak bu kadarının geldiğini anladı. Tench tekrar ipleri eline alarak, "Sadece bir dakikam var," dedi. "Arayıp sizi uyarmam gerektiğini düşündüm."

"Beni uyarmak mı?" Pickering alaycı bir tavırla sinirlenmiş gibi yaptı. "Zach Herney, NASA dostu yeni bir UKO direktörü atamaya mı karar verdi?"

"Elbette hayır. Başkan, NASA'ya yönelik eleştirilerinizin güvenlikle ilgili olduğunu anlıyor ve bu açıkları kapamaya uğraşıyor. Ben aslında çalışanlarınızdan biri hakkında arıyorum." Durdu. "Rachel Sexton. Bu akşam ondan haber aldınız mı?"

"Hayır. Bu sabah Başkan'ın isteği üzerine onu Beyaz Saray'a gönderdim. Herhalde hâlâ meşgul. Henüz gelmedi."

Tench, Pickering'e daha önce ulaştığı için rahatladı. Sigarasından bir nefes çekip elinden geldiğince sakin konuştu. "Sanırım yakında Bayan Sexton'dan bir telefon alacaksınız."

"İyi. Bekliyorum zaten. İtiraf etmeliyim ki, Zach Herney basın konferansına başladığında Bayan Sexton'ı da kendisine eşlik etmeye ikna ettiğini sanmıştım. Bu isteğine karşı koyduğuna sevindim."

Tench, "Zach Herney dürüst biridir," dedi. "Hatta Rachel Sexton'dan daha fazla diyebilirim."

Hatta uzun bir sessizlik oldu. "Umarım bunu yanlış anlamışımdır."

Tench yavaşça içini çekti. "Hayır bayım, sanırım yanlış anlamadınız. Ayrıntıları telefonda görüşmek istemiyorum ama Rachel Sexton NASA duyurusunun güvenirliğini sarsmaya karar vermiş gibi görünüyor. Nedeni hakkında hiçbir fikrim yok ama bu akşamüstü NASA verilerini destekledikten sonra aniden tavrını değiştirdi ve NASA'nın sahtekârlık yaptığına dair akla gelebilecek en uygunsuz iddiaları feveran etmeye başladı."

Pickering'in sesi şimdi daha gergindi. "Anlayamadım?"

"Evet biraz rahatsızlık verici. Bunu size söyleyen ben olmak istemezdim ama Bayan Sexton basın konferansından iki dakika önce beni arayıp, her şeyi iptal etmemi söyledi."

"Neye dayanarak?"

"Samimi olmak gerekirse saçma sapan şeyler. Verilerle ilgili ciddi yanlışlar tespit ettiğini söyledi."

Pickering'in sessizliği Tench'in hoşgörü gösterebileceğinden uzun sürmüştü. Sonunda, "Yanlışlar mı?" dedi.

"Gerçekten saçma, NASA'nın iki hafta süresince yaptığı onca deneyin ve..."

"Çok çok iyi bir sebebi olmadıkça, Rachel Sexton gibi birinin Başkan'ın basın konferansını ertelemenizi söyleyeceğine inanmak çok güç." Pickering endişelenmişe benziyordu. "Sanırım ona kulak vermeliydiniz."

Tench öksürerek, "Ah, lütfen!" diye lafa girdi. "Basın konferansını gördünüz. Göktaşıyla ilgili bilgilerin doğruluğunu sayısız uzman defalarca teyit etti. Bunlara siviller de dahil. Bu duyurunun zarar verdiği bir adamın kızı olan Rachel Sexton'ın aniden fikrini değiştirmesi size de şüpheli gelmiyor mu?"

"Şüphe uyandırıyor Bayan Tench, çünkü Bayan Sexton ile babasının birbirlerine mesafeli olduklarını biliyorum. Yıllarca Başkan'a hizmet verdikten sonra Rachel Sexton'ın neden birdenbire taraf değiştirip babasını korumak için yalan söylediğini aklım almıyor."

"Belki de hırs yüzündendir. Doğrusu bilmiyorum. Belki de Başkan'ın kızı olma fırsatı..." Tench cümlesini tamamlamadı.

Pickering'in ses tonu aniden sertleşmişti. "Hassas mevzular Bayan Tench. Çok hassas."

Tench kaşlarını çattı. Ne bekliyordu ki? Pickering'in en iyi elemanlarından birini Başkan'a ihanet etmekle suçluyordu. Adam elbette savunmaya geçecekti.

Pickering, "Onu telefona çağırın," dedi. "Bayan Sexton'la şahsen görüşmek istiyorum."

Tench, "Korkarım bu mümkün değil," diye yanıt verdi. "Beyaz Saray'da değil."

"Nerde?"

"Başkan bu sabah verileri kendisinin incelemesi için onu Milne'e gönderdi. Henüz dönmedi."

Pickering şimdi öfkeyle konuşuyordu. "Bana bu konuda bilgi..."

"İncinmiş gurura ayıracak vaktim yok direktör. Ben nezaket icabı aradım. Rachel Sexton'ın bu akşamki duyuruya karşı kendi bildiğini okumaya karar verdiği konusunda sizi uyarmak istedim. Kendine müttefik arayacaktır. Eğer sizinle temas kuracak olursa şunu bilin ki, Beyaz Saray'ın elinde göktaşıyla ilgili verileri birkaç saat önce Başkan'ın, Bakanlar Kurulu'nun ve tüm çalışanların önünde teyit ederken kaydedilmiş videosu var. Eğer bundan sonra Rachel Sexton, Zach Herney'nin veya NASA'nın ismini lekelemeye yeltenirse, size yemin ederim Beyaz Saray bunun bedelini kötü ödetir." Tench söylediklerinin iyice anlaşılması için biraz bekledi. "Rachel Sexton, sizinle bağlantıya geçerse, bu nezaketimin karşılığını beni derhal haberdar ederek ödemenizi bekliyorum. Doğrudan Başkan'a saldırıyor ve ciddi bir zarar vermeden önce Beyaz Saray sorgulamak üzere kendisini alıkoymayı düşünüyor. Telefonunuzu bekleyeceğim direktör. Hepsi bu. İyi akşamlar."

Marjorie Tench telefonu kapatırken, William Pickering'le kimsenin hayatı boyunca böyle konuşmadığına emindi. En azından artık Pickering onun ciddi olduğunu biliyordu.

UKO'nun en üst katında Pickering pencerenin önünde durmuş Virginia akşamına bakıyordu. Marjorie Tench'den gelen telefon oldukça kaygı vericiydi. Parçaları bir araya getirmeye çalışırken dudaklarını ısırdı.

Kapıyı hafifçe vuran sekreteri, "Direktör?" dedi. "Bir telefonunuz daha var."

Pickering kayıtsız bir tavırla, "Şimdi olmaz," dedi.

"Rachel Sexton arıyor."

Pickering topukları üstünde döndü. Tench bir kâhin olmalıydı. "Peki. Hemen bağla."

"Doğrusunu söylemek gerekirse şifreli bir AV bağlantısı efendim. Konferans salonunda izlemek ister misiniz?"

AV bağlantısı mı? "Nerden arıyor?"

Sekreter, ona söyledi.

Pickering bakakalmıştı. Hayret içinde koridordan konferans salonuna koşturdu. Bunu görmesi gerekiyordu.

70

Charlotte'ın "ölü odası" -Bell Laboratuvarları'ndaki benzer bir yapıdan esinlenerek tasarlanmıştı- eskiden yankısız stüdyo diye bilinen yerdi. Paralel ya da yansıma yapan hiçbir yüzeyin bulunmadığı yankısız oda, yüzde 99.4 verimle sesleri emebiliyordu. Metal ve suyun akustik iletken doğası nedeniyle, denizaltılardaki görüşmeler, yakınlardaki dinleme cihazları veya dış gövdeye bağlı mikrofonlarla dinlenmeye müsaitti. Ama ölü odası denizaltının içinde, hiçbir sesin dışarı çıkamayacağı küçük bir odaydı. Tecrit edilmiş bu odada yapılan tüm konuşmalar tamamıyla emniyetliydi.

Oda, tavanı, duvarları ve zeminin her yanı yumurta kutusu şeklindeki köpüklerle kaplı bir elbise dolabını andırıyordu. Rachel'a, her tarafından dikitler fışkıran bir sualtı mağarasını anımsattı. Ama en rahatsızlık verici olanı, kapısının olmayışıydı.

Zemine enlemesine döşenmiş balık ağına benzeyen delikli ızgara, içeridekilere havada asılı duruyorlarmış hissi veriyordu. Plastik kaplı ızgaraya basıldığında sağlam bir his veriyordu. Ağ şeklindeki zemine göz atan Rachel, sürrealist bir manzaraya gerilmiş halat köprünün üstünden geçtiğini hissetti. Doksan santim aşağıda, iğnelerini yukarı dikmiş bir köpük ormanı vardı.

Rachel içeri girer girmez, odanın havasında tüm enerjisi emilmiş gibi bir cansızlık sezinledi. Sanki kulaklarına pamuk tıkanmış gibiydi. Kafasının içinde sadece nefes alışının sesi duyuluyordu. Bağırdı, bunun ağzı yastıkla kapanmış gibi bir etkisi oldu. Duvarlar tüm yansımaları emiyor, sadece kafasının içindeki titreşimleri duyabiliyordu.

Kaptan süngerle kaplı kapıyı kapatarak dışarı çıkmıştı. Rachel, Corky ve Michael odanın ortasında, zemindeki kaplamadan yükselen uzun metal ayaklıkların üstünde duran U şeklindeki küçük bir masada oturuyorlardı. Masaya bir sürü bükümlü mikrofon, kulaklık ve balıkgözü kamerasıyla bir video konsolu yerleştirilmişti. Bir mini Birleşmiş Milletler sempozyumunu andırıyordu.

ABD istihbarat dünyasında -dünyanın önde gelen lazer mikrofonlar, sualtı parabolik dinleme cihazları ve diğer aşırı duyarlı dinleme cihazları üreticileri- çalışmış biri olan Rachel, insanın dünyada tamamıyla güvenli görüşme yapabileceği çok az yer olduğunu biliyordu. Ölü odası, o yerlerden biriydi. Masada duran mikrofonlarla kulaklıklar, söylediklerinin titreşimlerinin odanın dışına çıkmayacağının bilinciyle, insanın serbestçe konuşabileceği bir yüz yüze "konferans görüşmesine" imkân sağlıyordu. Mikrofonlara giden sesleriyse, atmosferde yapacakları uzun yolculuk için şifrelenecekti.

"Ses denemesi." Kulaklıklarından birdenbire gelen ses Rachel, Tolland ve Corky'nin oturduğu yerden sıçramalarına neden oldu. "Beni duyuyor musunuz Bayan Sexton?"

Rachel mikrofona eğildi. "Evet. Teşekkürler." *Her kimsen.*

"Direktör Pickering hatta. AV'yi kabul ediyor. Ben şimdi çıkıyorum. Veri akışınız hemen kurulacak."

Rachel hattın kapandığını duydu. Uzaktan gelen bir vızıltının ardından, kulaklıklarında bipleme ve tıkırtı sesleri duyuldu. Önlerindeki video ekranı şaşırtıcı bir netlikle görüntü verdiğinde Rachel, UKO'nun konferans salonunda oturan William Pickering'i gördü. Yalnızdı. Başını aniden yukarı kaldırıp, Rachel'ın gözlerinin içine baktı.

Onu görmek tuhaf derecede içini rahatlatmıştı.

Şaşkın ve kaygılı bir ifadeyle, "Bayan Sexton," dedi. "Neler oluyor?"

Rachel, "Göktaşı efendim," dedi. "Sanırım ciddi bir sorunumuz var."

71

Rachel, *Charlotte'ın* ölü odasında Michael Tolland ile Corky Marlinson'ı Pickering'e tanıttı. Ardından söze girerek, o gün yaşanan inanılmaz olaylar zincirini çabucak özetledi.

UKO direktörü hiç kıpırdamadan dinliyordu.

Rachel, ona delikteki biyolüminesan planktonları, buzuldaki yolculuklarını, göktaşının altındaki yerleştirme boşluğunu ve son olarak da Özel Operasyonlar olmasından şüphelendiği bir askeri tim tarafından uğradıkları ani saldırıyı anlattı.

William Pickering, rahatsız edici haberleri gözünü bile kırpmadan dinleyebilme becerisiyle tanınırdı ama Rachel'ın hikâyesini duydukça gözbebekleri büyüyordu. Norah Mangor'ın cinayetiyle kendilerinin ölümün eşiğinden döndüklerini anlattığında öfke ve güvensizlik sezinledi. NASA müdürünün olaya karıştığından şüphelendiğini dile getirmek istese de, Pickering'in kanıt olmadan kimseye parmağını çevirmeyeceğini bilecek kadar iyi tanıyordu. Hikâyeyi tüm gerçekleriyle Pickering'e anlattı. Bitirdiğinde, Pickering birkaç saniye boyunca tepki vermedi.

Sonunda, "Bayan Sexton," dedi. "Hepiniz..." Her birine tek tek baktı. "Eğer söyledikleriniz doğruysa, ki üçünüzün birden neden yalan söyleyeceğini tahmin edemiyorum, yaşadığınız için çok şanslısınız."

Hepsi sessizce başını salladı. Başkan dört sivil bilim adamını işe almıştı... ve artık ikisi ölüydü.

Pickering ne söyleyeceğini bilemiyormuş gibi kederle içini çekti. Yaşananlar pek mantıklı gelmiyordu. Pickering, "Acaba TAR çıktısında gördüğünüz bu yerleştirme boşluğunun doğal bir fenomen olma ihtimali var mı?" diye sordu.

Rachel başını iki yana salladı. "Fazlasıyla mükemmel." Sırılsıklam TAR çıktısını açıp kameraya tuttu. "Kusursuz."

Görüntüyü inceleyen Pickering, onaylayarak kaşlarını çattı. "Bunu kaybetmeyin."

Rachel, "Başkan'ı durdurması konusunda uyarmak için Marjorie Tench'i aradım," dedi. "Ama radyofonu yüzüme kapattı."

"Biliyorum. Bana söyledi."

Rachel hayretle başını kaldırıp baktı. "Marjorie Tench, sizi mi aradı?" *Çok hızlı olmuş.*

"Az önce. Çok endişeli. Başkan'ı ve NASA'yı bir şekilde gözden düşürmeye çalıştığını sanıyor. Mesela babana yardım etmek için."

Rachel ayağa kalktı. TAR çıktısını sallayıp, yanındaki iki kişiyi işaret etti. "Nerdeyse öldürülecektik! Bu gösteriye benziyor mu? Ve ben neden..."

Pickering ellerini kaldırdı. "Sakin ol. Bayan Tench, bana üç kişi olduğunuzu söylemeyi unuttu."

Rachel, Tench'in kendisine Corky ile Tolland'dan bahsedecek kadar süre tanıyıp tanımadığını hatırlamıyordu.

Pickering, "Ayrıca bana elinizde fiziksel kanıt olduğunu da söylemedi," dedi. "Seninle konuşmadan önce iddialarından şüpheleniyordum ama artık onun yanıldığına eminim. İddialarınızdan kuşku duymuyorum. Bu noktada sorulacak soru, tüm bunların ne anlama geldiği."

Uzun bir sessizlik oldu.

William Pickering çok ender olarak aklı karışmış görünürdü ama başını iki yana sallarken hiç anlam veremediği anlaşılıyordu. "Bir süreliğine bu göktaşını birinin buzun altından yerleştirdiğini varsayalım. *Neden* sorusu gündeme geliyor. NASA'nın elinde fosil içeren bir göktaşı varsa, neden onlar ya da başka birileri için bulunduğu yer önemli olsun?"

Rachel, "Öyle anlaşılıyor ki, YGS yerini keşfettiğinde göktaşının tanıdık bir çarpışmanın parçası gibi görünmesi için yerleştirilmiş," dedi.

Corky birden, "Jungersol Meteoru," deyiverdi.

Pickering, "Ama göktaşının tanıdık bir çarpışmayla bağlantısı olmasının ne *anlamı* var?" diye sorarken, neredeyse çıldıracak gibiydi. "Bu fosiller her yerde ve her koşulda başlı başına şaşırtıcı bir buluş değil mi zaten? Hangi meteorik olayla ilgisi olursa olsun. Öyle değil mi?"

Üçü de başını salladı.

Hoşnutsuz görünen Pickering duraksadı. "Tabi... eğer..."

Rachel, direktörün kafasında dönen çarkları görebiliyordu. Göktaşını Jungersol Meteoru'yla ilişkilendirmenin en basit açıklamasını düşünüyordu ama en basit açıklama aynı zamanda en kaygı verici olanıydı.

Pickering, "Bu dikkatli yerleştirme işlemi tamamen yanlış verilere güvenirlik katmak için yapılmadıysa," diye devam etti. "Dr. Marlinson, göktaşının taklit olma ihtimali nedir?"

"Taklit mi efendim?"

"Evet. Sahte. Uydurma."

"*Sahte* bir göktaşı mı?" Corky tuhaf bir kahkaha attı. "Kesinlikle imkânsız! O göktaşını sayısız uzman inceledi. *Ben* de dahil. Kimyasal taramalar, spektograf, rubidyum-stronsiyum tarihlendirmesi yapıldı. Yeryüzünde rastlanan taşların hiçbirine benzemiyor. Göktaşı gerçek. Tüm astrojeologlar buna katılacaktır."

Pickering kravatına hafifçe vururken, bunu uzun süre düşündü. "Ama yine de bu keşiften NASA'nın kazanacaklarını dikkate aldığımda, kanıtların tahrif edilmesi ve size saldırılması... aklıma sadece bu göktaşının iyi bir taklit olduğunu getiriyor."

"İmkânsız!" Corky'nin sesi artık öfkeliydi. "Saygı duyuyorum efendim ama göktaşları, bir avuç astrofizikçiyi kandırmak için laboratuvarda üretilebilecek Hollywood özel efekti değildir. Benzersiz kristal yapılarına ve element oranlarına sahip, karmaşık kimyasal nesnelerdir."

"Size karşı çıkmıyorum Dr. Marlinson. Sadece mantık zinciri kuruyorum. Buzun altına yerleştirildiğini ortaya çıkarmamanız için birilerinin sizi öldürmeye çalıştığından yola çıkarak, burda tüm senaryoları değerlendirmek mecburiyetindeyim. Bu taşın gerçek bir göktaşı olduğuna sizi özellikle ikna eden ne oldu?"

"Özellikle mi?" Corky'nin sesi kulaklıkları patlatacaktı. "Kusursuz bir füzyon kabuk, gökkumlarının varlığı, yeryüzünde hiç rastlanmayan nikel oranı. Eğer birisinin bu taşı laboratuvarda üreterek bizi kandırdığını ileri sürüyorsanız, size bu laboratuvarın 190 milyon yıllık olduğunu söyleyebilirim." Corky elini cebine daldırarak, CD'ye benzer bir taş çıkardı. Kameraya tuttu. "Bunun gibi örneklerin sayısız yöntemlerle kimyasal yaşını belirledik. Rubidyum-stronsiyum tarihlendirmesi aldatılabilecek bir şey değildir!"

Pickering şaşırmış görünüyordu. "Sizde bir örnek mi var?"

Corky omuzlarını silkti. "NASA'da bunlardan düzinelercesi etrafta dolaşıyor."

Şimdi Rachel'a bakan Pickering, "Bana, NASA'nın içinde yaşam bulunduğunu düşündüğü bir göktaşı keşfedip, insanların örneklerle gitmelerine izin verdiğini mi söylüyorsun?" dedi.

Corky, "Asıl konu, elimdeki örneğin hakiki olması," dedi. Taşı kameraya yaklaştırdı. "Bunu dünyadaki istediğiniz kayaç bilginine, jeoloğa veya astronoma verin, deney yapsınlar, size iki şey söyleyeceklerdir: bir, 190 milyon yaşında olduğunu; ve iki, kimyasal açıdan yeryüzündeki taşlara benzemediğini."

Pickering öne eğilerek, taşa gömülü fosili inceledi. Sanki bir an için dondu. Sonunda içini çekti. "Ben bir bilim adamı değilim. Tek söyleyebileceğim, eğer bu göktaşı gerçekse, ki öyle görünüyor, NASA acaba neden bunu dünyaya olduğu gibi sunmadı? Birisi neden bunu buzun altına, bizi gerçekliğine *ikna etmek* istercesine yerleştirdi?"

O sırada Beyaz Saray'da bir güvenlik görevlisi telefonla Marjorie Tench'i arıyordu.

Başdanışman ilk çalışta cevap verdi. "Evet?"

Görevli, "Bayan Tench," dedi. "İstediğiniz bilgileri edindim. Rachel Sexton'ın bu akşam sizi radyofonla aramasıyla ilgili. İzini buldum."

"Söyle."

"Gizli Servis operatörleri sinyallerin Deniz Kuvvetleri denizaltısı U.S.S. *Charlotte'tan* geldiğini söylüyor."

"Ne!"

"Koordinatları bilmiyorlar efendim ama geminin kodundan eminler."

"Ah, Tanrı aşkına!" Tench başka kelime etmeden ahizeyi çarparak kapattı.

72

Charlotte'taki ölü odasının sessiz akustiği Rachel'ın midesini bulandırmaya başlamıştı. William Pickering'in ekrandaki kaygılı bakışları şimdi Michael Tolland'a çevrilmişti. "Sessiz kaldınız Bay Tolland."

Tolland aniden ismi söylenen bir öğrenci gibi başını kaldırıp baktı. "Efendim?"

Pickering, "Az önce televizyonda oldukça ikna edici bir belgeseliniz yayınlandı," dedi. "Göktaşı hakkında şimdi ne düşünüyorsunuz?"

Rahatsızlığı belli olan Tolland, "Şey efendim," dedi. "Dr. Marlinson'a katılıyorum. Fosillerin ve göktaşının gerçekliğine inanıyorum. Tarihlendirme tekniklerinde tecrübeli sayılırım ve bu taşın yaşı sayısız testle teyit edildi. Nikel içeriği de öyle. Bu veriler sahte değil. Taşın 190 milyon yıl önce oluştuğuna, içeriğindeki nikel oranına ve yine 190 milyon yıllık düzinelerce fosil içerdiğine hiç şüphe yok. Aklıma NASA'nın hakiki bir göktaşı bulduğundan başka açıklama gelmiyor."

Pickering susmuştu. Yüzünde, Rachel'ın daha önce William Pickering'de hiç görmediği kararsız bir ifade vardı.

Rachel, "Ne yapacağız efendim?" diye sordu. "Başkan'a verilerle ilgili sorun olduğunu bildirmemiz gerek."

Pickering kaşlarını çattı. "Dua edelim de Başkan *zaten* biliyor olmasın."

Rachel boğazının düğümlendiğini hissetti. Pickering'in neyi ima ettiği ortadaydı. *Başkan Herney bu işin içinde olabilirdi.* Rachel bundan şüphe duyuyordu ama yine de Başkan'la NASA'nın bu işten kazanacağı çok şey vardı.

Pickering, "Ne yazık ki," dedi. "Elinizdeki şu yerleştirme boşluğunu gösteren TAR çıktısı dışında, tüm bilimsel veriler NASA'nın önemli bir keşifte bulunduğunu gösteriyor." Durdu. "Ve şu saldırı meselesi..." Rachel'a baktı. "Özel Operasyonlar'dan bahsetmiştin."

"Evet efendim." Ona yeniden Doğaçlama Mühimmat ve taktiklerden bahsetti.

Pickering her geçen saniye biraz daha keyifsiz görünüyordu. Rachel, patronunun, ufak bir askeri ölüm gücünü kaç kişinin yönlendirebileceğini hesapladığını sezinledi. Elbette Başkan'ın böyle bir yetkisi vardı. Belki başdanışman olarak Marjorie Tench'in de. Pentagon'la bağlantıları olan NASA Müdürü Lawrence Ekstrom da ihtimal dahilindeydi. Ne yazık ki Rachel sayısız ihtimali düşündüğünde, siyasi nüfuza ve doğru bağlantılara sahip herkesin saldırının arkasındaki kontrol gücü olabileceğini fark etti.

Pickering, "Başkan'ı hemen arayabilirim," dedi. "Ama en azından işin içinde kimlerin olduğunu öğrenene kadar bunu yapmanın akıllıca olduğunu sanmıyorum. Beyaz Saray'ı işe karıştırdıktan sonra sizi fazla koruyamam. Ayrıca ona ne söyleyeceğime de emin değilim. Eğer göktaşı gerçekse, ki hepiniz öyle olduğunu düşünüyorsunuz, o zaman yerleştirme boşluğuyla saldırı iddialarınızın bir anlamı kalmıyor; Başkan iddialarımın doğruluğunu sorgulamaya hak kazanır." İhtimalleri hesaplıyormuş gibi duraksadı. "Her şeye rağmen... gerçek her ne olursa olsun ve oyuncular her kim olursa olsun, bu bilgi halka duyurulduğunda çok güçlü kişiler zarar görecek. Birilerinin koltuğunu sallamadan önce, sizi hemen güvenli bir yere ulaştırmak istiyorum."

Bizi güvenliğe ulaştırmak mı? Bu sözler Rachel'ı şaşırtmıştı. "Nükleer denizaltıda yeterince güvende olduğumuzu düşünüyorum efendim."

Pickering şüpheli görünüyordu. "Orda bulunduğunuz uzun süre gizli kalmayacaktır. Sizi derhal çıkartıyorum. Doğrusunu söylemek gerekirse, üçünüz burda ofisimde oturmadan içim rahat etmeyecek."

73

Tek başına koltuğuna sığınan Senatör Sexton, kendini mülteci gibi hissediyordu. Yalnızca bir saat önce yeni dostları ve taraftarlarıyla dolu olan Westbrooke Semti'ndeki daire şimdi, tabiri caizse kapıdan dışarı koşarak çıkan adamların bıraktığı boş kadehler ve kartvizitlerin saçıldığı terk edilmiş bir yere benziyordu.

Televizyonun karşısında yalnız başına çökmüş olan Sexton'ın tek isteği televizyonu kapatmaktı ama kendini sonu gelmeyen medya yorumlarını dinlemekten alamıyordu. Burası Washington'dı ve yorumcular, sahte-bilimsel ve abartılı felsefi görüşlerini sunup, politikaya bağlamakta hiç geç kalmıyorlardı. Haber spikerleri, Sexton'ın yaralarına tuz basan işkenceciler gibi, görüneni üst üste yineliyorlardı.

Yorumculardan biri, "Birkaç saat önce Sexton'n kampanyası tepelerdeydi," dedi. "Şimdi ise NASA'nın keşfiyle senatörün kampanyası dibe vurdu."

Courvoisier'e uzanan Sexton gözlerini kapayıp, şişeyi kafasına dikti. Bu gecenin, hayatının en uzun ve en yalnız gecesi olacağını biliyordu. Kendisine tuzak kurduğu için Marjorie Tench'e lanet okudu. İlk başta NASA'dan bahsettiği için Gabrielle Ashe'e lanet okudu. Bu kadar şanslı olduğu için Başkan'a lanet okudu. Ve ona güldüğü için dünyaya lanet okudu.

Yorumcu, "Bu elbette senatör için büyük bir yıkım oldu," dedi. "Başkan ve NASA bu keşifle paha biçilmez bir zafer kazandı. Bu gibi haberler, Sexton'ın NASA'ya karşı tavrı ne olursa olsun, Başkan'ın kampanyasını canlandıracaktır, ama Sexton'ın bugün gerek görürse NASA'ya ayrılan fonları toptan kaldıracağını itiraf etmesinden sonra... şey, başkanlığın yaptığı bu duyuru senatörün altından kalkamayacağı bir darbe oldu."

Sexton, *oyuna geldim,* dedi. *Beyaz Saray beni lanet tuzağına düşürdü.*

Yorumcu şimdi gülümsüyordu. "NASA Amerikalıların gözünde kaybettiği itibarını yeniden kazandı. Şimdi sokaklarda bir milli gurur havası hâkim."

"Öyle de olması gerekiyordu. Başkan Zach Herney'yi seviyorlar ve inançlarını kaybetmek üzereydiler. Başkan'ın son zamanlarda aldığı darbelerle yere serildiğini itiraf etmek gerek, ama yeni açan çiçek gibi ayağa kalktı."

Akşamüstü CNN'de yaptığı tartışmayı hatırlayan Sexton, midesinin ağzına geldiğini hissetti. Son birkaç aydır NASA'ya yüklediği atalet suçlamaları elinde patlamakla kalmamış, şimdi bir de kendi başına çorap örmüştü. Aptal gibi görünmüştü. Beyaz Saray onunla yüzsüzce oyun oynamıştı. Ertesi günün gazetelerinde çıkacak karikatürleri tahmin edebiliyordu. İsmi, ülkedeki tüm fıkralara konu olacaktı. USV'den kampanyasına para alamayacağı da ortadaydı. Her şey değişmişti. Dairesine gelenlerin tümü hayallerinin sifona çekildiğini görmüşlerdi. Uzayın özelleştirilmesi duvara toslamıştı.

Konyağını bir kez daha ağzına götüren senatör ayağa kalkıp sendeleyerek masasına yürüdü. Ahizesi açık duran telefonuna baktı. Bunun bir çeşit mazoşistlik olduğunu bildiği halde, ahizeyi yavaşça yerine yerleştirip saniyeleri saymaya başladı.

Bir... iki... Telefon çaldı. Telesekreterin cevaplamasını bekledi.

"Senatör Sexton, ben CNN'den Judy Oliver. Bu akşam NASA'nın yaptığı keşfe tepki göstermeniz için size bir fırsat tanımak istiyordum. Lütfen beni arayın." Telefonu kapattı.

Sexton yeniden saymaya başladı. *Bir...* Telefon çalmaya başladı. Yine telesekreterin cevaplamasını bekleyerek, telefona bakmadı. Başka bir muhabirdi.

Courvoisier şişesini elinde tutan Sexton, balkona açılan kapıya doğru yürüdü. Kapıyı yana çekerek açtı ve dışarıdaki serin havaya çıktı. Korkuluklardan sarkarak, şehrin üstünden uzaklardaki aydınlatılmış Beyaz Saray'a baktı. Işıklar rüzgârda sanki neşeyle titreşiyordu.

Piç kuruları, diye düşündü. *Yüzyıllardır uzayda yaşam kanıtı arayıp duruyorduk. Bunu bulmak benim seçileceğim seneye mi rastladı?* Uğurlu değil, lanetli bir durumdu. Sexton'ın görebildiği tüm pencerelerde açık bir televizyon vardı. Gabrielle Ashe'in nerede olduğunu düşündü. Hepsi onun suçuydu. Sexton'ı NASA'nın başarısızlıklarıyla şişirip durmuştu.

Bir yudum daha almak için şişeyi kaldırdı.

Lanet olası Gabrielle... bu kadar kötü batmamın nedeni o.

Şehrin öbür ucunda, ABC yapım odasındaki karmaşanın ortasında duran Gabrielle Ashe kaskatı kesilmişti. Başkan'ın duyurusu beklenmedik bir darbe gibi inerek, onu yarı katatonik hale getirmişti. Yapım odasının ortasında dizlerinin bağı çözülen Gabrielle, etrafında hengâme koparken gözlerini televizyon ekranlarından birine dikmişti.

Duyurunun ilk saniyeleri, haber odasına ölüm sessizliği getirmişti. İtişip kakışan muhabirlerin kulakları sağır edici karnavalı başlayana kadar, bu sessizlik sadece birkaç dakika sürmüştü. Bu insanlar profesyoneldi. Kişisel tepkilere ayıracak zamanları yoktu. İş bittikten sonra bunun için vakit bulurlardı. Şu anda dünya daha fazlasını öğrenmek istiyordu, ABC'nin de bunu sağlaması gerekiyordu. Hikâyenin içinde her şey vardı -bilim, tarih, siyasi heyecan- etkileyici bir kaynak gibiydi. Bu gece medya dünyasındaki kimse uyumayacaktı.

"Gabs?" Yolanda'nın sesi samimiydi. "Birisi seni fark edip, Sexton'ın kampanyası için ne anlama geldiği konusunda canını sıkmaya başlamadan önce ofisime gidelim."

Gabrielle, Yolanda'nın cam duvarlı odasına kadar bir sis bulutunun içinde yürüdüğünü hissetti. Yolanda, onu oturtup bir bardak su verdi. Gülümsemeye çalıştı. "İyi tarafından bak Gabs. Adayının kampanyası nalları dikti ama en azından sen paçayı kurtardın."

"Sağ ol. Harika."

Yolanda'nın sesi ciddileşti. "Gabrielle, kendini berbat hissettiğini biliyorum. Adayına Mack kamyonu çarpmış gibi oldu ve bana soracak olursan, asla ayağa kalkamayacak. En azından bu durumu tersine çevirene kadar. Kuşkusuz kimse fotoğraflarını televizyonda yayınlamıyor. Ciddiyim. Bu iyi haber. Artık Herney'nin seks skandalına ihtiyacı yok. Şu anda seks hakkında konuşmaktan çok daha başkanlığa yakışır meseleler düşünüyor."

Bu Gabrielle'ı fazla teselli etmemişti.

"Tench'in Sexton'ın kampanyasına yasadışı maddi destek aldığı iddialarına gelince..." Yolanda başını iki yana salladı. "Şüpheliyim. Neyse ki Herney olumsuz kampanyacılık yapmamak konusunda oldukça ciddi. Ayrıca bir rüşvet soruşturması ülke için kötü olur. Ama Herney ulusun moralini bozmamak uğruna, rakibini ezme şansından vazgeçecek kadar vatansever mi? Tahminimce Tench, seni korkutmak amacıyla Sexton'ın aldığı maddi yardımlar hakkındaki gerçekleri abarttı. Senin gemiyi terk edip Başkan'a bedavadan bir seks skandalı hazinesi vermen umuduyla kumar oynadı. Ve itiraf etmen gerekir ki Gabs, bu gece Sexton'ın ahlak anlayışını sorgulamak için mükemmel bir gece olurdu!"

Gabrielle belli belirsiz başını salladı. Seks skandalı, Sexton'ın altından asla kalkamayacağı bir darbe olurdu... hiçbir zaman.

"Ona karşı koydun Gabs. Marjorie Tench oltaya getirmeye çalıştı ama sen yutmadın. Artık serbestsin. Başka seçimler de olacak."

Neye inanacağını artık bilemeyen Gabrielle hafifçe başını salladı.

Yolanda, "İtiraf etmek gerekir ki, Beyaz Saray Sexton'ı fena oyuna getirdi. NASA konusunu açtı, senatöre düşüncelerini itiraf ettirdi ve onu, tüm yumurtalarını NASA sepetine doldurmaya zorladı," dedi.

Gabrielle, *hepsi benim suçum,* diye düşündü.

"Ve az önce seyrettiğimiz duyuru, Tanrım, dâhiceydi! Keşfin önemi bir tarafa, yapımcılık adına bir şahaserdi. Kuzey Kutbu'ndan canlı yayın. Bir Michael Tolland belgeseli. Yüce Tanrım, insan bununla nasıl yarışır? Zach Herney bu akşam turnayı gözünden vurdu. Adam boşuna Başkan olmadı."

Ve dört yıl daha öyle olacak...

Yolanda, "İşe geri dönmeliyim Gabs," dedi. "Burda istediğin kadar oturabilirsin. Ayakların yere bassın." Yolanda kapıya yöneldi. "Tatlım, birkaç dakika sonra geri gelirim."

Şimdi tek başına kalan Gabrielle suyundan bir yudum aldı, ama tadı bayattı. Her şey öyle geliyordu. Kendine geçen yılki NASA basın konferansını -uzay istasyonu başarısızlıkları, X-33'ün ertelenmesi, Mars'a gönderilen insansız uzay roketlerinin başarısızlığı, sürekli bütçe açıkları- hatırlatarak rahatlamaya çalışırken, *hepsi benim suçum,* diye düşündü. Daha farklı nasıl davranabileceğini sorguladı.

Kendi kendine, *daha farklı yapabileceğin hiçbir şey yoktu,* dedi. *Her şeyi doğru yaptın.*

Sadece silah geri tepmişti.

74

Deniz Kuvvetleri helikopteri SeaHawk, gizli operasyon statüsüyle Grönland'daki Thule Hava Kuvvetleri Üssü'nden havalandı. Okyanusun yetmiş mil açığında fırtınayı yararak ilerlerken, radar menzilinin dışında alçaktan uçuyordu. Ama sonra kendilerine verilen beklenmedik bir emirle, fırtınayla boğuşan pilotlar helikopteri okyanusun üstünde koordinatları önceden belirlenmiş bir noktaya götürdüler.

Yardımcı pilot aklı karışmış bir sesle, "Randevu nerde?" diye sordu. Helikopteri kurtarma vinciyle getirmeleri söylendiğinden, bir arama kurtarma operasyonu yapacaklarını sanıyordu. "Bunun doğru koordinatlar olduğuna emin misin?" Çırpıntılı denizi helikopterin ışığıyla taradı ama aşağıda hiçbir şey yoktu, bir tek şey dışında...

"Lanet olsun!" Yerinde sıçrayan pilot, kumanda kolunu geriye çekti.

Karşılarına, dalgaların arasından siyah bir çelik dağı çıkmıştı. İşaretsiz dev bir denizaltı köpüklerin üstünde yükseliyordu.

Pilotlar huzursuzca gülüştüler. "Sanırım bunlar onlar."

Emir verildiği üzere, nakil radyo sessizliğinde gerçekleştirilecekti. Geminin üstündeki çift kapı açıldı ve bir denizci onlara işaret feneriyle sinyal gönderdi. Bunun ardından denizaltının üstüne gelen helikopter, yukarı çekilebilen kabloya bağlı üç kauçuk halkadan oluşan, üç kişilik kurtarma takımı sarkıttı. Altmış saniye içinde bilinmeyen üç "akrobat" pervanenin aşağı iten etkisine karşı yavaşça yükselerek, helikopterin altında sallanmaya başlamıştı.

Yardımcı pilot, onları içeri çektiğinde -iki erkek ve bir kadın- pilot denizaltıya "tehlike geçti" işareti gönderdi. Saniyeler içinde dev gemi denizin altında kayboldu ve geriye orada bulunduğuna dair hiç iz bırakmadı.

Yolcular güvenle helikoptere bindikten sonra, pilot helikopterin burnunu aşağı verdi ve görevini tamamlamak üzere güneye doğru hızlandı. Fırtına yaklaşmak üzereydi ve bu üç yabancının nakil yolculuğu için Thule HKÜ'ye sağ salim taşınması gerekiyordu. Nereye gideceklerine dair pilotun hiçbir fikri yoktu. Tek bildiği emirlerin yüksek yerden geldiği ve çok kıymetli bir yük taşıdığıydı.

75

Tüm kuvvetiyle NASA habiküresine esen Milne fırtınası sonunda koptuğunda kubbe, buzdan havalanıp denize fırlamaya hazırmışçasına sallandı. Sabitleştirici çelik kablolar gerilip, dev gitar telleri gibi titreşirken hüzünlü bir uğultu çıkardılar. Dışarıdaki jeneratörler tekleyince, ışıklar dev salonu kör karanlığa gark etmek istercesine titreşti.

NASA Müdürü Lawrence Ekstrom, kubbede uzun adımlarla yürüyordu. Buradan bu gece çıkıp gitmeyi diliyordu ama bunu yapamayacaktı. Bir gün daha kalıp sabah basın konferansı verecek ve göktaşının Washington'a nakledilmesi için gerekli hazırlıkları denetleyecekti. Şu anda, biraz uyku kadar istediği başka şey yoktu; günün beklenmedik sorunları onu fazlasıyla yıpratmıştı.

Ekstrom'un aklı yine Wailee Ming'e, Rachel Sexton'a, Norah Mangor'a, Michael Tolland'a ve Corky Marlinson'a gitmişti. Bazı NASA çalışanları bu sivillerin kayıp olduklarını fark etmeye başlamışlardı.

Ekstrom kendi kendine, *sakin ol,* dedi. *Her şey kontrol altında.*

Derin nefes alarak, kendine şu anda gezegendeki herkesin NASA ve uzay heyecanı yaşadığını hatırlattı. Dünya dışı yaşam, 1947'deki "Roswell olayından" beri heyecan verici bir konu olmamıştı. Roswell, New Mexico'ya düşen sözde uzay gemisi, bugün bile milyonlarca UFO komplo teorisyeninin tapınağıydı.

Ekstrom Pentagon'da çalıştığı yıllarda, Roswell olayının aslında Moğol Projesi denilen gizli bir askeri operasyon -Rus atom denemelerini dinlemek için tasarlanan bir casus balonun test uçuşu- sırasında yaşanan kazadan başka bir şey olmadığını öğrenmişti. Test sırasında bir prototip rotasından çıkarak, New Mexico çölüne düşmüştü. Ne yazık ki enkazı askerlerden önce bir sivil bulmuştu.

Radikal sentezli neopren ve hafif metalleri daha önce gördüğü hiçbir şeye benzetemeyen masum çiftçi William Brazel hemen şerifi aramıştı. Tuhaf enkazın hikâyesi gazetelerde boy gösterince, halkın ilgisi hızla artmıştı. Ordu enkazın kendilerine ait olduğunu inkâr edince, muhabirler soruşturmaya başlamış ve Moğol Projesi'nin gizliliği tehlikeye girmişti. Tam casus balon meselesi ortaya çıkacakken, harika bir şey oldu.

Medya beklenmedik bir sonuca vardı. Bu fütürist hurdanın ancak dünya dışındaki bir kaynaktan gelebileceğine karar verdiler; bilimsel açıdan insanlardan daha gelişmiş yaratıklardan. Ordunun bu olayı inkâr etmesinin tek bir nedeni olabilirdi; uzaylılarla temas kurulduğunu örtbas etmek için! Bu yeni hipoteze şaşırıp kalan Hava Kuvvetleri, hediyede kusur aramayacaktı. Uzaylı hikâyesini alıp götürdüler; uzaylıların New Mexico'yu ziyaret ettiğinden şüphelenilmesi ulusal güvenliğe, Rusların Moğol Projesi'ni öğrenmesinden daha küçük bir tehdit oluşturuyordu.

Sözde uzaylı hikâyesini körüklemek isteyen istihbarat dünyası Roswell olayını gizlilik içinde yayarak, "güvenlik sızıntıları" yaratmaya başladılar. Uzaylılarla temas kurulduğuna dair söylentiler, saklanan uzay gemileri, hatta hükümetin uzaylı cesetlerini buz üstünde sakladığı Dayton's Wright-Patterson Hava Kuvvetleri Üssü'ndeki gizemli bir "18. Hangar". Tüm dünya hikâyeyi yuttu ve Roswell fırtınası dünyayı kasıp kavurdu. O günden beri bir sivil ne zaman yanlışlıkla gelişmiş bir ABD askeri uçağı fark etse, istihbarat dünyası aynı eski komployu gündeme getiriyordu.

O bir uçak değil, uzay gemisi!

Ekstrom bu basit aldatmacanın bugün hâlâ işe yaradığını görmekten hayret duyuyordu. Medya her UFO gözlemlendiği haberini yayınladığında Ekstrom gülmekten kendini alamıyordu. Büyük ihtimalle şanslı bir sivil, UKO'nun Global Hawks diye bilinen insansız keşif uçaklarından birini -gökyüzündeki başka hiçbir şeye benzemeyen, uzaktan kumandalı uzun uçaklar- görmüş oluyordu.

Ekstrom turistlerin hâlâ ellerinde video kameralarla akşamları gökyüzünü taramak için New Mexico'ya gitmelerini acınası buluyordu. Arada sırada şans içlerinden birinin yüzüne güler ve kanıt cinsinden UFO görüntüleri kaydederdi; gökyüzünde yanıp sönen, şimdiye dek insanoğlunun ürettiği tüm uçaklardan daha fazla hareket kabiliyetine sahip ve daha hızlı parlak ışıklar. Elbette insanların anlamadığı şey, hükümetin üretebildikleriyle insanların bildikleri arasında on iki yıllık bir fark bulunmasıydı. Bu UFO gözlemcileri aslında 51. Bölge'de geliştirilen -pek çoğu NASA mühendislerinin şaheseri- gelecek nesil ABD uçaklarından birini görüyorlardı. Tabi ki istihbarat yetkilileri bu yanlış kanıyı asla düzeltmiyorlardı; ABD ordusunun asıl uçuş kapasitesini öğrenmelerindense, insanların bir başka UFO gözlemi hakkında haber okumaları tercih ediliyordu.

Ekstrom, *ama artık her şey değişti,* diye düşündü. Birkaç saat sonra dünya dışı yaşam, efsane olmaktan çıkıp sonsuza dek doğrulanmış bir gerçek haline gelecekti.

Arkasından koşturan bir NASA teknisyeni, "Müdür bey?" dedi. "GTH'den acil aranıyorsunuz."

Ekstrom içini çekerek döndü. *Bu şimdi ne olabilir ki?* Haberleşme konteynerine yöneldi.

Teknisyen yanında acele ediyordu. "GTH'de radar başındakiler merak ediyorlar efendim..."

"Evet?" Ekstrom'un aklı hâlâ başka yerdeydi.

"Nükleer denizaltı buranın açıklarında mı efendim? Bize neden bahsetmediğinizi merak ediyorduk."

Ekstrom başını kaldırıp baktı. "Anlamadım?"

"Denizaltı efendim. En azından radardaki çocuklara söyleyebilirdiniz. Sahil güvenliğini anlıyoruz ama radar ekibimizi hazırlıksız yakaladı."

Ekstrom olduğu yerde durdu. "*Ne* denizaltısı?"

Müdürün şaşırmasını beklemediği anlaşılan teknisyen de durdu. "Denizaltı, operasyonumuzun bir parçası değil mi?"

"Hayır! Nerde?"

Teknisyen güçlükle yutkundu. "Yaklaşık üç mil açıkta. Radarda şans eseri yakaladık. Yüzeye sadece bir iki dakikalığına çıktı. Oldukça büyük bir görüntüydü. Nükleer denizaltı olmalı. Bize söylemeden, Deniz Kuvvetleri'nden operasyonu izlemesini istediğinizi düşündük."

Ekstrom bakakalmıştı. "Kesinlikle öyle bir şey yapmadım!"

Artık teknisyenin sesi titriyordu. "Şey, efendim, o halde sanırım denizaltının hemen sahilin açıklarında bir helikopterle buluştuğunu size bildirmeliyim. Personel nakli gibi görünüyor. Aslında kim böyle bir fırtınada bu işe kalkışır diye düşünüyorduk."

Ekstrom tüm kaslarının gerildiğini hissetti. *Ellesmere Adası açıklarında benim bilgim dışında bir denizaltının ne işi var?* "Buluşmadan sonra helikopterin ne yöne gittiğini gördünüz mü?"

"Thule Hava Kuvvetleri Üssü'ne geri döndü. Sanırım karadan başka bir araca nakil yapılacak."

Ekstrom GTH'ye gidene kadar başka hiçbir şey söylemedi. Karanlık yere girdiğinde, hattaki boğuk sesin tanıdık bir tınısı vardı.

Konuşurken öksüren Tench, "Bir sorunumuz var," dedi. "Rachel Sexton'la ilgili."

76

Senatör Sexton yumruklama sesini duyduğunda, ne süredir boşluğa baktığının farkında değildi. Kulaklarındaki gümbürtünün alkolden değil de dairesinin kapısından geldiğini anladığında koltuğundan kalkıp, Courvoisier şişesini elinden bıraktı ve antreye yürüdü.

Hiç ziyaretçi kabul edecek havada olmayan Sexton, "Kim o?" diye seslendi.

Korumasının sesi, Sexton'ın beklenmedik misafirinin kimliğini seslendi. Sexton o anda kendine geldi. *Bu çok hızlı oldu.* Sexton bu konuşmayı sabaha kadar yapmamayı umuyordu.

Derin bir nefes alıp saçlarını düzelterek kapıyı açtı. Karşısındaki yüz fazlasıyla tanıdıktı: yetmiş küsur yaşına rağmen güçlü ve sert. Sexton, onu bir otel garajındaki beyaz Ford Windstar minivanda daha bu sabah görmüştü. Sexton, *sahi bu sabah mıydı,* diye düşündü. O zamandan bu yana işler ne kadar da değişmişti.

Siyah saçlı adam, "İçeri girebilir miyim?" diye sordu.

Sexton kenara çekilerek, Uzay Sınırları Vakfı Başkanı'na geçmesi için yol açtı.

Sexton kapıyı kapatırken adam, "Toplantı iyi geçti mi?" diye sordu.

İyi geçti mi? Sexton, adam acaba fanusta mı yaşıyor, diye düşündü. "Başkan televizyona çıkana kadar her şey mükemmel gidiyordu."

Yaşlı adam hoşnutsuz bir ifadeyle başını salladı. "Evet. İnanılmaz bir zafer. Davamıza büyük zarar verecek."

Davamıza zarar mı verecek? İşte iyimser biri. NASA'nın bu akşamki zaferinden sonra, Uzay Sınırları Vakfı özelleştirme hedefine ulaşamadan adam çoktan ölüp de gömülürdü.

Yaşlı adam, "Yıllarca bunun yakında kanıtlanacağını düşünüp durdum," dedi. "Nasıl ve ne zaman olacağını bilmiyordum ama er geç bunu öğrenecektik."

Sexton sersemlemişti. "Yani şaşırmadınız mı?"

Sexton'ın çalışma odasına doğru yürümeye başlayan adam, "Evrenin matematiği başka hayat biçimlerinin var olmasını gerektiriyor," dedi. "Bu keşfe şaşırmadım. Duygusal anlamda etkilendim. Manen dehşete düştüm. Siyasi açıdan rahatsız oldum. Bundan daha kötü bir zamanlama olamazdı."

Sexton, adamın neden geldiğini merak etti. Onu neşelendirmek için gelmediği ortadaydı.

Adam, "Bildiğin gibi," dedi. "USV üye şirketleri uzayın sınırlarını özel kişilere açma gayesiyle milyonlar harcadılar. Son günlerde bu paranın büyük kısmı senin kampanyana gitti."

Sexton birden savunmaya geçmişti. "Bu akşamki fiyasko benim kontrolümde değildi. Beyaz Saray NASA'ya saldırmam için bana yem attı."

"Evet. Başkan oyununu iyi oynadı. Ama yine de belki her şey kaybedilmemiştir." Yaşlı adamın gözlerinde tuhaf bir umut ışıltısı vardı.

Sexton, *adam bunamış*, diye karara vardı. Her şey kesinlikle kaybedilmişti. Şu anda televizyondaki tüm kanallar Sexton'ın kampanyasının mağlubiyetinden bahsediyordu.

Çalışma odasına giren adam koltuğa oturdu ve yorgun gözlerini senatöre dikti. "NASA'nın ilk başlarda YGS uydusundaki hatalı yazılımlarla yaşadığı sorunları hatırlıyor musun?" dedi.

Sexton lafın sonunun nereye varacağını tahmin edemiyordu. *Bu şimdi neyi değiştirir? YGS fosil içeren lanet olası bir göktaşı buldu!*

Adam, "Eğer hatırlıyorsan," dedi. "Uydudaki yazılım ilk başlarda doğru düzgün çalışmıyordu. Sen basında bundan çok bahsetmiştin."

Adamın karşısına oturan Sexton, "Öyle de yapmam gerekiyordu!" dedi. "NASA'nın başka bir başarısızlığıydı!"

Adam başını salladı. "Katılıyorum. Ama kısa süre sonra NASA yaptığı basın konferansıyla çaresini bulduklarını duyurdu; yazılıma bir çeşit yama yapılmıştı."

Sexton basın konferansını izlememişti, ama kısa, sade ve pek de kayda değer olmadığını duymuştu. YGS Proje lideri, anomali saptama yazılımındaki ufak bir hatayı NASA'nın nasıl giderip, her şeyi yoluna koyduğunun saçma sapan teknik açıklamasını yapmıştı.

Adam, "Yaşadığı başarısızlığın ardından YGS'yi ilgiyle takip edip durdum," dedi. Bir video kaseti çıkarıp, Sexton'ın televizyonuna yürüdü ve bandı videoya yerleştirdi. "Bu senin ilgini çekecektir."

Kaset oynamaya başladı. Washington merkezdeki NASA basın odasını gösteriyordu. İyi giyimli bir adam podyuma çıkıp, dinleyicileri selamladı. Podyumun altında şöyle yazıyordu:

CHRIS HARPER, Bölüm Müdürü
Kutupsal Yörüngeli Yoğunluk Tarayıcı Uydu (YGS)

Chris Harper uzun boylu, zarif bir adamdı ve hâlâ köklerine bağlı bir Avrupalı Amerikalının asaletiyle konuşuyordu. Bilgili ve kibar bir aksanı vardı. YGS hakkında bazı kötü haberler verirken, basına kendinden emin bir tavırla hitap ediyordu.

"YGS uydusu yörüngede ve iyi çalışıyor olmasına rağmen, uydudaki bilgisayarlarda ufak bir aksaklık yaşıyoruz. Sorumluluğunu üstüme aldığım, ufak bir programlama hatası. FIR filtresinin hatalı bir dizini var, bu da YGS'nin anomali saptama yazılımının düzgün çalışmadığı anlamına geliyor. Düzeltmeye çalışıyoruz."

NASA'nın hayal kırıklıklarına alışkın olduğu anlaşılan kalabalık içini çekti. Birisi, "Uydunun mevcut etkinliği açısından bu ne anlama geliyor?" diye sordu.

Harper bir profesyonel gibi cevapladı. Kendinden emin ve dürüst. "İşleyen beyni olmayan mükemmel bir çift göz düşünün. Aslında YGS uydusu mükemmel görüyor ama ne gördüğü hakkında hiçbir fikri yok. YGS'nin fırlatılmasının amacı kutup buzullarındaki erimiş cepleri aramak ama YGS'nin tarayıcılardan aldığı yoğunluk verilerini tahlil edecek bilgisayar olmadan, YGS ilgilenmesi gereken noktaları ayırt edemez. Bir sonraki mekik seferiyle uydudaki bilgisayarda iyileştirmeleri yaptıktan sonra durumu düzeltmiş olacağız."

Odada hayal kırıklığı homurtuları yükseldi.

Yaşlı adam, Sexton'a göz attı. "Kötü haberleri ne kadar hoş sunuyor, öyle değil mi?"

Sexton, "NASA'da çalışıyor," diye mırıldandı. "Onların işi bu."

Bir süre boş ekran gösteren video kaseti, bir başka NASA basın konferansına geçti.

Yaşlı adam, Sexton'a, "Bu ikinci basın konferansı, birkaç hafta önce verildi," dedi. "Gece oldukça geç saatlerde. Çok az kişi gördü. Bu sefer Dr. Harper *iyi* haberleri sunuyor."

Görüntü gelmişti. Bu kez Chris Harper endişeli ve darmadağın görünüyordu. "NASA'nın YGS uydusundaki yazılım sorununu giderdiğini duyurmaktan mutluluk duyuyorum," derken sesi memnuniyetten çok uzaktı. Sorunun nasıl giderildiğini anlatırken lafı diline doluyordu. YGS'den alınan ham verilerin yönlendirilerek, uydudaki YGS bilgisayarı yerine yeryüzündeki bilgisayarlara gönderilmesiyle ilgili bir şeyler. Herkes etkilenmiş gibiydi. Kulağa olası ve heyecan verici geliyordu. Harper konuşmayı bitirdiğinde odadakiler coşkuyla alkışladılar.

Dinleyicilerden biri, "Peki yakında veri almaya başlayacak mıyız?" diye sordu.

Harper ter içinde başını salladı. "Birkaç haftaya kadar."

Daha fazla alkış aldı. Odada bazı eller havaya kalkmıştı.

Kâğıtlarını toparlarken hasta gibi görünen Harper, "Şimdilik size söyleyeceklerim bu kadar," dedi. "YGS yörüngede ve çalışıyor. Yakında veri almaya başlayacağız." Adeta sahneden koşarak ayrıldı.

Sexton yüzünü buruşturdu. Bunun tuhaf olduğunu itiraf etmek zorundaydı. Chris Harper kötü haberi verirken neden o kadar kendinden emin, iyi haberi verirken de o denli huzursuzdu? Tam tersi olmalıydı. Sexton yazılımın düzeltildiği haberini okumuş olsa da, yayınlandığı sırada bu basın konferansını seyretmemişti. O sırada bu iyileştirme haberi, önemsiz bir NASA kurtuluşu gibi görünmüştü; halkın kanısı değişmemişti. YGS iyi çalışmayan ve mükemmel sayılmayacak bir çözümle tuhaf biçimde yama yapılan başka bir NASA projesi.

Yaşlı adam televizyonu kapattı. "NASA o gece Dr. Harper'ın kendini iyi hissetmediğini iddia etti." Durdu. "Ben Harper'ın yalan söylediğini düşünüyorum."

Yalan mı? Harper'ın yazılım hakkında neden yalan söyleyebileceğine mantıklı bir açıklama getiremeyen Sexton bakakaldı. Sexton yaşadığı süre boyunca, kötü bir yalancıyı tanıyacak kadar çok yalan söylemişti. Dr. Harper'ın gerçekten şüphe çekici göründüğünü itiraf etmek zorundaydı.

Yaşlı adam, "Belki de fark etmedin," dedi. "Az önce Chris Harper'dan dinlediğin bu duyuru, NASA tarihindeki en önemli tek basın konferansıydı." Durdu. "Az önce anlattığı o yazılım iyileştirmesi sayesinde YGS göktaşını buldu."

Sexton afallamıştı. *Ve onun yalan söylediğini düşünüyorsun ha?* "Ama eğer Harper yalan söylediyse ve YGS yazılımı aslında çalışmıyorsa, o zaman NASA göktaşını hangi cehennemden buldu?"

Yaşlı adam gülümsedi. "Kesinlikle."

77

ABD ordusunun, uyuşturucu ticareti tutuklamaları sırasında ele geçirilen "repo" uçakları filosu, aralarında askeri VIP'leri taşımak için kullanılan üç yenilenmiş G4'de dahil olmak üzere, düzinelerce özel uçaktan oluşuyordu. Yarım saat önce bu G4'lerden biri Thule pistinden havalanıp, fırtınada kendine yol açarak, Kanada semalarından Washington'a doğru güneye dönmüştü. Sekiz koltuklu kabinde kendilerinden başka kimse bulunmayan Rachel Sexton, Michael Tolland ve Corky Marlinson, U.S.S. *Charlotte* mavi tulum ve berelerinin içinde, darmaduman olmuş bir tür spor takımına benziyorlardı.

Grumman motorların gürültüsüne rağmen Corky Marlinson arka tarafta uyuyakalmıştı. Ön taraftaki koltukta oturan Tolland, pencereden denize bakarken bitap görünüyordu. Onun yanında oturan Rachel, sakinleşmesine rağmen uyuyamayacağını biliyordu. Zihni gizemli göktaşı ve en önemlisi de, ölü odasında Pickering'le yaptığı görüşmeyle meşguldü. Bağlantıyı sona erdirmeden önce Pickering, Rachel'a rahatsız edici iki bilgi daha vermişti.

Bunlardan ilki, Marjorie Tench'in elinde, Rachel'ın Beyaz Saray çalışanlarına verdiği kişisel ifadenin bir video kaydı bulunmasıydı. Tench, Rachel göktaşı verileri hakkındaki görüşlerini değiştirmeye kalkışırsa bu kaydı delil olarak kullanmakla tehdit ediyordu. Bu haber özellikle kaygı vericiydi, çünkü Rachel, Zach Herney'ye çalışanlara yaptığı bilgilendirmenin sadece Beyaz Saray içinde kullanılması hususunu üstüne basa basa belirtmişti. Görünüşe bakılırsa Zach Herney bu talebe kulak asmıyordu.

İkinci rahatsızlık verici haber, babasının akşamüstü CNN'de katıldığı tartışmayla ilgiliydi. Anlaşıldığı kadarıyla Marjorie Tench niyetini belli etmeden, Rachel'ın babasını NASA karşıtı tutumunu açıkça ortaya dökmesi için ustalıkla oyuna getirmişti. Daha da önemlisi Tench, onu, dünya dışında yaşam izlerine asla rastlanmayacağı konusundaki şüphelerini açıklatacak şekilde kandırmıştı.

Kellemi keserim mi? Pickering, ona, NASA dünya dışında yaşam bulursa babasının böyle yapacağını söylediğini anlamıştı. Rachel, Tench'in bu lafları babasının ağzından almayı nasıl başardığını düşündü. Anlaşılan Beyaz Saray sahneyi özenle hazırlıyordu. Sexton'ın büyük devrilişine hazırladığı domino taşlarını acımasızca dizmişti. Başkan ve Marjorie Tench, bir tür siyasi güreş takımı gibi ölümcül müsabakayı düzenlemişlerdi. Başkan tüm asaletiyle ringin dışında kalırken, Tench sahneye çıkarak sinsice kandırdığı senatörü başkanlık nakavtına hazırlamıştı.

Başkan, Rachel'a, verilerin doğruluğunu teyit edecek zamanı kazanmak için, NASA'dan keşif duyurusunu ertelemelerini istediğini söylemişti. Rachel şimdi bu bekleme süresinin başka avantajları olduğunu anlıyordu. Bu süre Beyaz Saray'a, senatörün kendini asacağı ipi uzatmasına imkân sağlamıştı.

Rachel, babasına karşı sempati duymuyordu ama artık Başkan Zach Herney'nin sıcak ve neşeli görüntüsünün altında vahşi bir köpekbalığı yattığını anlayabiliyordu. Öldürme içgüdüsü olmadan kimse dünyanın en güçlü adamı olamazdı. Şimdi asıl soru, bu köpekbalığının masum bir seyirci mi yoksa aktif bir oyuncu mu olduğuydu.

Rachel ayağa kalkıp bacaklarını esnetti. Uçağın koridorunda yürürken, bulmacanın parçalarının birbiriyle çeliştiğini düşününce hüsrana uğradı. Düz mantığıyla tanınan Pickering, göktaşının sahte olabileceği sonucuna varmıştı. Corky ile Tolland ise, bilimsel kanıtlarla göktaşının gerçek olduğu konusunda ısrar etmişlerdi. Rachel ise sadece gördüğü kadarını biliyordu; buzdan çıkartılan kömürleşmiş ve fosilleşmiş bir taş.

Corky'nin yanından geçerken, buzda çektiği işkencelerle hırpalanmış astrofizikçiye göz attı. Yanağındaki kabarıklık şimdi biraz inmişti ve dikişler iyi görünüyordu. Horlayarak uyurken, disk şeklindeki göktaşı örneğini sanki güvenlik örtüsü gibi tombul elleriyle kavramıştı.

Rachel uzanıp, göktaşı örneğini nazikçe elinden aldı. Havaya kaldırıp, bir kez daha fosilleri inceledi. Her şeyi baştan almak için kendini zorlayarak, *tüm varsayımları bir kenara bırak,* diye düşündü. *Gerçekleme zin-*

cirini yeniden kur. Bu eski bir UKO hilesiydi. Her şeyi unutup, bir ispatlamayı yeniden kurmak, "sıfır başlangıcı" diye bilinen bir yöntemdi; parçalar birbirine uymadığında tüm veri analizcileri bu yöntemi kullanırdı.

İspatlamayı yeniden oluştur.

Tekrar yürümeye başladı.

Bu taş dünya dışında yaşam olduğunun kanıtı mı?

Kanıtın, üstüne daha fazla kesin ifadenin eklendiği, kabul edilir bilgilerden oluşan gerçekler piramidine dayandırılmış bir sonuç olduğunu biliyordu.

Tüm varsayımları bir kenara bırak. Baştan başla.

Elimizde ne var?

Bir taş.

Bir süre bunları zihninde tarttı. *Bir taş. Fosilleşmiş yaratıklar içeren bir taş.* Uçağın ön tarafına geri yürüyerek, Michael Tolland'ın yanındaki koltuğuna oturdu.

"Mike, haydi bir oyun oynayalım."

Başını pencereden çeviren Tolland'ın kendi düşüncelerine daldığı anlaşılıyordu. "Oyun mu?"

Göktaşı örneğini ona uzattı. "Bu fosilleşmiş taşı ilk defa gördüğünü varsayalım. Sana bunun nerden geldiğini ve nasıl bulunduğunu anlatmadım. Bana bunun ne olduğunu söylerdin?"

Tolland kederle içini çekti. "Sorman çok tuhaf. Ben de az önce düşünüyordum..."

Rachel ile Tolland'ın yüzlerce mil altında garip görünüşlü bir uçak, boş okyanusun üstünde güneye doğru alçaktan uçuyordu. Uçaktaki Delta Gücü sessizdi. Daha önce de bölgelerden alelacele alınmışlardı ama asla böyle değil.

İdarecileri çok öfkelenmişti.

Delta-Bir, idareciye buzuldaki beklenmedik olaylar sebebiyle ekibinin güç kullanmaktan başka seçeneğinin kalmadığını bildirmişti. Rachel Sexton ile Michael Tolland da dahil olmak üzere dört sivili öldüren bir güç.

İdareci duydukları karşısında sarsılmıştı. Öldürmek, son çare olarak yetkilendirilmiş bir eylem olsa da, idarecinin planına dahil olmadığı kesindi.

Suikastlerin planlandığı gibi gitmediğini öğrendikten sonra, idarecinin hoşnutsuzluğu açık bir öfkeye dönüşmüştü.

İdareci, "Takımın başarısız oldu!" diye köpürürken, erdişi sesi öfkesini maskeleyemiyordu. "Dört hedefinizden üçü hâlâ hayatta!"

Delta-Bir, *imkânsız*, diye düşündü. "Ama biz gördük..."

"Bir denizaltıyla bağlantı kurdular ve şimdi Washington'a doğru yol alıyorlar."

"Ne!"

İdarecinin sesi öldürecek kadar sertti. "İyi dinle. Sana yeni emirler veriyorum. Ve bu sefer başarısız olmayacaksın."

78

Senatör Sexton, beklenmedik misafirini asansöre kadar geçirirken, içinde küçük bir umut belirmişti. Anlaşılan o ki, USV başkanı, Sexton'ı cezalandırmaya değil, onu gayretlendirmeye ve savaşın henüz bitmediğini söylemeye gelmişti.

NASA zırhındaki olası bir çatlak.

Tuhaf NASA basın konferansının video kaydı, Sexton'ı adamın haklı olduğuna ikna etmeye yetmişti. YGS görev direktörü Chris Harper yalan söylüyordu. *Ama niye? Ve eğer* YGS *yazılımını asla düzeltmediyse, NASA göktaşını nasıl buldu?*

Asansöre doğru yürürlerken yaşlı adam, "Bazen tek bir ipi çekmekle koca bir düğüm çözülebilir. Belki NASA zaferini kendi içinden çökertmenin bir yolunu bulabiliriz. Güven sarsacak bir karalama yeter. Nereye kadar gideceğini kim bilir?" dedi. Yaşlı adam yorgun gözlerini Sexton'a dikmişti. "Pes edip ölmeye niyetim yok senatör. Ve eminim sizin de öyle."

Kararlı bir sesle konuşan Sexton, "Elbette yok," dedi. "Geri dönemeyecek kadar ilerledik."

Adam asansöre binerken, "Chris Harper YGS'yi tamir ettikleri konusunda yalan söyledi," dedi. "Nedenini öğrenmek zorundayız."

Sexton, "Bu bilgiyi mümkün olduğunca çabuk edineceğim," dedi. *Doğru adam elimde.*

"Güzel. Geleceğin buna bağlı."

Sexton dairesine geri dönerken adımları biraz daha canlı, kafası biraz daha sakindi. *NASA,* YGS *hakkında yalan söyledi.* Tek sorun, Sexton'ın bunu nasıl kanıtlayacağıydı.

Gabrielle Ashe'i düşünmeye başlamıştı bile. Şu anda her neredeyse, herhalde kendini bok gibi hissediyordu. Gabrielle hiç şüphesiz basın konferansını görmüştü, şımdı bır uçurumun kenarından kendini aşağı bırakmayı planlıyor olmalıydı. NASA'yı Sexton'ın kampanyasının ana teması haline getirme fikri, Sexton'ın kariyerindeki en büyük hata olmuştu.

Sexton, *bana borçlu,* diye düşündü. *Ve bunu biliyor.*

Gabrielle NASA sırlarını öğrenmekteki ustalığını çoktan kanıtlamıştı. Sexton, *bir bağlantısı var,* diye düşündü. Haftalardır içeriden bilgi alıyordu. Gabrielle'ın ismini açıklamadığı bazı bağlantıları vardı. YGS hakkında bilgi edinebileceği bağlantılar. Ayrıca, Gabrielle bu akşam yeterince mahcup olmuştu. Borcunu ödemesi gerekiyordu ve Sexton, yeniden kendisinin beğenisini kazanmak için Gabrielle'ın her şeyi yapabileceğini düşünüyordu.

Sexton evinin kapısına vardığında, koruması başıyla selam verdi. "İyi geceler senatör. Sanırım Gabrielle'ın içeri girmesine izin vermekle doğru olanı yaptım, öyle değil mi? Sizinle mutlaka konuşması gerektiğini söylemişti."

Sexton duraksadı. "Anlamadım?"

"Bayan Ashe? Akşamın erken saatlerinde size verecek önemli bilgiler getirmişti. Bu yüzden içeri girmesine izin verdim."

Sexton vücudunun gerildiğini hissetti. Dairesinin kapısına baktı. *Bu adam neden bahsediyor böyle?*

Korumanın yüzünde şaşkınlık ve kaygı dolu bir ifade belirdi. "Senatör, iyi misiniz? Hatırlıyorsunuz, öyle değil mi? Gabrielle toplantı esnasında gelmişti. Sizinle konuştu, öyle değil mi? Konuşmuş olması gerek. İçerde bir süre kaldı."

Uzun süre bakakalan Sexton, nabzının yükseldiğini hissetti. *Bu moron gizli bir USV toplantısı sırasında Gabrielle'ı dairemden içeri mi aldı?* İçeride dolaşıp, sonra da tek kelime etmeden gitti mi? Sexton, Gabrielle'ın neler duyduğunu sadece tahmin edebiliyordu. Öfkesini bastırarak, korumaya zoraki bir tebessüm etti. "Ah evet! Üzgünüm. Çok yoruldum. Biraz da içki içtim. Bayan Ashe ile gerçekten konuştuk. Doğru olanı yaptın."

Koruma rahatlamış gibiydi.

"Ayrılırken nereye gittiğini söyledi mi?"

Koruma başını iki yana salladı. "Çok acelesi vardı."

"Tamam, teşekkürler."

Sexton burnundan soluyarak dairesine girdi. *Verdiğim talimatlar ne kadar anlaşılmaz olabilir? Ziyaretçi yok!* Eğer Gabrielle herhangi bir süre içeride kalıp, tek kelime etmeden gittiyse, duymaması gereken şeyleri duymuş demekti. *Bu gece ne gece oldu ama.*

Senatör Sexton her şeyin ötesinde, Gabrielle Ashe'in güvenini kaybetmeyi göze alamayacağını biliyordu; kadınlar aldatıldıklarını hissettiklerinde kin bileyip aptalca davranırlardı. Sexton'ın onu geri getirmesi gerekiyordu. Bu gece, her zamankinden fazla kendi tarafında olması lazımdı.

79

ABC televizyon stüdyolarının dördüncü katındaki Gabrielle Ashe, Yolanda'nın cam duvarlı ofisinde tek başına oturmuş, yıpranmış halıya bakıyordu. Her zaman içgüdülerine güvenmek ve kime güveneceğini bilmekle övünürdü. Şimdi ise, Gabrielle yıllardır ilk defa kendini yalnız hissediyor, ne tarafa döneceğini bilemiyordu.

Cep telefonunun sesi, bakışlarını halıdan ayırdı. Gönülsüzce telefonu eline aldı. "Gabrielle Ashe."

"Gabrielle, benim."

Senatör Sexton'ın, olanlara rağmen şaşılacak derecede sakin gelen sesini hemen tanımıştı.

"Burda feci bir gece geçirdik," dedi. "Biraz anlatayım. Başkan'ın konferansını gördüğüne eminim. Belki de yanlış ata oynadık. Bunu düşünmek beni hasta ediyor. Kendini suçluyor olabilirsin. Bunu yapma. Kim tahmin edebilirdi? Senin hatan değil. Her neyse, dinle. Sanırım sırtımızı yeniden doğrultmanın bir yolunu biliyorum."

Sexton'ın neden bahsettiğini hayal bile edemeyen Gabrielle ayağa kalktı. Bu, beklediği bir tepki değildi.

Sexton, "Bu akşam bir toplantım vardı," dedi. "Özel uzay şirketlerinin temsilcileriyle. Ve..."

Bunu itiraf etmesine şaşıran Gabrielle, "Var mıydı?" diye ağzından kaçırdı. "Yani... hiç haberim yoktu."

"Evet, önemli bir şey değil. Senden katılmanı isteyecektim ama bu adamlar gizlilik konusunda çok hassaslar. İçlerinden bazıları kampanyama para bağışında bulunuyor. Bunu reklam etmek istemiyorlar."

Gabrielle elinin kolunun kesildiğini hissetti. "Ama... bu yasadışı değil mi?"

"Yasadışı mı? Elbette hayır! Tüm bağışlar iki bin doların altında. Küçük meblağlar. Bu adamlar fazla işimize yaramazlar ama yine de şikâyetlerini dinliyorum. Geleceğe yatırım diyelim. Bu konuda sessiz kaldım, çünkü samimi olmak gerekirse, dışardan pek hoş görünmüyordu. Beyaz Saray öğrenecek olursa, gereksiz yere uzatırdı. Her neyse, bak, asıl konu bu değil. Bu akşamki toplantıdan sonra USV başkanıyla konuştuğumu söylemek için aradım..."

Bir süre boyunca, Sexton hâlâ konuştuğu halde, Gabrielle'ın tüm duyabildiği utançla yüzüne hücum eden kanın sesiydi. Onun en ufak bir imada bulunmasına gerek kalmadan senatör serinkanlılıkla, akşam özel uzay şirketleriyle yaptığı toplantıyı itiraf etmişti. *Tamamen yasal.* Ya Gabrielle'ın yapmayı düşündüğü şey! Tanrı'ya şükür, Yolanda, onu durdurmuştu. *Az daha Marjorie Tench'in gemisine atlıyordum!*

Senatör, "...ve ben de bu yüzden USV başkanına," diyordu. "Bu bilgiyi bizim için öğrenebileceğini söyledim."

Gabrielle sohbete geri döndü. "Peki."

"Geçtiğimiz aylarda NASA'yla ilgili bilgileri aldığın içerdeki bağlantından bahsediyorum. Herhalde temasınız devam ediyordur?"

Marjorie Tench. Gabrielle, muhbirin onu baştan beri avucunun içinde oynattığını senatöre söyleyemeyeceğini biliyordu. "Eee... sanırım," diye yalan söyledi.

"Güzel. Bazı bilgileri öğrenmeni istiyorum. Hemen."

Gabrielle dinlerken, son zamanlarda Senatör Sedgewick Sexton'ı ne kadar hafife aldığını fark etti. Gabrielle, onunla çalışmaya başladığından bu yana adamın ihtirası törpülenmişti. Ama bu akşam geri dönmüştü. Kampanyası ölümün nefesini ensesinde hissettiği anda, Sexton bir karşı saldırı hazırlığına geçiyordu. Ve bu uğursuz yola onu Gabrielle soktuğu halde, onu cezalandırmıyor, yaptıklarını telafi etmesi için bir şans tanıyordu.

Ve Gabrielle telafi edecekti.

Her ne pahasına olursa olsun.

80

William Pickering ofis penceresinden Leesburg Otoyolu'ndaki araba farlarına bakıyordu. Burada, dünyanın tepesinde tek başına dururken genellikle onu düşünürdü.

Tüm bu güce rağmen... onu kurtaramadım.

Pickering'in kızı Diana, küçük bir Deniz Kuvvetleri kurtarma gemisinde dümencilik eğitimi alırken Kızıl Deniz'de ölmüştü. Gemisi, güneşli bir akşamüstü limana demirlemişti. Patlayıcılarla ve iki intihar komandosuyla yüklü küçük tekne usulca limana girip, geminin gövdesine çarparak patlamıştı. O gün Diana Pickering ile birlikte on üç genç Amerikan askeri öldürülmüştü.

William Pickering harap olmuştu. Bu acı onu haftalarca kahretmişti. Terörist saldırıyı, CIA'nın yıllardır arayıp da bulamadığı bilindik bir örgütün düzenlediği öğrenilince, Pickering'in üzüntüsü intikam hırsına dönüşmüştü. CIA merkezine gidip, sorularına cevap istemişti.

Aldığı cevapları hazmetmesi zordu.

Görünüşe göre CIA aylar önce bu örgüte baskın yapmaya hazırlanmıştı. Teröristlerin Afganistan'da saklandığı dağlara bombalı bir saldırı düzenleyebilmek için yüksek çözünürlü uydu fotoğraflarını bekliyorlardı. Bu fotoğraflar, Vortex 2 kod adlı, 1.2 milyar dolarlık UKO uydusu tarafından çekilecekti. Fırlatma rampasında, NASA fırlatma tertibatı yüzünden patlayan uydu. NASA kazası yüzünden CIA saldırısı ertelenmiş ve Diana Pickering ölmüştü.

Pickering'in mantığı ona NASA'nın doğrudan sorumlu olmadığını söylüyor ama kalbi unutmakta zorlanıyordu. Patlama hakkında yapılan soruşturma, yakıt enjeksiyonundan sorumlu NASA mühendislerinin bütçeyi aşmamak için ikinci kalite malzeme kullanmak zorunda kaldığını ortaya çıkarmıştı.

Lawrence Ekstrom bir basın konferansında, "İnsansız uçuşlarda NASA en çok maliyet kâr oranı ile mücadele ediyor. Bu olayda itiraf etmek gerekir ki, en iyi sonuçlar alınmadı. Bu konuyu araştıracağız," demişti.

En iyi mi? Diana Pickering ölmüştü.

Bunun dışında, casus uydu gizli olduğundan halk hiçbir zaman, NASA'nın 1.2 milyar dolarlık bir UKO Projesi'ni yok ettiğini ve pek çok Amerikalının hayatına mal olduğunu öğrenememişti.

"Efendim?" Sekreterinin dahili telefondan gelen sesi Pickering'i ürkütmüştü. "Birinci hat. Marjorie Tench arıyor."

Sersemliği üstünden atan Pickering telefona baktı. *Yine mi?* Birinci hattın yanıp sönen ışığı öfkeli bir telaşın habercisi gibiydi. Kaşlarını çatan Pickering çağrıya cevap verdi.

"Ben Pickering."

Tench'in sesi öfkeden kuduruyordu. "Size ne dedi?"

"Anlamadım?"

"Rachel Sexton, sizinle bağlantı kurdu. Size ne söyledi? Tanrı aşkına, bir denizaltıdaydı! Bunu açıklayın!"

Pickering gerçeği inkâr etmenin ihtimal dahilinde olmadığını biliyordu; Tench ev ödevini yapıyordu. Onun *Charlotte'ı* öğrenmesine şaşırmıştı ama bazı cevapları alana kadar ağırlığını kullandığı belli oluyordu. "Evet Bayan Sexton, benimle temasa geçti."

"Onu aldırtmışsınız. Ve beni aramadınız?"

"Nakil aracı ayarladım. Bu doğru." Rachel Sexton, Michael Tolland ve Corky Marlinson'ın yakınlardaki Bollings Hava Kuvvetleri Üssü'ne inmelerine iki saat kalmıştı.

"Ve buna rağmen bana haber vermemeyi tercih ettiniz, öyle mi?"

"Rachel Sexton çok rahatsız edici bazı suçlamalarda bulundu."

"Göktaşının gerçekliğiyle... ve hayatına yönelik saldırıyla ilgili, öyle değil mi?"

"Ve diğer şeyler."

"Yalan söylediği ortada."

"Hikâyesini destekleyen iki kişiyle birlikte olduğunun farkındasınız değil mi?"

Tench duraksadı. "Evet. En kaygı verici olan da bu. Beyaz Saray onların iddialarından endişe duyuyor."

"Beyaz Saray mı? Yoksa bizzat siz mi?"

Tench'in sesi jilet gibi keskindi. "Sizin de bildiğiniz gibi direktör, bu gece hiç fark etmez."

Pickering etkilenmemişti. İstihbarat camiası üstünde baskı kurmak isteyen yaygaracı politikacılarla yardımcılarına yabancı değildi. Ama çok azı Marjorie Tench kadar ileri giderdi. "Başkan, beni aradığınızı biliyor mu?"

"Samimi söylüyorum direktör, bu saçma sapan sözlerle eğlenebilmeniz beni çok şaşırttı."

Soruma cevap vermedin. "Bu insanların yalan söylemeleri için hiçbir mantıklı sebep göremiyorum. Ya gerçeği söylediklerini ya da masum bir hata yaptıklarını düşünmek zorundayım."

"Hata mı? Saldırı iddiaları mı? NASA'nın hiç görmediği göktaşı verilerinde hata olması mı? Lütfen! Belli ki bu bir siyasi tuzak."

"Öyleyse bile sebeplerini anlayamıyorum."

Tench ağır ağır içini çekip, sesini alçalttı. "Direktör, burda farkında olmayabileceğiniz güçler devreye girmiş durumda. Bunu daha sonra uzun uzadıya görüşürüz ama şu anda Bayan Sexton'la diğerlerinin nerde olduklarını bilmem gerek. Kalıcı bir zarar vermeden önce bu işin aslını öğrenmek zorundayım. Nerdeler?"

"Bu bilgiyi paylaşmakta sakınca görüyorum. Onlar vardıktan sonra sizinle temas kuracağım."

"Yanlış. Vardıklarında onları karşılamak üzere orda olacağım."

Pickering, *sen ve acaba beraberinde kaç Gizli Servis ajanı,* diye düşündü. "Nereye ve hangi saatte varacaklarını size bildirirsem, dost gibi görüşme fırsatımız olacak mı, yoksa onları tutuklamak için özel bir ordu mu gönderme niyetindesiniz?"

"Bu kişiler Başkan'a doğrudan tehdit oluşturuyor. Onları alıkoyup sorgulamak için Beyaz Saray'ın her türlü hakkı var."

Pickering, onun haklı olduğunu biliyordu. Birleşik Devletler Anayasası'nın 18. Maddesi, 3056. Fıkrası gereğince, ABD Gizli Servisi'nin, bir kişinin Başkan'a yönelik ağır suç veya herhangi bir saldırıda bulunduğundan ya da niyet ettiğinden şüphelendiğinde, ateşli silahlar taşıma, öldürücü güç kullanma ve "gerekçesiz" tutuklamalar yapmaya yetkisi vardı. Servise kayıtsız şartsız yetki verilmişti. Tutuklananlar arasında Beyaz Saray önündeki aylaklar ve tehdit içerikli e-posta göndererek şaka yapan okul çocukları da vardı.

Gizli Servis'in Rachel Sexton ile diğerlerini Beyaz Saray'ın bodrumuna tıkıp, sonsuza dek orada tutabileceğinden hiç şüphesi yoktu. Tehlikeli bir oyun olacaktı ama Tench belli ki, tehlikenin daha büyük olduğunu düşünüyordu. Asıl soru, Pickering kontrolü Tench'in eline almasına izin verirse ne olacağıydı. Cevabını öğrenmeye hiç niyeti yoktu.

Tench, "Başkan'ı yalan suçlamalardan korumak için ne gerekirse yapacağım," dedi. "Suikast iması Beyaz Saray'la NASA'ya kara bir leke sürecektir. Rachel Sexton, Başkan'ın ona karşı olan güvenini suiistimal etti ve Başkan'ın bunun bedelini ödemesini seyretmeye hiç niyetim yok."

"Peki ya Rachel Sexton'ın resmi bir soruşturmada davasını sunmasına izin verilmesini talep edersem?"

"O zaman ona lanet olası bir siyasi karmaşa yaratabileceği platformu hazırlamış ve başkanlık emrini göz ardı etmiş olursunuz! Size bir kez daha soruyorum direktör. Onları nereye uçuruyorsunuz?"

Pickering derin derin içini çekti. Marjorie Tench'e uçağın Bollings Hava Kuvvetleri Üssü'ne ineceğini söylese de söylemese de, öğrenmenin yolunu bulacağını biliyordu. Asıl soru, bunu yapıp yapmayacağıydı. Kadının sesindeki kararlılıktan pes etmeyeceğini sezinledi. Marjorie Tench korkuyordu.

Pickering son derece anlaşılır bir sesle, "Marjorie," dedi. "Birisi bana yalan söylüyor. Bundan eminim. Ya Rachel Sexton ile iki sivil bilim adamı ya da sen. Ben senin yalan söylediğini düşünüyorum."

Tench patladı. "Nasıl cüret..."

"Hakaretlerini duymuyorum, bu yüzden kendine sakla. NASA ve Beyaz Saray'ın bu gece yalan yayın yaptığına dair elimde kesin kanıtlar olduğunu bilmek istersin."

Tench aniden sustu.

Pickering, onu bir süre şaşkınlığıyla baş başa bıraktı. "Ben de senin kadar siyasi bir kriz yaşanmasını istemiyorum. Ama yalan söylendi. Yalanın ömrü uzun olmaz. Sana yardım etmemi istiyorsan, bana karşı dürüst davranmalısın."

Tench'in sesi öfkeli fakat kaygılı geliyordu. "Eğer yalan söylendiğinden bu kadar eminsen, neden ortaya çıkmadın?"

"Siyasi meselelere karışmıyorum."

Tench "bok" dermiş gibi bir şey mırıldandı.

"Bana Başkan'ın bu akşamki duyurusunun tamamıyla doğru olduğunu mu söylemeye çalışıyorsun Marjorie?"

Hatta uzun bir sessizlik oldu.

Pickering, onu ikna ettiğini anlamıştı. "Dinle, ikimiz de bunun patlamaya hazır bir saatli bomba olduğunu biliyoruz. Ama çok geç değil. Uzlaşabiliriz."

Tench birkaç saniye hiçbir şey söylemedi. Sonunda içini çekti. "Görüşmemiz lazım."

Pickering içinden, *gol,* diye geçirdi.

Tench, "Sana göstermem gereken bir şey var," dedi. "Ve sanırım bu konuyu biraz olsun aydınlatacaktır."

"Ofisine geliyorum."

Telaşla, "Hayır," dedi. "Geç oldu. Buraya gelmen endişeleri arttırır. Bu meselenin aramızda kalmasını tercih ederim."

Pickering satır aralarını okudu. *Başkan bu konuyla ilgili hiçbir şey bilmiyor.* "Buraya gelebilirsin," dedi.

Tench'in sesi şüpheliydi. "Daha tenha bir yerde buluşalım."

Pickering de öyle tahmin etmişti.

Tench, "Beyaz Saray'dan FDR anıtına ulaşmak kolay," dedi. "Gecenin bu saatinde boş olur."

Pickering bunu düşündü. FDR anıtı şehrin son derece güvenli bir bölümünde, Jefferson ve Lincoln anıtlarının arasındaydı. Uzun bir düşünme payının ardından Pickering kabul etti.

Tench kapatırken, "Bir saat sonra," dedi. "Ve yalnız gel."

Marjorie Tench telefonu kapar kapamaz NASA Müdürü Ekstrom'u aradı. Kötü haberi verirken sesi gergindi.

"Pickering sorun çıkarabilir."

81

Gabrielle Ashe, ABC yapım odasında Yolanda Cole'un masasının başında durup, bilinmeyen numaraları ararken yeni ümitlerle doluydu.

Sexton'ın bahsettiği iddialar eğer doğruysa, büyük bir potansiyeli vardı. YGS *hakkında NASA yalan mı söyledi?* Gabrielle sözü geçen basın konferansını görmüştü. Hatırlayınca gerçekten tuhaf bulduğunu düşündü ama tamamen unutmuştu; birkaç hafta önce YGS önemli bir mesele değildi. Ama bu gece YGS meselenin ta kendisiydi.

Şimdi Sexton'ın içeriden alınacak bilgilere ihtiyacı vardı, hem de hemen. Bu bilgi için Gabrielle'ın "muhbirine" güveniyordu. Gabrielle elinden geleni yapacağı konusunda senatöre güvence vermişti. Ama elbette sorun, muhbirinin asla faydası dokunmayacak Marjorie Tench olmasıydı. Bu yüzden Gabrielle'ın bilgiyi başka şekilde öğrenmesi gerekiyordu.

Telefondaki ses, "Bilinmeyen numaralar," dedi.

Gabrielle, ona ne istediğini anlattı. Operatör Washington'da yaşayan üç Chris Harper numarasıyla geri döndü. Gabrielle numaraların her birini denedi.

İlk telefon bir hukuk firmasına aitti. İkincisi cevap vermedi. Üçüncüsüyse şimdi çalıyordu.

İlk çalışta telefona bir kadın cevap verdi. "Harperların evi."

Gabrielle elinden geldiğince nazik bir sesle, "Bayan Harper?" dedi. "Umarım sizi uyandırmamışımdır."

"Elbette hayır! Bu gece kimsenin uyuyacağını sanmıyorum." Sesi heyecanlıydı. Gabrielle arkadan gelen televizyon sesini duyabiliyordu. Göktaşı hikâyesi. "Sanırım Chris'i aradınız?"

Gabrielle'ın nabzı hızlandı. "Evet bayan."

"Üzgünüm ama Chris burda değil. Başkan'ın duyurusu biter bitmez ofise gitti." Kadın kendi kendine güldü. "Tabi, yapılacak bir iş olduğunu sanmıyorum. Herhalde parti yapıyorlardır. Bu duyuru onu hayli şaşırttı tahmin edersiniz. Herkesi olduğu gibi. Telefonumuz gece boyunca çaldı. Bahse girerim tüm NASA ekibi şimdi ordadır."

Kadının NASA genel merkezinden bahsettiğini düşünen Gabrielle, "E Caddesi'ndeki kompleks mi?" diye sordu.

"Evet ya. Parti şapkanı yanına al."

"Teşekkürler. Kendisini orda bulurum."

Gabrielle telefonu kapattı. Yapım odasına koşup, göktaşı hakkında yorum yapmak üzere olan bir grup uzay bilimi uzmanını yayına hazırlamayı henüz bitiren Yolanda'yı buldu.

Gabrielle'ın geldiğini görünce Yolanda gülümsedi. "Daha iyi görünüyorsun," dedi. "Burdaki umut ışığını görmeye mi başladın?"

"Az önce senatörle konuştum. Bu akşamki toplantısı sandığım gibi değilmiş."

"Tench'in sana oyun oynadığını söylemiştim. Senatör göktaşı haberlerini nasıl karşıladı?"

"Sandığımdan daha iyi."

Yolanda şaşırmış görünüyordu. "Şimdiye kadar kendini bir otobüsün önüne atar sanıyordum."

"NASA verilerinde bir sorun olabileceğini düşünüyor."

Yolanda şüpheyle homurdandı. "Benim izlediğim basın konferansının aynını mı izlemiş? İnsan daha fazla ne kadar onay ve tasdik ihtiyacı duyar?"

"Bir şeyi öğrenmek için NASA'ya gidiyorum."

Yolanda'nın kalemle boyanmış kaşları, kavis çizerek havaya kalktı. "Senatör Sexton'ın sağ kolu NASA genel merkezine mi gidecek? Hem de bu gece?"

Gabrielle, Yolanda'ya Sexton'ın, YGS bölüm müdürü Chris Harper'ın YGS anomali yazılımını onardıkları konusunda yalan söylediğinden şüphelendiğini anlattı.

Yolanda'nın inanmadığı anlaşılıyordu. "O basın konferansını biz üstlenmiştik Gabs ve itiraf ederim ki, Harper o gece kendinde değildi ama NASA it gibi hastalandığını söyledi."

"Senatör Sexton yalan söylediğine ikna olmuş. Diğerleri de öyle. Güçlü kimseler."

"YGS anomali saptama yazılımı onarılmadıysa, YGS göktaşının yerini nasıl tespit etti?"

Gabrielle içinden, *Sexton da aynen böyle düşünüyor,* diye geçirdi. "Bilmiyorum. Ama senatör bazı cevapları almamı istiyor."

Yolanda başını iki yana salladı. "Sexton gerçek olamayacak hayallerle seni eşekarısı kovanına gönderiyor. Gitme. Ona hiçbir şey borçlu değilsin."

"Kampanyasının içine eden benim."

"Kampanyasının içine eden talihsizlikti."

"Ama eğer senatör haklıysa ve YGS bölüm müdürü gerçekten yalan söylediyse..."

"Tatlım, eğer YGS bölüm müdürü dünyaya yalan söylediyse, gerçeği sana söyleyeceğine seni inandıran nedir?"

Bunu düşünen Gabrielle çoktan plan kurmaya başlamıştı. "Orda bir hikâye yakalarsam seni arayacağım."

Yolanda şüpheli bir ifadeyle kahkaha attı. "Orda bir hikâye yakalarsan, kellemi keserim."

82

Bu taş hakkında bildiğin her şeyi aklından çıkart.

Michael Tolland göktaşı hakkında kendi huzur bozucu düşünceleriyle boğuşurken, Rachel'ın kurcalayıcı soruları bu meseleyle ilgili kaygılarını arttırdı. Elindeki taş dilimine baktı.

Birisinin sana bunu verip, nerede bulunduğu veya ne olduğu hakkında hiç açıklama yapmadığını farz et. Ne sonuca varırdın?

Tolland, Rachel'ın sorusunun hileli olduğunu biliyordu ama yine de etkili bir tahlil yöntemi sayılırdı. Habiküreye geldikten sonra kendisine sunulan verilerin önyargılarından kurtulan Tolland, fosillerle ilgili yaptığı analizlerin tek bir ön bilgiyle şekillendiğini itiraf etmek zorundaydı: içinde fosillerin bulunduğu taşın bir göktaşı olduğu.

Kendi kendine, *peki ya bana göktaşından bahsetmemiş olsalardı,* diye düşündü. Hâlâ başka açıklama bulamamasına rağmen Tolland, varsayımsal açıdan "göktaşını" önerme olmaktan çıkartınca, karşısına çıkan sonuç onu tereddüde düşürdü. Şimdi Tolland ile Rachel, onlara katılan uyku sersemi Corky Marlinson'la beraber bu konuyu tartışıyorlardı.

Rachel, "Demek ki Mike," dedi. "Birisi bu fosilleşmiş taşı sana ne olduğu hakkında *hiçbir* açıklamada bulunmadan verse, dünyaya ait olduğu sonucuna varırsın."

Tolland, "Elbette," diye yanıt verdi. "Başka hangi sonuca varabilirdim? Daha önce keşfedilmemiş bir yeryüzü türü bulunduğunu düşünmek, dünya dışında yaşam bulunduğunu düşünmekten daha kolay akla geliyor. Bilim adamları her yıl düzinelerce yeni tür keşfeder."

Kuşkuyla yaklaşan Corky, "Altmış santim uzunluğunda bit mi?" diye sordu. "Bu büyüklükte bir böceğin *dünyalı* olduğunu mu düşünecektin?"

Tolland, "Belki bu zamana ait değil," diye cevap verdi. "Ama türlerin şu an yaşıyor olmaları şart değil. Bu bir fosil. 190 milyon yaşında. Bizdeki Jura dönemine rastlıyor. Fosilleşmiş kalıntılarını keşfettiğimizde çok şaşırtıcı görünen pek çok tarih öncesi aşırı büyük yaratık var; devasa kanatlara sahip sürüngenler, dinozorlar, kuşlar."

Corky, "Burda fizikçilik taslamak istemem Mike," dedi. "Ama iddianda ciddi bir hata yapıyorsun. Bahsettiğin tarih öncesi yaratıkların -dinozorlar, sürüngenler, kuşlar- hepsinin iç *iskeleti* var, bu sayede dünyadaki yerçekimine rağmen büyük boyutlara ulaşabiliyorlar. Ama bu fosil..." Örneği eline alıp, havaya kaldırdı. "Bunların *dış iskeleti* var. Bunlar eklembacaklı. Böcek. Bu büyüklükte bir böceğin ancak düşük yerçekimli ortamlarda bulunabileceğini sen söylemiştin. Aksi takdirde, dış iskelet kendi ağırlığıyla çöker."

Tolland, "Doğru," dedi. "Yeryüzünde yürüyecek olsalardı bu türler, kendi ağırlıkları altında ezilirlerdi."

Corky'nin kaşları öfkeyle çatıldı. "Şey, Mike, bir mağara adamı yerçekimsiz bir bit çiftliği işletmediyse, altmış santimlik bir böceğin *dünyalı* olduğu sonucuna nasıl varıyorsun anlayamadım."

Corky'nin böylesi basit bir noktayı kaçırdığını gören Tolland, içten içe güldü. "Aslına bakarsan başka bir ihtimal daha var." Yaklaşarak, gözlerini arkadaşına dikti. "Corky, sen *yukarı* bakmaya alışkınsın. *Aşağı* bak. Burda, dünyada da büyük bir yerçekimsiz ortam var. Ve tarih öncesi zamanlardan beri varlığını sürdürüyor."

Corky sadece bakıyordu. "Sen neden bahsediyorsun?"

Rachel da şaşırmış görünüyordu.

Tolland pencereden, aşağıda ay ışığının aydınlattığı pırıltılı denizi işaret etti. "Okyanus."

Rachel hafif bir ıslık çaldı. "Elbette."

Tolland, "Su, yerçekiminin az olduğu bir ortamdır," diye açıkladı. "Suyun altında her şey daha hafiftir. Okyanus, karada asla yaşayamayacak, devasa hassas bünyeleri destekler: denizanası, dev kalamar, müren balıkları."

Corky kabul eder gibi oldu. "İyi ama tarih öncesi okyanuslarda asla dev böcekler yaşamadı."

"Elbette yaşadı. Doğrusu hâlâ da yaşıyor. İnsanlar her gün onlardan yiyor. Pek çok ülkede çok lezzetli kabul ediliyorlar."

"Mike, kim dev deniz böceklerini yer?"

"Istakoz, yengeç ve karides yiyen herkes."

Corky bakakalmıştı.

Tolland, "Kabuklular, dev deniz böcekleridir," diye açıkladı. "Eklembacaklılar filumunun bir altfamilyasıdır. Bitler, yengeçler, örümcekler, haşereler, çekirgeler, akrepler ve ıstakozlar, bunların hepsi aynı türden. Bunların hepsi eklemli uzantılara ve dış iskeletlere sahip türler."

Corky hastalanmışa benziyordu.

Tolland, "Sınıflandırma bakımından, böceğe çok benzerler," dedi. "At nalı yengeci dev tribolitleri andırır. Ve ıstakoz pençeleri, büyük bir akrep kıskacına benzetilebilir."

Corky yemyeşil oldu. "Tamam, içim dışım ıstakoz oldu."

Rachel büyülenmiş gibiydi. "O zaman karadaki eklembacaklılar yerçekimi küçük kalmalarını gerektirdiği için büyüyemiyor. Ama su vücutlarını taşıdığı için çok büyük boyutlara ulaşabiliyorlar."

Tolland, "Kesinlikle," dedi. "Eğer elimizde yeterli fosil delil olmasaydı, Alaska kral yengecini dev bir örümcekle karıştırıp yanlış sınıflandırma yapabilirdik."

Rachel'ın heyecanı yerini kaygıya bırakıyor gibiydi. "Mike, göktaşının görünürdeki gerçekliğini unutarak bana tekrar söyler misin: Sence Milne'de gördüğümüz fosiller okyanustan gelmiş olabilir mi? *Dünya* okyanuslarından?"

Tolland, onun bakışlarındaki ciddiyeti ve sorusunun gerçek manasını sezinlemişti. "Varsayım yapacak olursam, evet demek zorundayım. Okyanus tabanında 190 milyon yıllık bölümler var. Fosillerle aynı yaşta. Ve teorik açıdan, okyanuslarda buna benzer yaşam biçimleri barınmış olabilir."

Corky, "Ah lütfen!" diye küçümsedi. "Duyduklarıma inanamıyorum. Göktaşının gerçekliğini unutmak mı? Göktaşı inkâr edilemez. Dünyadaki okyanus tabanı bu fosillerle aynı yaşta olsa bile, füzyon kabuk, anormal miktarda nikel ve gökkumu içeren bir okyanus tabanımız yok. Bir hiçe ümit bağlıyorsunuz."

Corky'nin haklı olduğunu biliyordu ama Tolland fosillerin deniz yaratıkları olduğunu düşününce onları gözünde büyütmekten vazgeçmişti. Artık daha tanıdık geliyorlardı.

Rachel, "Mike," dedi. "Neden NASA'daki bilim adamlarından hiçbiri bu fosillerin okyanus yaratıkları olabileceğini düşünmedi? Başka bir gezegendeki okyanustan bile olabilirler?"

"Aslında iki sebepten ötürü. Pelajik fosil örnekleri -okyanus tabanındakiler- birbirine karışmış bir sürü türleri barındırır. Okyanus tabanının üstündeki binlerce metreküplük dünyada yaşayan her canlı, sonunda ölüp dibe çökecektir. Bu da okyanus tabanının, tüm derinlik, basınç ve ısı ortamındaki türlerin bir mezarlığı haline geldiği anlamına geliyor. Ama Milne'deki örnek temizdi; tek bir tür vardı. Daha çok çölde bulunabilecek bir şey gibi. Kum fırtınasında gömülen benzer hayvan familyası mesela."

Rachel başını salladı. "Ve deniz değil de kara diye tahmin edilmesinin ikinci sebebi?"

Tolland omuzlarını silkti. "İçgüdüsel. Bilim adamları daima, uzayda bir nüfus yaşıyorsa, bunun *böcek* nüfusu olabileceğine inandılar. Ve gözlemlediğimiz kadarıyla, uzayda sudan çok toz ve taş var."

Rachel susmuştu.

Tolland, "Yine de..." diye ekledi. Şimdi Rachel, onu düşündürmeye başlamıştı. "Okyanus bilimcilerin okyanus tabanında, ölü bölge dedikleri bazı çok derin kısımlar bulunduğunu da itiraf etmeliyim. Bu yerleri tam olarak bilmiyoruz ama akıntıların ve besin kaynaklarının orda hiçbir canlının yaşamasına izin veremeyeceği bölgeler. Dipte yaşayan birkaç çöpçü hariç. Bu noktadan bakıldığında, sanırım tek türden oluşan bir fosil aslında tamamen imkânsız değil."

Corky, "Alo?" diye homurdandı. "Füzyon kabuğu hatırlıyor musun? Orta düzeydeki nikel içeriğini? Gökkumlarını? Bunları neden tartışıyoruz ki?"

Tolland cevap vermedi.

Rachel, Corky'ye, "Nikel içeriği meselesi," dedi. "Bana bunu bir daha açıklasana. Yeryüzündeki taşlarda nikel ya çok yüksek ya da çok düşük miktarlarda bulunuyor ama göktaşlarındaki nikel içeriği özel bir orta seviyede, öyle değil mi?"

Corky başını aşağı yukarı salladı. "Tam olarak."

"Ve bu örnekteki nikel içeriği tam da bu birimleri arasında."

"Çok yakın, evet."

Rachel şaşırmıştı. "Dur bakalım. *Yakın mı?* Bu ne anlama geliyor?"

Corky çileden çıkmışa benziyordu. "Daha önce de açıkladığım gibi, tüm meteorit mineralojileri farklıdır. Bilim adamları yeni meteoritler buldukça, göktaşları için kabul edilebilir nikel içeriği hesaplamalarımızı güncelleştirmemiz gerekiyor."

Rachel örneği havaya kaldırırken sersemlemiş gibiydi. "Yani *bu* göktaşı sizi, kabul edilebilir nikel içeriğini yeniden değerlendirmeye mi mecbur etti? Daha önceki orta karar nikel aralığının dışında mıydı?"

Corky, "Çok az," diye öfkeyle homurdandı.

"Neden kimse bundan bahsetmedi?"

"Önemli bir mesele değil. Astrofizik, sürekli kendini yenileyen dinamik bir bilimdir."

"Çok önemli bir analiz *sırasında* mı?"

Corky can sıkıntısıyla, "Bak," dedi. "Bu örnekteki nikel içeriğinin diğer göktaşlarına, dünya taşlarından çok daha yakın olduğuna seni temin ederim."

Rachel, Tolland'a döndü. "Sen bunu biliyor muydun?"

Tolland isteksizce başını salladı. O sırada önemli bir mesele gibi gelmemişti. "Bana bu göktaşındaki nikel oranının, diğer göktaşlarındakinden biraz daha fazla olduğu söylenmişti ama NASA'lı uzmanlar aldırmıyorlardı."

Corky, "Çok da iyi bir sebepleri vardı!" diye araya girdi. "Burdaki mineralojik kanıt, nikel oranının göktaşlarındakine benzemesi değil, dünyadakilere kesinlikle benzememesi."

Rachel başını iki yana salladı. "Üzgünüm ama benim işimde bu, insanların ölümüne sebep olan bir mantık hatasıdır. Bir taşın dünyadakilere benzemediğini söylemek onun göktaşı olduğunu kanıtlamaz. Bu sadece, dünyada gördüğümüz hiçbir şeye benzemediği anlamına gelir."

"Lanet olası fark nedir?"

Rachel, "Hiç," dedi. "Dünyadaki bütün taşları gördüysen şayet."

Corky bir süre sessiz kaldı. Sonunda, "Peki," dedi. "Eğer sinirlerini bozuyorsa nikel içeriğini dikkate alma. Hâlâ kusursuz bir füzyon kabuk ve gökkumları var."

Etkilenmemişe benzeyen Rachel, "Tabi," dedi. "Üçte iki fena sayılmaz."

83

NASA genel merkezi, Washington D.C.'deki E Caddesi'nde bulunan camdan dev bir dörtgendi. Binada üç yüz kilometreden fazla veri kablosu ve binlerce ton bilgisayar işlemcisi mevcuttu. NASA'nın yıllık 15 milyar dolarlık bütçesini ve ülkedeki on iki NASA üssünde gerçekleştirilen günlük işlemleri denetleyen 1134 sivil çalışanı vardı.

Saatin geç olmasına rağmen Gabrielle, bina girişinin insanlarla dolu olmasına şaşmadı. Heyecanlı medya çalışanlarıyla buluşan daha heyecanlı NASA personeli. Gabrielle aceleyle içeri girdi. Giriş, tepeden sallanan uydular ve ünlü roket kapsüllerinin tam boy kopyalarının hâkim olduğu bir müzeyi andırıyordu. Televizyon çalışanları geniş mermer zemin üzerinde hak iddia ederek, kapıdan içeri giren NASA çalışanlarının yolunu kesiyordu.

Gözleriyle kalabalığı tarayan Gabrielle, YGS görev direktörü Chris Harper'a benzeyen kimseyi görmedi. Lobideki insanların yarısında basın kartı, diğer yarısının boynunda fotoğraflı NASA kimlikleri vardı. Gabrielle'da ikisi de yoktu. NASA kimliği taşıyan bir kadın gözüne ilişti ve hemen onun yanına gitti

"Merhaba. Ben Chris Harper'ı arıyordum."

Gabrielle'a tuhaf gözlerle bakan kadın, sanki onu bir yerlerden tanıyormuş da çıkartamıyormuş gibiydi. "Dr. Harper'ı bir süre önce kalabalığın arasından geçerken gördüm. Sanırım yukarı çıktı. Sizi tanıyor muyum?"

Arkasını dönen Gabrielle, "Hayır sanmıyorum," dedi. "Yukarı nasıl çıkabilirim?"

"NASA'da mı çalışıyorsunuz?"

"Hayır, çalışmıyorum."

"O halde yukarı çıkamazsınız."

"Ah. Bir telefon var mı acaba..."

Birden öfkelendiği anlaşılan kadın, "Hey," dedi. "Kim olduğunu biliyorum. Televizyonda seni Senatör Sexton'la görmüştüm. Buraya gelecek cesareti bulduğuna..."

Kalabalığın arasına karışan Gabrielle çoktan gitmişti. Kadının arkasından diğerlerine Gabrielle'ın orada bulunduğunu söylediğini duyabiliyordu.

Harika. Kapıdan içeri gireli iki saniye oldu ve en çok arananlar listesine girdim bile.

Gabrielle lobinin sonuna doğru koştururken, başını öne eğdi. Duvarda bir bina çizelgesi asılıydı. Listede Chris Harper'ı aradı. Yoktu. Çizelgede isimlere yer verilmemişti. Bölümlere göre ayrılmıştı.

Listede Kutupsal Yörüngeli Yoğunluk Tarayıcısı'yla ilgili bir şey ararken, YGS, diye düşündü. Hiçbir şey göremedi. Omzunun üstünden bakıp da, kendisini taşlamaya gelen öfkeli NASA çalışanlarını görmeye korkuyordu. Listede görebildiği tek alakalı şey dördüncü kattaydı:

YER BİLİMİ PROJESİ, II. EVRE
Yer Gözlem Sistemi (YGS)

Gabrielle başını kalabalığa hiç çevirmeden, asansörlerle bir su musluğuna ev sahipliği yapan girintiye yöneldi. Asansör çağırma düğmelerini aradı ama tek görebildiği ince aralıklardı. *Lanet olsun.* Asansörlerde güvenlik sistemi vardı; sadece anahtar kimliklere sahip çalışanlar kullanabiliyordu.

Coşkuyla konuşan bir grup genç erkek, aceleyle asansörlere ilerlediler. Boyunlarında fotoğraflı NASA kimlikleri vardı. Hemen musluğun üstüne doğru eğilen Gabrielle, arkasındakileri izledi. Sivilce suratlı bir adam kimliğini aralıktan geçirerek, asansörün kapısını açtı. Başını hayretle sallayıp gülüyordu.

Asansöre binerlerken, "SETI'de çalışanlar herhalde çıldırmıştır!" dedi. "Antenleriyle yirmi yıldır iki yüz milijanskinin altında akım alanı arayıp duruyorlar ama fiziksel kanıt tüm o zaman boyunca burda, dünyadaki buzun altında saklıymış!"

Asansörün kapıları kapanınca, adamlar gözden kayboldu.

Gabrielle doğrulup, ağzını kurularken ne yapacağını düşünüyordu. Etrafına bakıp dahili bir telefon aradı. Hiçbir şey yoktu. Aklından birinin anahtar kartını çalmayı geçirdi ama galiba bu pek akıllıca olmayacaktı. Her ne yapacaksa, çabuk yapması gerektiğini biliyordu. Lobide ilk konuştuğu kadının şimdi, yanında bir NASA güvenlik görevlisiyle kalabalığı yararak ilerlediğini görebiliyordu.

Şık ve çıplak kafalı bir adam aceleyle asansörün yanına geldi. Gabrielle yine musluğun üstüne eğildi. Adam, onu fark etmişe benzemiyordu. Adam öne doğru eğilip, kimlik kartını delikten geçirirken Gabrielle sessizce onu izledi. Bir diğer asansörün kapısı açıldı ve adam içeri adımını attı.

Kararını veren Gabrielle, *ne olursa olsun,* diye düşündü. *Ya şimdi ya da hiçbir zaman.*

Asansör kapanırken, musluktan dönerek koşan Gabrielle, elini araya sıkıştırıp kapıyı yakaladı. Kapılar geri açılınca heyecandan parlayan yüzüyle içeri girdi. Şaşırmış olan kel adama, "Hiç böylesini görmüş müydün?" diye bir şeyler uydurdu. "Tanrım. Muhteşem!"

Adam, ona tuhaf tuhaf baktı.

Gabrielle, "SETI'de çalışanlar herhalde çıldırmıştır!" dedi. "Antenleriyle yirmi yıldır iki yüz milijanskinin altında akım alanı arayıp duruyorlar ama fiziksel kanıt tüm o zaman boyunca burda, dünyadaki buzun altında saklıymış!"

Adam şaşkın görünüyordu. "Şey... evet, biraz öyle..." Boynuna baktı ve kimliğini göremeyince belli ki telaşlandı. "Affedersiniz, siz..."

"Dördüncü kat lütfen. Öyle aceleyle geldim ki, az kalsın iç çamaşırlarımı giymeyi unutuyordum!" Adamın kimliğine çarçabuk göz atarken bir kahkaha attı: JAMES THEISEN, *Finans Yönetimi.*

"Burda mı çalışıyorsunuz?" Adam huzursuz görünüyordu. "Bayan?..."

Gabrielle ağzı hayretten açık kalmış gibi yaptı. "Jim! İncindim! Bir kadını hatırlayamadığını söylemek kadar kötüsü yoktur!"

Bir an için adamın benzi attı. Mahcup bir edayla elini alnına götürmüştü. "Üzgünüm. Biliyorsun, tüm bu heyecan. İtiraf etmeliyim ki, çok tanıdık geliyorsun. Hangi programda çalışıyorsun?"

Lanet olsun. Gabrielle kendinden emin bir tebessüm etti. "YGS."

Adam ışığı yanan dördüncü kat düğmesini işaret etti. "Belli oluyor. Özellikle hangi *proje* demek istedim?"

Gabrielle nabzının hızlandığını hissetti. Aklına sadece bir tanesi geliyordu. "YGS."

Adam şaşırmışa benziyordu. "Gerçekten mi? Dr. Harper'ın takımındaki herkesle tanıştığımı zannediyordum."

Utançla başını salladı. "Chris, beni saklıyor. Anomali tespit yazılımındaki dizini berbat eden aptal programcı benim."

Şimdi kel adamın ağzı açık kalmıştı. "O *sen* miydin?"

Gabrielle kaşlarını çattı. "Haftalardır uyumuyordum."

"Ama Dr. Harper tüm sorumluluğu üstüne almıştı!"

"Biliyorum. Chris böyle biri işte. En azından işleri yoluna koydu. Bu akşamki ne büyük bir duyuruydu ama, öyle değil mi? Şu göktaşı. Şoktayım!"

Asansör dördüncü katta durdu. Gabrielle hemen dışarı fırladı. "Seni görmek harikaydı Jim. Bütçedeki çocuklara en içten dileklerimi ilet!"

Kapılar kapanırken adam, "Tabi," diye kekeledi. "Seni tekrar görmek güzeldi."

84

Zach Herney kendisinden önceki birçok başkan gibi, geceleri dört ya da beş saatlik uykuyla ayakta duruyordu. Ama son birkaç haftadır, daha da azıyla yetinmişti. Akşam yaşananların heyecanı azalmaya başladığında, Herney bedenine yavaş yavaş uyku çöktüğünü hissetti.

Üst seviyeden bazı çalışanlarıyla birlikte Roosevelt Salonu'nda şampanya içip, basın konferansının tekrar gösterimlerini, Tolland belgeselinden alıntıları ve televizyon şebekesinin özetlerini seyredip kutlama yapıyorlardı. O sırada ekranda, elinde mikrofonuyla Beyaz Saray'ın önünde duran coşkulu bir muhabir vardı.

"NASA'nın keşfi, insanın aklını durduracak yansımaların yanı sıra, burda Washington'da bazı sert siyasi yansımalara neden oldu," dedi. "Bu göktaşı fosilleri, zor durumdaki Başkan açısından daha iyi bir zamanda ortaya çıkamazdı." Biraz daha sıkıntılı bir sesle konuştu. "Senatör Sexton içinse daha kötü bir zamanda." Görüntüyü alarak, günün erken saatlerinde CNN'de yapılan tartışmayı tekrar yayınladılar.

Sexton, "Otuz beş yılın ardından, sanırım artık dünya dışı bir yaşam bulmayacağımız aşikâr," diyordu.

Marjorie Tench, "Peki ya yanılıyorsak?" diye karşılık verdi.

Sexton gözlerini devirdi. "Ah, Tanrı aşkına, Bayan Tench, eğer yanılıyorsam kellemi keserim."

Roosevelt Salonu'ndaki herkes güldü. Geriye bakınca Tench'in senatörü köşeye sıkıştırması zalimlik gibi geliyordu ama izleyiciler fark etmişe benzemiyordu; senatörün cevabı öylesine kibirliydi ki, sanki Sexton hak ettiğini bulmuş gibi olmuştu.

Başkan odada Tench'i aradı. Basın konferansı öncesinden bu yana onu görmemişti ve hâlâ ortalarda yoktu. *Tuhaf,* diye düşündü. *Bu benim kadar onun da zaferi.*

Televizyondaki haberler bir kez daha Beyaz Saray'ın siyasi sıçrayışını ve Senatör Sexton'ın ayağının kayışını özetleyerek toparlıyordu.

Başkan, *bir günde neler değişiyor,* diye düşündü. *Siyasette insanın dünyası bir anda değişebiliyor.*

Şafak sökerken, bu düşüncesinin ne kadar doğru olduğunu anlayacaktı.

85

Tench, *Pickering sorun çıkarabilir,* demişti.

Müdür Ekstrom habikürenin dışındaki fırtınanın azdığını fark edemeyecek kadar, öğrendiği bu yeni bilgiyle meşguldü. Uğuldayan kabloların ses perdesi yükselmişti ve NASA çalışanları uyumak yerine etrafta dolanıp konuşuyorlardı. Ekstrom'un zihni başka bir fırtınaya tutulmuştu; şiddetli bir bora Washington'a doğru yol alıyordu. Son birkaç saat beraberinde, Ekstrom'un başa çıkmaya çalıştığı sayısız sorun getirmişti. Ama içlerinden biri, diğer tüm sorunların toplamından daha büyüktü.

Pickering sorun çıkarabilir.

Ekstrom'un aklına, dünyada William Pickering'den daha kurnaz bir rakip gelmiyordu. Pickering yıllardır özelleştirme politikasını kontrol etmeye çalışarak, farklı görev önceliklerine taraftar kazanarak ve NASA'nın artan başarısızlık grafiğinden şikâyet ederek Ekstrom ile NASA'yı yönetiyordu.

Ekstrom, Pickering'in NASA nefretinin, fırlatma rampasındaki milyar dolarlık UKO SIGINT uydusunun kaybından veya NASA'daki güvenlik sızıntılarından ya da en iyi uzay personelini işe alma yarışından çok daha derinlere dayandığını biliyordu. Pickering'in NASA'dan duyduğu hoşnutsuzluk, devam eden bir kin ve hayal kırıklığının eseriydi.

NASA'nın uzay mekiği yerine geçecek olan X-33 uzay uçağının beş yıl gecikmesi, düzinelerce UKO uydu bakım ve fırlatma programının ıskartaya çıkması veya askıya alınması anlamına geliyordu. NASA'nın tahmini 900 milyon dolarlık bir zararı yutarak, projeyi tamamen iptal ettiğini öğrenince X-33'e duyduğu nefret zirveye vurmuştu.

Ofisine varan Ekstrom perdeyi çekip içeri girdi. Masasına oturup başını elleri arasına aldı. Bazı kararlar vermesi gerekiyordu. Harika başlayan bir gün, etrafında dönen bir kâbusa dönüşmüştü. William Pickering gibi düşünmeye çalıştı. Adam bundan sonra ne yapacaktı? Pickering kadar akıllı biri, NASA'nın bu keşfinin önemini *mutlaka* anlıyordu. Çaresizlikle yapılan bazı tercihleri affetmesi gerekirdi. Bu zafer anını lekelemekle telafi edilmez bir zarar vereceğini anlaması gerekirdi.

Pickering elindeki bilgiyle ne yapacaktı? Kafasına takmayacak mıydı, yoksa NASA'ya ihmallerinin bedelini ödetecek miydi?

Yapacağı seçimden fazla kuşku duymayan Ekstrom yüzünü buruşturdu.

Her şeyden önce William Pickering'in NASA'yla şahsi meseleleri vardı... siyasetten çok daha derin eski bir acı.

86

Uçak, Kanada kıyılarındaki St. Lawrence Körfezi üstünden güneye uçarken, G4'ün kabininde gözlerini boşluğa dikmiş oturan Rachel, sessizdi. Yanında oturan Tolland, Corky ile konuşuyordu. Göktaşının gerçekliğini ortaya koyan delillerin çokluğuna rağmen, Corky'nin nikel oranının "önceden belirlenen değerler aralığına" düşmediğini itiraf etmesi, Rachel'ın ilk şüphesini alevlendirmişti. Bir göktaşını gizlice buzun altına yerleştirmek, sadece zekice planlanmış bir aldatmacanın parçası olabilirdi.

Buna rağmen diğer bilimsel veriler, göktaşının gerçekliğine işaret ediyordu.

Başını pencereden çeviren Rachel, elindeki disk şeklindeki göktaşı örneğine baktı. Minik gökkumları pırıldıyordu. Tolland ile Corky bir süredir, bilimsel terimler kullanarak bu metalik gökkumlarını tartışıyorlardı; dengeli olivin seviyesi, yarı kararlı cam dizeyler ve metamorfik homojenasyon. Yine de sonuç açıktı: Corky ile Tolland, gökkumlarının *hiç şüphesiz* meteora ait olduğunda hemfikirdi. Bu veride hile yapılmazdı.

Rachel elinde tuttuğu disk şeklindeki örneği çevirerek, füzyon kabuğun göründüğü kenar kısım üzerinde parmağını gezdirdi. Corky, meteoritin buzda hava geçirmeden saklı kaldığını ve atmosferik aşınmadan etkilenmediğini açıklamış olsa da, kömürleşmiş kısım nispeten yeni görünüyordu; üç yüz yıllık gibi değildi. Bu mantıklı geliyordu. Rachel televizyonda, cesetleri dört bin yıl sonra buzdan çıkartılan insanların derilerinin neredeyse mükemmel göründüğü programlar seyretmişti.

Füzyon kabuğu incelerken, aklına tuhaf bir fikir geldi; önemli bir veri atlanmıştı. Rachel, ona anlatılan verilerde ihmal mi yapıldığını yoksa sadece birisinin bundan bahsetmeyi, mi unuttuğunu düşündü.

Aniden Corky'ye döndü. "Füzyon kabuğu tarihlendiren oldu mu?"

Ona bir göz atan Corky'nin aklı karışmış gibiydi. "Ne?"

"Yanık kısmı tarihlendiren oldu mu? Yani, taşın üstündeki yanığın Jungersol Meteoru'yla aynı tarihte oluştuğuna emin miyiz?"

Corky, "Üzgünüm," dedi. "Bunu tarihlendirmek imkânsız. Oksidasyon tüm gerekli izotop işaretlerini siliyor. Ayrıca radyoizotop bozulma hızı, beş yüz yılın altındaki ölçümler için çok düşük."

Bir süre bunu düşünen Rachel, yanık tarihinin neden verilerin bir parçası olmadığını anlıyordu. "Yani, bildiğimiz kadarıyla, bu taş ortaçağda da yanmış olabilir, geçen hafta da, öyle mi?"

Tolland kıkırdadı. "Kimse bilimin her şeye cevap bulduğunu söylemedi."

Rachel sesli düşündü. "Bir füzyon kabuk aslında sadece ağır bir yanık. Teknik konuşmak gerekirse, bu taş geçen yarım yüzyılda herhangi bir zamanda herhangi bir şekilde yanmış olabilir."

Corky, "Yanlış," dedi. "Herhangi bir şekilde yanmış mı? Hayır. *Tek* bir şekilde yanmış. Atmosfere düşerek."

"Başka ihtimal yok mu? Fırında yanmış olamaz mı?"

Corky, "Fırın mı?" dedi. "Bu örnekler elektron mikroskopu altında incelendi. Dünyadaki en temiz fırın bile taşın üstünde yakıt artığı bırakırdı; nükleer, kimyasal ya da fosil yakıt. Unut bunu. Atmosfer yolculuğu sırasında oluşan çizgilere ne demeli? Bunları fırında yapamazsın."

Rachel göktaşının üstündeki oryantasyon çizgilerini unutmuştu. Gerçekten de havadan düşmüş gibi görünüyordu. "Peki ya volkan?" diye sordu. "Püskürmeyle fırlayan taşlar."

Corky başını iki yana salladı. "Yanık fazla temiz."

Rachel, Tolland'a baktı.

Okyanus bilimci başını salladı. "Üzgünüm, hem karadaki, hem de denizdeki volkanlarla bazı tecrübelerim oldu. Corky haklı. Volkanik fırlatma taşlara pek çok toksin nüfuz eder; karbondioksit, sülfür dioksit, hidrojen sülfid, hidroklorik asit. Bunların hepsi elektronik taramalarda saptanabilirdi. Şu füzyon kabuk, sevsek de sevmesek de temiz bir atmosferik sürtünme yanığı."

İçini çeken Rachel, başını yeniden pencereye döndürdü. *Temiz bir yanık.* İfade tarzı aklına takılmıştı. Tolland'a döndü. "Temiz yanık demekle neyi kastediyorsun?"

Tolland omuzlarını silkti. "Elektron mikroskobu altında hiçbir yakıt elementi artığına rastlamadık, bu yüzden ısınmanın kimyasal ya da nükleer bileşenler yerine kinetik enerji ve sürtünmeyle oluştuğunu biliyoruz."

"Eğer yabancı yakıt elementi bulmadıysanız, ne buldunuz? Füzyon kabuğun bileşiminde tam olarak ne vardı?"

Corky, "Bulmayı *beklediğimiz* şeyi bulduk," dedi. "Saf atmosferik elementler. Nitrojen, oksijen, hidrojen. Petrol yoktu. Sülfür yoktu. Volkanik asitler yoktu. Farklı bir şey yoktu. Sadece atmosfere düşen meteoritlerde rastladığımız türden şeyler vardı."

Koltuğunda geriye yaslanan Rachel, düşüncelerini toparlıyordu.

Corky, ona bakmak için öne eğildi. "Lütfen bana yeni teorinin, NASA'nın fosilleşmiş bir taşı uzay mekiğiyle yukarı çıkartıp ateş topunu, devasa krateri ya da patlamayı kimsenin fark etmeyeceği umuduyla dünyaya doğru savurduğu olduğunu söyleme."

Rachel bunu düşünmemişti ama ilginç bir savdı. Olası değildi ama aynı zamanda ilginçti. Aslında o daha çok dünyaya ait fikirler yürütüyordu. *Doğal atmosferik elementler. Temiz yanık. Havadaki sürtünmeden ötürü çizgiler oluşması.* Beyninin arka köşelerinde zayıf bir ampul yandı. "Füzyon kabuğa sahip diğer göktaşlarında gördüğünüz oranlarla *tam olarak* aynı mıydı?"

Corky soruya tedbirli yaklaşıyordu. "Neden soruyorsun?"

Onun tereddüt ettiğini görünce Rachel'ın kalbi hızlandı. "Oranlar aynı değildi, değil mi?"

"Bilimsel bir açıklaması var."

Rachel'ın kalbi yerinden fırlayacak gibiydi. "Acaba elementlerden birinin diğerlerinden daha fazla olduğunu fark etmiş olabilir misin?"

Tolland'la Corky şaşkınlıkla birbirlerine baktılar. Corky, "Evet," dedi. "Ama..."

"İyonize hidrojen miydi?"

Astrofizikçinin gözleri faltaşı gibi açıldı. "Sen bunu nerden biliyorsun?"

Tolland da hayretler içinde bakıyordu.

Rachel ikisine birden baktı. "Neden kimse bana bundan bahsetmedi?"

Corky, "Çünkü çok mantıklı bilimsel bir açıklaması var!" diye çıkıştı.

Rachel, "Kulağımı açtım dinliyorum," dedi.

Corky, "İyonize hidrojen fazlası vardı," dedi. "Çünkü meteorit, dünya manyetik alanının çok yüksek oranlarda hidrojen iyonlarına neden olduğu Kuzey Kutbu yakınlarında atmosferden geçti."

Rachel kaşlarını çattı. "Ne yazık ki benim başka bir açıklamam var."

87

NASA genel merkezinin dördüncü katı, lobi kadar etkileyici bir yer değildi. Eşit aralıklı ofis kapılarının dizildiği uzun boş koridorlar vardı. Koridorda kimse yoktu. Işıklı tabelalar yön gösteriyordu.

←LANDSAT 7

TERRA→

←ACRIMSAT

←JASON 1

AQUA→

YGS→

Gabrielle YGS işaretini takip etti. Bir dizi uzun koridor ve kesişme noktasını geçtikten sonra, ağır çelik kapıların önüne geldi.

KUTUPSAL YÖRÜNGELİ YOĞUNLUK TARAYICISI (YGS)
Bölüm Müdürü, Chris Harper

Kilitli kapılar, hem kart anahtar, hem de PIN koduyla korunuyordu. Gabrielle kulağını soğuk metal kapıya dayadı. Bir an için konuşmalar duyduğunu sandı. Tartışmalar. Belki de değil. Birileri onu içeri alana kadar kapıyı yumruklamayı düşündü. Ne yazık ki, Chris Harper'la olan işi, kapıları yumruklamaktan biraz daha fazla maharet gerektiriyordu. Başka bir giriş bulabilmek için etrafına bakındı ama göremedi. Kapının yanında bir bakım odası vardı. İçeri giren Gabrielle, loş ışıkta bir hademe anahtarlığı veya anahtar kart aradı. Hiçbir şey yoktu. Sadece süpürgeler ve yer bezleri.

Kapıya geri dönüp kulağını bir kez daha metale dayadı. Bu kez sesleri kesinlikle duyuyordu. Sesler yükseliyordu. Ve ayak sesleri. Sürgü içeriden açıldı.

Metal kapılar ardına kadar açılırken, Gabrielle saklanmaya fırsat bulamadı. Bir grup insan, bağrışarak aceleyle dışarı çıkarken, hemen yana kayıp kapının arkasındaki duvara yapışarak gizlendi. Öfkeliydiler.

"Harper'ın derdi ne? Bulutların üstünde uçması lazımdı!"

Grup yanından geçerken bir diğeri, "Böylesi bir gecede yalnız mı kalmak istiyor yani?" dedi. "Kutlama yapması gerekirdi!"

Grup Gabrielle'dan uzaklaşırken, kapılar hava basınçlı menteşelerinden kapanarak saklandığı yeri ortaya çıkarttı. Adamlar koridorun sonuna varıncaya kadar yerinden kıpırdamadı. Mümkün olduğunca uzun süre bekleyip kapanmasına ramak kala ileri atılıp, kapıyı kolundan yakaladı. Geriye dönüp bakmayı akıl etmeyecek kadar kendilerini sohbete kaptırmış olan adamlar koridorun sonunda köşeyi dönerken hiç kıpırdamadı.

Gabrielle yüreği ağzında kapıyı açtı ve ardındaki loş ışıklı alana girdi. Kapıyı sessizce kapattı.

Geniş çalışma mekânı ona okuldaki fizik laboratuvarını hatırlatmıştı: bilgisayarlar, çalışma bölümleri, elektronik cihazlar. Gözleri karanlığa alışan Gabrielle, etrafa saçılmış plan ve hesaplama kâğıtlarını görebiliyordu. Laboratuvarın arka tarafındaki ofis hariç, tüm alan karanlığa gömülmüştü. Oradaki ışık kapının altından geliyordu. Gabrielle usulca o tarafa yürüdü. Kapı kapalıydı ama pencereden bilgisayarın başında oturan bir adam görünüyordu. Adamı NASA basın konferansından tanımıştı. Kapının üstündeki tabelada ismi yazıyordu:

Chris Harper
Bölüm Müdürü, YGS

Buraya kadar gelmeyi başaran Gabrielle, işin altından kalkıp kalkamayacağını düşünerek birden korkuya kapıldı. Kendine, Senatör Sexton'ın Chris Harper'ın yalan söylediğinden ne kadar emin olduğunu hatırlattı. Sexton, *kampanyam üstüne bahse girerim,* demişti. Belli ki böyle düşünen başkaları da vardı, bu akşamki gelişmelerden sonra tutunacak ufak bir dal bulma umuduyla NASA'yı köşeye sıkıştırmak için Gabrielle'ın gerçeği öğrenmesini bekleyen başkaları. Tench ile Herney yönetiminin bu akşamüstü kendisine oynadığı oyunun ardından Gabrielle, yardım etmeye hevesliydi.

Kapıyı vurmak üzere elini kaldıran Gabrielle, Yolanda'nın söylediklerini hatırlayınca durdu. *Eğer Chris Harper dünyaya yalan söylediyse, gerçeği sana söyleyeceğine seni inandıran nedir?*

Gabrielle kendi kendine, *korku*, dedi. Bugün kendisi de neredeyse bu duygunun kurbanı olacaktı. Bir planı vardı. Senatörün siyasi rakiplerini korkutarak bilgi almak için kullandığı bir yöntemdi. Gabrielle, Sexton'ın vâsiliğinde pek çok şey öğrenmişti ve bunların hepsi de göz alıcı veya etik şeyler değildi. Ama bu akşam her türlü avantaja ihtiyacı olacaktı. Chris Harper'ı yalan söylediğini itiraf etmeye ikna edebilirse -herhangi bir sebepten ötürü- Gabrielle, senatörün kampanyası için küçük bir kapı aralamış olacaktı. Bunun da ötesinde senatör, azıcık bir hareket alanı bulsa, her türlü karmaşıklığın içinden kolayca sıyrılabilecek biriydi.

Gabrielle'ın Harper'a uygulamayı düşündüğü yöntem, Sexton'ın "hedefi aşmak" dediği bir taktikti. Eski Romalıların yalan söylediğinden şüphelendikleri suçluları konuşturmak için icat ettiği bir sorgulama tekniği. Yöntem son derece basitti:

İtiraf edilmesini istediğin bilgiyi ortaya koy.

Sonra daha beter bir iddiada bulun.

Amaç, rakibi iki kötü seçenekten daha az kötü olanı seçmeye zorlamaktı. Bu davada ise, gerçeği.

Ama hileli oyun, Gabrielle'ın o anda hiç hissetmediği kendine güven duygusunu gerektiriyordu. Gabrielle derin bir nefes alarak söyleyeceklerini toparladı ve ofis kapısına sertçe vurdu.

Harper tanıdık İngiliz aksanıyla, "Size meşgul olduğumu söyledim!" diye seslendi.

Tekrar kapıyı vurdu. Bu kez daha hızlı.

"Aşağı inmekle ilgilenmediğimi söylemiştim!"

Bu kez kapıya yumruğuyla vurdu.

Chris Harper gelip kapıyı hızla açtı. "Allah kahretsin, anlamıyor musun..." Hemen sustu, Gabrielle'ı gördüğüne şaşırdığı belliydi.

Sesinin şiddetini arttırarak, "Dr. Harper," dedi.

"Buraya nasıl çıktın?"

Gabrielle'ın yüzü çok ciddiydi. "Kim olduğumu biliyor musunuz?"

"Elbette. Patronun aylardır projemi yerden yere vuruyor. İçeri nasıl girdin?"

"Beni Senatör Sexton gönderdi."

Harper'ın gözleri, Gabrielle'ın arkasındaki laboratuvarı taradı. "Refakatçilerin nerde?"

"Bu sizi ilgilendirmez. Senatörün çok nüfuzlu bağlantıları var."

"Bu binada mı?" Harper şüpheyle bakıyordu.

"Dürüst davranmadınız Dr. Harper. Ve korkarım senatör, yalanlarınızı ortaya çıkarmak için bir adalet kurulu toplanmasını isteyecek."

Harper'ın yüzü allak bullak olmuştu. "Sen neden bahsediyorsun?"

"Sizin gibi akıllı insanların aptalı oynama lüksleri yoktur Dr. Harper. Başınız dertte, senatör size bir anlaşma teklif etmem için beni buraya yolladı. Senatörün kampanyası bu gece büyük darbe aldı. Kaybedecek bir şeyi kalmadı ve gerekirse kendisiyle birlikte sizi de aşağı çekmeye hazır."

"Sen neden bahsediyorsun?"

Gabrielle derin bir nefes alıp, rolünü oynamaya başladı. "YGS anomali tespit yazılımı hakkındaki basın konferansında yalan söylediniz. Bunu biliyoruz. Bunu birçok insan biliyor. Ama mesele bu değil." Harper tartışmak için ağzını açmaya fırsat bulamadan, Gabrielle devam etti. "Senatör yalanlarınızı ifşa edebilir ama bununla ilgilenmiyor. O daha büyük bir hikâyeyle ilgileniyor. Sanırım neden bahsettiğimi biliyorsunuz."

"Hayır, ben..."

"Senatörün teklifi şu: Eğer birlikte zimmetinize para geçirdiğiniz NASA yöneticisinin ismini ona açıklarsanız, yazılım yalanları konusunda ağzını kapalı tutacak."

Chris Harper'ın gözleri bir an için şaşılaştı. "Ne? Ben zimmetime para geçirmiyorum!"

"Ne söylediğinize dikkat etseniz iyi olur efendim. Senatörlük komitesi aylardır belge topluyor. Siz ikiniz gerçekten de fark edilmeden geçip gideceğinizi mi sandınız? YGS'nin evrak işlerinin üstünde oynayıp paylaştırılmış NASA fonlarını özel hesaplara aktarmak ne oluyor? Yalan söylemek ve zimmetinize para geçirmek sizi hapse attırabilir Dr. Harper."

"Ben öyle bir şey yapmadım!"

"YGS hakkında yalan söylemediğinizi de söylemiştiniz."

"Hayır, ben paraları zimmetime geçirmedim diyorum!"

"Yani YGS hakkında yalan söyledim diyorsunuz."

Söylediklerinden ötürü pişman olduğu anlaşılan Harper bir süre sadece baktı.

Gabrielle konuyu geçiştirerek, "Yalan mevzusunu unutun," dedi. "Senatör Sexton basın konferansında yalan söylemenizle ilgilenmiyor. Buna alıştık. Sizler bir göktaşı buldunuz, kimse nasıl bulunduğuyla ilgilenmiyor. Onun için asıl mesele, zimmete para geçirilmesi. NASA'da tepedekilerden birinin burnunu sürtmesi gerek. Ona kiminle çalıştığınızı söyleyin, o da soruşturmayı sizden uzak tutsun. Bu işi kolaylaştırıp, bize diğer kişinin ismini verebilirsiniz, yoksa senatör işi çirkinleştirip anomali tespit yazılımı ve düzmece evraklar hakkında konuşmaya başlayacak."

"Blöf yapıyorsun. Zimmete geçirilen para yok."

"Korkunç bir yalancısınız Dr. Harper. Belgeleri ben gördüm. Tüm suçlayıcı kâğıtların üstünde sizin isminiz var. Hem de birkaç yerde."

"Yemin ederim, zimmete para geçirme konusunda hiçbir şey bilmiyorum!"

Gabrielle hayal kırıklığına uğramış gibi içini çekti. "Kendinizi benim yerime koyun Dr. Harper. Burdan sadece iki sonuca varabiliyorum. Ya basın konferansında yaptığınız gibi bana yalan söylüyorsunuz ya da doğruyu söylüyorsunuz ama bu kurumdan güçlü biri kendi usulsüzlüklerinde sizi maşa olarak kullanıyor."

Bu önerme Harper'ı düşündürmüş gibiydi.

Gabrielle saatine baktı. "Senatörün teklifi bir saat için geçerli. Vergi mükelleflerinin paralarını, birlikte zimmetinize geçirdiğiniz NASA yetkilisinin ismini ona vererek, kendinizi kurtarabilirsiniz. O sizinle ilgilenmiyor. Büyük balığın peşinde. Bahsi geçen bu şahsın burda, NASA'da oldukça yetki sahibi olduğu anlaşılıyor; evrakların üstünde kendi ismini gizlemeyi başararak, sizi kullandı."

Harper başını iki yana salladı. "Yalan söylüyorsun."

"Bunu mahkemede yinelemek ister misiniz?"

"Elbette. Her şeyi yalanlayabilirim."

"Yeminliyken mi?" Gabrielle tiksintiyle oflayıp pufladı. "Sanırım, YGS yazılımını düzelttiğiniz konusunda da yalan söylersiniz?" Adamın gözlerinin içine bakarken Gabrielle'ın kalbi gümbürdüyordu. "Burdaki seçeneklerinizi iyi düşünün Dr. Harper. Amerikan hapishaneleri fazlasıyla can sıkıcı olabilir."

Harper, ona dik dik bakarken, Gabrielle geri çekilmesini diliyordu. Bir an için adamın gözlerinde teslimiyet bayrağını gördüğünü sandı ama Harper yeniden konuşmaya başladığında sesi çelik gibiydi.

Gözleri öfkeyle parlarken, "Bayan Ashe," dedi. "Çok ince bir çizgide yürüyorsun. İkimiz de NASA fonlarında usulsüzlük yapılmadığını biliyoruz. Bu odadaki tek yalancı *sensin.*"

Gabrielle kaslarının gerildiğini hissetti. Adam keskin ve kızgın bakışlar savuruyordu. Gabrielle arkasını dönüp kaçmak istedi. *Füze bilimiyle uğraşan birine blöf yapmaya çalıştın. Ne bekliyordun ki?* Başını yeniden dikmek için kendini zorladı. Sahte bir güven ve aldırmazlık edasıyla, "Tek bildiğim, gördüğüm suçlayıcı belgeler," dedi. "Sizin ve bir başkasının NASA fonlarında usulsüzlük yaptığının kesin kanıtı olan belgeler. Senatör bu akşam buraya gelip soruşturmada tek başına mücadele etmek yerine ortağınızın ismini vermenizi teklif etmemi istedi. Senatöre, şansınızı mahkemede denemeyi tercih ettiğinizi söyleyeceğim. Mahkemeye bana anlattıklarınızı anlatabilirsiniz. Zimmetinize para geçirmediğinizi ve YGS yazılımı hakkında yalan söylemediğinizi." Çirkin bir tebessüm etti. "Ama iki hafta önce verdiğiniz o yanlış basın konferansından sonra, bundan şüphe ediyorum." Topukları üstünde dönen Gabrielle, karanlık YGS laboratuvarına yöneldi. Harper yerine belki de kendisinin hapsi boylayacağını düşünüyordu.

Gabrielle yürüyerek uzaklaşırken, başını dik tutuyor, Harper'ın arkasından seslenmesini bekliyordu. Sessizlik. Metal kapıları itip koridora çıkarken, buradaki asansörlerin de lobidekiler gibi anahtar kartla çalışıyor olmamasını diledi. Kaybetmişti. Elinden geleni yaptığı halde, Harper yemi yutmamıştı. *Belki de* YGS *basın konferansında doğruyu söylüyordu,* diye düşündü.

Arkasındaki metal kapılar hızla açılırken, sesi koridorda yankılandı. Harper arkasından, "Bayan Ashe," diye sesleniyordu. "Zimmete geçirme konusunda hiçbir şey bilmediğime yemin ederim. Ben dürüst bir adamım!"

Gabrielle kalbinin teklediğini hissetti. Yürümeye devam etmek için kendini zorladı. Umursamaz bir tavırla omzunu silkip yan gözle arkasına seslendi. "Ve basın konferansında yalan söylediniz."

Sessizlik. Gabrielle koridorda yürümeye devam etti.

Harper, "Bekle!" diye seslendi. Solgun yüzüyle koşarak yanına geldi. Sesini alçaltarak, "Şu zimmete geçirme meselesi," dedi. "Sanırım bana kimin tuzak kurduğunu biliyorum."

Olduğu yerde kalan Gabrielle, onu doğru duyup duymadığını merak etti. Elinden geldiğince yavaş ve kayıtsız bir tavırla döndü. "Birinin size tuzak kurduğuna inanmamı mı bekliyorsunuz?"

Harper içini çekti. "Zimmete geçirme konusunda hiçbir şey bilmiyorum, yemin ederim. Ama eğer aleyhimde delil varsa..."

"Yığınla."

Harper içini çekti. "O halde hepsi düzenlenmiş. Gerek görüldüğünde itibarımı sarsmak için. Ve bunu yapabilecek bir kişi var."

"Kim?"

Harper, onun gözlerinin içine baktı. "Lawrence Ekstrom, benden nefret ediyor."

Gabrielle afallamıştı. "NASA *müdürü* mü?"

Harper keyifsizce başını salladı. "Basın konferansında yalan söylemeye beni o zorlamıştı."

88

Aurora uçağının itki sistemi yarı güçle çalışıyor olmasına rağmen, Delta Gücü gece semalarında sesten üç kat hızlı yol alıyordu; saatte iki bin milin üstünde. Arkalarındaki Yüksek Tazyikli Hava Dalga Motorları'nın titreşimleri yolculuğa hipnotik bir ritim kazandırıyordu. Otuz metre aşağıdaki okyanus ve yukarı dönük on beş metrelik kuyrukları, Aurora'nın arkasındaki uzun paralel saç yapraklarla soğuran vakumun hava çevrisiyle çılgınca çalkalanıyordu.

Delta-Bir, *SR-71 Blackbird'ün emekliye ayrılma sebebi buydu,* diye düşündü.

Aurora, varlığını kimsenin bilmemesi gereken gizli bir uçaktı ama herkes biliyordu. Discovery Channel bile Aurora ile Nevada'daki Groom Gölü'nde yapılan deneyleri konu eden bir belgesel yayınlamıştı. Bu güvenlik sızıntılarına ta Los Angelas'tan duyulan "gök sarsıntılarının" mı, Kuzey Denizi'ndeki petrol arama platformunda çalışan sondaj işçisinin görgü şahitliğinin mi, yoksa Pentagon bütçesinin halka açık nüshasından Aurora'nın tanımını çıkartmayan yönetim gafının mı sebep olduğunu kimse bilmiyordu. Fazla bir şey de fark etmiyordu. Sır açığa çıkmıştı: ABD ordusunun elinde ses hızının altı katına çıkabilen bir uçak vardı ve bu çizim tahtasında değil, başlarının üstündeki göklerdeydi.

Lockheed'in yaptığı Aurora, yassı bir Amerikan futbol topuna benziyordu. Otuz üç metre uzunluğunda ve on sekiz metre genişliğindeki uçağın çevresi, uzay mekiklerindekine benzer şeffaf termal döşemelerle şekillenmişti. Hız ise, temiz sıvı hidrojen yakarak, gökyüzünde sırrını açığa çıkaran bir duman izi bırakan Yüksek Tazyikli Hava Dalga Motorları titreşimi diye bilinen yeni bir itim sisteminin eseriydi. Bu yüzden sadece geceleri uçuş yapıyordu.

Bu gece Delta Gücü okyanusun üstünden eve giden uzun yolu, muazzam hızda kat etme lüksünü yaşıyordu. Avlarına yetişip geçeceklerdi. Delta Gücü bu hızla bir saatten önce doğu kıyılarına varıp, avları gelmeden iki saatlik uyku çekebileceğini biliyordu. Söz konusu uçağı takip edip, düşürmek konusunu tartışmışlardı, ama idareciyi haklı olarak olayı radarın yakalanmasından veya enkazın bulunmasıyla açılacak soruşturmalardan çekinmişti. İdareci en iyisinin uçağın planlandığı üzere iniş yapmasına izin vermek olduğuna karar vermişti. Avlarının nereye inmeye karar verdiği anlaşıldıktan sonra, Delta Gücü devreye girecekti.

Aurora ıssız Labrador Denizi üstünden uçarken, Delta-Bir'in CrypTalk cihazı bir çağrı geldiğini ikaz etti. Cevap verdi.

Elektronik ses onlara, "Durum değişti," diye bilgi verdi. "Rachel Sexton ile diğerleri iniş yapmadan önce başka bir hedefiniz var."

Başka bir hedef. Delta-Bir bunu hissedebiliyordu. Olaylar çözülmeye başlamıştı. İdarecinin gemisi başka bir yerinden su almaya başlamıştı ve onlardan mümkün olduğunca çabuk yama yapmalarını istiyordu. Delta-Bir kendi kendine, *eğer Milne Buzul* Katmanı*'ndaki hedeflerimizi başarıyla vurabilseydik gemi su almayacaktı,* dedi. Delta-Bir kendi pisliğini temizlediğini gayet iyi biliyordu.

İdareci, "Dördüncü biri devreye girdi," dedi.

"Kim?"

Bir süre sessiz kalan idareci, ardından onlara ismi verdi.

Üç adam şaşkın gözlerle birbirlerine baktılar. Çok iyi tanıdıkları bir isimdi.

Delta-Bir *idarecinin sesinin bu kadar isteksiz gelmesine şaşmamak gerek,* diye düşündü. "Sıfır-ölü" diye tasarlanan bir operasyon için, ceset sayısıyla hedef profiller fazla hızlı artıyordu. İdareci bu yeni ismi tam olarak nasıl ve nerede yok edeceklerini anlatmaya hazırlanırken, sinirlerinin gerildiğini hissetti.

İdareci, "Tehlikeler ciddi derecede arttı," dedi. "İyi dinleyin. Size bu talimatları sadece bir kez vereceğim."

89

Güney Maine'in üstünde uçan G4, Washington'a doğru hızla yoluna devam ediyordu. Rachel Sexton göktaşının füzyon kabuğunda neden yüksek miktarda hidrojen iyonu bulunabileceğine dair teorisini açıklarken, Michael Tolland ile Corky, ona bakıyorlardı.

"NASA'nın Plum Brook İstasyonu denilen gizli bir deneme tesisi var," derken, bunları söylediğine kendisi de inanmıyordu. Kurallar dışında gizli bilgileri paylaşmak hiç yapmadığı bir şeydi ama şartlar dikkate alındığında, Tolland ile Corky'nin bunu bilmeye hakkı vardı. "Plum Brook, NASA'nın en radikal yeni motor sistemleri için bir test alanı. İki yıl önce NASA'nın orda test ettiği yeni bir tasarım hakkında özet rapor yazmıştım. Genleştirici döngü motoru denilen bir şey."

Corky şüpheli gözlerle ona baktı. "Genleştiri döngü motorları hâlâ teori aşamasında. Kâğıt üstünde. Kimsenin test ettiği falan yok. Daha buna yıllar var."

Rachel başını iki yana salladı. "Üzgünüm Corky. NASA'da prototipleri var. Test ediyorlar."

"Ne?" Corky kuşkuyla bakıyordu. "GDM'ler, uzayda donan sıvı oksijen-hidrojenle çalışıyor, bu yüzden motorlar NASA için değersiz. Yakıtın donma sorununu çözene kadar GDM yapmaya çalışmayacaklarını söylemişlerdi."

"Üstesinden geldiler. Oksijenden kurtuldular, yarı donmuş haldeki saf hidrojen içeren bir çeşit kriyojenik yakıt olan 'sıvı hidrojen' karışımı kullanıyorlar. Çok güçlü ve temiz yanıyor. Ayrıca NASA Mars'a füze gönderecek olursa itki gücüne alternatif gösteriliyor."

Corky hayretle bakıyordu. "Bu doğru olamaz."

Rachel, "Doğru olsa iyi olur," dedi. "Başkan'a bu konu hakkında bir rapor yazmıştım. Patronum ateş püskürüyordu çünkü, NASA sıvı hidrojeni büyük bir başarı olarak halka duyurmak istiyordu. Pickering ise Beyaz Saray'ın NASA'yı sıvı hidrojen meselesini gizli tutmaya zorlamasını istemişti."

"Niye?"

Gereğinden fazla sırrı açıklamaya niyeti olmayan Rachel, "Önemli değil," dedi. Asıl gerçek Pickering'in, çok az kişinin bildiği artan bir milli güvenlik meselesi yüzünden sıvı hidrojen başarısını gizli tutmak istemesiydi. Çin'in uzay teknolojisindeki ilerleyişi. Çinliler, muhtemelen çoğu ABD düşmanlarından oluşan zengin müşterilere kiralamayı düşündükleri ölümcül bir "kiralık" fırlatma rampası geliştiriyorlardı. ABD güvenliğine olası etkileri korkunçtu. Bereket versin ki UKO, Çin'in fırlatma rampaları için itici yakıt modeli aradığını biliyordu ve Pickering NASA'nın sıvı hidrojen yakıtından onları haberdar etmek için bir neden göremiyordu.

Tedirgin görünen Tolland, "Yani," dedi. "NASA'nın saf hidrojenle çalışıp, temiz yakan bir itki sistemine sahip olduğunu söylüyorsun."

Rachel başını salladı. "Rakamları bilmiyorum ama bu motorların egzoz ısısı daha önce geliştirilen her şeyden yedi kat daha sıcak. NASA'dan her türden yeni jikle malzemesi geliştirmesini istiyorlar." Durdu. "Bu sıvı hidrojen motorlardan birinin arkasına yerleştirilen büyükçe bir taş, emsali görülmemiş bir ısıyla çıkan hidrojen zengini egzoz ateşiyle yanacaktır. Füzyon kabuk elde edersiniz."

Corky, "Ah yapma şimdi!" dedi. "Sahte göktaşına geri mi döndük?"

Tolland birden meraklanmışa benziyordu. "Aslında bu fikir fena sayılmaz. Bu durum, kalkış sırasında fırlatma rampasındaki uzay mekiğinin altına kaya parçası yerleştirmeye benziyor."

Corky, "Tanrım beni kurtar," diye mırıldandı. "Salaklarla aynı uçaktayım."

Tolland, "Corky," dedi. "Varsayımda bulunursak, egzozların altına yerleştirilen bir taş, atmosferden düşen taşla aynı yanık özellikleri taşıyacaktı, öyle değil mi? Aynı yönde çizikler ve aynı ters akış ergimiş maddeler elde edersin."

Corky homurdandı. "Sanırım."

"Ve Rachel'ın temiz yanan hidrojen yakıtı geride hiç kimyasal atık bırakmaz. Sadece hidrojen. Füzyon kabukta fazla miktarda hidrojen iyonları."

Corky gözlerini devirdi. "Bak, bu GDM motorlarından biri varsa ve sıvı hidrojenle çalışıyorsa, sanırım bahsettiğin şey mümkün. Ama son derece zorlama."

Tolland, "Neden?" diye sordu. "İşlem oldukça basit görünüyor."

Rachel başını salladı. "Tek ihtiyacın olan şey 190 milyon yaşında fosilleşmiş bir taş. Sıvı hidrojen motorunun egzoz ateşinde yak ve buzun altına göm. Hemen göktaşı olsun."

Corky, "Bir turisti belki kandırırsın ama bir NASA bilim adamını asla!" diye patladı. "Gökkumlarını hâlâ açıklayamadınız!"

Rachel, Corky'nin gökkumlarının oluşumunu açıklamasını hatırlamaya çalıştı. "Gökkumlarının uzaydaki hızlı ısınma ve soğuma olaylarının sonucunda oluştuğunu söylemiştin, öyle değil mi?"

Corky içini çekti. "Gökkumları, bir taş uzayda donup aniden kısmi erime aşamasında aşırı ısınınca oluşurlar -1550 derece civarında. Sonra taşın yeniden soğuması gerekir, çok çabuk, gökkumlarının içindeki sıvı cepleri böylece katılaşır."

Tolland, arkadaşını inceledi. "Ve bu işlem yeryüzünde gerçekleşemez mi?"

Corky, "İmkânı yok," dedi. "Bu gezegende böylesi hızlı değişimlere sebep olacak ısı farklılıkları yok. Burda nükleer ısı ve uzayın mutlak sıfırından(*) bahsediyoruz. Bu aşırılıklar yeryüzünde yok."

Rachel bunu düşündü. "En azından *doğal olarak."*

Corky, ona döndü. "Bu ne anlama geliyor?"

Rachel, "Neden ısıtma ve soğutma burda, yeryüzünde gerçekleşmiş olmasın?" diye sordu. "Taş sıvı hidrojen motorla yakılıp, sonra hızla kriyojenik dondurucuda soğutulmuş olabilir."

Corky bakakalmıştı. "Yapay gökkumları mı?"

"Bir fikir."

Elindeki göktaşı örneğini gösteren Corky, "Saçma bir fikir," diye karşılık verdi. "Unuttun galiba. Bu gökkumlarının 190 milyon yılla tarihlendirildiği inkâr edilemez." Artık üstünlük taslayan bir sesle konuşuyordu. "Bir şeyi çok iyi biliyorum Bayan Sexton. 190 milyon yıl önce kimse sıvı hidrojen motorlarla kriyojenik soğutucular kullanmıyordu."

Tolland, *gökkumu veya değil, ispatlar çürüyor,* diye düşündü. Rachel'ın füzyon kabukla ilgili son iddialarıyla hayli tedirgin bir halde, dakikalardır sessizliğini koruyordu. Hipotezi sersemletecek kadar cüretkâr olmasına rağmen, yeni kapılar açmış ve Tolland'ı farklı yönde düşünmeye sevk etmişti. *Füzyon kabuk açıklanabiliyorsa... bu başka hangi ihtimalleri beraberinde getirir?*

Yanında oturan Rachel, "Konuşmuyorsun," dedi.

(*) -273°

Tolland göz ucuyla ona baktı. Uçağın loş ışığında bir an için, Rachel'ın gözlerindeki yumuşaklıkta Celia'yı gördü. Hatıralarından sıyrılarak, bitkinlikle içini çekti. "Ah, ben düşünüyordum..."

Gülümsedi. "Göktaşlarını mı?"

"Başka?"

"Geriye ne kaldığını bulmak için tüm verilerin üstünden mi geçiyordun?"

"Onun gibi bir şey."

"Fikrin var mı?"

"Sayılmaz. Buzun altındaki o yerleştirme boşluğunu keşfetmekle ne kadar verinin çöpe gittiğini düşünmek canımı sıkıyor."

Rachel, "Hiyerarşik ispatlar, iskambil kâğıdından ev gibidir," dedi. "İlk önermeyi çekip aldığında, her şey sallanır. Göktaşının bulunduğu *yer,* ilk önermeydi."

Bence de. "Milne'e ilk geldiğimde, müdür bana göktaşının el değmemiş üç yüz yıllık bir buzun içinde bulunduğunu ve bölgede rastlanan tüm taşlardan daha yoğun olduğunu söylemişti. Tüm bunları taşın uzaydan düştüğünün ispatı olarak kabul ettim."

"Sen ve bizler."

"Orta seviyedeki nikel içeriği, ikna edici olmasına rağmen, görünüşe göre bağlayıcı değil."

Yanlarında oturup, onları dinlediği anlaşılan Corky, "Ama *yakın,*" dedi.

"Ama tam değil."

Corky isteksizce başını sallayarak kabul etti.

Tolland, "Ve," dedi. "Bu daha önce hiç görülmemiş uzay böcekleri, hayret verecek kadar tuhaf olmasına karşın, gerçekte çok eski derin deniz kabukluları olabilirler."

Rachel başını salladı. "Ve şimdi de füzyon kabuk..."

Corky'ye bir bakış fırlatan Tolland, "Bunu söylemekten nefret ediyorum ama elimizde olumludan çok olumsuz ispat var gibi hissetmeye başlıyorum," dedi.

Corky, "Bilimin önsezilerle ilgisi yoktur," dedi. "Kanıtlarla ilgisi vardır. Bu taştaki gökkumları muhakkak ki meteorik. Karşılaştığımız her şeyin son derece rahatsızlık verici olduğu konusunda size katılıyorum ama bu gökkumlarını görmezden gelemeyiz. Lehteki ispatlar kati ama aleyhteki ispatlar tesadüfi."

Rachel yüzünü buruşturdu. "Peki bu bizi nereye götürür?"

Corky, "Hiçbir yere," dedi. "Gökkumları, elimizde bir göktaşı olduğunu kanıtlıyor. Tek soru, birinin onu neden buzun altına yerleştirdiği."

Tolland, arkadaşının yürüttüğü mantığa inanmak istedi ama bir şeyler yanlış geliyordu.

Corky, "Sen ikna olmuşa benzemiyorsun Mike," dedi.

Tolland, arkadaşına şaşkın bir ifadeyle bakarak içini çekti. "Bilmiyorum. Üçte iki fena değildi Corky. Ama şimdi üçte bire indik. Bir şeyleri atlıyormuşuz gibime geliyor."

90

Gözünün önüne Amerikan hapishane hücresini getirince içi ürperen Chris Harper, *yakalandım,* diye düşündü. *Senatör Sexton* YGS *yazılımı hakkında yalan söylediğimi biliyor.*

YGS bölüm müdürü, Gabrielle Ashe'i yeniden ofisine götürüp kapıyı kapatırken, NASA müdürüne duyduğu nefretin bir anda arttığını hissetti. Harper bu akşam, müdürün yalanlarının nereye kadar uzadığını görmüştü. Harper'ı, YGS yazılımının düzeltildiği yalanını söylemeye mecbur ederek, onun korkaklığa kapılıp takımdan çıkmaya karar verme ihtimaline karşı kendini garantiye almıştı.

Harper, *zimmete geçirme kanıtları*, diye düşündü. *Şantaj. Çok sinsi.* Her şeyin ötesinde, Amerikan uzay tarihindeki en büyük anı gölgelemeye çalışan bir kasa hırsızına kim inanırdı? Harper, NASA müdürünün Amerikan uzay dairesini korumak için neler yapabileceğine zaten şahit olmuştu ve şimdi fosil içeren göktaşının duyurulmasıyla menfaatleri zirveye vurmuştu.

Harper birkaç saniye boyunca, üzerinde YGS uydusunun küçük bir modeli -yansıma kalkanlarının arkasında pek çok anten ve lens bulunan silindirik prizma- duran geniş masanın etrafında adım attı. Gabrielle oturmuştu, siyah gözleriyle izliyor, bekliyordu. Harper'ın mide bulantısı ona o meşhur basın konferansında kendini nasıl hissettiğini hatırlattı. O gece kötü bir gösteri sergilemiş ve herkes bu konuda onu sorguya çekmişti. Tekrar yalan söylemek, o gece hasta olduğunu ve kendinde olmadığını söylemek zorunda kalmıştı. İş arkadaşlarıyla basın cansız performansını önemsemeyip bir süre sonra unutmuştu.

Şimdi yalan bir kez daha peşine düşmüştü.

Gabrielle Ashe'in ifadesi yumuşamıştı. "Bay Harper, müdürü düşman edinmişken güçlü bir müttefike ihtiyacınız olacak. Bu noktada Senatör Sexton, sizin tek dostunuz olabilir. YGS yazılım yalanıyla başlayalım. Bana neler olduğunu anlatın."

Harper içini çekti. Gerçeği açıklama vaktinin geldiğini biliyordu. *Gerçeği ilk başta söylemeliydim!* "YGS başarıyla fırlatılmıştı," diye başladı. "Uydu, planlandığı gibi kutupsal yörüngeye mükemmel biçimde oturdu."

Gabrielle Ashe sıkılmış gibiydi. Tüm bunları bildiği belli oluyordu. "Devam edin."

"Sıkıntılar bunun ardından başladı. Buzdaki yoğunluk anomalilerini araştırmaya başlamak istediğimizde, uydudaki anomali tespit yazılımı çalışmadı."

"Ha... hah."

Harper şimdi daha hızlı konuşuyordu. "Yazılımın, hızla binlerce dönüm veri alanını incelemesi ve normal yoğunluk aralığı dışında kalan buz kısımlarını bulması gerekiyordu. Yazılım ilk başta buzdaki yumuşak noktaları -küresel ısınma indikatörleri- arıyordu ama başka yoğunluk aykırılıklarına rastlarsa, bunları da işaretleyecekti. Plan, YGS'nin birkaç haftada Kuzey Kutup Dairesi'ni taraması ve küresel ısınmayı ölçmekte kullanabileceğimiz anomalileri belirlemesiydi."

Gabrielle, "Ama yazılım çalışmayınca YGS işe yaramadı," dedi. "Kusurlu noktaları tespit etmek için NASA'nın Kuzey Kutbu'ndan alınan görüntüleri santim santim elde incelemesi gerekti."

Programlama hatasını adeta bir kez daha yaşayan Harper başını salladı. "On yıllar alacaktı. Felaket bir durumdu. Benim programımdaki bir hata yüzünden YGS değerini yitirmişti. Yaklaşan seçimler ve Senatör Sexton'ın NASA'yı bunca eleştirmesi..." İçini çekti.

"Hatanız NASA ve Başkan için bir felaket oldu."

"Daha kötü bir zamanda olamazdı. Müdürün beynine kan sıçramıştı. Bir sonra fırlatılan mekikle sorunu gidereceğim konusunda ona söz verdim. YGS yazılım sistemini barındıran çipi değiştirmekten ibaretti. Ama çok geçti. Bana süresiz ev izni verdi, ama aslına bakarsan kovulmuştum. İki ay önceydi."

"Ama yine de iki hafta önce televizyonda bir iyileştirme yaptığınızı duyurdunuz."

Harper kendini koyvermişti. "Korkunç bir hata. O gün müdür bana telefon etti. Bir gelişme olduğunu, kendimi affettirebileceğimi söyledi. Derhal ofise gelip onunla görüştüm. Bir basın konferansı düzenleyip, herkese YGS yazılımını çalıştırmanın yolunu bulduğumu ve birkaç haftaya kadar veri almaya başlayacağımızı söylememi istedi. Bunu bana daha sonra açıklayacaktı."

"Ve siz de kabul ettiniz."

"Hayır, reddettim! Ama bir saat sonra müdür ofisime geri geldi; yanında Beyaz Saray başdanışmanıyla birlikte!"

"Ne!" Gabrielle buna oldukça şaşırmıştı. "Marjorie Tench mi?"

Başını sallayan Harper, *korkunç bir yaratık*, diye düşündü. "O ve müdür beni karşılarına alıp yaptığım hatanın nerdeyse NASA'yla Başkan'ı tam bir yıkımın eşiğine getirdiğini söylediler. Bayan Tench, bana, senatörün NASA'yı özelleştirme planlarından bahsetti. Başkan ve uzay dairesinin düştüğü durumu düzeltmemin boynumun borcu olduğunu söyledi. Sonra da bana bunu nasıl yapacağımı anlattı."

Gabrielle öne doğru eğildi. "Devam edin."

"Marjorie Tench, bana, Beyaz Saray'ın elinde, Milne Buzul Katmanı'na gömülü dev bir göktaşı bulunduğuna dair jeolojik kanıtlar olduğunu anlattı. Şimdiye dek rastlananların en büyüğü. Bu büyüklükte bir göktaşı NASA için büyük bir buluş olacaktı."

Gabrielle afallamış gibiydi. "Bir saniye, yani YGS keşfetmeden önce birisinin göktaşını zaten bildiğini mi söylüyorsunuz?"

"Evet. YGS'nin keşifle hiçbir ilgisi yok. Müdür, göktaşının varlığını biliyordu. Bana koordinatları verdi ve YGS'yi buz katmanına çevirerek, keşfi YGS yapmış gibi göstermemi istedi."

"Şaka yapıyorsunuz."

"Aldatmacaya ortak olmamı istediklerinde benim verdiğim tepki de bu oldu. Göktaşının orda olduğunu nasıl öğrendiklerini bana söylemeyi reddettiler ama Bayan Tench bunun önemli olmadığı ve YGS fiyaskomu telafi etmemin en iyi yolunun bu olduğu konusunda ısrar etti. YGS uydusu göktaşının yerini tespit etmiş gibi yaparsam, NASA, YGS'yi çok gerekli bir başarı olarak gösterebilecek ve seçimlerden önce Başkan'a destek olacaktı."

Gabrielle'ın dili tutulmuştu. "Ve elbette, YGS anomali tespit yazılımının işler konumda olduğunu duyurmadan, YGS'nin bir göktaşı bulduğunu iddia edemezdiniz."

Harper başını salladı. "Bu yüzden basın konferansı bir yalandı. Bunu yapmaya mecbur bırakıldım. Tench ve müdür çok acımasızdılar. Herkesi hayal kırıklığına uğratacağımı söylediler. Başkan YGS Projesi'ne fon sağlamıştı, NASA bu iş için yıllar harcamıştı ve ben bir programlama hatasıyla her şeyi berbat etmiştim."

"Böylece yardım etmeyi kabul ettiniz."

"Başka seçeneğim yoktu. Bunu yapmasaydım kariyerim sona erecekti. Ve işin gerçeği şu ki, yazılımı yüzüme gözüme bulaştırmasaydım, YGS o göktaşını bulabilecekti. Bu yüzden küçük bir yalan gibime geldi. Birkaç ay sonra uzay mekiği fırlatıldığında yazılım zaten düzeltilecekti, ben sadece bunu biraz daha erken duyurmuş oluyorum, diye düşündüm."

Gabrielle hafifçe ıslık çaldı. "Meteorik fırsattan yararlanmak için küçük bir yalan."

Harper bundan bahsederken midesi bulanıyordu. "Böylece... yaptım. Müdürün emirlerine uyarak bir basın konferansı düzenleyip anomali tespit yazılımını çalıştırmayı başardığımı duyurdum. Birkaç gün bekledikten sonra YGS'yi müdürün verdiği koordinatlara çevirdim. Sonra, komuta zincirine uygun olarak YGS direktörünü aradım ve YGS'nin Milne Buzul Katmanı'nda katı bir yoğunluk anomalisi tespit ettiğini söyledim. Ona koordinatları verip anomalinin göktaşı olabilecek kadar yoğun göründüğünü söyledim. Heyecana kapılan NASA bazı nüveler çıkartmak için Milne'e küçük bir ekip gönderdi. Operasyon bundan sonra çok gizli yürütüldü."

"O zaman, bu akşama kadar göktaşında *fosiller* bulunduğunu bilmiyordunuz?"

"Burdaki kimse bilmiyordu. Hepimiz şok olduk. Şimdi herkes dünya dışı biyolojik yaşam kanıtları bulduğum için bana kahraman diyor ve ben ne diyeceğimi bilemiyorum."

Harper'ı siyah gözleriyle inceleyen Gabrielle bir süre sessiz kaldı. "Ama buzdaki göktaşını YGS tespit etmediyse, müdür orda olduğunu nerden biliyordu?"

"Onu başka biri buldu."

"*Başka* biri mi? Kim?"

Harper içini çekti. "Charles Brophy adlı Kanadalı bir jeolog; Ellesmere Adası'ndaki bir araştırmacı. Buzdaki dev göktaşını tesadüfen keşfettiği sırada, Milne Buzul Katmanı'nda jeolojik buz sondalaması yapıyormuş. Telsizle bildirdi ve NASA telsiz konuşmasını yakaladı."

Gabrielle bakakalmıştı. "Peki ama bu Kanadalı, keşfin bütün kaymağını NASA'nın yemesine ses çıkartmıyor mu?"

İçi ürperen Harper, "Hayır," dedi. "Anlaşılacağı üzere, öldü."

91

Michael Tolland gözlerini kapatıp, G4 uçak motorunun vınlamasını dinledi. Washington'a varana dek, göktaşını daha fazla düşünmemeye karar vermişti. Corky'ye göre gökkumları kesin kanıttı; Milne Buzul Katmanı'ndaki taş ancak bir göktaşı olabilirdi. Rachel yere indiklerinde William Pickering'e verecek kesin bir cevabının olmasını diliyordu ama fikir denemeleri gökkumları yüzünden çıkmaza girmişti. İspatlar ne kadar şüpheli görünürse görünsün, göktaşı gerçek gibi görünüyordu.

Öyle olsun.

Rachel okyanusta yaşadığı travma yüzünden sarsılmıştı. Yine de Tolland, onun kendini çabuk toparlayışına hayran kalmıştı. Şimdi Rachel tüm dikkatini elindeki meseleye vermişti. Göktaşının maskesini düşürecek veya doğruluğunu kanıtlayacak bir yol bulmak ve onları kimin öldürmeye çalıştığını belirlemek.

Rachel yolculuğun çoğunu, Tolland'ın yanındaki koltukta geçirmişti. Yorucu şartlara rağmen Rachel'la konuşmayı eğlenceli buluyordu. Birkaç dakika önce Rachel tuvalete gidince, Tolland, onun yanında oturmasını özlediğine şaşmıştı. Bir kadının varlığını özlemeyeli ne kadar olduğunu düşündü; Celia'dan başka bir kadın.

"Bay Tolland?"

Tolland başını kaldırıp baktı.

Pilot başını kabinden içeri uzatmıştı. "Geminizin telefon kapsama alanına girdiğimizde size bildirmemizi istemiştiniz. İsterseniz bağlantı kurabilirim."

"Teşekkürler." Tolland koridora çıktı.

Tolland, pilot kabininden mürettebatını aradı. Bir iki gün daha gelmeyeceğinden onları haberdar etmek istiyordu. Elbette nasıl bir derdin içinde olduğunu onlara anlatmaya niyeti yoktu.

Telefon birkaç kez çaldı. Geminin SHINCOM 2100 haberleşme sisteminin telefona cevap vermesi Tolland'ı şaşırmıştı. Her zamanki profesyonel karşılama mesajı değil, Tolland'ın ekibinden gürültücü biri cevap veriyordu, geminin soytarısı.

Ses, "Haya, haya, burası *Goya,*" dedi. "Üzgünüz, şu anda kimse burda değil, hepimiz çok büyük bitler tarafından kaçırıldık! Doğrusu, Mike'ın büyük gecesini kutlamak için kıyıya çıktık. Tanrım, çok gururluyuz! İsminizi ve numaranızı bırakabilirsiniz, belki yarın ayıldığımız zaman arayabiliriz. Ciao! ET'ye gidiyoruz!"

Mürettebatını şimdiden özleyen Tolland güldü. Basın konferansını seyrettikleri anlaşılıyordu. Kıyıya çıkmalarına memnun olmuştu; Başkan aradığında onları aniden bırakmıştı ve denizde çok uygunsuz bir yerde duruyorlardı. Mesajda herkesin kıyıya çıktığını söylediği halde Tolland, gemiyi yalnız bırakmayacaklarını düşünüyordu, özellikle de şu anda demirli bulunduğu güçlü akıntıların geçtiği yerde.

Tolland, kendisine bıraktıkları dahili sesli mesajları dinlemek için sayısal şifreyi girdi. Sadece bir kez bipledi. Bir mesaj. Aynı yaygaracı mürettebatın sesiydi.

"Selam Mike, ne gösteriydi ama! Bunu dinliyorsan, herhalde şu anda havalı Beyaz Saray partilerinden birinde mesajlarını dinleyip, bizim hangi cehennemde olduğumuzu merak ediyorsundur. Gemiyi terk ettiğimiz için üzgünüm dostum, ama bu öyle basit bir kutlama gecesi değildi. Merak etme çok iyi demirledik ve verandanın ışığını açık bıraktık. İçten içe korsanlar kaçırsın da, NBC sana şu yeni tekneyi alsın istiyoruz! Şaka yapıyorum! Meraklanma, Xavia gemide kalıp kaleyi korumayı kabul etti. Bir avuç sarhoş balıkçıyla parti yapmaktansa, yalnız kalmayı tercih ettiğini söyledi. Buna inanabiliyor musun?"

Birinin gemide kaldığını duyunca içi rahatlayan Tolland kendi kendine güldü. Xavia mesuliyet sahibi biriydi, partilere göre biri değildi. Saygı duyulan bir deniz jeoloğu olan Xavia, aklına geleni söylemekle tanınıyordu.

Mesaj, "Her neyse Mike," diye devam etti. "Bu gece inanılmazdı. Bilim adamı olmakla gurur duyuyorsundur, ha? Herkes bunun NASA için ne kadar iyi olduğundan bahsediyor. NASA'yı boş ver. Bu bizim için çok daha iyi oldu! *Amazing Seas* izlenme oranı bu akşam birkaç milyon puan yukarı fırlamıştır. Sen bir yıldızsın adamım. Gerçek bir yıldız. Tebrikler. Mükemmel iş çıkardın."

Hattan kısık konuşma sesleri geldi. Sonra ses tekrar duyuldu. "Ah, evet, Xavia'dan bahsetmişken, sana bir eleştiride bulunmak istiyor. Veriyorum."

Makinede Xavia'nın tiz sesi duyuldu. "Mike, ben Xavia, sen bir ilahsın. Ve seni çok sevdiğim için bu Nuh tufanından kalma enkazına dadılık yapmayı kabul ediyorum. Her neyse, gemiye bebek bakıcılığı yapmanın yanı sıra, mürettebat benden gemi kaltağı olarak, senin ukala bir herife dönüşmemen için tüm gücümü kullanmamı istedi, ki sanırım bu akşamdan sonra biraz zor olacağına inanıyorum, ama belgeselinde bir gaf yaptığını ilk söyleyen ben olmak istedim. Evet, beni duydun. Ender rastlanan bir Michael Tolland hıyarlığı. Merak etme, dünyada bunu fark edecek üç kişi vardır, hepsi de espri anlayışı olmayan, fil hafızalı deniz jeologları. Benim gibi. Ama biz jeologlar için ne derler bilirsin: her zaman *kusur* ararlar!" Güldü. "Her neyse, önemli değil, göktaşı petrolojisiyle ilgili ufak bir nokta. Geceni berbat etmek için söylüyorum. Bununla ilgili bir iki telefon gelebilir, o yüzden aslında hepimizin öyle olduğunu bildiği bir moron gibi cevap vermemen için seni önceden bilgilendireyim." Tekrar güldü. "Her neyse, pek parti meraklısı olmadığım için gemide kalıyorum. Zahmet edip de beni arama; makineye bağlamak zorundayım, çünkü bütün akşam boyunca lanet olası gazeteciler arayıp durdu. Sıçıp batırmana rağmen, bu akşam gerçek bir yıldızdın. Her neyse, geri geldiğinde sana bununla ilgili açıklama yaparım. Ciao."

Hatta ses kesildi.

Michael Tolland kaşlarını çattı. *Belgeselimdeki bir hata mı?*

Rachel Sexton G4'ün tuvaletinde durmuş, aynada kendine bakıyordu. Solgun göründüğünü düşündü ve sandığından daha hastalıklı. Bu akşam yaşadığı korku ondan çok şey alıp götürmüştü. Titremesinin geçmesine veya bir okyanus kıyısına gitmesine daha ne kadar kaldığını düşündü. U.S.S. *Charlotte* beresini çıkarıp saçlarını açtı. *Daha iyi,* diye düşündü, şimdi biraz daha kendi gibi hissediyordu.

Kendi gözlerinin içine bakan Rachel, derin bir bitkinlik hissetti. Ama ardında çözümü görebiliyordu. Bunun annesinden kaldığını biliyordu. *Kimse sana ne yapacağını ve yapamayacağını söylemez.* Rachel, annesinin bu akşam olanları görüp görmediğini merak etti. *Birileri beni öldürmeye çalıştı anne. Birileri hepimizi öldürmeye çalıştı...*

Rachel'ın zihninden, son birkaç saattir olduğu gibi yine isimler geçti.

Lawrence Ekstrom... Marjorie Tench... Başkan Zach Herney. Hepsinin de birer nedeni vardı. Ve daha da korkuncu, hepsinin bunu yapma imkânı. Rachel kendi kendine, *Başkan işin içinde değil*, dedi. Babasından daha çok saygı duyduğu Başkan'ın bu esrarlı olayda masum bir izleyici olması umudunu güdüyordu.

Hâlâ hiçbir şey bilmiyoruz.

Kim olduğunu... eğerleri... ve nedenini.

William Pickering için cevapları bulmak istiyordu ama şu ana kadar tek yapabildiği daha fazla soru üretmekti.

Rachel tuvaletten çıktığında, Michael Tolland'ı koltuğunda göremeyince şaşırdı. Corky yan tarafta şekerleme yapıyordu. Rachel etrafına bakınırken, Michael, pilot kabininden çıktı. Gözleri endişeyle büyümüştü.

Rachel, "Ne oldu?" diye sordu.

Telefon mesajını ona anlatırken Tolland'ın sesi sıkkındı.

Belgeselde bir hata mı? Rachel, Tolland'ın aşırı tepki gösterdiğini düşündü. "Belki de bir şey değildir. Hatanın ne olduğunu tam manasıyla söylemedi mi?"

"Göktaşı petrolojisiyle ilgili bir şeymiş."

"Kayaç yapısı mı?"

"Evet. Hatayı sadece birkaç jeolog fark edebilirmiş. Kulağa öyle geliyor ki, yaptığım hata her neyse, göktaşının yapısıyla ilgili."

Hızla derin bir nefes alan Rachel şimdi anlıyordu. "Gökkumları mı?"

"Bilmiyorum, ama çok büyük tesadüf olur."

Rachel, ona katılıyordu. Gökkumları, NASA'nın bunun gerçek bir göktaşı olduğu iddiasını destekler, geri kalan tek kanıttı.

Corky gözlerini ovuşturarak yanlarına geldi. "Neler oluyor?"

Tolland, ona olanları anlattı.

Başını iki yana sallayan Corky, yüzünü buruşturdu. "Gökkumlarıyla ilgili bir sorun değildir Mike. Olamaz. Verilerin hepsi NASA'dan geldi. *Benden* değil. Kusursuzdu."

"Başka nasıl bir petrolojik hata yapmış olabilirim?"

"Kim bilir? Ayrıca, deniz jeologları gökkumları hakkında ne bilir?"

"Hiçbir fikrim yok ama çok zeki biridir."

Rachel, "Bu şartlarda," dedi. "Sanırım Direktör Pickering'le konuşmadan önce bu kadınla konuşmalıyız."

Tolland omuzlarını silkti. "Dört kere aradım. Hepsinde de telesekreter devreye girdi. Herhalde şimdi su laboratuvarındadır ve hiçbir şey duymuyordur. Yarın sabaha kadar mesajlarımı alamaz." Tolland durup saatine baktı. "Ama..."

"Ama ne?"

Tolland dikkatle ona baktı. "Sence patronundan önce Xavia'yla konuşmamız ne kadar önemli?"

Rachel, "Eğer gökkumlarıyla ilgili söyleyecek bir şeyi varsa, bence çok kritik," dedi. "Mike, şu anda elimizde her türlü çelişkili veri var. William Pickering açık cevaplar duymaya alışkın biridir. Onunla görüştüğümüzde, harekete geçebilmesi için elle tutulur bir şey sunmak istiyorum."

"O halde yolda inmemiz gerekecek."

Rachel biraz geç kavramıştı. "Gemiye mi?"

"New Jersey açıklarında. Washington'a giderken tam yolumuzun üstünde. Xavia'yla konuşup ne bildiğini öğrenelim. Corky'de hâlâ bir göktaşı örneği var ve eğer Xavia jeolojik testler yapmak isterse gemide çok iyi donanımlı bir laboratuvar var. Sanırım kesin cevaplar almamız bir saati geçmez."

Rachel iç sıkıntısının arttığını hissetti. Okyanusa bu kadar çabuk geri dönmek düşüncesi sinirlerini bozmuştu. İhtimali aklına getirince kararını verdi ve *kesin cevaplar*, diye düşündü. *Pickering kesin cevaplar isteyecek.*

92

Delta-Bir ayaklarının yeniden karaya bastığına seviniyordu.

Aurora uçağı yarı güçte gitmesine ve dolambaçlı bir okyanus rotası izlemesine rağmen, yolculuğunu iki saatten az bir zamanda tamamlamış ve Delta Gücü'ne, idarecinin talep ettiği fazladan cinayete hazırlanıp pozisyon almaları için olanak sağlanmıştı.

Şimdi, D.C. yakınlarındaki özel askeri havaalanı pistinde Aurora'yı geride bırakan Delta Gücü, yeni nakil aracına biniyordu. Onları bir OH-58D Kiowa Warrior helikopter bekliyordu.

Delta-Bir, *idareci yine en iyisini ayarlamış*, diye düşündü.

İlk başta hafif keşif helikopteri olarak tasarlanan Kiowa Warrior, ordunun en yeni nesil saldırı helikopterini meydana getirecek şekilde "genişletilmiş ve geliştirilmişti". Kiowa, lazer hedef işaretleme/mesafe ölçme cihazının, Havadan Havaya Stinger füzeleri ve AGM-1148 Hellfire Füze Sistemi gibi lazer güdümlü isabetli silahlara otonom işaretleme sağladığı, kızılötesi termal görüntüleme yeteneğine sahipti. Yüksek süratli dijital bir sinyal işlemcisi, aynı anda altı hedefe kadar farklı hedeflerin izini sürebiliyordu. Kiowa'yı yakından gören çok az düşman, hayatta kalıp da hikâyesini anlatabilmişti.

Delta-Bir, Kiowa'nın pilot koltuğuna oturup kemerini bağlarken tanıdık bir güçlülük hissine kapıldı. Bu araçta eğitim almış ve üç kez gizli operasyonlara uçmuştu. Elbette daha önce hiç tanınmış *Amerikalı* bir yetkilinin peşine düşmemişti. İtiraf etmesi gerekirdi ki, Kiowa bu iş için mükemmel bir hava taşıtıydı. Rolls-Royce Allison motorları ve ikiz yarı sert pervane kanatları "sessiz uçuş" yapabilmesine olanak tanıyordu. Bu da başlarının üstüne gelene kadar karadaki hedeflerin helikopter sesini duyamayacakları anlamına geliyordu. Ayrıca ışıklarını açmadan kör uçuş yapabilme imkânına sahip olduğu ve düz siyaha boyanan helikopterin kuyruğunda yansıtmalı sayılar yazmadığı için, hedefin radarı olmadığı müddetçe helikopteri görmesi mümkün değildi.

Sessiz siyah helikopterler.

Komplo teorisyenleri bu konuda çılgınca savlar ortaya atıyorlardı. Bazıları sessiz siyah helikopter saldırılarının, Birleşmiş Milletler'in yetkilendirdiği "Yeni Dünya Düzeni Nazileri'nin" kanıtı olduğunu iddia ediyordu. Bazılarıysa helikopterlerin sessiz uzaylı araçları olduklarını. Geceleri Kiowa'ları kol uçuşunda görenlerse, daha büyük bir hava aracının seyir ışıklarını gördükleri yanılgısına düşüyorlardı; dikey uçuş yapabilen tek bir uçan daire.

Bu da yanlıştı. Ama yanılsamalar ordunun hoşuna gidiyordu.

Delta-Bir yakın zaman önce gizli bir görevde, çok gizli yeni bir ABD askeri teknolojisiyle silahlandırılmış Kiowa kullanmıştı; S&M isimli holografik silah. Sadomazoşizm kelimesini çağrıştırmasına rağmen, S&M "yalancı eko"(*) kelimelerini ifade ediyordu. Düşman toprakları üstündeki gökyüzüne "yansıtılan" holografik görüntüler. Kiowa, S&M teknolojisini düşman uçaksavar üssünün üstünde ABD uçak hologramları yansıtmak için kullanıyordu. Paniğe kapılan uçaksavar nişancıları tepelerinde dolaşan hayaletlere çılgınca ateş ediyorlardı. Cephane tükendiğinde, Birleşik Devletler asıl kozunu gönderiyordu.

Delta-Bir ile adamları pistten havalanırken, kulaklarında hâlâ idarecinin sözleri çınlıyordu. *Başka bir hedefiniz var.* Yeni hedeflerinin kimliği dikkate alındığında, durumu fazlasıyla hafife alan bir ifadeydi. Yine de Delta-Bir kendine, sorgulayacak konumda olmadığını hatırlattı. Takımı-

(*) Smoke and mirrors.

na bir emir verilmişti ve aldıkları talimatları uygun biçimde yerine getireceklerdi; bu yöntem her ne kadar şaşırtıcı olsa da.

Umarım idareci, bunun doğru hareket olduğundan emindir.

Kiowa pistten havalanırken, Delta-Bir güneybatıya yöneldi. FDR Anıtı'nı daha önce iki kez görmüştü ama bu gece ilk defa havadan görecekti.

93

"Bu göktaşını aslında Kanadalı bir jeolog mu buldu?" Gabrielle Ashe, genç programcı Chris Harper'a hayretle bakıyordu. "Ve bu Kanadalı şimdi *öldü* mü?"

Harper kederle başını salladı.

Gabrielle, "Ne zamandır bunu biliyorsunuz?" diye sordu.

"Birkaç haftadır. Müdürle Marjorie Tench, beni basın konferansında yalan söylemeye mecbur bıraktıktan sonra sözümden dönemeyeceğimi biliyorlardı. Göktaşının gerçekte nasıl bulunduğunu bana anlattılar."

Göktaşını bulan KYYT değil! Tüm bu bilgilerin nereye varacağına dair Gabrielle'ın hiçbir fikri yoktu ama bir rezalet çıkartacağı ortadaydı. Tench için kötü haber, senatör içinse iyi haber anlamına geliyordu.

Şimdi canı sıkkın görünen Harper, "Dediğim gibi," dedi. "Göktaşının asıl keşfedilme şekli, yakalanan bir telsiz konuşması. INSPIRE denilen bir programdan haberin var mı? İnteraktif NASA Uzay Fiziği İyonosfer Radyo Deneyleri.

Gabrielle bunu duyduğunu hayal meyal hatırlıyordu.

Harper, "Esas itibariyle, Kuzey Kutbu yakınlarında yer seslerini -kuzey ışıklarının plazma dalga emisyonları, yıldırım fırtınalarının geniş bant vuruları, bu gibi şeyler- dinleyen çok düşük frekanslı radyo alıcıları," dedi.

"Peki."

"INSPIRE telsiz alıcılarından biri, birkaç hafta önce Ellesmere Adası'ndan parazitli bir yayın yakaladı. Kanadalı bir jeolog çok düşük bir frekanstan yardım istiyordu." Harper durdu. "Doğrusu, frekans o kadar düşüktü ki, NASA'nın VLF alıcılarından başka kimse duymamıştır. Kanadalının uzun dalga yaptığını düşündük."

"Anlamadım?"

"Telsiz iletisini azami mesafeye ulaştırmak için mümkün olan en düşük frekansta yayın yapmak. Unutmamak lazım ki çok ücra bir yerdeydi; standart frekanstaki bir ileti, duyulabileceği kadar uzağa gitmeyebilirdi."

"Mesajda ne diyordu?"

"İleti kısaydı. Kanadalı, Milne Buzul Katmanı'nda sondalama yaparken, buza gömülü aşırı yoğun bir anomali tespit ettiğini, göktaşı olabileceğinden şüphelendiğini ve ölçümler yaparken fırtınaya yakalandığını söylüyordu. Koordinatlarını vererek, fırtınadan kurtarılmasını istedi ve telsizini kapattı. NASA'nın en yakın dinleme istasyonu onu kurtarmak için Thule'dan bir kurtarma uçağı gönderdi. Saatlerce aradıktan sonra onu, rotasının kilometrelerce uzağındaki bir buzul yarığının dibinde, kızağı ve köpekleriyle birlikte ölü olarak buldular. Anlaşıldığı kadarıyla fırtınadan kaçmaya çalışmış, yolundan sapıp buzul yarığından düşmüştü."

Duyduklarını düşünen Gabrielle'ın merakı kabarmıştı. "Ve böylece NASA başka kimsenin bilmediği bir göktaşını öğrenmiş oldu."

"Kesinlikle. Ve tuhaftır ki, eğer yazılımım doğru çalışsaydı, KYYT uydusu aynı göktaşını tespit edebilirdi; Kanadalıdan bir hafta önce."

Bu rastlantı Gabrielle'ı tereddüde düşürmüştü. "Üç yüz yıldır gömülü duran bir göktaşı, aynı hafta içinde iki kere mi keşfedildi yani?"

"Biliyorum. Biraz tuhaf, ama bilim böyledir işte. Ya kıtlık çekersin ya da bayram yaparsın. Konu şu ki, müdür göktaşının bizim keşfimiz *olması gerektiğine* inanıyordu, yani işimi düzgün yapsaydım öyle olacaktı. Bana,

Kanadalı öldüğü için, KYYT'yi SOS mesajında verdiği koordinatlara çevirirsem kimsenin farkına varmayacağını söyledi. Bundan sonra göktaşını biz keşfetmişiz gibi yapacaktım ve utanç verici başarısızlığı bir nebze telafi etmiş olacaktık."

"Ve siz de bunu yaptınız."

"Söylediğim gibi, başka şansım yoktu. Uydunun başarısız olmasının sebebi bendim." Durdu. "Ama bu akşam Başkan'ın basın konferansını ve keşfetmiş gibi yaptığım göktaşında fosiller bulunduğunu duyduğumda..."

"Şaşırdınız."

"Daha doğrusu ağzım açık kaldı."

"Sizce müdür KYYT bulmuş gibi yapmanızı istemeden önce, göktaşında fosil bulunduğunu biliyor muydu?"

"Hiç ihtimal vermiyorum. NASA oraya ilk ekibi gönderinceye kadar göktaşı gömülü olduğu yerde el değmeden duruyordu. Tahminimce, nüve çıkartmak ve X-ışınlarını çekmek için oraya bir ekip gönderene kadar NASA'nın ne bulduğu hakkında tam bir fikri yoktu. KYYT hakkında yalan söylememi istediler, çünkü büyük bir göktaşıyla orta karar bir başarı kazanacaklarını düşündüler. Ama oraya vardıktan sonra, aslında ne büyük bir buluş olduğunun farkına vardılar."

Gabrielle heyecandan sık nefes alıyordu. "Dr. Harper, NASA ile Beyaz Saray'ın sizi KYYT yazılımı konusunda yalan söylemeye zorladığına dair ifade verir misiniz?"

"Bilmiyorum." Harper korkmuşa benziyordu. "Bunun NASA'ya nasıl bir zarar vereceğini tahmin edemiyorum... bu keşfe."

"Dr. Harper, nasıl bulunursa bulunsun bu göktaşının *harika* bir keşif olduğunu ikimiz de biliyoruz. Burdaki asıl nokta, sizin Amerikan halkına yalan söylemiş olmanız. KYYT'nin aslında NASA'nın söylediği şey olmadığını bilmeye hakları var."

"Bilmiyorum. Ben müdürü önemsemiyorum ama *iş arkadaşlarım*... onlar iyi insanlar."

"Ve aldatıldıklarını bilmeye hakları var."

"Peki ya şu bana yönelik usulsüzlük suçlaması?"

Kendi oyununu neredeyse unutmuş olan Gabrielle, "Bunu aklınızdan çıkartabilirsiniz," dedi. "Senatöre zimmete geçirmeyle ilgili hiçbir şey bilmediğinizi söyleyeceğim. Bunun bir çeşit kendini garantiye alma yöntemi olduğu anlaşılıyor. KYYT konusunda ağzınızı sıkı tutmanız için müdürün hazırladığı bir oyun."

"Senatör beni koruyabilir mi?"

"Kesinlikle. Siz yanlış bir şey yapmadınız. Sadece emirlere uyuyordunuz. Ayrıca az önce Kanadalıyla ilgili verdiğiniz bilgilerden sonra senatörün usulsüzlük meselesini gündeme bile getireceğini sanmıyorum. Herhalde sadece NASA'nın KYYT ve göktaşıyla ilgili verdiği yanlış bilgiler üzerine yoğunlaşırız. Senatör, Kanadalıyla ilgili bilgileri açıkladıktan sonra, müdür yalanlarıyla sizi lekelemeye cesaret bile edemez."

Harper hâlâ kaygılı görünüyordu. Seçenekleri değerlendirirken, sıkıntılı bir yüz ifadesiyle susmuştu. Gabrielle, ona biraz zaman tanıdı. Bu hikâyenin rahatsızlık verici başka bir yönü daha olduğunu fark etmişti. Aslında bundan bahsetmeyecekti ama Dr. Harper'ın son bir teşvike ihtiyacı olduğunu görebiliyordu.

"Sizin köpeğiniz var mı Dr. Harper?"

Başını kaldırıp baktı. "Efendim?"

"Sadece biraz tuhaf olduğunu düşündüm. Kanadalı jeolog koordinatları verdikten kısa süre sonra kızak köpeklerinin buzul yarığına düştüklerini söylememiş miydiniz?"

"Fırtına vardı. Yollarından sapmışlardı."

Şüphelendiğini belli eden Gabrielle omuzlarını silkti. "Öyle mi... iyi."

Harper, onun tereddüdünü anlamıştı. "Sence ne oldu?"

"Bilmiyorum. Sadece bu keşifle ilgili tesadüflerin sayısı o kadar çok ki. Kanadalı bir jeolog *sadece* NASA'nın duyabileceği frekansta göktaşının koordinatlarını veriyor. Sonra da kızak köpekleri uçurumdan aşağı gözü kapalı atlıyor." Durdu. "NASA'nın tüm zaferini, bu jeoloğun ölümüne borçlu olduğunun farkındasınızdır sanırım."

Harper'ın yüzünün rengi atmıştı. "Yani müdür bu göktaşı için *cinayet* mi işledi?"

Gabrielle, *savaş politikası, çok para*, diye düşündü. "Ben senatörle konuşayım, ondan sonra görüşürüz. Burdan çıkmanın bir yolu var mı?"

Gabrielle Ashe, beti benzi atmış Chris Harper'ı geride bırakarak, yangın merdivenlerinden NASA'nın arkasındaki boş bir sokağa çıktı. NASA'lı yeni kutlamacıları henüz bırakan bir taksiyi çevirdi.

Şöföre, "Westbrooke Semti Apartmanları," dedi. Senatör Sexton'ı çok mutlu bir adam yapmak üzereydi.

94

Ne yapmayı kabul ettiğini henüz anlayamayan Rachel, G4 pilot kabini girişinin hemen yanında durmuş, konuşmalarını pilotun duymaması için radyo telsiz kablosunu kabinden içeri uzatıyordu. Corky ile Tolland, onu seyrediyordu. D.C. yakınlarındaki Bollings Hava Kuvvetleri Üssü'ne varıncaya kadar radyo sessizliği konusunda UKO Direktörü William Pickering ile anlaşmış olmasına rağmen, Rachel artık onun duymak isteyeceğinden emin olduğu bir bilgiye sahipti. Daima yanında taşıdığı güvenli cep telefonu numarasından aramıştı.

William Pickering telefona cevap verdiğinde, sesi son derece resmiydi. "Lütfen dikkatli konuş. Bu bağlantının garantisini veremem."

Rachel anlamıştı. Diğer UKO sahra telefonları gibi Pickering'in cebi de, güvenli olmayan çağrılar tespit ettiğinde ikaz ediyordu. Rachel bilinen en az güvenli haberleşme aracı olan radyofondan aradığı için, Pickering'in telefonu onu uyarmıştı. Bu konuşmanın üstü kapalı yapılması gerekiyordu. İsim ve yer verilmeyecekti.

Rachel bu gibi durumlarda kullanılan standart selamlamayla, "Sesim benim kimliğimdir," dedi. Bağlantı kurduğu için direktörün sinirleneceğini düşünmüştü ama Pickering'in tepkisi olumlu gibiydi.

"Evet, ben de seninle temasa geçmeyi düşünüyordum. Yön değiştirmek gerekiyor. Birilerinin sizi karşılamasından endişe ediyorum."

Rachel aniden korkuya kapılmıştı. *Biri bizi gözetliyor.* Pickering'in sesindeki tehlikeyi sezebiliyordu. *Yön değiştirmek.* Tamamen farklı sebeplerden ötürü olsa da, Rachel'ın tam da bu isteğini yerine getirmek için aradığını öğrenmek hoşuna gidecekti.

Rachel, "Şu gerçeklik meselesini tartışıyorduk," dedi. "Kesin olarak doğrulamanın ya da reddetmenin bir yolunu bulmuş olabiliriz."

"Mükemmel. Gelişmeler oldu, en azından devam etmek için elimde geçerli deliller olur."

"Bu ispatlama hemen inmemizi gerektiriyor. İçimizden biri bir laboratuvara..."

"Lütfen yer tanımı yapma. Kendi güvenliğin için."

Rachel'ın bu hatta planlarını yayınlamaya niyeti yoktu. "Bizim için GAS-AC'ye iniş izni alabilir misin?"

Pickering bir süre sessiz kaldı. Rachel, onun kelimeyi çıkartmaya çalıştığını sezinledi. GAS-AC, UKO'nun, Sahil Güvenlik Grup Hava İstasyonu Atlantic City için kullandığı bir kısaltmaydı. Rachel, direktörün bunu biliyor olmasını diledi.

Sonunda, "Evet," dedi. "Bunu ayarlayabilirim. Nihai durağınız burası mı?"

"Hayır. Ordan helikopterle aktarma istiyoruz."

"Bir araç bekliyor olacak."

"Teşekkürler."

"Daha fazlasını öğreninceye kadar son derece dikkatli davranmanızı tavsiye ederim. Sizin şüpheleriniz, güçlü gruplar arasında derin kaygılara neden oldu."

Rachel, *Tench,* diye düşünürken, Başkan'la doğrudan temasa geçebilmeyi diliyordu.

"Şu anda arabamda bahsi geçen bu kadınla buluşmaya gidiyorum. Tarafsız bir yerde özel bir görüşme talep etti. Pek çok şeyi aydınlığa kavuşturacak."

Pickering, Tench'le buluşmaya mı gidiyor? Telefonda söylemeyi reddettiyse de, Tench'in ona söyleyeceği şey önemli olmalıydı.

Pickering, "Nihai koordinatlarınız hakkında kimseyle görüşmeyin. Ayrıca başka telsiz bağlantısı yok. Anlaşıldı mı?"

"Evet efendim. Bir saate kadar GAS-AC'de olacağız."

"Aktarma aracı ayarlanacak. Nihai durağınıza vardığınızda beni güvenli kanallardan arayabilirsin." Durdu. "Güvenliğiniz için gizliliğin ne kadar önemli olduğunu tarif edemem. Bu akşam çok güçlü düşmanlar kazandınız. Dikkatli davranın." Pickering gitmişti.

Rachel bağlantıyı kapatıp Corky ile Tolland'a dönerken gerildiğini hissediyordu.

Cevapları bulmak için hevesli görünen Tolland, "İstikamet değiştiriyor muyuz?" diye sordu.

Rachel isteksizce başını salladı. "*Goya*."

Elindeki göktaşı örneğine bakan Corky içini çekti. "Hâlâ inanmıyorum, NASA böyle bir..." Sesi gittikçe azaldı, her geçen dakika biraz daha endişeli görünüyordu.

Rachel pilot kabinine dönerek, radyo telsizini geri verdi. Ön camdan, uçağın altından kayıp giden ayışığının aydınlattığı bulutlara bakarken, Tolland'ın gemisinde öğreneceklerinden hoşlanmayacakları hissine kapılmıştı.

95

William Pickering, sedanını Leesburg Otoyolu'nda kullanırken alışılmadık bir yalnızlık hissetti. Saat 02.00 idi ve yol bomboştu. Bu saatte araba kullanmayalı yıllar olmuştu.

Marjorie Tench'in kaba sesi hâlâ kulaklarını tırmalıyordu. *FDR Anıtı'nda buluşalım.*

Marjorie Tench'i en son yüz yüze gördüğü anı hatırlamaya çalıştı; hiç hoş bir tecrübe olmamıştı. İki ay önceydi. Beyaz Saray'da. Milli Güvenlik Konseyi, Kurmaylar, CIA, Başkan Herney ve NASA müdürünün bulunduğu uzun bir meşe masada, Pickering'in tam karşısında oturuyordu.

Doğrudan Marjorie Tench'in gözlerinin içine bakan CIA direktörü, "Beyler," demişti. "Bir kez daha bu yönetimi, NASA'nın devam eden güvenlik krizine karşı çıkmaya teşvik etmek için huzurlarınızdayım."

Açıklama odadaki kimseyi şaşırtmamıştı. NASA'nın güvenlik hataları istihbarat camiasında bıkkınlık veren bir hadise haline gelmişti. Daha iki gün önce, NASA'nın yer gözlem uydularından birinin çektiği üç yüzden fazla yüksek çözünürlü uydu fotoğrafı, NASA'nın veritabanından bilgisayar korsanları tarafından çalınmıştı. Kuzey Afrika'daki ABD askeri eğitim karargâhını gösteren fotoğraflar karaborsaya çıkmış ve Ortadoğu'daki düşman istihbarat büroları tarafından satın alınmıştı.

CIA direktörü endişeli bir sesle, "Tüm iyi niyetlere rağmen NASA milli güvenliğe tehdit oluşturmaya devam ediyor," demişti. "Kısacası, uzay dairemiz geliştirdiği veri ve teknolojileri koruyacak kapasitede değil."

Başkan, "Dikkatsizlik yapıldığını anlıyorum," diye cevap vermişti. "Zarar veren sızıntılar. Ve bu beni derinden rahatsız ediyor." Masanın karşısında oturan NASA Müdürü Lawrence Ekstrom'un katı yüzünü işaret etmişti. "Bir kez daha, NASA'nın güvenliğini arttırmanın yollarını arıyoruz."

CIA direktörü, "Saygılarımı sunarım," demişti. "NASA operasyonları Birleşmiş Milletler istihbarat topluluğu şemsiye altına girmediği müddetçe, hangi güvenlik değişikliği yapılırsa yapılsın, kısa süre sonra yetersiz kalacaktır."

Bu ifade toplulukta huzursuz homurdanmalara yol açmıştı. Herkes sonunun nereye varacağını biliyordu.

CIA direktörü sesini biraz daha sertleştirmişti. "Bildiğiniz gibi, hassas istihbarat bilgileriyle uğraşan tüm ABD devlet teşkilatları, sıkı güvenlik kurallarıyla denetlenirler: askeri, CIA, NSA, UKO. Bunların hepsi topladıkları verilerle geliştirdikleri teknolojilerin saklanmasıyla ilgili sıkı kanunlara uymak mecburiyetindeler. Sizlere bir kez daha soruyorum, neden NASA -ordunun ve istihbarat topluluğunun kullandığı uzay, görüntüleme, uçuş, yazılım, keşif ve telekom teknolojilerinin en büyük kısmını üreten kurum- bu gizlilik şemsiyesinin *dışında* yer alsın?"

Başkan derin derin içini çekmişti. Teklif açıktı. *NASA'yı ABD askeri istihbaratının bir parçası olacak şekilde yeniden yapılandırın.* Geçmişte diğer kurumlarda da benzer yeniden yapılandırmalar yaşandığı halde Herney, NASA'yı Pentagon, CIA, UKO veya diğer askeri direktiflerin himayesi altına sokma fikrini reddediyordu. Milli Güvenlik Konseyi bu mesele üzerinde gruplara ayrılmaya başlamıştı ve çoğu istihbarat topluluğunun tarafını tutuyordu.

Lawrence Ekstrom bu toplantılarda asla mutlu görünmezdi ve bu da bir istisna değildi. CIA direktörüne haşin bir bakış fırlatmıştı. "Kendimi yinelemiş olacağım ama, NASA'nın geliştirdiği teknolojiler askeri olmayan ilmi amaçlar için geliştirilmiştir. Eğer istihbarat topluluğunuz uzay teleskoplarımızdan birini çevirip Çin'e bakmak istiyorsa, bu sizin seçiminiz."

CIA direktörü küplere binmiş gibi görünüyordu.

Bu durum Pickering'in gözüne çarpınca araya girmişti. Sakin bir sesle konuşmaya gayret ederek, "Larry," demişti. "NASA her yıl Kongre'nin önünde diz çöküp para dileniyor. Çok az bir fonla operasyonlarınızı yürütüp, başarısızlıklarınızın bedelini ödüyorsunuz. Eğer NASA'yı istihbarat topluluğuna dahil edersek, NASA'nın bir daha Kongre'den yardım istemesine gerek kalmayacak. Örtülü ödenekten faydalanarak çok daha yüksek seviyelerde fon alırsınız. İki taraf da kazanmış olur. NASA düzgün biçimde çalışabilecek parayı temin etmiş, istihbarat topluluğu da NASA teknolojilerinin korunduğuna ikna olmuş olur."

Ekstrom başını iki yana salladı. "Prensip olarak, NASA'nın bu resimde yer almasına gönlüm razı olmaz; bizim milli güvenlikle hiçbir ilgimiz yok."

CIA direktörü ayağa kalkmıştı ki, Başkan otururken bu daha önce hiç yapılmamıştı. Kimse onu durdurmamıştı. Öfkeli bakışlarını NASA müdürüne dikmişti. "Bana bilimin milli güvenlikle *hiçbir* ilgisi olamadığını düşündüğünü mü söylüyorsun? Larry, Tanrı aşkına bu ikisi aynı anlama gelir! Bizi güvenli kılan bu ülkenin bilimsel ve teknolojik üstünlükleridir ve beğensen de beğenmesen de, NASA her geçen gün bu teknolojilerin gelişmesinde daha büyük bir rol oynuyor. Ne yazık ki, senin kurumunun sepeti su sızdırıyor ve güvenliğinin sağlanmasının bir gereklilik olduğunu defalarca kanıtladı!"

Odada kimse konuşmuyordu.

Şimdi NASA müdürü ayağa kalkıp bakışlarını saldırganına dikmişti. "Demek, yirmi bin NASA bilim adamını hava geçirmez askeri laboratuvarlara kilitleyip sizin için çalışmalarını öneriyorsun? Sence, uzayın derinliklerini görmek bilim adamlarımızın *kişisel* arzusu olmasaydı, NASA'nın en yeni uzay teleskopları gerçekten de icat edilir miydi? NASA tek bir nedenden ötürü hayret verici ataklar yapıyor; çalışanlarımız evreni daha iyi tanımak istiyorlar. Onlar, yıldızlı gökyüzünü seyredip orda gerçekten neler olduğunu kendilerine sorarak büyüyen hayalci çocuklardan oluşan bir topluluk. NASA'nın icatlarını tetikleyen şey, tutku ve meraktır, askeri üstünlük vaadi değil."

Masadaki tansiyonu düşürmeye çalışan Pickering, boğazını temizleyerek daha yumuşak bir sesle konuştu. "Larry, eminim direktör askeri uydular inşa etmek için NASA bilim adamlarını işe almaktan bahsetmiyordur. NASA'nın görev tanımlaması değişmeyecek. NASA her zamanki gibi işlerini görürken, daha fazla fon ve daha fazla güvenlik elde etmiş olacaksınız." Pickering, Başkan'a dönmüştü. "Güvenlik pahalıdır. Bu odadaki herkes, NASA'daki güvenlik sızıntılarının yetersiz fonlardan kaynaklandığının şüphesiz farkında. NASA kendi başının çaresine bakmak, güvenlik ölçütlerine kestirme çareler bulmak ve maliyeti paylaşmak için diğer ülkelerle ortak projeler yürütmek zorunda. Benim teklifim şu, NASA daha büyük bir bütçe ve biraz daha ihtiyatla şu anda olduğu gibi üstün, ilmi ve sivil varlığına devam etsin."

Güvenlik konseyinin pek çok üyesi onaylayarak başlarını sallamışlardı.

Pickering'in açıklamasıyla hiç de eğlenmediği anlaşılan Başkan Herney doğrudan William Pickering'in gözlerinin içine bakarak yavaşça ayağa kalkmıştı. "Bill, sana şunu sormak istiyorum: NASA gelecek on yıl içinde Mars'a gitmeyi ümit ediyor. İstihbarat topluluğu, örtülü ödeneğin büyük bir kısmının Mars'a yolculuk için harcanması hakkında nasıl hissedecek; kısa vadeli hiçbir milli güvenlik çıkarı olmayan bir yolculuk?"

"NASA istediği gibi hareket edebilecektir."

Herney açık bir dille, "Yapma ya," demişti.

Birden herkesin gözleri dışarı fırlamıştı. Başkan Herney, çok nadir ağzını bozardı.

Herney, "Başkan olarak öğrendiğim bir şey varsa," demişti. "O da, para kimin elindeyse, kumandayı o alır. NASA kesesinin iplerini, kurumun kurulma amaçlarını paylaşmayan kimselerin eline vermeyi reddediyorum. Hangi NASA misyonlarının uygun olduğuna *ordu* karar verdiğinde, ne kadar ilim üretilebilir bilemiyorum."

Herney'nin gözleri odada gezinmişti. Sonra yavaşça ve kararlılıkla sert bakışlarını yeniden William Pickering'e çevirmişti.

"Bill." Herney içini çekmişti. "NASA'nın yabancı uzay daireleriyle ortak projeler yürütmesinden duyduğun memnuniyetsizliği dar görüşlülük olarak nitelendiriyorum. En azından Çinlilerle ve Ruslarla yapıcı bir şeyler yapan *biri* var. Bu gezegene barış, askeri güç kullanarak gelmeyecek. Hükümetlerinin farklılığına rağmen bir araya gelenler bunu sağlayacaklar. Bana soracak olursan, NASA'nın ortak projeleri milli güvenliği arttırmak konusunda her türlü milyar dolarlık casus uydusundan çok daha iyi iş görüyor ve gelecek için çok daha büyük umutlar taşıyor."

Pickering içindeki öfkenin arttığını hissediyordu. *Bir politikacı benimle böyle konuşmaya nasıl cüret eder!* Herney'nin idealizmi toplantı salonunda göz boyuyor ama gerçek dünyada insanları öldürüyordu.

Marjorie Tench, Pickering'in patlamaya hazırlandığını sezinlemiş gibi, "Bill," diye araya girmişti. "Evladını kaybettiğini biliyoruz. Bunun, senin için kişisel bir mesele olduğunun farkındayız."

Pickering, onun sesindeki alçakgönüllükten başka hiçbir şey duymamıştı.

Tench, "Ama lütfen unutma ki, Beyaz Saray uzayı özel sektöre açmamızı isteyen yatırımcı selini zapt ediyor," demişti. "Bana soracak olursan, tüm hatalarına rağmen, istihbarat topluluğunun en büyük dostu NASA. Belki de hepiniz ona dua etmelisiniz."

Otoyolun banketindeki dar şerit Pickering'i şimdiki zamana geri döndürdü. Kavşağa yaklaşıyordu. D.C. kavşağına girerken, yolun kenarında kanlı bir geyik ölüsü gördü. Garip bir tereddüte kapıldı... ama sürmeye devam etti.

Yetişmesi gereken bir randevu vardı.

96

Franklin Delano Roosevelt Anıtı, ülkedeki en büyüklerden biriydi. Bir parkı, şelaleleri, heykelleri, çardakları ve bir havuzu bulunan anıt, FDR'nin iktidarda kaldığı her bir döneme ayrılan dört dış galeriye bölünmüştü.

Anıtın bir buçuk kilometre uzağında, seyir ışıklarını karartmış bir Kiowa Warrior, şehrin üstünden uçarak yaklaşıyordu. D.C. gibi önemli şahsiyetler ve medya çalışanlarıyla dolu bir şehirde, gökyüzündeki helikopterler güneye uçan kuşlar kadar alışıldık bir şeydi. Delta-Bir, "kubbe" diye bilinen şeye -Beyaz Saray etrafındaki korumalı hava sahası- yaklaşmadığı müddetçe fazla dikkat çekmeyeceğini biliyordu. Burada fazla uzun kalmayacaklardı.

Kiowa, karanlık FDR Anıtı'nın tam üstüne değil ama yakınına gelip yavaşladığında yedi yüz metre yükseklikteydi. Delta-Bir bir süre burada kalıp pozisyonunu kontrol etti. Gece görüşlü teleskobik görüntüleme sisteminin başına geçen, sol tarafındaki Delta-İki'ye baktı. Video yayını, yeşilimsi anıt girişini gösteriyordu. Bu alan boştu.

Şimdi bekleyeceklerdi.

Sessiz bir cinayet olmayacaktı. Dikkat çekmeden öldürülemeyecek bazı insanlar vardı. Nasıl bir yöntem kullanırlarsa kullansınlar, bazı yansımaları olacaktı. Soruşturmalar. Bu gibi durumlarda en iyi örtbas etme şekli, gürültü çıkartmaktı. Patlamalar, alevler ve duman akla ilk olarak yabancı terörizmi getirirdi. Özellikle de hedef, yüksek mevkili bir yetkili olduğunda.

Delta-Bir, aşağıda ağaçlarla çevrili anıtın gece görüşü iletisini taradı. Park alanıyla giriş yolu boştu. *Az sonra,* diye düşündü. Bu gizli buluşmanın yeri, şehrin içinde olmasına rağmen bu saatte ıssızdı. Delta-Bir gözlerini ekrandan, kendi silahlarına çevirdi.

Bu gece Hellfire sistemi kullanılabilirdi. Lazer güdümlü Hellfire, vur ve unut imkânı sağlıyordu. Fırlatıcı, yer gözcülerinden, diğer hava taşıtlarından veya havalanan aracın kendisinden yansıtılan bir lazer noktaya tam nişan alabiliyordu. Bu gece füze, bir kuleye takılı nişangâhta bulunan lazer işaretleyicisiyle kendi kendine yönlendirilecekti. Kiowa'nın işaretleyicisi, hedefi lazer ışınıyla "boyadıktan" sonra, Hellfire füzesi kendi yönünü belirleyecekti. Hellfire, hem karadan, hem havadan ateş edebildiği için, bu akşam burada kesinlikle bir hava aracı bulunduğu yargısına varılmayacaktı. Ayrıca Hellfire, karaborsa silah satıcıları arasında çok tutulan bir silahtı, bu yüzden bir terörist eylemi olduğu düşünülecekti.

Delta-İki, "Sedan," dedi.

Delta-Bir ileti ekranına baktı. Kolay tanımlanamaz, siyah, lüks bir sedan, programa uygun olarak giriş yoluna yaklaşıyordu. Bu, büyük hükümet dairelerinin kullandığı tipik bir makam arabasıydı. Şoför, anıt binasına girerken arabanın farlarını kapattı. Birkaç daire çizdikten sonra ağaçlıklı bir yerin yakınına park etti. Ortağı teleskobik gece görüşünü şoför tarafındaki pencereye çevirirken, Delta-Bir ekrana bakıyordu. Bir süre sonra kişinin yüzü görüntüye girdi.

Delta-Bir hemen bir nefes aldı.

Ortağı, "Hedef doğrulandı," dedi.

Delta-Bir gece görüşü ekranına baktı ve kendini krala nişan alan bir tetikçi gibi hissetti. *Hedef doğrulandı.*

Delta-İki sol taraftaki havacılık elektroniği bölümüne döndü ve lazer işaretleyicisini çalıştırdı. Yedi yüz metre aşağıda, sürücünün göremediği sedanın tepesinde beliren bir ışık noktacığına nişan aldı. "Hedef boyandı," dedi.

Delta-Bir derin bir nefes alıp ateş etti.

Gövdenin altından gelen tiz bir tıslama sesinin ardından, belirsiz bir ışık demeti yere doğru indi. Bir saniye sonra, park yerindeki araba, göz kamaştırıcı alevler arasında infilak etti. Her yana eğri metal parçaları uçuştu. Yanan tekerlekler ağaçların arasına doğru yuvarlandı.

Helikopteri bölgeden uzaklaştırmaya başlayan Delta-Bir, "Ölüm gerçekleşti," dedi.

"İdareciyi ara."

Yaklaşık üç kilometre ötedeki Başkan Zach Herney, yatmaya hazırlanıyordu. Sarayın kurşun geçirmez Lexan pencereleri iki buçuk santim kalınlığındaydı. Herney patlamayı duymamıştı.

97

Sahil Güvenlik Grup Hava İstasyonu Atlantic City, Atlantic City Uluslararası Havaalanı'ndaki William J. Hughes Federal Havacılık Yönetimi Teknik Merkezi'nin güvenli bir bölümündeydi.

Uçağın tekerlekleri, iki dev kargo binası arasındaki ıssız piste keskin gıcırtılar çıkartarak değerken, Rachel Sexton yerinde sıçrayarak uyandı. Uyuyakalmış olmasına şaşıran Rachel, sersem bir halde saatine baktı.

02.13. Kendini günlerdir uyuyormuş gibi hissediyordu.

Sıcak bir uçak battaniyesi sımsıkı üstüne örtülmüştü ve yanındaki Michael Tolland da uyanmaya başlamıştı. Rachel'a yorgun bir tebessüm etti.

Koridordan sendeleyerek gelen Corky, onları görünce yüzünü astı. "Kahretsin, siz hâlâ orda mısınız? Bu akşamın kötü bir rüya olmasını dileyerek uyanmıştım."

Rachel, onun nasıl hissettiğini gayet iyi anlıyordu. *Yine denize gidiyorum.*

Uçak durduktan sonra, Rachel ile diğerleri düz piste indiler. Gökyüzü kapalı olmasına rağmen, kıyı havası sıkıntılı ve ılıktı. Ellesmere ile karşılaştırıldığında, New Jersey tropikal kuşakta sayılırdı.

Bir ses, "Buraya," diye seslendi.

Rachel ile diğerleri dönüp baktığında, Sahil Güvenlik'in klasik, koyu kırmızı HH-65 Dolphin helikopterlerinden birini gördüler. Uçuş tulumunu giymiş olan pilot, helikopterin parlak beyaz şeritli kuyruğunun önünde onlara el sallıyordu.

Tolland, Rachel'a etkilenmiş bir edayla başını salladı. "Patronun işini nasıl yaptırmayı gayet iyi biliyor."

Rachel, *daha bir şey bilmiyorsun,* diye düşündü.

Onları karşılayan pilot, helikoptere binmelerine yardımcı oldu. İsimlerini sormadan, kısa bir hoşbeşin ardından uçuş güvenliği tedbirlerini anlattı. Pickering'in Sahil Güvenlik'e bu uçuşun gizli bir görev olduğunu tembihlediği anlaşılıyordu. Ama Pickering'in ihtiyatlı davranmasına rağmen, kimlikleri sadece birkaç saniyeliğine gizli kalabilmişti; pilot, televizyon ünlüsü Michael Tolland'ı görünce gözlerinin fal taşı gibi açılmasına engel olamamıştı.

Rachel, Tolland'ın yanına kıvrılırken, gerginlik hissetmeye başlamıştı bile. Başlarının üstündeki Aerospatiale motoru sallanarak çalışmaya başladı. Dolphin'in on iki metrelik pervaneleri gümüşi bir çember içinde dönüyordu. Vınlama gürlemeye dönüştü ve helikopter pistten karanlık gökyüzüne doğru havalandı.

Kabinden arkasını dönen pilot, "Varış yerini bana havalandıktan sonra söyleyeceğiniz bildirildi," diye seslendi.

Tolland, pilota, mevcut konumlarının beş kilometre güneydoğusunda, açık denizde bir yerin koordinatlarını verdi.

Rachel içi ürpererek, *gemisi kıyıdan on iki mil açıkta,* diye düşündü.

Pilot, seyrüsefer sistemine koordinatları girdi. Ardından, arkasına yaslanıp motorlara hız verdi. Helikopterin burnu öne doğru eğildi ve güneydoğu yönüne yattı.

New Jersey sahillerinin karanlık kumsalları helikopterin altından kayıp giderken, Rachel gözlerini aşağıda uzanan karanlık okyanustan çevirdi. Tekrar suyun üstünde olmanın verdiği endişeye rağmen, okyanusu kadim dostu ilan eden bir adamın yanında olduğu düşüncesiyle kendini rahatlatmaya çalıştı. Dar gövdede sıkış tıkış yanında oturan Tolland'ın omuzları ve kalçaları onunkilere değiyordu. Her ikisi de oturma şeklini değiştirmeye kalkışmadı.

Pilot adeta heyecandan patlayacakmış gibi, "Bunu söylememem gerektiğini biliyorum," diye ağzından kaçırıverdi. "Ama siz kesinlikle Michael Tolland'sınız. Ve söylemem lazım, şey, gece boyunca televizyonda sizi seyrettik! *Göktaşı!* Kesinlikle inanılmazdı! Hayrete düşmüş olmalısınız!"

Tolland sabırla başını salladı. "Nutkum tutulmuştu."

"Belgesel muhteşemdi! Bilirsiniz, kanallar üst üste yayınlayıp durdular. Bu geceki nöbetçi pilotlardan hiçbiri bu göreve çıkmak istemedi, çünkü hepsi televizyon seyretmeye devam etmek istediler. Kısa çöpü ben çektim. İnanabiliyor musunuz? Kısa çöp! Ve işte burdayım! Eğer çocuklar o televizyondaki adamın gerçeğini benim..."

Rachel, "Bizi aldığınız için minnettarız," diye lafını kesti. "Ama burda bulunduğumuz gerçeğini kendinize saklayacağınızdan emin olmak zorundayız. Burda olduğumuzu kimsenin bilmemesi gerekiyor."

"Kesinlikle efendim. Aldığım emirler çok açık." Pilot biraz duraksadıktan sonra ifadesine neşe geldi. "Hey, acaba *Goya*'ya gidiyor olabilir miyiz?"

Tolland isteksizce başını salladı. "Evet öyle."

Pilot ansızın, "Vay canına be!" deyiverdi. "Affedersiniz. Üzgünüm ama onu televizyondaki programlarınızda görmüştüm. İkiz tekne öyle değil mi? Tuhaf görünüşlü canavar! Daha önce hiçbir SWATH tasarımına inmemiştim. Bunu ilk defa *sizinle* yapacağım hiç aklıma gelmezdi!"

Rachel denize doğru gitmenin arttırdığı huzursuzlukla, adamı susturdu.

Tolland, ona döndü. "Sen iyi misin? Karada kalabilirdin. Bunu sana söylemiştim."

Karada kalmalıydım, diye düşünen Rachel, gururunun bunu söylemesine asla izin vermeyeceğini biliyordu. "Hayır teşekkürler. Ben iyiyim."

Tolland gülümsedi. "Gözlerimi senden ayırmayacağım."

"Teşekkürler." Rachel, onun sesindeki sıcaklığın kendini güvende hissettirmesine şaşırmıştı.

"Sen *Goya*'yı televizyonda görmüştün, öyle değil mi?"

Rachel başını salladı. "O... eee... *ilginç* görünüşlü bir gemi."

Tolland güldü. "Evet. Zamanında son derece ilerici bir prototipti ama tasarımı asla moda olamadı."

Geminin garip görünümünü gözlerinin önüne getiren Rachel, "Neden anlamıyorum," dedi.

"Şimdi NBC daha yeni bir gemi kullanmam için bana baskı yapıyor. Daha... bilmiyorum gösterişli, seksi bir şey. Bir iki sezon sonra beni ondan ayıracaklar." Tolland bunu düşünürken melankolik bir sesle konuşmuştu.

"Yepyeni bir gemi hoşuna gitmez mi?"

"Bilmiyorum... *Goya*'da çok hatıram var."

Rachel anlayışlı bir tebessüm etti. "Şey, annemin dediği gibi, er geç hatıralarından kurtulmak zorundasın."

Tolland uzun süre onun gözlerine baktı. "Evet, biliyorum."

98

Omzunun üstünden Gabrielle'a bakan taksi şoförü, "Kahretsin," dedi. "Galiba ilerde bir kaza olmuş. Hiçbir yere gidemiyoruz. Bir süreliğine."

Pencereden dışarı göz atan Gabrielle, geceyi yararak ilerleyen ambulans ışıklarını gördü. Yolun ilerisinde duran polisler, Mall'un etrafındaki trafiği durdurmuşlardı.

FDR Anıtı'nın yakınlarındaki alevleri işaret eden şoför, "Feci bir kaza olmalı," dedi.

Gabrielle, titreşen alevlere yüzünü somurtarak baktı. *Sırası mıydı şimdi?* KYYT ve Kanadalı jeologla ilgili edindiği yeni bilgilerle Senatör Sexton'a ulaşması gerekiyordu. NASA'nın göktaşını nasıl bulduklarıyla ilgili yalanının, Sexton'ın kampanyasına yeniden hayat getirecek kadar büyük bir skandal olup olmadığını merak etti. *Politikacıların çoğu için olmayabilir,* diye düşündü ama bu Sedgewick Sexton'dı. Kampanyasını diğerlerinin başarısızlıklarını mübalağa etmek üzerine kurmuş bir adam.

Gabrielle, senatörün, rakiplerinin siyasi talihsizliklerine olumsuz ahlaki anlamlar yüklemesiyle her zaman gurur duymuyordu ama işe yaradığı bir gerçekti. Sexton'ın kinayeli konuşma ve aşağılamadaki hüneri bu küçük NASA yalanını, tüm uzay dairesine -ve dolayısıyla Başkan'a- bulaşmış bir karakter sorgulamasına dönüştürecekti.

Pencerenin dışında, FDR Anıtı'ndaki alevler daha da yükseliyordu. Yakınlardaki bazı ağaçlar tutuşmuştu ve itfaiye arabaları hortumlarını onlara yöneltmişti. Arabanın radyosunu açan taksi şoförü, kanallarda gezinmeye başladı.

İçini çeken Gabrielle gözlerini kapattı ve yorgunluktan tükendiğini hissetti. Washington'a ilk geldiğinde sonsuza dek siyasetin içinde, hatta belki bir gün Beyaz Saray'da çalışmayı hayal etmişti. Ama şu anda, hayatının sonuna dek yetecek kadar siyasetle uğraştığını hissediyordu. Marjorie Tench'le yaptığı düello, kendisinin ve senatörün şehvetli fotoğrafları, NASA'nın tüm o yalanları...

Radyodaki bir haber spikeri, bir arabanın bombalanması ve terörizm olasılığından bahsediyordu.

Gabrielle ülkenin başkentine geldiğinden beri ilk defa, *bu şehirden gitmeliyim,* diye düşündü.

99

İdareci çok nadir bıkkınlık hissederdi ama bugün artık sınırlarını zorluyordu. Hiçbir şey beklendiği gibi gelişmemişti; buzdaki yerleştirme şaftının trajik keşfi, bilgiyi sır olarak saklamanın zorlukları ve şimdi de artan kurban listesi.

Kimsenin ölmesi gerekmiyordu... Kanadalı hariç.

Planın teknik açıdan en zor kısmının, en kolay halledilen kısmı olması gerçekten tuhaftı. Aylar önce gerçekleştirilen yerleştirme işlemi hiç pürüz çıkartmamıştı. Anomali yerine konduktan sonra, Kutupsal Yörüngeli Yoğunluk Tarayıcısı uydusunun fırlatılmasını beklemekten başka yapacak iş kalmamıştı. KYYT, Kuzey Kutup Dairesi'nde geniş bölgeleri taramak üzere geliştirilmişti ve er ya da geç, uydudaki anomali yazılımı göktaşını bulup, NASA'ya büyük bir keşif sunacaktı.

Ama lanet yazılım çalışmamıştı.

İdareci, anomali yazılımının çalışmadığını ve seçim sonrasına kadar da düzeltilmesine imkân olmadığını öğrendiğinde, tüm plan tehlikeye girmişti. KYYT olmadan göktaşı tespit edilemezdi. İdareci, NASA'dan birilerini göktaşının varlığından gizlice haberdar etmenin bir yolunu bulmuştu. Bu çözüm, yerleştirmenin yapıldığı bölge yakınlarındaki Kanadalı bir jeoloğun acil telsiz iletisi göndermesini içeriyordu. Jeoloğun, belli bazı sebeplerden ötürü derhal öldürülmesi ve ölümünün kaza gibi görünmesi gerekiyordu. Masum bir jeoloğu helikopterden aşağı atmak sadece başlangıçtı. Artık çorap söküğü gibi gidiyordu.

Wailee Ming. Norah Mangor. Her ikisi de ölmüştü.

FDR Anıtı'nda az önce gerçekleşen gözü pek cinayet.

Yakında listeye Rachel Sexton, Michael Tolland ve Dr. Marlinson da eklenecekti.

İçinde büyüyen vicdan azabını bastıran idareci, *başka yolu yok*, diye düşündü. *Çok daha fazlası tehlikede.*

100

Tolland pilota seslendiğinde, Sahil Güvenlik Dolphin hâlâ *Goya*'nın koordinatlarından üç kilometre uzaktaydı ve bin metre yüksekte uçuyordu.

"Bu helikopterde NightSight var mı?"

Pilot başını salladı. "Ben bir kurtarma birimiyim."

Tolland da öyle olacağını tahmin etmişti. NightSight, Raytheon'ın karanlıkta gemi kazazedelerinin yerini tespit edebilen termal görüntüleme sistemiydi. Yüzücünün başından yayılan ısı, siyah okyanus üstünde kırmızı bir benek olarak görünürdü.

Tolland, "Açsana," dedi.

Pilotun aklı karışmışa benziyordu. "Neden? Birini mi kaybettiniz?"

"Hayır. Herkesin bir şey görmesini istiyorum."

"Su üzerinde yanan büyük bir yağ birikintisi olmadığı müddetçe bu yükseklikten termalde bir şey görmeyiz."

Tolland, "Sen aç yeter," dedi.

Tolland'a tuhaf bir bakış fırlattıktan sonra, bir dizi sayılar girerek, helikopterin altındaki termal lense önlerinde uzanan okyanusun üç millik kısmını araması emrini verdi. Helikopterdeki LCD ekran açıldı. Görüntü belirmişti.

"Lanet olsun!" Pilot ekrana bakarken hayretle kendini geri çekince, helikopter önce sendeledi, sonra toparlandı.

Öne eğilip görüntüye bakan Rachel ile Corky aynı derecede şaşkındılar. Siyah okyanus yüzeyi, yanıp sönen dev spirallerle aydınlanmıştı.

Rachel dehşetle Tolland'a döndü. "Kasırgaya benziyor."

Tolland, "Öyle," dedi. "Sıcak akıntı kasırgası. Yaklaşık yarım mil çapında."

Sahil Güvenlik pilotu hayretle kıkırdadı. "Büyük bir tane. Arada sırada bunlardan görürüz ama bunu daha duymamıştım."

Tolland, "Geçen hafta yüzeye çıktı," dedi. "Herhalde en fazla birkaç gün daha sürer."

Okyanusun ortasında dönüp duran su girdabına mana veremediği anlaşılan Rachel, "Buna ne sebep oluyor?" diye sordu.

Pilot, "Magma kubbesi," dedi.

Endişeli görünen Rachel, Tolland'a döndü. "Bir volkan mı?"

Tolland, "Hayır," dedi. "Doğu Sahilleri'nde aktif volkanlar yok, ama bazen deniz tabanının altından fışkırıp sıcak bölgelere neden olan serseri magma ceplerine rastlarız. Sıcak bölgeler, ısı ölçüsünün tersine dönmesine neden olurlar; dipte sıcak su, yukarda soğuk su. Bu da dev spiral akıntılara yol açar. Bunlara mega girdap denir. Birkaç hafta döndükten sonra dağılırlar."

Pilot, LCD ekranda yanıp sönen spirale baktı. "Bu hâlâ güçlü gibi görünüyor." Tolland'ın gemisinin koordinatlarını kontrol edip, şaşkınlık içinde omzundan geriye baktı. "Bay Tolland, galiba tam göbeğinin yakınlarına park etmişsiniz."

Tolland başını salladı. "Kasırganın merkezinde akıntılar nispeten daha yavaştır. Saatte on sekiz mil. Hızla akan bir nehirde demir atmak gibi. Zincirimiz bu hafta iyi idman yaptı."

Pilot," Tanrım," dedi. "Saatte on sekiz millik akıntı mı? Gemiden düşmeyin!" Kahkaha attı.

Rachel gülmüyordu. "Mike, şu mega girdaptan, magma kubbesinden, sıcak akıntı durumundan bahsetmemiştin."

Elini güven telkin edici bir tavırla Rachel'ın dizine koydu. "Son derece güvenli, inan bana."

Rachel kaşlarını çattı. "O halde burda çektiğin belgesel magma kubbesi fenomeniyle ilgiliydi, öyle mi?"

"Mega girdaplar ve *sphyrna mokarran.*"

"Bu doğru. Daha önce bahsetmiştin."

Tolland çekingen bir edayla gülümsedi. "*Sphyrna mokarran* sıcak suyu sever ve şu anda, yüz mil çapındakilerin tümü ısınmış okyanus çemberinde toplanıyor."

"Olağanüstü." Rachel sıkıntılı bir tavırla başını salladı. "Ve Tanrı aşkına söylesene, *sphyrna mokarran* nedir?"

"Denizdeki en çirkin balık."

"Dere pisisi mi?"

Tolland kahkaha attı. "Çekiç başlı köpekbalığı."

Rachel kaskatı kesilmişti. "Teknenin etrafında çekiç başlı *köpekbalıkları* mı var?"

Tolland göz kırptı. "Sakin ol, tehlikeli değiller."

"Tehlikeli olmasalardı böyle söylemezdin."

Tolland kıkırdadı. "Sanırım haklısın." Neşeyle pilota seslendi. "Hey, en son birilerini çekiç başlı saldırısından kurtaralı ne kadar oldu?"

Pilot omuzlarını silkti. "Tanrım. Yıllardır kimseyi çekiç başlı saldırısından kurtarmadık."

Tolland, Rachel'a döndü. "Gördün mü? *Yıllardır.* Endişeye gerek yok."

Pilot, "Sadece geçen ay," diye ekledi. "Aptal bir aletli dalgıç saldırıya uğramıştı..."

Rachel, "Bekle biraz!" dedi. "*Yıllardır* kimseyi kurtarmadığınızı söylemiştin!"

Pilot, "Evet," diye karşılık verdi. "*Kurtarmadık.* Genellikle çok geç kalıyoruz. Bu namussuzlar bir anda öldürüyor."

101

Goya'nın titreşen ışıkları ufukta belirmişti. Yarım mil uzaktaki Tolland, mürettebat Xavia'nın akıllıca bir iş yapıp, açık bıraktığı parlak güverte ışıklarını görebiliyordu. Işıkları gördüğünde kendini, arabasını garaja çeken yorgun bir yolcu gibi hissetti.

Tüm ışıkların açık oluşuna şaşıran Rachel, "Gemide sadece bir kişi var dediğini sanmıştım," dedi.

"Sen evde yalnızken ışıkları açmaz mısın?"

"Bir ışık açarım. Tüm evin ışıklarını değil."

Tolland gülümsedi. Rachel'ın kaygısız görünmeye çalışmasına rağmen, orada bulunmaktan son derece korktuğunu anlayabiliyordu. Kolunu omzuna atıp, onu teselli etmek isterdi ama söyleyebileceği hiçbir şey yoktu. "Işıklar güvenlik açısından açık. Gemide çalışanlar varmış gibi görünüyor."

Corky kendi kendine güldü. "Korsanlardan mı korkuyorsun Mike?"

"Yoo. Burdaki en büyük tehlike, radarı nasıl okuyacağını bilemeyen aptallar. Çarpışmaya karşı kendini korumanın en iyi yolu, herkesin seni görmesini sağlamak."

Corky gözlerini kısıp parıldayan gemiye baktı. "*Görmelerini* mi? Yılbaşı arifesindeki Karnaval Gemisi'ni andırıyor. Elektrik faturanı NBC'nin ödediği belli."

Sahil Güvenlik helikopteri yavaşlayıp aydınlık dev geminin etrafında yan yattı ve pilot arka güvertedeki helikopter pistine yöneldi. Tolland havadayken bile, geminin gövdesindeki destek elemanlarını çeken kuvvetli akıntıyı seçebiliyordu. Pruvadan demirli olan akıntının ortasındaki *Goya*, zincire vurulmuş bir hayvan gibi ağır çapaya asılıyordu.

Pilot gülerek, "Gerçek bir güzellik abidesi," dedi.

Tolland alaycı bir yorum yaptığını biliyordu. *Goya* çirkindi. Bir televizyon eleştirmenine göre "poposu çirkindi". Şimdiye dek yapılan sadece on yedi SWATH gemisinden biri olan *Goya*'nın Small-Waterplane-Area Twin-Hull(*) çekici olmaktan çok uzaktı.

Gemi, pontonlara tutturulmuş dört dev destek elemanı üzerinde, okyanus yüzeyinin üç metre yukarısında yüzen yatay bir platformdan ibaretti. Gemi uzaktan bakıldığında alçak bir sondaj platformuna benziyordu. Yakından ise, kolonların üstündeki bir yüzen evi andırıyordu. Mürettebat yatakhanesi, araştırma laboratuvarları ve kaptan köprüsü, tepedeki katlı yapıda yer alıyordu. Bu görüntü insana, çok katlı binaları destekleyen, yüzer dev bir sehpa izlenimi veriyordu.

Pek de biçimli olmayan hatlarına rağmen *Goya*'nın tasarımı, deniz uçağına ayrılan daha az mekânla, dengeyi arttırıyordu. Askıdaki platform daha iyi film çekimine, daha kolay laboratuvar çalışmalarına ve bilim adamlarını daha az deniz tutmasına imkân sağlıyordu. NBC, Tolland'a ona daha yeni bir şey almak için baskı uygulasa da, Tolland bunu reddetmişti. Artık daha iyi, hatta daha dengeli gemiler olsa da, *Goya* on yıldır onun eviydi; Celia'nın ölümünden sonra onu hayata geri döndüren gemiydi. Bazı geceler güvertede hâlâ onun rüzgârın getirdiği sesini duyuyordu. Hayaletler kaybolduğunda ve şayet kaybolursa, Tolland o zaman yeni bir gemiyi düşünebilirdi.

Henüz değil.

Helikopter sonunda *Goya*'nın kıç güvertesine konduğunda, Rachel Sexton kendini yarı rahatlamış hissediyordu. İyi haber, artık okyanus üstünde uçmuyor olmasıydı. Kötü haberse, üstünde durduğuydu. Güverteye çıkıp etrafına bakarken, bacaklarının titremesine mani olmaya çalıştı. Güverte, özellikle de üstünde helikopter varken, çok dar görünüyordu.

(*) Küçük-Su Hattı-Alanlı İkiz-Teknesi.

Gözlerini pruvaya doğru kaydıran Rachel, geminin hantal ve üst üste yığılmış yapısına baktı.

Tolland yanına gelip durdu. Akıntının gürültüsünü bastırmak için yüksek sesle, "Biliyorum," dedi. "Televizyonda daha büyük görünüyor."

Rachel başını salladı. "Ve daha dengeli."

"Denizdeki en güvenli gemilerden biridir. İnan bana." Tolland elini Rachel'ın omzuna atarak, onu güvertenin karşı tarafına götürdü.

Elinin verdiği sıcaklık Rachel'ı, söyleyebileceği her şeyden çok rahatlatmıştı. Yine de, geminin arka tarafına bakarken şiddetli akıntının, gemi sanki tam yol ilerliyormuş gibi arkalarından akıp gittiğini gördü. *Bir mega girdabın üstündeyiz,* diye düşündü.

Rachel arka güvertenin ön kısmında, dev bir vinçte asılı duran tek kişilik, tanıdık bir Triton denizaltısı fark etti. Triton -Yunan deniz tanrısının ismi- kendinden önceki çelik kaplı Alvin'e hiç benzemiyordu. Triton'un önünde yer alan yarıküre şeklinde akrilik kapağı yüzünden, bir deniz altından çok dev bir kavanoz akvaryuma benziyordu. Rachel, okyanusla yüzü arasında akrilik bir yapraktan başka bir şey olmadan, okyanusun yüzlerce metre derinlerine inmekten daha korkunç bir şey düşünemiyordu. Ama elbette Tolland'a göre, Triton'la yapılan yolculuğun en sıkıntılı kısmı, başlangıç aşamasıydı. *Goya*'nın güvertesindeki iner tip kapıdan yavaşça sarkıtılırken, denizden dokuz metre yukarıda sarkaç gibi sallanmak.

Güvertede ilerleyen Tolland, "Xavia sulaboratuvarında," dedi. "Burdan."

Rachel ile Corky, kıç güvertede Tolland'ı takip ettiler. Telsizini kullanmaması sıkı sıkıya tembihlenen Sahil Güvenlik pilotu, helikopterinde kaldı.

Geminin kıç parmaklıklarında duran Tolland, "Şuna bakın," dedi.

Rachel parmaklıklara tereddütle yaklaştı. Çok yukarıdaydılar. Su en az dokuz metre aşağıdaydı ama buna rağmen sudan yükselen ısıyı hissedebiliyordu.

Akıntı sesini bastıran Tolland, "Sıcak banyonun ısısına yakın," dedi. Parmaklıkların üstündeki bir anahtar kutusuna uzandı. "Bunu seyredin." Bir düğmeyi kaldırdı.

Geminin altındaki suya yayılan bir ışık yelpazesi, denizi yüzme havuzu gibi içten aydınlatmıştı. Rachel ile Corky'nin aynı anda nefesi kesilmişti.

Geminin etrafındaki sular, düzinelerce hayaletimsi gölgeyle doluydu. Aydınlık yüzeyin hemen altında dolaşan besili karanlık şekiller ordusu akıntıya karşı paralel yüzerken, adeta tarih öncesi bir ritimle çekiç biçimli kafalarını sağa sola sallıyorlardı.

Corky, "Tanrım, Mike," diye kekeledi. "Bunu bizimle paylaştığına çok memnun oldum."

Rachel'ın vücudu kaskatı kesilmişti. Parmaklıklardan uzaklaşmak istedi ama kıpırdayamıyordu. Aklını başından alan manzara karşısında olduğu yere mıhlanmıştı.

Tolland, "İnanılmazlar, öyle değil mi?" dedi. Eli bir kez daha Rachel'ın omzundaydı ve onu rahatlatıyordu. "Haftalar boyunca sudaki sıcak bölgeleri takip edecekler. Bu çocuklar denizdeki en iyi burunlara sahiptirler; gelişmiş ön beyin koku alma lopları. Kanın kokusunu bir mil öteden alırlar."

Corky şüpheyle bakıyordu. "Gelişmiş ön beyin koku alma lopları mı?"

"Bana inanmıyor musun?" Tolland durdukları yerin yanındaki alüminyum bir dolabın içini aramaya başladı. Bir süre sonra küçük, ölü bir balık çıkardı. "Mükemmel." Soğutucudan aldığı bıçakla balığı çeşitli yerlerinden kesti. Kan damlamaya başlamıştı.

Corky, "Mike, Tanrı aşkına," dedi. "Bu iğrenç."

Tolland'ın gemiden aşağı fırlattığı balık dokuz metre aşağı düştü. Suya çarptığı anda, vahşi bir kargaşa içinde üşüşen altı yedi köpekbalığı, gümüşi dişleriyle kanlı balığı kaptılar. Balık bir anda yok olmuştu.

Ödü patlayan Rachel dönüp, başka bir balığı elinde tutan Tolland'a baktı. Aynı tür. Aynı boy.

Tolland, "Bu kez kan yok," dedi. Balığı kesmeden suya fırlattı. Balık sular sıçratarak denize düştü ama hiçbir şey olmadı. Çekiç başlılar fark etmemiş gibiydi. İlgi çekmeyen yem, akıntıya kapılıp uzaklaştı.

Onları parmaklıklardan uzaklaştırıp, başka tarafa götüren Tolland, "Sadece koku hissiyle saldırırlar," dedi. "Doğrusu burda tam bir güvenlik içinde yüzebilirsiniz; tabi eğer açık yaranız yoksa."

Corky yanağındaki dikişleri gösterdi.

Tolland kaşlarını çattı. "Haklısın. Sana yüzmek yok."

102

Gabrielle Ashe'in taksisi hareket etmiyordu.

FDR Anıtı yakınlarındaki tıkalı yolda duran Gabrielle, uzaktaki ambulanslara bakarken, şehrin üstüne gerçeküstü bir sis bulutunun çöktüğünü hissetti. Radyodaki haberler şimdi, patlayan arabada üst düzey bir hükümet yetkilisi olabileceğini söylüyordu.

Cep telefonunu çıkarıp senatörün numarasını çevirdi. Gabrielle'ın neden bu kadar geciktiğini merak ediyor olmalıydı.

Hat meşguldü.

Tıkırdayan taksimetreye bakan Gabrielle, yüzünü buruşturdu. Burada kalan arabalardan bazıları kaldırım kenarına çıkıp, alternatif yollara dönüyorlardı.

Taksici omzunun üstünden arkaya baktı. "Beklemek istiyor musunuz? Para sizin."

Gabrielle daha fazla resmi aracın geldiğini gördü. "Hayır. Dönelim."

Cevaba homurdanan taksici, çok manevralı garip dönüşü gerçekleştirmeye başladı. Araba kaldırıma çıkıp sıçrarken, Gabrielle, Sexton'ı bir kez daha aradı.

Hâlâ meşguldü.

Geniş bir daire çizmiş olan taksi, birkaç dakika sonra C Caddesi'ne doğru yol alıyordu. Gabrielle, önünde beliren Philip A. Hart Senato Ofis Binası'nı gördü. Aslında niyeti doğruca senatörün dairesine gitmekti ama ofis bu kadar yakınken...

Şoföre aniden, "Kenara çek," dedi. "Şuraya. Teşekkürler." Eliyle işaret etti.

Araba durdu.

Gabrielle taksimetredeki tutarın üstüne on dolar daha ödedi. "On dakika bekleyebilir misin?"

Taksici önce paraya, sonra da saatine baktı. "Bir dakika fazla beklemem."

Gabrielle aceleyle koşturdu. *Beş dakikada dönerim.*

Senato ofis binasının mermer koridorları bu saatte adeta mezarlığı andırıyordu. Gabrielle, üçüncü kat girişine dizilen kasvetli heykellerin arasından geçerken tüm kasları gerilmişti. Heykellerin taş gözleri sanki onu sessiz nöbetçiler gibi izliyordu.

Senatör Sexton'ın beş odalı ofis süitine geldiğinde, içeri girmek için anahtar kartını kullandı. Sekreterlik girişi loştu. Antreden çıkıp, kendi ofisine giden holde ilerledi. İçeri girince floresan ışıkları açtı ve doğruca dosya dolabının yanına gitti.

KYYT ile ilgili bilgiler de dahil olmak üzere, NASA'nın Yer Gözlem Sistemi bütçesi hakkında koca bir dosyası vardı. Sexton'a Harper'ı anlattığında, mutlaka KYYT ile ilgili bulabildiği tüm bilgileri isteyecekti.

NASA, KYYT hakkında yalan söyledi.

Gabrielle dosyaları tararken, cep telefonu çaldı.

"Senatör?" diye cevap verdi.

"Hayır Gabs. Benim, Yolanda." Arkadaşının sesinde alışılmadık bir tını vardı. "Hâlâ NASA'da mısın?"

"Hayır. Ofis'teyim."

"NASA'da bir şey buldun mu?"

Tahmin edemezsin. Sexton'la konuşana kadar Yolanda'ya bir şey söyleyemeyeceğini biliyordu; bilginin nasıl ele alınacağına dair senatörün çok özel fikirleri olacaktı. "Sana bunu Sexton'la konuştuktan sonra anlatırım. Şimdi onun evine gidiyorum."

Yolanda duraksadı. "Gabs, şu Sexton'ın kampanya finansmanı ve USV hakkında söylediklerini hatırlıyor musun?"

"Sana yanıldığımı söyledim ve..."

"Uzay sanayi ile ilgili haber yapan iki muhabirimizin benzer bir hikâye üstünde çalıştığını öğrendim."

Gabrielle şaşırmıştı. "Yani?"

"Bilmiyorum. Ama bu çocuklar işinde iyi ve Sexton'ın Uzay Sınırları Vakfı'ndan rüşvet aldığına ikna olmuş gibiler. Seni aramam gerektiğini düşündüm. Daha önce sana bu fikrin saçma olduğunu söylediğimi biliyorum. Kaynağın Marjorie Tench olması şüphe uyandırıcıydı ama bizim çocuklar... Bilmiyorum, senatörü görmeden önce onlarla konuşmak isteyebilirsin."

"O kadar eminlerse neden haber yapmadılar?" Gabrielle niyetinden daha savunmacı bir tonda konuşmuştu.

"Ellerinde somut bir kanıt yok. Senatörün yaptıklarını örtbas etmekte usta olduğu belli."

Çoğu politikacı öyledir. "Ortada hikâye yok Yolanda. Senatörün USV bağışlarını itiraf ettiğini sana söylemiştim ama hepsi küçük miktarlarda."

"Sana böyle *söylediğini* biliyorum Gabs ve neyin gerçek neyin yalan olduğunu bildiğimi iddia etmiyorum. Sadece aramam gerektiğini hissettim, çünkü sana Marjorie Tench'e güvenmemeni söylemiştim. Ama şimdi senatörün para aldığını düşünen Tench'den başka insanlar da olduğunu öğrendim. Hepsi bu."

"Kim bu muhabirler?" Gabrielle aniden öfkelendiğini hissetti.

"İsim veremem. Bir görüşme ayarlayabilirim. Akıllı insanlardır. Kampanya finansman kanununu bilirler..." Yolanda duraksadı. "Bu çocuklar Sexton'ın paraya muhtaç durumda olduğunu düşünüyorlar, hatta iflas etmiş durumda."

Gabrielle sessiz ofis ortamında, suçlamalarının yankısını Tench'in kaba sesinden duyabiliyordu. *Katherine öldükten sonra kötü yatırımlar, lüks harcamalar ve zafer kazandıracak umuduyla satın aldıkları, kendisine kalan mirasın büyük kısmını tüketti. Altı ay önce adayınızın cebinde metelik yoktu.*

Yolanda, "Bizim çocuklar bayıla bayıla seninle konuşurlar," dedi.

Gabrielle, *eminim öyle yaparlar,* diye düşündü. "Seni sonra ararım."

"Sesin kızgın geliyor."

"Kesinlikle sana değil Yolanda. Kesinlikle sana değil. Teşekkürler."

Gabrielle telefonu kapattı.

Senatör Sexton'ın Westbrooke dairesinin önündeki sandalyede uyuklayan koruma, cep telefonunun sesiyle aniden uyandı. Sandalyesinde doğrulup, gözlerini ovuşturdu ve ceketinin cebinden telefonunu çıkardı.

"Evet?"

"Owen, ben Gabrielle."

Sexton'ın koruması onun sesini tanımıştı. "Ah, merhaba."

"Senatörle konuşmam lazım. Benim için kapısını çalar mısın? Hattı meşgul."

"Geç oldu."

"Ama uyumuyor. Bundan eminim." Gabrielle'ın sesi heyecanlı geliyordu. "Acil durum."

"*Yine* mi?"

"Aynısı. Onu telefona çağır Owen. Ona gerçekten sormam gereken bir şey var."

Koruma içini çekerek ayağa kalktı. "Tamam, tamam. Kapıyı çalarım." Gerinip, Sexton'ın kapısına doğru yürümeye başladı. "Ama bunu sadece daha önce içeri girmenize izin verdiğime memnun olduğu için yapıyorum." Kapıyı çalmak için isteksizce yumruğunu kaldırdı.

Gabrielle, "Az önce sen ne dedin?" diye sordu.

Korumanın yumruğu havada kalmıştı. "Dedim ki, senatör daha önce içeri girmenize izin verdiğim için memnun olmuştu. Haklıydınız. Sorun çıkmadı."

"Sen ve senatör bu konudan mı *bahsettiniz*?" Gabrielle şaşkın bir tonla konuşmuştu.

"Evet. Ne olmuş?"

"Hayır, ben sadece düşündüm de..."

"Aslında biraz tuhaftı. Buraya geldiğinizi hatırlamak senatörün birkaç saniyesini aldı. Herhalde içerdekiler içkiyi biraz fazla kaçırdı."

"Siz ikiniz ne zaman konuştunuz Owen?"

"Siz gittikten hemen sonra. Bir sorun mu var?"

Kısa bir sessizlik. "Hayır... hayır. Hiçbir şey yok. Bak, şimdi düşündüm de, senatörü şimdi rahatsız etmeyelim. Evden düşürmeye çalışacağım, işe yaramazsa seni tekrar ararım, sen de kapısını çalarsın."

Koruma gözlerini devirdi. "Siz nasıl isterseniz Bayan Ashe."

"Teşekkürler Owen. Kusura bakma."

"Sorun değil." Koruma telefonu kapattı, sandalyesine geri çöktü ve uyudu.

Ofisinde tek başına duran Gabrielle, telefonu kapatmadan birkaç saniye kıpırdamadan kaldı. *Sexton dairesine girdiğimi biliyor... ve bana bundan hiç bahsetmedi.*

Bu gecenin acayiplikleri daha da şüphe çekici olmaya başlıyordu. Gabrielle, ABC'deyken senatörle yaptığı telefon görüşmesini hatırladı. Senatörün durduk yerde, uzay şirketleriyle görüşüp para kabul ettiğini itiraf etmesi Gabrielle'ı şaşırtmıştı. Dürüstlüğü Gabrielle'ı yeniden kendi tarafına çekmişti. Hatta onu utandırmıştı. Ama şimdi itirafı hiç de o kadar soylu bir davranış gibi görünmüyordu.

Sexton, *küçük meblağlar*, demişti. *Tamamen yasal.*

Gabrielle'ın Senatör Sexton hakkındaki tüm kuruntuları birden nüksetti.

Dışarıdaki taksi kornaya basıyordu.

103

Goya'nın kaptan köprüsü, ana güverteden iki kat yukarıdaki pleksiglas bir küpten ibaretti. Rachel'ın durduğu yer 360 derecelik bir karanlık okyanus manzarasına sahipti ama sinir bozucu manzarayı tamamen görmezden gelip dikkatini elindeki işe verene kadar sadece bir kez baktı.

Tolland ile Corky'yi Xavia'yı bulmaya gönderdikten sonra, Pickering'le bağlantı kurmaya hazırlanmıştı. Gemiye vardıklarında arayacağına dair direktöre söz vermişti ve Marjorie Tench'le buluştuğunda neler öğrendiğini duymak için can atıyordu.

Goya'nın SHINCOM 2100 dijital haberleşme sistemi, Rachel'ın aşina olduğu bir platformdu. Görüşmeyi kısa tutarsa güvenli olacağını biliyordu.

Pickering'in özel numarasını çevirdikten sonra, SHINCOM 2100'ün ahizesini kulağına yapıştırıp beklemeye başladı. İlk çalışta Pickering'in açmasını bekliyordu. Ama telefon çalmaya devam etti.

Altı kez. Yedi. Sekiz...

Rachel okyanusa göz gezdirdi. Direktöre ulaşamamak, denizde olmanın verdiği huzursuzluğu arttırmaktan başka bir şey yapmıyordu.

Dokuz kez çaldı. On. *Açsana!*

Beklerken adım atmaya başladı. Neler oluyordu? Pickering cep telefonunu daima yanında taşırdı ve Rachel'a üstüne basa basa kendisini aramasını söylemişti.

Rachel on beş kez çaldıktan sonra kapattı.

Artan bir endişeyle SHINCOM'un ahizesini yeniden eline aldı ve tekrar numarayı çevirdi.

Dört kez çaldı. Beş kez.

Nerede bu adam?

Sonunda telefon açıldı. Rachel bir an için rahatladığını hissetti ama kısa sürdü. Hatta kimse yoktu. Sadece sessizlik.

"Alo?" diye atıldı. "Direktör?"

Üç hızlı tıkırtı duyuldu.

Rachel, "Alo?" dedi.

Elektronik parazit sesi Rachel'ın kulağını sağır edecekti. Ahizeyi acıyla kulağından uzaklaştırdı. Parazit birden durmuştu. Şimdi yarım saniyelik aralıklarla gelen titreşim seslerini duyabiliyordu. Rachel'ın şaşkınlığı bir anda yerini farkındalığa bıraktı. Sonra da korkuya.

"Lanet olsun!"

Köprüdeki kumandaların yanına geri dönüp, ahizeyi çarparak yerine bıraktı ve bağlantıyı kesti. Bir süre dehşet içinde vaktinde kapatıp kapatmadığını düşünürken ayakta kalakaldı.

Goya'nın iki güverte aşağıdaki sulaboratuvarı, elektronik cihazlarla dolu uzun tezgâhlar ve adacıklara ayrılmış geniş bir çalışma alanıydı; deniz tabanı tarayıcısı, akıntı analizörleri, musluk taşları, davlumbazlar, bir soğuk hava mahzeni, bilgisayarlar, araştırma verileri için dosya düzenleyici ve cihazların çalışması için gerekli olan diğer elektronikler.

Tolland ile Corky içeri girdiğinde, *Goya*'nın gemide kalan jeoloğu Xavia, sesi sonuna kadar açık bir televizyonun önünde boylu boyunca uzanıyordu. Arkasını bile dönmedi.

Omzunun üstünden, "Bira paranız mı bitti çocuklar?" diye seslendi. Anlaşılan, mürettebattan birilerinin geri geldiğini düşünüyordu.

Tolland, "Xavia," dedi. "Benim Mike."

Sandvicinin bir parçasını mideye indiren Xavia hemen arkasını döndü. "Mike?" diye kekelerken, onu gördüğüne şaşırdığı belliydi. Ayağa kalkıp televizyonun sesini kıstı ve hâlâ ağzındakini çiğneyerek yanına geldi. "Çocuklar bar gezmesinden döndüler sandım. Burda ne işin var?" Xavia hırçın bir havası olan tiz sesli, şişman ve koyu esmer tenli bir kadındı. Tolland'ın Kuzey Kutbu'nda çektiği göktaşı belgeselini oynatan televizyonu işaret etti. "Buzullarda fazla uzun kalamadın, öyle değil mi?"

Tolland, *bir pürüz çıktı*, diye düşündü. "Xavia, eminim Corky Marlinson'ı tanıyorsundur."

Xavia başını salladı. "Şeref duydum bayım."

Corky ise onun elindeki sandvice bakıyordu. "Güzel görünüyor."

Xavia, ona garipseyen bir bakış fırlattı.

Tolland, Xavia'ya, "Mesajını aldım," dedi. "Sunumda bir hata yaptığımı söylemişsin. Seninle bunu konuşmak istiyorum."

Jeolog, ona bakıp tiz bir kahkaha attı. "*Bu yüzden* mi geri döndün? Ah Mike, Tanrı aşkına, önemli değildi. Sadece takılıyordum. Herhalde NASA sana eski bilgileri verdi. Doğrusu, bu yanlışlığı dünyada fark edebilecek en fazla üç dört deniz jeoloğu vardır."

Tolland nefesini tutmuştu. "Şu yanlışlık. Acaba gökkumlarıyla bir ilgisi olabilir mi?"

Xavia'nın yüzü hayretle ifadesiz kaldı. "Tanrım. Demek bu jeologlardan biri seni aradı bile?"

Tolland yıkılmıştı. *Gökkumları.* Önce Corky'ye sonra da deniz jeoloğuna baktı. "Xavia, bu gökkumları hakkında bana anlatabileceğin her şeye ihtiyacım var. Yaptığım hata neydi?"

Ona bakan Xavia, artık son derece ciddi olduğunu anlıyordu. "Mike, gerçekten mühim değil. Bir süre önce ticaret gazetesinde küçük bir makale okumuştum. Ama bu konuda neden bu kadar endişelendiğini anlamıyorum."

Tolland içini çekti. "Xavia, kulağa garip geldiğini biliyorum ama bu gece ne kadar az bilsen, o kadar iyi. Senden tek istediğim bize gökkumları hakkında bildiklerini anlatman ve sonra senden bir taş örneğini bizim için incelemeni isteyeceğim."

Xavia hem şaşırmış, hem de çemberin dışında bırakılmaktan rahatsız olmuşa benziyordu. "İyi, gidip gazeteyi getireyim. Ofisimde." Sandvicini bırakıp kapıya yöneldi.

Corky arkasından seslendi. "Bunu ben bitirebilir miyim?"

Xavia hayret içinde durdu. "Benim sandvicimi *bitirmek* mi istiyorsun?"

"Şey, ben düşündüm de..."

"*Kendi* lanet sandvicini ye," diyerek Xavia çıktı.

Tolland kıkırdayarak, laboratuvarın karşısındaki soğutucuyu gösterdi. "En alt raf Corky. Sambukalarla(*) kalamar torbalarının arasında."

Dışarıdaki güvertede, Rachel köprünün dik merdivenlerinden aşağı inip, helikopter pistine doğru yürüdü. Uyuklayan Sahil Güvenlik pilotu, Rachel pilot kabinine hafifçe vurduğunda yerinde doğruldu.

"Bitti mi?" diye sordu. "Çok hızlı oldu."

Rachel endişeyle başını iki yana salladı. "Hem kara, hem de hava radarını çalıştırabilir misin?"

"Elbette. On mil yarıçapında."

(*) Anasonlu İtalyan içkisi.

"Aç lütfen."

Şaşkın görünen pilot, birkaç düğmeyi çevirdikten sonra radar ekranı aydınlandı. Tarayıcı ekranda tembel daireler çiziyordu.

Rachel, "Bir şey var mı?" diye sordu.

Pilot tarayıcının birkaç kez çemberi tamamlamasını bekledi. Bazı ayarlamalar yapıp, baktı. Bir şey yoktu. "Dış kenarda birkaç küçük gemi görünüyor ama bizden uzaklaşıyorlar. Yol açık. Millerce açık denizle çevriliyiz."

Rachel Sexton içini çekti ama tam anlamıyla rahatlamamıştı. "Bana bir iyilik yapıp, herhangi bir şeyin -tekne, hava aracı, herhangi bir şey- yaklaştığını görürsen hemen haber verir misin?"

"Tabi yaparım. Her şey yolunda mı?"

"Evet. Sadece takip eden birileri olursa haberim olsun istiyorum."

Pilot omuzlarını silkti. "Radara bakacağım bayan. Herhangi bir ışık aksi görürsem, ilk size haber vereceğim."

Sulaboratuvarına giderken Rachel'ın önsezileri işaret veriyordu. İçeri girdiğinde, Corky ile Tolland'ı bir bilgisayar ekranı önünde durmuş, sandviç yerken buldu.

Corky tıkabasa dolu ağzıyla ona seslendi. "Neli olsun? Balık aromalı tavuklu mu, balık aromalı salamlı mı, yoksa balık aromalı yumurta salatalı mı?"

Rachel soruyu duymamış gibiydi. "Mike, bu bilgiyi öğrenip gemiden ayrılmamız ne kadar sürer?"

104

Rachel ve Corky ile birlikte Xavia'nın dönmesini bekleyen Tolland, sulaboratuvarında dolaşıyordu. Gökkumları hakkındaki haber, Rachel'ın Pickering'le bağlantı kuramaması haberi kadar can sıkıcıydı.

Direktör cevap vermedi.

Ve birisi Goya'*nın yerini saptamaya çalıştı.*

Tolland herkese, "Sakin olun," dedi. "Emniyetteyiz. Sahil Güvenlik pilotu radarı takip ediyor. Birisi bu tarafa yönelirse, bizi uyarmak için fazlasıyla vakti olacak."

Rachel hâlâ endişeli görünmesine rağmen, ona katılarak başını salladı.

Sanki canlıymış gibi titreşip birbirine karışan rengârenk bir görüntünün oynadığı Sparc bilgisayar monitörünü işaret eden Corky, "Mike, *bu* da ne böyle?" diye sordu.

Tolland, "Akustik doppler akıntı ölçer," dedi. "Geminin altındaki okyanusun akıntı ve ısı değişimlerini gösteren kesit."

Rachel sadece bakıyordu. "Biz bunun üstüne mi demir attık?"

Tolland'ın, korkutucu bir görüntü olduğunu kabul etmesi gerekirdi. Yüzeydeki su mavimsi yeşil bir girdabı andırıyordu ama aşağı doğru indikçe artan ısıyla renkler kırmızıya ve turuncuya dönüyordu. Dibe yakın bir yerde, okyanus tabanının üstünde kan kırmızısı bir siklon dönüyordu.

Tolland, "Mega girdap bu," dedi.

Corky homurdandı. "Sualtı kasırgasına benziyor."

"Aynı prensip. Okyanus genellikle dibe yakın yerlerde daha soğuk ve yoğundur ama burda dinamikler tersine dönmüş. Derin su ısınmış ve daha hafif, bu yüzden yukarı yükseliyor. Bu arada yüzeydeki su daha ağır olduğundan, boşluğu doldurmak için dev bir spiral çizerek aşağı hareket ediyor. Okyanusta kanal benzeri bu akıntılara rastlanır. Dev anaforlar."

"Deniz tabanındaki şu büyük tümsek ne?" Corky okyanus tabanından yükselen kubbe şeklindeki tümseği işaret etti. Girdap tam bunun üstünde dönüyordu.

Tolland, "O tümsek, magma kubbesi," dedi. "Lavlar okyanus tabanını yukarı doğru itiyor."

Corky başını salladı. "Dev bir sivilce gibi."

"Öyle de denebilir."

"Peki ya patlarsa?"

Juan de Fuca Sırtı'nda 1986'da meydana gelen mega girdap olayını hatırlayan Tolland kaşlarını çattı. Bin iki yüz santigrat derecedeki binlerce ton magma okyanusa püskürüp, mega girdabın şiddetini bir anda arttırmıştı. Girdap hızla yukarı doğru genişlerken, yüzey akıntıları şiddetlenmişti. Bundan sonra olanları, Tolland'ın bu gece Corky ve Rachel'la paylaşmaya hiç niyeti yoktu.

Tolland, "Atlantik magmaları patlamazlar," dedi. "Tümseğin üstünde dönen su, yeryüzü kabuğunu sürekli olarak soğutur ve katılaştırır, böylece magma kalın bir taş tabakasının altında kalmış olur. Bunun sonucunda aşağıdaki lav soğur ve spiral yok olur. Genellikle mega girdaplar tehlikeli değildir."

Corky bilgisayarın yanında duran eski püskü bir dergiyi işaret etti. "Yani *Scientific American* uydurma haberler yayınlıyor diyorsun, ha?"

Kapağı gören Tolland geriye doğru sıçradı. Görünüşe bakılırsa birisi *Goya*'nın eski bilimsel dergiler arşivinden *Scientific American* Şubat 1999 sayısını çıkartmıştı. Kapağa bir ressamın, muazzam bir okyanus hortumunda kontrolden çıkarak dönen dev bir tanker betimlemesi basılmıştı. Başlıkta şöyle yazıyordu: MEGA GİRDAPLAR DERİNLERDEN GELEN KORKUNÇ KATİLLER Mİ?

Tolland buna güldü. "Hiç ilgisi yok. Bu makalede *deprem* kuşağındaki mega girdaplardan bahsediliyor. Birkaç yıl önce, kaybolan gemileri açıklayan popüler bir Bermuda Şeytan Üçgeni hipoteziydi. Teknik konuşmak gerekirse, okyanus tabanında bir tür felaket getirici jeolojik durum varsa, ki bu civarda duyulmadı, o zaman kubbe yırtılabilir ve anafor büyüyüp... şey, bilirsiniz..."

"Corky, "Hayır, *bilmiyoruz*," dedi.

Tolland omuzlarını silkti. "Yüzeye yükselir."

"Harika. Bizi gemiye getirdiğine bilsen ne kadar memnunuz."

Xavia elinde bazı kâğıtlarla içeri girdi. "Hayranlıkla mega girdabı mı seyrediyorsunuz?"

Corky alaycı bir sesle, "Ah evet," dedi. "Mike bize şu küçük tümsek patlarsa, hepimizin büyük bir kanal içinde nasıl döneceğini anlatıyordu."

"Kanal mı?" Xavia soğuk bir kahkaha attı. "Daha çok dünyanın en büyük sifonuna çekilmiş gibi oluruz."

Dışarıda, *Goya*'nın güvertesindeki Sahil Güvenlik helikopter pilotu EMS radar ekranını dikkatle izliyordu. Bir kurtarma pilotu olarak, insanların gözlerindeki korkuyu iyi tanıyordu: Rachel Sexton, ondan *Goya*'ya gelebilecek davetsiz misafirleri gözlemesini isterken kesinlikle korkuyordu.

Nasıl misafirler bekliyor acaba, diye düşündü.

Pilotun tek görebildiği, denizde ve havada on mil yarıçapında normalin dışında hiçbir şey olmadığıydı. Sekiz mil uzakta bir balıkçı teknesi vardı. Radar alanının dış kenarına arada sırada giren bir hava aracı, bilinmeyen bir yöne doğru tekrar gözden kayboluyordu.

Geminin etrafında hareket eden okyanusa bakan pilot içini çekti. Farklı bir his veriyordu; demir atmış gibi değil de, tam yol ilerliyormuş gibi.

Gözlerini yeniden radar ekranına çevirip seyretti. Dikkatle.

105

Tolland, Xavia'yı Rachel ile tanıştırdı. Gemi jeoloğu, sulaboratuvarındaki seçkin dostlar karşısında şaşırmış gibi görünüyordu. Bunun yanı sıra, Rachel'ın testleri bir an önce yapıp, gemiden ayrılmaktaki sabırsızlığı Xavia'nın sinirlerini bozuyordu.

Tolland, ona, *acele etme Xavia*, demişti. *Her şeyi öğrenmemiz lazım.*

Xavia şimdi sert bir sesle konuşuyordu. "Belgeselinde Mike, taştaki bu küçük metalik içeriğin *sadece* uzayda oluşabileceğini söyledin."

Tolland dehşete kapılmaya başlamıştı bile. *Gökkumları sadece uzayda oluşur. NASA bana böyle söylemişti.*

Kâğıtları yukarı kaldıran Xavia, "Ama bu notlara göre," dedi. "Bu tamamıyla doğru değil."

Corky öfkeyle parladı. "Elbette doğru!"

Xavia, Corky'ye sert bir bakış fırlatıp elindeki kâğıtları salladı. "Geçen yıl, Drew Üniversitesi'nden Lee Pollock isimli genç bir jeolog, Mariana Çukuru'nda derin su kabuk örneklemesinde yeni nesil bir deniz robotu kullanırken, daha önce hiç görmediği jeolojik bir özellik barındıran bir taş çıkarttı. Bu özellik görünüş bakımından gökkumlarına çok benziyordu. Pollock bunlara, 'eğik dilim stres içeriği' adını verdi; derin okyanus basıncına maruz kalırken tekrar homojenleşmiş ufak metal tanecikleri. Bir okyanus kayacında metalik tanecikler bulmaktan ötürü hayrete düşen Dr. Pollock, varlıklarını açıklamak için benzersiz bir teori geliştirdi."

Corky homurdandı. "Tabi ki *öyle* yapacaktı."

Xavia, onu duymazdan geldi. "Dr. Pollock taşın, aşırı basıncın uyumsuz metalleri yüksek ısıda eriterek daha önce var olan bir taşı başkalaştırdığı, ultra derin bir okyanus ortamında oluştuğunu öne sürdü."

Tolland bunu düşündü. Okyanusun on bir kilometre aşağısında yer alan Mariana Çukuru, gezegendeki keşfedilmemiş bölgelerden biriydi. O derinliğe sadece birkaç robot inebiliyor, çoğu dibe varamadan parçalanıyordu. Çukurdaki su basıncı muazzamdı. Okyanus yüzeyindeki santimetre kare başına yirmi dört kiloya karşılık, iki bin sekiz yüz kilo. Okyanus bilimciler derin deniz tabanındaki jeolojik kuvvetleri hâlâ tam manasıyla bilmiyorlardı. "Yani bu Pollock denen adam, Mariana Çukuru'nun gökkumu benzeri özelliklere sahip taşlar oluşturabileceğini mi düşünüyor?"

Xavia, "Son derece karışık bir teori," dedi. "Doğrusu hiçbir zaman resmi olarak yayınlanmadı. Geçen ay, mega girdap programımız için sıvı-taş etkileşimleri hakkında araştırma yaparken, Pollock'ın internetteki kişisel notlarına rastladım. Yoksa bunu asla duymamış olacaktım."

Corky, "Teori asla yayınlanmadı," dedi. "Çünkü saçma. Gökkumlarının oluşması için *ısı* gerekir. Su basıncının taştaki kristal yapısını oluşturmasına imkân yok."

Xavia, "Basınç," diye karşılık verdi. "Gezegenimizdeki jeolojik değişikliklere en büyük katkısı olan şeydir. *Metamorfik* taş diye bir şey hatırlıyor musun? Jeoloji 101 dersinden?"

Corky kaşlarını çattı.

Tolland, Xavia'nın haklı olabileceğini fark etmişti. Dünyanın metamorfik jeolojisinde ısının bir rolü olmasına rağmen, çoğu metamorfik taşlar aşırı basınçla meydana gelirlerdi. Yer kabuğunun derinliklerindeki kayaçlar öyle büyük bir basınç altındaydılar ki, katı taştan çok, koyu melas gibi hareket ederek, esnekleşir ve kimyasal değişikliklerden geçerlerdi. Yine de Dr. Pollock'ın teorisi biraz abartılı görünüyordu.

Tolland, "Xavia," dedi. "Ben su basıncının tek başına taşı kimyasal değişikliğe uğrattığını duymamıştım. Sen bir jeologsun, senin fikrin nedir?"

Notlara şöyle bir göz gezdirip, "Şey," dedi. "Tek faktör su basıncı değil gibi." Xavia bir pasaj bulup Pollock'ın notlarını aynen okudu. "'Mariana Çukuru'nda, zaten muazzam bir hidrostatik basınç altında olan okyanus kabuğu, bölgenin dalma-batma bölgesi tektonik kuvvetiyle daha da sıkışabilir.'"

Tolland, *elbette,* diye düşündü. Mariana Çukuru, denizin on bir kilometre aşağısında sıkışmış olmakla beraber, bir dalma-batma bölgesiydi. Pasifik ve Hint tabakalarının birbirine doğru hareket edip, çarpıştığı bindirme bölgesi. Çukurdaki birleşik basınç çok yüksek olabilirdi. Bölge, çalışma yapmak için fazlasıyla ulaşılmaz ve tehlikeli olduğundan, orada kondrullar, yani gökkumları oluşsa bile kimsenin haberinin olmaması mümkündü.

Xavia okumaya devam etti. "'Hidrostatik ve tektonik basınçlar birleştiğinde, kabuğu elastiki veya yarı sıvı bir hale gelmeye zorlayabilir ve daha hafif elementleri eriterek, sadece uzayda oluştuğu düşünülen gökkumu benzeri yapılar meydana gelebilir.'"

Corky gözlerini devirdi. "İmkânsız."

Tolland, Corky'ye göz attı. "Dr. Pollock'ın bulduğu taştaki kondrullar için farklı bir açıklaman var mı?"

Corky, "Gayet basit," dedi. "Pollock gerçek bir *meteorit* buldu. Okyanusa sürekli meteorit düşüp durur. Yıllarca sualtında kaldığından füzyon kabuğu aşınmış olabileceği ve normal bir taşa benzeyebileceği için, Pollock bunun meteorit olduğundan şüphelenmemiş olabilir." Corky, Xavia'ya döndü. "Pollock *nikel* içeriğini ölçmeyi akıl etmedi, değil mi?"

Yine notlarını karıştıran Xavia, "Doğrusu ölçtü," diye cevabı yapıştırdı. "Pollock şöyle yazmış: 'Bu örnekteki nikel içeriğinin, yeryüzü taşlarında rastlanmayan orta seviyede bir değer aralığına denk geldiğini görmek beni şaşırttı.'"

Tolland ile Rachel şaşkınlık içinde birbirlerine baktılar.

Xavia okumaya devam etti. "'Nikel miktarı meteorik kökenliler için kabul edilen aralığa denk düşmese de, şaşılacak kadar *yakın.*'"

Rachel meraklanmışa benziyordu. "Ne kadar yakın? Bu okyanus taşının bir meteoritle karıştırılmış olması mümkün mü?"

Xavia başını iki yana salladı. "Ben kimyasal kayaç bilgini değilim, ama anladığım kadarıyla Pollock'ın bulduğu taşla gerçek meteoritler arasında pek çok kimyasal farklılık var."

Tolland, "Bu farklılıklar neler?" diye bastırdı.

Xavia dikkatini, notlarındaki bir grafiğe verdi. "Buna göre, farklılıklardan biri kondrulların kimyasal yapısı. Titanyum/zirkonyum oranları farklı. Okyanus örneğindeki kondrulların titanyum/zirkonyum oranı zirkonyum miktarının aşırı az olduğunu gösteriyor." Başını kaldırıp baktı. "Sadece milyonda iki kısım."

Corky, "İki ppm mi?" diye ağzından kaçırdı. "Meteoritlerde bunun binlerce katı bulunur!"

Xavia, "Kesinlikle," diye karşılık verdi. "Pollock bu yüzden kondrulların uzaydan gelmediğine inanıyor."

Tolland eğilip Corky'ye, "NASA, Milne taşındaki titanyum/zirkonyum oranını ölçtü mü?" diye fısıldadı.

Corky tükürükler saçarak, "Elbette hayır," dedi. "Bunu kimse ölçmez. Arabanın araba olduğunu ispatlamak için lastiklerindeki kauçuk oranını ölçmeye benzer!"

Derin bir nefes alıp veren Tolland, yeniden Xavia'ya döndü. "Sana içinde kondrul bulunan bir taş versek, bir test yapıp içeriğin meteorik mi yoksa... Pollock'ın derin okyanus kondrullarından mı olduğunu söyleyebilir misin?"

Xavia omuzlarını silkti. "Sanırım. Elektron mikroskobunun kesinliği yeterli olacaktır. Tüm bunları niye yapıyoruz?"

Tolland, Corky'ye döndü. "Taşı ona ver."

Göktaşı örneğini gönülsüzce cebinden çıkaran Corky, Xavia'ya uzattı.

Taş diski alırken Xavia'nın kaşları havaya kalkmıştı. Füzyon kabuğa ve taştaki fosile baktı. "Tanrım!" derken başı aniden yukarı kalktı. "Bu şeyin bir parçası mı?..."

Tolland, "Evet," dedi. "Ne yazık ki öyle."

106

Ofisinde yalnız olan Gabrielle, pencerenin yanında durmuş, bundan sonra ne yapacağını düşünüyordu. Bir saat kadar önce NASA'dan, Chris Harper'ın KYYT yalanını senatörle paylaşmak için heyecanla ayrılmıştı.

Ama artık o kadar emin değildi.

Yolanda'ya bakılacak olursa, iki bağımsız ABC muhabiri Sexton'ın USV'den rüşvet aldığından şüpheleniyordu. Bundan başka Gabrielle az önce, USV toplantısı sırasında Sexton'ın dairesine gizlice girdiğini *bildiğini* öğrenmişti. Ama bu konuda Gabrielle'a bir şey söylememişti.

Gabrielle içini çekti. Taksisi gideli çok olmuştu. Birkaç dakikaya kadar başka bir tane çağıracak olmasına karşın, yapması gereken başka bir şey vardı.

Bunu gerçekten yapacak mıyım?

Başka seçeneği kalmadığını bilen Gabrielle kaşlarını çattı. Artık kime güveneceğini bilmiyordu.

Ofisinden dışarı çıkıp, sekreterlik girişine döndü ve oradan karşı taraftaki koridora girdi. Koridorun sonunda, Sexton'ın ofisinin iki yanına bayraklar -biri Amerikan bayrağı, diğeri Delaware bayrağı- asılı meşe kapısını görebiliyordu. Binadaki çoğu senatörün ofisi gibi, onun odasının kapısı da çelik takviyeliydi ve konvansiyonel anahtarla kilitlenmişti; elektronik bir tuş takımı ve alarm sistemi.

Birkaç dakikalığına da olsa, eğer içeri girebilirse, cevapları bulabileceğini biliyordu. Yüksek güvenlikli kapılara doğru ilerlerken, onların *içinden* geçmek gibi bir hayale kapılmamıştı. Başka planları vardı.

Sexton'ın ofisine üç metre kala sağa dönen Gabrielle, bayanlar tuvaletine girdi. Kendiliğinden yanan floresanlar, beyaz fayans üzerinde yansıma yapıyordu. Gözleri ışığa alışınca Gabrielle aynada kendine baktı. Her zamanki gibi yüzü, düşündüğünden daha yumuşaktı. Hatta zarif. Kendini her zaman için göründüğünden daha güçlü hissetmişti.

Bunu yapacağından emin misin?

Gabrielle, Sexton'ın KYYT hakkında tam bir raporla gelmesini sabırsızlıkla beklediğini biliyordu. Ne yazık ki bu gece, Sexton'ın kendisini ustalıkla yönlendirdiğini anlamıştı. Gabrielle Ashe yönetilmekten hoşlanmazdı. Senatör bu gece bazı şeyleri ondan saklamıştı. Asıl soru, ne kadarını sakladığıydı. Cevapların, ofisinde olduğunu biliyordu; tuvalet duvarının diğer tarafında.

Gabrielle kararını vererek yüksek sesle, "Beş dakika," dedi.

Tuvaletin malzeme dolabına gidip uzandı ve elini kapının kasasında gezdirdi. Yere bir anahtar düştü. Philip A. Hart'taki hademeler, federal işçilerdi ve ne zaman bir grev olsa ortadan kaybolup, tuvaletleri haftalarca tuvalet kâğıtsız ve havlusuz bırakırlardı. Hazırlıksız yakalanmaktan bıkıp usanan Sexton'ın ofisindeki kadınlar, işi ele almış ve "acil durumlar" için bir malzeme odası anahtarı saklamışlardı.

Gabrielle, *bu gece tanıma uygun,* diye düşündü.

Dolabı açtı.

Dolabın içi temizleyici maddeler, paspaslar ve kâğıt malzeme raflarıyla tıklım tıkıştı. Gabrielle bir ay önce kâğıt havlu ararken, alışılmadık bir keşifte bulunmuştu. En üst raftaki kâğıda erişemeyince, ruloyu düşürmek için süpürge sapını kullanmıştı. Bunu yaparken tavan karolarından birini yere düşürmüştü. Karoyu yerine takmak için yukarı tırmandığında, Senatör Sexton'ın sesini duyup şaşırmıştı.

Çok net geliyordu.

Yankılardan anladığı kadarıyla senatör, bu malzeme dolabından sadece sökülebilir fiber karolarla ayrılan özel tuvaletinde kendi kendine konuşuyordu.

Şimdi tuvalet kâğıdından çok daha önemli bir nedenle yine dolaba giren Gabrielle ayakkabılarını çıkardı, raflara tırmandı, fiber tavan karosundan başını uzattı ve kendini yukarı çekti. *Milli güvenlik uğruna bu kadarı da fazla,* diye düşünürken, kaç eyalet yasasıyla federal yasa çiğnediğini merak ediyordu.

Sexton'ın özel tuvaletinin tavanına geçerken yatay konuma gelip, çoraplı ayaklarıyla soğuk, porselen lavabosuna bastı ve sonra yere atladı. Nefesini tutup, Sexton'ın özel ofisine girdi.

Şark halıları yumuşak ve sıcak bir his veriyordu.

107

Beş kilometre ötede, siyah bir Kiowa helikopteri, kuzey Delaware'deki çam ağaçlarının tepesinde uçuyordu. Delta-Bir seyrüsefer sistemine girilen koordinatları kontrol etti.

Rachel'ın gemideki ileti cihazı ile Pickering'in cep telefonu, görüşmelerinin içeriğini korumak amacıyla şifrelenmiş olsa da, Delta Gücü, Rachel'ın denizden yaptığı aramayı yakaladığında, asıl hedef görüşmenin *içeriği* değildi. Asıl hedef, arayan kişinin *konumunu* belirlemekti. Global Yer Belirleme Sistemi ile bilgisayarlı nirengi, iletinin gönderildiği koordinatlarını saptamayı, görüşme içeriğinin şifresini çözmekten daha kolay hale getiriyordu.

Hükümet dilediği takdirde, her arama yaptıklarında bir dinleme istasyonunun dünyanın herhangi bir yerinde üç metre yakınına kadar pozisyonunu saptayabileceğinden cep telefonu kullanıcılarının haberi olmadığı düşüncesi Delta-Bir'i her zaman eğlendirirdi. Bu, cep telefon şirketlerinin reklamını yapamadıkları küçük bir kusurdu. Bu gece Delta Gücü, William Pickering'in cep telefonunun alış frekansına ulaştıktan sonra, gelen çağrıların koordinatlarını kolaylıkla saptayabilmişti.

Şimdi hedefe doğru düz bir rotada ilerleyen Delta-Bir, yirmi mile yaklaşmıştı. Radar ve silah sistemlerinin başındaki Delta-İki'ye dönüp, "Hava şemsiyesi hazırlandı mı?" diye sordu.

"Olumlu. Beş mil menzili bekleniyor."

Delta-Bir, *beş mil*, diye düşündü. Kiowa'nın silah sistemini kullanabilmek için gerekli olan menzile girmesi, bu kuşu hedefin radar göstericisinin içinde uçurmasını gerektiriyordu. *Goya*'daki birilerinin ürkekçe gökyüzünü izlediğinden kuşkusu yoktu ve Delta Gücü'nün şimdiki görevi, hedefi telsizle yardım istemeye fırsat vermeden yok etmek olduğu için, Delta-Bir, avına fark ettirmeden yaklaşmalıydı.

On beş mil kala, radar menzilinin yeterince dışında, Delta-Bir Kiowa'yı aniden rotanın otuz beş derece sağına döndürdü. Bin metreye yükseldi -küçük uçak menzili- ve hızını saatte 110 mil olarak ayarladı.

Goya'nın güvertesindeki Sahil Güvenlik helikopterinin radar göstericisi, on mil çevresine yeni bir temas girdiğinde sadece bir kez bipledi. Pilot yerinde doğrulup, ekranı inceledi. Temas, kıyı şeridinden batıya yönelen küçük bir kargo uçağına benziyordu.

Büyük ihtimalle Newark'a.

Bu uçağın mevcut yörüngesi onu *Goya*'nın dört mil yakınına getireceği halde, uçuş rotası tesadüfi olmalıydı. Yine de tedbirli davranan Sahil Güvenlik pilotu, göstericinin sağ tarafına doğru saatte 110 mil hızla yanıp sönerek ilerleyen noktayı takip etti. En yakın noktada uçak, yaklaşık dört mil batıdaydı. Tahmin ettiği gibi uçak hareket etmeye devam ederek, uzaklaşmaya başlamıştı.

4.1 mil. 4.2 mil.

Pilot rahat bir nefes verdi.

Ama sonra çok garip bir şey oldu.

Kiowa'nın sol tarafında silah kumanda koltuğundan başparmağıyla tamam işareti veren Delta-İki, "Hava şemsiyesi devreye girdi," diye seslendi. "Baraj, değişken ses ve kapak titreşimi etkileştirildi ve kilitlendi."

Kendi sırası gelen Delta-Bir helikopteri sağa yatırıp döndürerek, *Goya*'nın tam üstüne yönlendirdi. Geminin radarından bu manevra görülmeyecekti.

Delta-İki, "Kalay yaprağına sarılı saman balyaları," dedi.

Delta-Bir, ona hak veriyordu. Radar yayınının bozulması, İkinci Dünya Savaşı zamanında İngiliz bir havacı, bombardıman uçuşları sırasında uçağından kalay yaprağına sarılı saman balyası atmaya başladığında icat edilmişti. Alman radarları o kadar çok temas belirliyordu ki, hangisine ateş edeceklerini şaşırmışlardı. Elbette teknoloji o zamandan bu yana geliştirilmişti.

Kiowa'nın radar yayını bozma "hava şemsiyesi" sistemi, ordunun en ölümcül savaş silahlarından biriydi. Belirlenmiş yer koordinatları üstünde atmosfere arka plan sesinden bir hava şemsiyesi yayınlayarak, hedefin gözlerini, kulaklarını ve sesini etkisiz hale getiriyordu. Birkaç saniye önce *Goya*'daki tüm radar ekranları kararmış olmalıydı. Mürettebat yardım çağrısında bulunmaları gerektiğini fark ettiğinde, ileti gönderemeyecekti. Bir gemideki tüm haberleşme sistemleri radyo veya mikrodalga temelliydi; telefon hattı yoktu. Kiowa yeterince yaklaşabilirse, *Goya*'nın tüm haberleşme sistemleri çalışmaz hale gelecek, taşıyıcı sinyalleri Kiowa'nın ön tarafından yayınlanan görünmez termal ses bulutuyla bozulacaktı.

Delta-Bir, *mükemmel yalıtım*, diye düşündü. *Savunmaları kalmadı.*

Hedefler Milne Buzul Katmanı'ndan kurnazca ve şansın da yardımıyla kaçmışlardı ama bu yinelenmeyecekti. Kıyıdan ayrılmayı seçerek, Rachel, Michael ve Corky kötü bir tercih yapmışlardı. Hayatlarının son kötü kararı olacaktı.

Beyaz Saray'daki Zach Herney, telefon ahizesini kaldırıp yatakta doğrulurken uyku sersemiydi. "Şimdi mi? Ekstrom benimle *şimdi* mi konuşmak istiyor?" Herney gözlerini kısıp başucundaki saate baktı. 03.17.

Haberleşme görevlisi, "Evet, Sayın Başkan," dedi. "Acil durum olduğunu söylüyor."

108

Corky ile Xavia, kondrullardaki zirkonyum içeriğini ölçmek için elektron mikroskobunun başına koşarken, Rachel laboratuvarın yanındaki odaya giden Tolland'ı izledi. Burada Tolland başka bir bilgisayar açtı. Görünüşe bakılırsa okyanus bilimcinin kontrol etmek istediği bir şey daha vardı.

Bilgisayar açılırken Tolland, sanki bir şey söylemek istiyormuş gibi ağzını açıp, Rachel'a döndü. Sonra durdu.

Tüm bu karmaşanın ortasında ona karşı duyduğu fiziksel çekime şaşıran Rachel, "Ne oldu?" diye sordu. Zamanı durdurup, onunla baş başa kalabilmeyi diledi; sadece bir dakikalığına.

Pişmanlık duyuyormuş gibi görünen Tolland, "Sana bir özür borcum var," dedi.

"Ne için?"

"Güvertede olanlar için. Çekiç başlılar. Heyecanlanmıştım. Bazen okyanusun pek çok insan için ne kadar ürkütücü olabileceğini unutuyorum."

Onunla yüz yüze gelen Rachel kendini, yeni erkek arkadaşıyla kapı eşiğinde duran bir ergen gibi hissediyordu. "Teşekkürler. Hiç önemli değil. Gerçekten." Bir şekilde Tolland'ın onu öpmek istediğini hissetti.

Kalbi tekleyen Tolland, utangaç bir tavırla yüzünü döndürdü. "Biliyorum. Kıyıya çıkmak istiyorsun. Çalışmamız gerek."

"Şimdilik." Rachel yumuşak bir tebessüm etti.

Bilgisayarın karşısına geçip oturan Tolland, "Şimdilik," diye tekrar etti.

Şimdi Tolland'ın tam arkasında durup, küçük laboratuvarda yalnız kalmalarının tadını çıkaran Rachel içini çekti. Bilgisayardaki dosyalar arasında gezinen Tolland'ı seyretti. "Ne yapıyoruz?"

"Veritabanında büyük okyanus bitlerini arıyorum. NASA'nın göktaşında gördüğümüze benzer tarih öncesi deniz fosillerine rastlayabilecek miyiz diye bakıyorum." Tepede büyük harflerle DIVERSITAS PROJESİ yazan bir arama sayfası açtı.

Menüde aşağı doğru inerken, "Diversitas esasen, sürekli güncellenen bir okyanus biodatası endeksidir. Bir deniz biyoloğu yeni bir okyanus türü veya fosili keşfettiğinde, verilerle fotoğrafları merkez veribankasına yükleyerek buluşunu diğerleriyle paylaşabilir. Haftalık bazda yeni keşifler hayli fazla olduğundan, araştırmaları güncel tutmanın tek yolu bu."

Rachel, Tolland'ın menüde gezinmesini seyretti. "Yani şimdi internete mi bağlanıyorsun?"

"Hayır. Denizden internet erişimi zordur. Bu bilgileri gemide, diğer odadaki optik sürücülerde saklıyoruz. Limana gittiğimizde, Diversitas Projesi'ne bağlanıp, veribankamızı yeni buluşlarla güncelliyoruz. Bu sayede denizdeyken internete bağlanmadan veritabanına ulaşabiliyoruz ve bilgiler en fazla bir iki ay eski oluyorlar." Tolland bilgisayara aranacak anahtar kelimeleri girerken, kendi kendine güldü. "Napster adlı tartışmalı müzik dosyası paylaşım programını herhalde duymuşsundur?"

Rachel başını salladı.

"Diversitas, deniz biyologlarının Napster versiyonu kabul ediliyor. Biz ona LOBSTER diyoruz: Tamamıyla Eksantrik Araştırmaları Paylaşan Yalnız Okyanus Biyologları."

Rachel kahkaha attı. Bu gerilimli ortamda bile Michael Tolland, onun korkularını hafifletecek alaycı bir espri yeteneğine sahipti. Son zamanlarda yaşadığı hayatta gülmeye çok az yer ayırdığını fark etmeye başlıyordu.

Tanımlayıcı anahtar kelimeleri yazmayı bitiren Tolland, "Veritabanımız çok geniş," dedi. "On terabayttan fazla tanım ve fotoğraf. Burda hiç kimsenin görmediği bilgiler mevcut ve hiç kimse de görmeyecek. Okyanus türlerinin sayısı sınırsızdır." "Ara" düğmesine bastı. "Pekâlâ, bakalım bizim küçük uzay böceğimize benzeyen bir okyanus fosili gören var mı?"

Birkaç saniye sonra ekran yenilendi ve fosilleşmiş dört hayvan kaydı verdi. Kayıtlara tek tek tıklayan Tolland, fotoğrafları inceledi. Hiçbirinin Milne göktaşındaki fosillerle uzaktan yakından alakası yoktu.

Tolland yüzünü astı. "Başka bir şey deneyelim." Anahtar kelimelerden "fosil" kelimesini çıkardı ve "ara" düğmesine bastı. "Tüm *yaşayan* türleri arayacağız. Belki Milne fosilinin fizyolojik özelliklerini taşıyan, yaşayan bir akrabasını buluruz."

Ekran yenilendi.

Tolland yine suratını astı. Bilgisayar yüzlerce giriş yapıldığını gösteriyordu. Bir süre oturup, sakalları uzamış çenesini kaşıdı. "Pekâlâ, bu çok fazla. Aramayı daraltalım."

Rachel, Tolland'ın "canlıların doğal ortamı" yazan bir menüyü aramasını seyretti. Listedeki seçenekler sonsuz gibi görünüyordu: bataklık, gelgit su birikintisi, lagün, okyanus ortası sırt, sülfür bacaları, resif. Tolland listede aşağı inerek, YİTİM BÖLGELERİ/OKYANUS ÇUKURLARI yazan seçeneği işaretledi.

Rachel, *akıllıca*, diye düşündü. Tolland aramayı, bu kondrul benzeri özelliklerin oluştuğu varsayılan ortamda yaşayan türlerle sınırlandırıyordu.

Sayfa yenilendi. Tolland bu sefer gülümsüyordu. "Harika. Sadece üç giriş yapılmış."

Rachel gözlerini kısıp listedeki ilk isme baktı. *Limulus poly... bir şey.*

Tolland girişe tıkladı. Açılan fotoğraftaki yaratık, dev boyutlarda kuyruksuz bir atnalı yengecine benziyordu.

İlk sayfaya geri dönen Tolland, "Hayır," dedi.

Rachel listedeki ikinci isme göz attı. *Karidesus Çirkinus Cehennemus Kadarus*. Aklı karışmıştı. "Gerçekten adı bu mu?"

Tolland kıkırdadı. "Hayır. Henüz sınıflandırılmamış yeni bir tür. Bunu bulan adamın espri anlayışı kuvvetliymiş. Canlı sınıflandırması için

Karidesus Çirkinus demeyi uygun bulmuş." Tolland fotoğrafı açınca, bıyıklı ve pembe floresan antenleri olan karides benzeri çirkin bir yaratık göründü.

Tolland, "Adına layıkmış," dedi. "Ama bizim uzay böceği bundan değil." Endekse geri döndü. "Son önerme..." Üçüncü isme tıkladı ve sayfa açıldı.

Metin belirdiğinde Tolland yüksek sesle, "*Bathynomous giganteus...*" diye okudu. Fotoğraf yüklenmişti. Renkli bir yakın çekim.

Rachel yerinde sıçradı. "Tanrım!" Karşısında duran yaratık tüylerini ürpertmişti.

Tolland dudaklarını büzerek nefes aldı. "Ah şuna bak. Tanıdık birine benziyor."

Nutku tutulan Rachel başını sallıyordu. *Bathynomous giganteus.* Yaratık, dev bir yüzer biti andırıyordu. NASA'nın taşındaki fosil türüne çok benziyordu.

Sayfanın aşağısındaki anatomik diyagramlara ve çizimlere inen Tolland, "Bazı ufak farklılıklar var," dedi. "Ama çok yakın. Özellikle de 190 milyon yıl süresince evrim geçirdiği düşünülürse."

Rachel, *yakın olduğu doğru,* diye düşündü. *Fazlasıyla yakın.*

Tolland ekrandaki tanımı okudu: "'Okyanustaki en eski türlerden biri olduğu düşünülmektedir. Ender rastlanan ve yakın tarihte sınıflandırılan *Bathynomous giganteus* büyük bir top böceğini andıran, çöpçü derin su eşbacaklısıdır. Uzunluğu altmış santimi bulan türün sert kabuklu dış iskeleti, kafa, toraks ve batın bölümlerine ayrılmıştır. Karada yaşayan böcekler gibi çift uzantılara, antenlere ve bileşik gözlere sahiptirler. Dipte yaşayan bu türün bilinen yırtıcısı yoktur ve daha önceleri, yaşam barındırmadığı düşünülen pelajik ortamlarda yaşar.'" Tolland başını kaldırıp baktı. "Bu da örnekte başka fosillerin bulunmayışını açıklıyor!"

Ekrandaki yaratığa bakan Rachel heyecanlanmış olmakla birlikte, hâlâ tüm bunların ne anlama geldiğinden emin değildi.

Tolland heyecanla, "Bir düşün," dedi. "190 milyon yıl önce bu *Bathynomous* yaratıklarından bir sürü, derin okyanus heyelanı sırasında balçığa gömüldüler. Balçık zamanla taşlaşınca, böcekler taşın içinde fosilleştiler. Bu sırada, okyanus çukurlarına doğru bantlı taşıyıcı gibi sürekli kayan okyanus tabanı, fosilleri, taşın kondrul oluşturacağı yüksek basınç kuşaklarına taşır!" Tolland şimdi daha hızlı konuşuyordu. "Ve eğer fosilleşmiş, kondrul içeren kabuk kopup, çukurun genişleme kırığına düşerse, ki bu bilinmeyen bir şey değil, o zaman keşfedilmek için mükemmel bir yerde bekliyor demektir!"

Rachel, "Ama NASA..." diye geveledi. "Yani, eğer tüm bu veriler yalansa, bu fosilin bir deniz yaratığına benzediğini er geç birilerinin fark edeceğini biliyor *olmalı*. Yani baksana, az önce biz bulduk!"

Tolland, *Bathynomous* fotoğraflarını lazer yazıcıya yazdırmaya başlamıştı. "Bilmiyorum. Biri çıkıp, fosillerle yaşayan deniz bitleri arasındaki benzerlikleri gösterse de, fizyolojileri birbirinin aynı değil. Bu NASA'nın davasını daha da kuvvetlendirecektir."

Rachel o an anlamıştı. "Panspermia." *Dünyadaki yaşam uzaydan geldi.*

"Kesinlikle. Uzay organizmaları ile yeryüzü organizmaları arasındaki benzerlikler bilimsel bir mantık oluşturuyor. Bu deniz biti NASA'nın iddiasını doğruluyor."

"Ama göktaşının gerçekliğinin sorgulanması hali hariç."

Tolland başını salladı. "Göktaşı sorgulanmaya başladığında, bütün teori çöker. Deniz bitimiz NASA destekçisiyken, NASA köstekçisi olur."

Bathynomous sayfaları yazıcıdan çıkarken, Rachel sessizce ayakta duruyordu. Kendini bunun masum bir NASA hatası olduğuna inandırmaya çalıştı ama öyle olmadığını biliyordu. Masum hatalar yapan kişiler, insanları öldürmeye çalışmazdı.

Birden laboratuvarın karşı tarafından Corky'nin genizden gelen sesi duyuldu. "*İmkânsız!*"

Tolland ile Rachel aynı anda döndüler.

"*Lanet oranı tekrar ölç! Hiç mantıklı değil!*"

Xavia koşuşturarak, sıkıca kavradığı bir bilgisayar çıktısıyla yanlarına geldi. Rengi atmıştı. "Mike, bunu nasıl söyleyeceğimi bilmiyorum..." Sesi çatlıyordu. "Bu örnekteki titanyum/zirkonyum oranı..." Boğazını temizledi. "Belli ki NASA büyük bir hata yapmış. Ellerindeki göktaşı bir okyanus kayacı."

Tolland ile Rachel birbirlerine baktılar ama tek kelime etmediler. Biliyorlardı. Böylece tüm şüphe ve kuşkuları, yükselen bir dalga gibi kırılma noktasına ulaşmış oldu.

Tolland başını sallarken, üzüntüsü gözlerinden okunuyordu. "Evet. Teşekkürler Xavia."

Xavia, "Ama anlamıyorum," dedi. "Füzyon kabuk... buzdaki konumu..."

Tolland, "Kıyıya giderken anlatırız," dedi. "Gidiyoruz."

Rachel aceleyle ellerindeki tüm kâğıtlarla delilleri toparladı. Deliller kesindi: Milne Buzul Katmanı'ndaki yerleştirme boşluğunu gösteren TAR çıktısı; NASA'nın fosillerini andıran, yaşayan deniz bitinin fotoğrafı; Dr. Pollock'ın deniz kondrullarıyla ilgili makalesi; ve göktaşındaki aşırı az miktardaki titanyumu gösteren mikroskop verisi.

Varılan sonuç inkâr edilemezdi. *Sahte.*

Rachel'ın elindeki kâğıt yığınına bakan Tolland, melankolik bir tavırla içini çekti. "Şey, sanırım William Pickering'in yeterince delili oldu."

Rachel başını sallarken, Pickering'in neden telefonuna cevap vermediğini merak ediyordu.

Tolland yakınında duran bir telefonun ahizesini kaldırıp, ona uzattı. "Onu burdan tekrar aramak ister misin?"

"Hayır, haydi gidelim. Onunla helikopterden temas kurmaya çalışırım." Rachel kararını çoktan vermişti. Pickering ile bağlantı kuramazsa,

Sahil Güvenlik pilotundan onları doğruca, sadece üç yüz kilometre ötedeki UKO'ya uçurmasını isteyecekti.

Tolland telefonu kapatmaya hazırlanırken, durdu. Şaşırmış gibiydi. Kaşlarını çatarak ahizeyi dinledi. "Tuhaf. Çevir sesi yok."

Şimdi endişeli görünen Rachel, "Ne demek istiyorsun?" diye sordu.

Tolland, "Garip," dedi. "Direkt COMSAT hattı aslında asla..."

"Bay Tolland?" Sahil Güvenlik pilotu, bembeyaz yüzüyle koşarak laboratuvardan içeri girdi.

Rachel, "Ne oldu?" diye sordu. "Gelen birileri mi var?"

Pilot, "Sorun da burda," dedi. "Bilmiyorum. Tüm radar ve haberleşme sistemleri kapandı."

Rachel kâğıtları tişörtünden içeri sokuşturdu. "Helikoptere binelim. Gidiyoruz. HEMEN!"

109

Senatör Sexton'ın karanlık ofisinde yürürken Gabrielle'ın kalbi hızla atıyordu. Oda şık olduğu kadar genişti de... süslü lambri kaplı duvarlar, yağlıboya tablolar, İran halıları, kabaralı deri koltuklar ve kocaman maun bir masa. Oda sadece Sexton'ın bilgisayar ekranının neon pırıltısıyla aydınlanıyordu.

Gabrielle masaya doğru yürüdü.

Dosya dolaplarından uzak duran Senatör Sexton, arama yapması kolay kişisel bilgisayarına tonlarca bilgi -toplantı notları, taranmış makaleler, konuşmalar ve aklına gelen fikirler- yükleyerek, "dijital ofis" kavramını çılgınlık boyutlarına taşımıştı. Sexton'ın bilgisayarı, onun kutsal toprakları sayılırdı ve onu korumak için odasını daima kilitli tutardı. Bilgisayar korsanlarının kutsal dijital mahzenine girmesinden korktuğu için internete bile bağlanmazdı.

Bir yıl öncesine kadar Gabrielle, insanın kendisini suçlu gösteren belgelerin kopyalarını saklayacağına inanmazdı ama Washington ona çok şey öğretmişti. *Bilgi güçtür.* Şüpheli kampanya yardımları kabul eden tüm politikacıların, bu bağışların gerçek *delillerini* -mektuplar, banka kayıtları, faturalar, dekontlar- güvenli bir yerde sakladıklarını öğrendiğinde hayrete düşmüştü. Washington'da "Siyam sigortası" diye bilinen karşı şantaj taktiği, cömertliklerinin kendilerine siyasal baskı yapma yetkisi verdiğini düşünen bağışçılara karşı adayları koruyordu. Bağışta bulunan kimse fazla talepkâr hale geldiğinde aday, yasadışı bağışın belgelerini ortaya çıkartıp bağışçıya *her iki* tarafın da yasaları çiğnediğini hatırlatıyordu. Bu deliller, bağışçılarla adayları sonsuza dek göbekten birbirine bağlıyordu. Siyam ikizleri gibi.

Gabrielle senatörün masasının arkasına geçip oturdu. Bilgisayara bakarken derin bir nefes aldı. *Senatör USV'den rüşvet alıyorsa, delilleri muhakkak buradadır.*

Sexton'ın bilgisayar ekranı koruyucusu, olumlu düşünen çalışanlarından birinin kendisi için tasarladığı Beyaz Saray ve bahçesinin kayan resimlerini gösteriyordu. Resimlerin etrafından geçen şeridin üstünde: *Birleşik Devletler Başkanı Sedgewick Sexton... Birleşik Devletler Başkanı Sedgewick Sexton...* yazıyordu.

Gabrielle fareyi sallayınca bir güvenlik diyalog kutusu belirdi.

ŞİFREYİ GİRİN:

Bunu tahmin etmişti. Sorun olmayacaktı. Geçen hafta senatör oturup, bilgisayarında oturum açarken Gabrielle ofise girmişti. Onun hızla üç tuşa bastığını görmüştü.

İçeri girerken kapı eşiğinden, "Şifre bu mu?" diye sormuştu.

Sexton başını kaldırmıştı. "Ne?"

Gabrielle yumuşak bir tonla, "Ben de güvenliğe önem verdiğinizi sanıyordum," diye takılmıştı. "Şifreniz sadece üç karakterli mi? Teknikteki çocuklar bize en az altı hane kullanmamızı söylemişlerdi."

"Tekniktekiler daha ergen çocuklar. Kırk yaşını geçtikten sonra altı haneyi hatırlamakta zorlanacaklardır. Ayrıca kapının alarmı var. Kimse içeri giremez."

Gabrielle gülümseyerek ona doğru yürümüştü. "Peki ya siz tuvaletteyken biri içeri girerse?"

"Ne yani tüm şifre bileşimlerini deneyecek mi?" Kuşkuyla bir kahkaha atmıştı. "Tuvaletten biraz geç çıkarım, ama o kadar da değil."

"Davide'de akşam yemeğine, şifrenizi on saniyede tahmin edebileceğimi söylüyorum."

Sexton hem şaşırmış, hem de eğlenmişe benziyordu. "Davide'de yemek senin bir maaşına patlar Gabrielle."

"Bahise girmekten korkuyor musunuz?"

Sexton karşılık verirken, onun için üzülmüş gibi görünüyordu. "On saniye mi?" Oturumu kapatıp, Gabrielle'a oturmasını işaret etmiş ve denemesi için şans vermişti. "Ben Davide'de sadece saltimbocca(*) yerim. Ve oldukça pahalıdır."

Gabrielle otururken omuzlarını silkmişti. "Para *sizin.*"

ŞİFREYİ GİRİN:

Sexton, "On saniye," diye hatırlattı.

Gabrielle'ın güleceği gelmişti. İki saniye yeterliydi. Kapının oradan bile, Sexton'ın işaret parmağını kullanarak, şifreyi hızlı aralıklarla üst üste üç tuşa basarak girdiğini duymuştu. *Belli ki hepsi aynı tuştu. Hiç akıllıca değil.* Ayrıca Sexton'ın elinin klavyenin sol dış kenarına yakın durduğunu görebiliyordu; böylece alfabedeki seçenekler dokuz harfe inmiş oluyordu. Harfi belirlemek kolaydı; Sexton isminin üçlü ses yinelemesine her zaman bayılırdı. Senatör Sedgewick Sexton.

Bir politikacının egosunu asla hafife alma.

SSS tuşlarına basınca, ekran koruyucu kalkmıştı.

(*) Biftek arası peynir ve jambondan oluşan İtalyan yemeği.

Sexton'ın ağzı bir karış açık kalmıştı.

Bu, geçen hafta olmuştu. Şimdi bir kez daha onun bilgisayarının karşısına geçen Gabrielle, Sexton'ın yeni bir şifre almayı öğrenmeye vakit bulamadığından emindi. *Bunu neden yapsın ki? Bana tam manasıyla güveniyor.*

SSS yazdı.

ŞİFRE GEÇERSİZ - ERİŞİM ENGELLENDİ.

Gabrielle hayret içinde bakakaldı.

Senatörün güvenini gözünde büyüttüğünü anlamıştı.

110

Saldırı ansızın gerçekleşti. Gökyüzünde güneybatı yönüne doğru alçak uçuş yapan savaş helikopteri, *Goya*'nın üstüne dev bir eşekarısı gibi saldırdı. Bunun ne olduğuna veya neden orada olduğuna dair Rachel'ın hiç kuşkusu yoktu.

Karanlıkta, helikopterin burnundan çıkan güçlü bir ateş, *Goya*'nın fiberglas güvertesine gönderdiği mermi seliyle, kıç tarafta çizgi şeklinde bir yarık açtı. Saklanmak için geç eğilen Rachel, kolunu sıyıran bir merminin acısını hissetti. Sertçe yere düşüp yuvarlandı ve Triton denizaltısının şeffaf kapağının arkasına geçmek için sürünerek ilerledi.

Helikopter geminin üstüne pike yapıp geçerken, yukarıdaki pervanelerin gümbürtüsü duyuldu. Helikopterin okyanusun üstünde yukarı tırmanarak, ikinci geçiş için yan yatıp geniş bir daire çizerken çıkardığı gürültüler yerini uğursuz bir ıslık sesine bırakmıştı.

Titreyerek güvertede yatan Rachel, kolunu tutup, arkasındaki Tolland ile Corky'ye baktı. Saklanmak için kendilerini bir deponun arkasına attıkları anlaşılan adamlar, dehşetle bakan gözleriyle gökyüzünü tararken, sendeleyerek ayağa kalkıyorlardı. Rachel dizlerinin üstüne kalktı. Birden, dünya ağır çekimde hareket etmeye başlamıştı.

Triton denizaltısının şeffaf yuvarlağı arkasında çömelen Rachel, panik içinde tek kaçış araçlarına baktı... Sahil Güvenlik helikopteri. Helikopter kabinine çıkmaya başlayan Xavia, kolunu çılgınca sallayarak herkese binmesini işaret ediyordu. Pilot kabinine atılıp, düğmelerle kumanda kollarını hızla kaldıran pilotu görebiliyordu. Pervane kanatları dönmeye başlamıştı... ama çok yavaş.

Çok yavaş.

Acele et!

Rachel ayağa kalkıp koşmaya hazırlanırken, saldırganlar geri dönmeden önce güvertenin karşı tarafına yetişip yetişemeyeceğini merak ediyordu. Corky ile Tolland'ın arkadan ona ve bekleyen helikoptere doğru koştuklarını duyabiliyordu. *Evet! Acele et!*

Sonra gördü.

Gökyüzünde, yüz metre ötede karanlıktan fırlayan ince kırmızı bir ışın demeti, *Goya*'nın güvertesini arayarak sağa sola salındı. Ardından, hedefini bulan ışın, beklemedeki Sahil Güvenlik helikopterinin yan tarafında durdu.

Gördüğünü anlamak Rachel'ın bir saniyesini almıştı. O dehşet anında, *Goya*'nın güvertesinde yaşanan her şeyi şekiller ve seslerden oluşan, belirsiz bir kolaj gibi algıladı. Tolland ile Corky, ona doğru koşarken -Xavia helikopterden aceleyle kolunu sallarken- kıpkırmızı lazer ışını, karanlığı kesiyordu.

Çok geçti.

Rachel, şimdi var güçleriyle helikoptere doğru koşan Corky ile Tolland'a dönmüştü. Onları durdurmaya çalışarak, kollarını uzatıp kendini önlerine attı. Üçü güvertede birbirine çarpınca, kolları ve bacakları birbirine karıştı. Çarpışmanın etkisi tren kazası gibiydi.

Uzaklarda beyaz bir ışık parlaması görüldü. Egzoz ateşinden dümdüz bir çizginin, lazer ışınının helikoptere doğru kat ettiği yolu takip edişini dehşetle izledi.

Hellfire füzesi ana gövdeye isabet ettiğinde, helikopter patlayarak, bir oyuncak gibi parçalara ayrıldı. Şarapnel parçaları yağarken, ısı şok dalgası ve gürültü güverteye yayıldı. Helikopterin alevler içindeki iskeleti, parçalanmış kuyruğa doğru geri yattı, sonra biraz sallanıp geminin arka tarafından, tıslayan bir buhar bulutuyla beraber okyanusa düştü.

Gözlerini kapatan Rachel, nefes alamıyordu. Alevler içindeki enkazın cızırdayıp, baloncuklar çıkartarak battığını ve güçlü akıntılarla *Goya*'dan uzağa sürüklendiğini duyabiliyordu. Bu karmaşa sırasında Michael Tolland'ın seslendiğini duydu. Onun güçlü ellerinin kendisini ayağa kaldırmaya çalıştığını hissetti. Ama kıpırdayamıyordu.

Sahil Güvenlik pilotuyla Xavia öldü.

Sıra bizde.

111

Milne Buzul Katmanı'nda hava yatışmıştı ve habiküre sakindi. Buna rağmen NASA Müdürü Lawrence Ekstrom uyumaya çalışmamıştı bile. Vaktini, saatlerce tek başına habiküreyi arşınlayarak, göktaşının çıkartıldığı deliğe bakarak ve kömürleşmiş dev taşın çentiklerinin üstünde gezdirerek geçirmişti.

Sonunda kararını vermişti.

Şimdi habikürenin GTH konteynerindeki video telefonun önünde oturmuş, Birleşik Devletler Başkanı'nın gözlerine bakıyordu. Zach Herney'nin üstünde bir bornoz vardı ve hiç de eğleniyormuş gibi görünmüyordu. Ekstrom, söylemek zorunda olduklarını Başkan duyduğunda, bundan çok daha az eğleneceğini biliyordu.

Ekstrom konuşmasını bitirdiğinde, Herney'nin yüzünde huzursuz bir ifade vardı. Sanki hâlâ duyduklarını doğru anlayamayacak kadar uykulu olduğunu düşünüyormuş gibi.

Herney, "Dur biraz," dedi. "Yanlış anlaşma oldu galiba. Sen bana az önce NASA'nın bu göktaşı koordinatlarını acil bir telsiz iletisinden duyduğunu mu söyledin? Ve sonra da göktaşını KYYT bulmuş gibi mi yaptı?"

Karanlıkta konuşmadan duran Ekstrom, bu kâbustan uyanmayı diliyordu.

Anlaşılan o ki, sessizlik Başkan'a iyi çağrışımlar yapmamıştı. "Tanrı aşkına Larry, bana bunun doğru olmadığını söyle!"

Ekstrom'un ağzı kurudu. "Göktaşı bulundu Sayın Başkan. Burda asıl mesele bu."

"Bana bunun *doğru* olmadığını söyle dedim!"

Sessizlik Ekstrom'un kulaklarında şiddetini arttırarak keskin bir çınlamaya dönüştü. Kendi kendine, *ona söylemeliydim*, dedi. *Daha da kötüye gidecek.* "Sayın Başkan, KYYT başarısızlığı kamuoyu yoklamalarında sizi bitiriyordu efendim. Buza saplanmış büyük bir göktaşından bahsedilen telsiz iletisini yakaladığımızda, yeniden mücadeleye dönmek için bir fırsat diye düşündük."

Herney'nin sesi şaşırmış gibiydi. "KYYT keşifte bulunmuş gibi yaparak mı?"

"KYYT kısa süre sonra çalışmaya başlayacaktı ama seçimlere yetişmezdi. Kamuoyu yoklamaları kötüye gidiyordu ve Sexton, NASA'yı yerden yere vuruyordu, bu yüzden..."

"Delirdin mi! Bana yalan söyledin Larry!"

"Şans yüzümüze gülüyordu efendim. Değerlendirmeye karar verdim. Göktaşını keşfeden Kanadalının telsiz iletisini dinledik. Fırtınada öldü. Göktaşının orda olduğunu başka kimse bilmiyordu. KYYT o bölgenin yörüngesindeydi. NASA'nın bir zafere ihtiyacı vardı. Koordinatlar elimizdeydi."

"Bana bunu neden şimdi anlatıyorsun?"

"Bilmeniz gerektiğini düşündüm."

"Sexton öğrenirse bu bilgiyle neler yapar, hiç düşündün mü?"

Ekstrom düşünmemeyi tercih etti.

"Tüm dünyaya NASA'nın ve Beyaz Saray'ın Amerikalılara yalan söylediğini anlatır! Ve biliyor musun ne, haklı da olur!"

"Siz yalan söylemediniz efendim, ben söyledim. Ve eğer gerekirse istifa ederim..."

"Larry, asıl noktayı kaçırıyorsun. Başkanlığımı gerçekler ve dürüstlük üstüne kurdum. Lanet olsun! Bu gece gerçekti. Onurluydu. Şimdi tüm dünyaya yalan söylediğimi öğreniyorum!"

"Küçük bir yalan efendim."

Burnundan soluyan Herney, "Öyle bir şey yoktur Larry," dedi.

Ekstrom küçük odanın üstüne geldiğini hissetti. Başkan'a anlatılacak daha çok şey vardı ama Ekstrom bunların sabaha kadar beklemesi gerektiğini anlıyordu. "Sizi uyandırdığım için üzgünüm efendim. Bilmeniz gerektiğini düşündüm."

Şehrin öbür ucunda, Sedgewick Sexton konyağından bir yudum daha aldı ve artan bir huzursuzlukla dairesinde gezindi.

Gabrielle hangi cehennemde?

112

Karanlıkta, Senatör Sexton'ın masasında oturan Gabrielle Ashe, bilgisayara karamsar bir bakış fırlattı.

ŞİFRE GEÇERSİZ - ERİŞİM ENGELLENDİ

Olası birkaç şifre daha denedi ama hiçbiri işe yaramamıştı. Ofiste kilitlenmemiş bir çekmece veya ipucu olabilecek herhangi bir şey arayan

Gabrielle her yolu denemiş ve artık vazgeçmişti. Sexton'ın masa takviminde parıldayan, tuhaf bir şey gördüğünde gitmek üzereydi. Birisi seçim tarihini, kırmızı, beyaz ve mavi parlak kalemle çerçevelemişti. Senatör olmadığı muhakkaktı. Gabrielle takvimi kendine doğru çekti. Tarihin karşısında süslü, parıldayan bir kelime yazılmıştı: POTUS!

Görünüşe bakılırsa, Sexton'ın içi içine sığmayan sekreteri, seçim günü için biraz daha olumlu düşünce aşılamıştı. POTUS kısalması, ABD Gizli Servisi'nin, ABD Başkan'ı için kullandığı kod addı. Seçim günü, her şey yolunda giderse, Sexton yeni POTUS olacaktı.

Gitmeye hazırlanan Gabrielle, takvimi masadaki yerine koyup ayağa kalktı. Sonra birden durup, bilgisayar ekranına baktı.

ŞİFREYİ GİRİN:

Takvime bir kez daha baktı.

POTUS.

Birden ümitlendi. POTUS, Sexton için mükemmel bir şifre gibi görünüyordu: *basit, olumlu, kendinden bahseden.*

Hemen harfleri tuşladı.

POTUS

Nefesini tutarak, "giriş" tuşuna bastı. Bilgisayar bipledi.

ŞİFRE GEÇERSİZ - ERİŞİM ENGELLENDİ

Adeta yıkılan Gabrielle, pes etti. Geldiği yoldan dönmek üzere, tuvalete yöneldi. Odanın ortasına geldiği sırada cep telefonu çaldı. Zaten gergin olduğundan ses yüreğini ağzına getirdi. Hemen durup telefonunu çıkardı ve Sexton'ın duvardaki antika Jourdian saatine baktı. *04.00'e geliyor.* Gabrielle bu saatte sadece Sexton'ın arayacağını biliyordu. Herhalde hangi cehennemde olduğunu merak ediyordu. *Açsam mı, yoksa bırakayım çalsın mı?* Cevap verdiği takdirde, yalan söylemesi gerekecekti. Ama açmazsa Sexton şüphelenecekti.

Çağrıya cevap verdi. "Alo?"

"Gabrielle?" Sexton'ın sesi sabırsızdı. "Neden geciktin?"

Gabrielle, "FDR Anıtı," dedi. "Taksi trafiğe yakalandı ve şimdi biz de..."

"Sesin taksideymiş gibi gelmiyor."

"Hayır," derken kalbi hızla atıyordu. "Değilim. Ofise uğrayıp KYYT ile ilgili olabilecek bazı NASA belgelerini almaya karar verdim. Onları bulmakta zorlanıyorum."

"İyi, acele et. Sabah bir basın konferansı vermek istiyorum, ayrıntıları konuşmamız gerek."

"Birazdan geliyorum," dedi.

Telefonda bir sessizlik oldu. "Ofisinde misin?" Şaşırmış gibiydi.

"Evet. On dakika sonra yola çıkarım."

Bir başka sessizlik. "Tamam. Görüşürüz."

Telefonu kapatan Gabrielle'ın aklı, bir metre kadar ötede duran Sexton'ın Jourdain saatinin benzersiz üçlü tiktaklarını duymayacak kadar meşguldü.

113

Michael Tolland, Triton'ın arkasına saklanmak için onu kolundan çekinceye kadar Rachel'ın yaralandığını fark etmemişti. Rachel'ın yüzündeki katatonik ifadeden acının farkında olmadığını anladı. Onu sabitleştirdikten sonra, Corky'yi bulmak üzere arkasını döndü. Astrofizikçi dehşet dolu gözlerle, güvertede yanlarına doğru sürünerek ilerliyordu.

Saklanacak yer bulmalıyız, diye düşünen Tolland, az önce olanların dehşetini henüz tam manasıyla kavrayamamıştı. Gözleri içgüdüsel olarak, üst güvertelerde gezindi. Köprüye çıkan merdivenlerin hepsi açıktaydı ve köprünün kendisi de cam bir kutudan oluşuyordu; havadan bakıldığında şeffaf bir hedef merkezi. Yukarı çıkmak intihardı, ki bu da geriye tek bir seçenek bırakıyordu.

Kısa bir süre için Tolland, herkesi suyun altına indirip, mermilerden uzaklaştırma düşüncesine kapılarak, Triton denizaltısına umut dolu gözlerle baktı.

Saçma. Triton sadece bir kişilikti ve güvertedeki iner tip kapıdan vincin dokuz metre aşağıdaki suya indirilmesi on dakika sürüyordu. Ayrıca uygun biçimde şarj edilmemiş bataryalar ve kompresörle inmek, denizde ölüm demekti.

Corky korku dolu bir sesle, "Geliyorlar!" diye bağırırken gökyüzünü işaret etti.

Tolland başını kaldırıp bakmadı bile. Alüminyum bir rampanın alt güvertelere indiği bölmeyi gösterdi. Corky'nin cesaretlendirilmeye ihtiyacı yoktu. Başını aşağıda tutarak, açıklığa doğru kaçtı ve aşağılara inerek kayboldu. Sıkıca Rachel'ı belinden kavrayan Tolland, onu takip etti. Helikopter geri dönüp, mermi yağdırırken, ikisi alt güvertelere doğru görünürden kaybolmuşlardı.

Tolland, Rachel'ın rampadan aşağıdaki asılı platforma inmesine yardım etti. Aşağı vardıklarında Rachel'ın vücudunun kaskatı kesildiğini hissetti. Seken bir mermiyle vurulmuş olmasından endişelenerek ona döndü.

Yüzünü gördüğünde, bunun başka bir şey olduğunu fark etti. Onun taşlaşmış bakışlarını takip ettiğinde, ne olduğunu hemen anladı.

Hareketsiz duran Rachel'ın bacakları kıpırdamayı reddediyordu. Bakışlarını, altındaki garip dünyaya dikmişti.

SWATH tasarımından ötürü *Goya*'nın tekne kısmı yoktu. Bunun yerine dev bir katamaranda olduğu gibi destek elemanları vardı. Hiddetli denizden dokuz metre yukarıdaki açıklığın üstünde asılı duran, ızgaralı dar bir köprünün üstüne inmişlerdi. Güvertenin altından yankılanan ses, burada sağır edici seviyedeydi. Rachel'ın dehşetini daha da arttıran, geminin hâlâ açık duran sualtı projektörlerinin, aşağıdaki okyanusun derinliklerine yeşilimsi bir aydınlık vermesiydi. Sudaki altı yedi hayaletimsi siluete bakıyordu. Dev çekiçbaşlı köpekbalıklarının uzun gölgeleri, akıntıya karşı yüzüyordu... sağa sola esneyen lastik gibi bedenler.

Tolland'ın sesi kulaklarındaydı. "Rachel, her şey yolunda. Gözlerini karşıya dik. Tam arkandayım." Tolland'ın arkadan uzattığı elleri, korkuluğa yapışmış yumruklarını nazikçe ayırmaya çalışıyordu. İşte o anda Rachel, kolundan süzülen koyu kırmızı bir kan damlasının, ızgaraların arasından düştüğünü gördü. Denize doğru düşen damlayı gözleriyle takip etti. Suya çarptığını görmese de, güçlü kuyruklarıyla hep birlikte dönerek hücuma geçen çekiçbaşlıların, kudurgan bir telaşla diş ve yüzgeçlerinin birbirine karışması ona yetmişti.

Gelişmiş ön beyin koku alma lopları...

Kanın kokusunu bir mil öteden alırlar.

Güçlü ve güven telkin edici sesiyle Tolland, "Gözlerini karşıya dik," dedi. "Tam arkandayım."

Rachel şimdi onu ileri doğru yönlendiren ellerini kalçalarında hissediyordu. Altındaki açıklığa bakmadan köprünün üstünde yürümeye başladı. Yukarılardan gelen helikopterin pervane sesini duyabiliyordu. Sarhoş gibi köprünün üstünde sendeleyerek önlerinde yürüyen Corky, aradaki mesafeyi açmıştı.

Tolland, ona seslendi. "Desteklerin sonuna kadar git Corky! Merdivenlerden aşağı!"

Rachel artık nereye gittiklerini görebiliyordu. İleride, bir dizi dönemeçli rampa aşağı iniyordu. Su seviyesinde, dar kum bankı gibi bir güverte *Goya*'nın boyunca uzanıyordu. Bu güverteden çıkıntı yapan, asılı küçük iskeleler, geminin altına kurulmuş küçük bir marinayı andırıyordu. Büyük bir tabelada şöyle yazıyordu:

DALIŞ ALANI
Dalgıçlar Yüzeye Çıkabilir
-Teknelerin Dikkatine-

Rachel, Michael'ın onları yüzdürme niyetinde olmadığını tahmin ediyordu. Tolland, köprünün yanında duran telli bir dolabın önünde durduğunda korkusu büyüdü. Dolabın kapaklarını açınca, içinde asılı duran dalgıç kıyafetleri, şnorkeller, paletler, can yelekleri ve zıpkınlar görünmüştü. Rachel'ın itiraz etmesine fırsat kalmadan, uzanıp, bir fişek tabancası aldı. "Gidelim."

Tekrar harekete geçmişlerdi.

İlerideki Corky, dönemeçli rampalara varmış ve yarı yola kadar inmişti. "Görüyorum!" diye bağırdı. Çalkantılı suların üstünden gelen sesi neredeyse neşeliydi.

Corky dar geçitte koştururken Rachel içinden, *neyi görüyorsun*, diye geçirdi. Rachel'ın tek görebildiği, köpekbalıklarıyla dolu okyanusun tehlikeli derecede yakınında höpürdemesiydi. Tolland ilerlemesi için ona dokununca, Corky'nin ne için bu kadar heyecanlandığını gördü. Aşağıdaki güvertenin sonunda, küçük bir motorbot bağlıydı. Corky, ona doğru koştu.

Rachel sadece bakıyordu. *Helikopterden motorbotla mı kaçacağız?*

Tolland, "Bir telsizi var," dedi. "Helikopterin yayın bozma sahasından yeterince uzaklaşabilirsek..."

Rachel, onun diğer söylediklerini duymadı. Kanının donmasına neden olan bir şey gözüne ilişmişti. Titreyen parmağını uzatarak, "Çok geç," diye geveledi. *İşimiz bitti...*

Tolland arkasını döndüğünde, her şeyin bir anda sona ereceğini anlamıştı.

Siyah helikopter, mağara girişinden içeri bakan bir ejderha gibi, geminin arka ucunda iyice alçalmış, onlara bakıyordu. Tolland bir an için geminin ortasından doğruca üstlerine uçacağını sandı. Ama helikopter nişan alıp açıyla dönmeye başlamıştı.

Tolland tüfek namlularının yönünü gözleriyle takip etti. *Hayır!*

Motorbotun yanında çömelmiş, palamarı çözen Corky, helikopterin altındaki makineli tüfekler ateş püskürdüğünde, başını kaldırıp baktı. Corky vurulmuş gibi sendeledi. Telaşla, borda tirizinden botun içine atladı ve saklanmak için yere uzandı. Silahlar susmuştu. Tolland, Corky'nin botun içinde emeklediğini görebiliyordu. Sağ bacağının aşağı kısmı kana bulanmıştı. Kontrol panelinin altında çömelen Corky, anahtarı buluncaya kadar parmaklarını panelin üzerinde gezdirdi. Botun 250 hp Mercury motoru çalıştı.

Bir saniye sonra, helikopterin burnunda, motorbotu hedefleyen kırmızı bir lazer ışını belirdi.

İçgüdüleriyle hareket eden Tolland, elindeki tek silahla nişan aldı.

Tetiği çektiğinde fişek tabancası tısladı ve göz kamaştırıcı bir ışık, geminin altından yatay bir eğri çizerek doğruca helikoptere yöneldi. Yine de Tolland, çok geç davrandığını sezdi. Fişek, helikopterin ön camına doğru yol alırken, helikopter kendi ışınını göndermişti. Füze fırladığı anda, helikopter sertçe yön değiştirdi ve gelen fişekten kaçarak gözden kayboldu.

Rachel'ı hızla aşağı çeken Tolland, "Dikkat et!" diye bağırdı.

Corky'yi ıskalayan füze rotasından çıkıp, Rachel ile Tolland'ın dokuz metre aşağısındaki desteklere bindirdi.

Kıyamet gibi bir ses çıkmıştı. Aşağıdan sular ve alevler püskürüyordu. Havaya saçılan metal parçacıkları, köprüye saçıldılar. Gemi sallanıp, hafif yana yatık yeni dengesini bulurken, metal metalin üstüne bindi.

Duman dağıldığında Tolland, *Goya*'nın dört ana desteğinden birinin ciddi hasar aldığını gördü. Pontonu yalayan kuvvetli akıntı, desteği koparabilirdi. Aşağı güverteye inen spiral merdiven bir iple tutturulmuş gibi görünüyordu.

Rachel'ı bu yöne doğru itekleyen Tolland, "Haydi!" diye bağırdı. *Aşağı inmeliyiz!*

Ama çok geç kalmışlardı. Merdivenler bir çatırtıyla, hasarlı destekten koptu ve denize düştü.

Geminin üstünde Kiowa helikopterinin kumandalarıyla başa çıkmaya çalışan Delta-Bir, kontrolü yeniden kazandı. Üstüne doğru gelen fişeğin ışığıyla geçici körlük yaşayınca, ani bir refleks hareketiyle kumanda kolunu yukarı çekmiş ve Hellfire füzesinin hedefi şaşırmasına neden olmuştu. Küfrederek geminin pruvasının üstüne gelip, aşağı inerek işini bitirmeye hazırlandı.

Tüm yolcuları yok et. İdarecinin emri açıktı.

"Lanet olsun! Bak!" Yan koltuktan seslenen Delta-İki, camdan dışarıyı işaret ediyordu. "Sürat motoru!"

Delta-Bir dönüp baktığında, *Goya*'dan uzaklaşıp karanlığa doğru zıplayarak ilerleyen, delik deşik olmuş bir Crestliner sürat motoru gördü.

Bir karar vermesi gerekiyordu.

114

Corky'nin kanlı elleri, denizi döven Crestliner Phantom 2100'ün dümenini kavradı. Maksimum hıza ulaşmak için gaz kelebeğini sonuna kadar itti. O ana kadar yakıcı acıyı fark etmemişti. Başını indirip baktığında, sağ bacağından kan fışkırdığını gördü. O an başı döndü.

Dümene yaslanıp, arkasını dönerek *Goya*'ya bakarken, helikopterin kendisini takip etmesini diliyordu. Tolland ile Rachel köprüde kapana kısılınca, Corky, onlara ulaşamamıştı. Acil bir karar vermesi gerekmişti.

Ayrıl ve savaşı kazan.

Corky helikopteri *Goya*'dan yeterince uzağa çekebilirse, Tolland ile Rachel'ın telsizle yardım isteyebileceğini düşünüyordu. Ne yazık ki omzunun üstünden ışıklandırılmış gemiye baktığında, helikopterin kararsızmış gibi hâlâ orada durduğunu görmüştü.

Haydi sizi adi herifler! Beni takip edin!

Ama helikopter peşinden gelmedi. Bunun yerine *Goya*'nın kıç tarafında yan yattı, pozisyonunu ayarladı ve alçalıp güverteye indi. *Hayır!* Tolland ile Rachel'ı ölüme terk ettiğini fark eden Corky, dehşet içinde izliyordu.

Şimdi telsizle yardım isteme sırasının kendisine geldiğini anlayan Corky, eliyle kontrol panelini yoklayarak telsizi buldu. Açma düğmesini kaldırdı. Hiçbir şey olmamıştı. Işık yoktu. Parazit yoktu. Sesini sonuna kadar açtı. Hiçbir şey. *Haydi!* Dümeni serbest bırakıp, bakmak için diz çöktü. Aşağı eğilirken bacağı acıyla kıvrandı. Gözlerini telsize dikmişti. Gördüklerine inanamıyordu. Kontrol paneli mermilerle delik deşik olmuştu ve telsiz parçalanmıştı. Ön taraftan kablolar sarkıyordu. İnanamayan gözlerle bakakaldı.

Lanet olası şans...

Dizlerinin bağı çözülen Corky, ayağa kalkarken, işlerin daha ne kadar kötüleşebileceğini merak etti. Dönüp *Goya*'ya baktığında, cevabını aldı. İki silahlı asker, helikopterden güverteye atladılar. Ardından helikopter yeniden havalanarak, Corky'nin tarafına döndü ve son sürat üstüne doğru gelmeye başladı.

Corky yıkılmıştı. *Ayrıl ve savaşı kazan.* Görünüşe bakılırsa, bu muhteşem fikir bu gece sadece onun aklına gelmemişti.

Delta-Üç güvertede ilerleyip, alt güvertelere inen rampaya yaklaşırken, bir kadının aşağılardan gelen haykırışını duydu. Dönüp Delta-İki'ye, kontrol etmek için alt güverteye ineceğini işaret etti. Üst tarafı kollamak için arkada kalan ortağı başını salladı. İki adam, CrypTalk ile bağlantı kurabilirlerdi; Kiowa'nın yayın bozma sistemi, kendi haberleşmeleri için küçük bir bant genişliğini açık bırakmıştı.

Kalkık burunlu makineli tüfeğini sıkıca kavrayan Delta-Üç, alt güvertelere inen rampaya doğru sessizce ilerledi. Şimdi haykırışı daha net duyabiliyordu. İnmeye devam etti. Merdivenlerin ortasına geldiğinde, *Goya*'nın alt kısmına tutturulmuş, kıvrımlı geçit labirentini gördü. Haykırış sesi yükselmişti.

Ardından, kadını gördü. Bir uçtan diğerine giden köprünün ortasındaki Rachel Sexton, parmaklıklardan aşağı sarkmış, denize doğru ümitsizce Michael Tolland'a sesleniyordu.

Tolland denize mi düştü? Patlama sırasında olabilir mi?

Eğer öyleyse, Delta-Üç'ün işi sandığından daha kolay olacaktı. Ateş açması için sadece bir metre kadar daha inmesi gerekiyordu. Akvaryumda balık avlamak gibi. Tek kaygısı, Rachel'ın açık bir malzeme dolabının yanında duruyor olmasıydı, ki bu da bir silahı olabileceği anlamına geliyordu -zıpkın veya köpekbalığı tüfeği- ama her ikisi de onun makineli tüfeğiyle mukayese kabul etmezdi. Duruma hâkim olmasının güveniyle Delta-Üç, silahını doğrultup bir adım daha attı. Rachel Sexton artık görüş alanına mükemmel biçimde girmişti. Silahını kaldırdı.

Bir adım daha.

Aniden aşağıdan, merdivenin altından bir saldırı oldu. Delta-Üç aşağı bakıp da, Michael Tolland'ı ayağına doğru alüminyum bir çubuk iterken görünce, korkmaktan ziyade şaşırmıştı. Delta-Üç oyuna geldiği halde, bu başarısız çelme takma girişimini komik bulmuştu.

Sonra, sopanın ucunun topuğuna değdiğini hissetti.

Sağ ayağı darbenin etkisiyle patlarken, yakıcı bir acı vücuduna yayıldı. Dengesini kaybeden Delta-Üç merdivenlerden aşağı yuvarlandı. Kendisi köprünün üstüne yığılırken, makineli tüfeği rampadan aşağı kayarak, gemiden denize uçtu. Sağ ayağını tutmak için ıstırapla kıvrıldı ama artık orada değildi.

Dumanı tüten sopayı hâlâ sımsıkı kavrayan Tolland hemen saldırganın başına çökmüştü; bir buçuk metrelik bir köpekbalığı kontrol aleti. Alüminyum çubuğun ucunda, basınç hassasiyeti olan on iki kalibrelik bir tüfek fişeği vardı ve köpekbalığı saldırılarında savunma amaçlı kullanılıyordu. Yeni bir fişek takan Tolland, uyuşturucu sopanın sivri ve sıcak ucunu saldırganın Adem elmasına dayadı. Felç olmuş gibi sırtüstü yatan adam, öfke ve ıstırapla karşılık bir hayret ifadesiyle Tolland'a bakıyordu.

Rachel köprüden koşarak geldi. Plana göre adamın makineli tüfeğini alması gerekiyordu ama ne yazık ki silah, köprüden aşağıdaki okyanusa düşmüştü.

Adamın belindeki haberleşme cihazı cızırdadı. Robotumsu bir ses duyuldu. "Delta-Üç? Cevap ver. Silah sesi duydum."

Adam cevap vermek için kıpırdamadı.

Cihaz yeniden cızırdadı. "Delta-Üç. Onayla. Desteğe ihtiyacın var mı?"

Neredeyse aynı anda, hatta yeni bir ses parazit yaptı. Bu da robot sesi gibi geliyordu ama arka fondaki helikopter sesi onu diğerinden ayırıyordu. Pilot, "Burası Delta-Bir," dedi. "Uzaklaşan teknenin peşindeyim. Delta-Üç, onayla. Aşağıda mısın? Desteğe ihtiyacın var mı?"

Tolland sopayı adamın gırtlağına bastırdı. "Helikoptere o motorbotun peşini bırakmasını söyle. Arkadaşımı öldürürlerse, sen de ölürsün."

Asker haberleşme cihazını dudaklarına götürürken acıyla irkildi. Düğmeye basıp konuşurken, Tolland'ın gözlerinin içine bakıyordu. "Burası Delta-Üç. İyiyim. Uzaklaşan tekneyi yok edin."

115

Yukarı tırmanıp ofisten ayrılmaya hazırlanan Gabrielle Ashe, Sexton'ın özel tuvaletine geri dönmüştü. Sexton'ın telefon çağrısı onu kaygılandırmıştı. Ona kendi ofisinde olduğunu söylediğinde Sexton kesinlikle tereddüt etmişti; sanki yalan söylediğini biliyormuş gibi. Her şeye rağmen Sexton'ın bilgisayarına girmeyi başaramamıştı ve artık ne yapacağını bilemiyordu.

Sexton bekliyor.

Lavaboya çıkıp, kendini yukarı çekmeye hazırlanırken, yer karolarının üstüne bir şeyin düştüğünü duydu. Aşağı baktığında, Sexton'ın lavabonun kenarına bırakmış olduğu kol düğmeleri olduğunu görüp sinirlendi.

Her şeyi bulduğun gibi bırak.

Yeniden aşağı inen Gabrielle kol düğmelerini yerden kaldırıp lavabo tezgâhının üstüne geri koydu. Yeniden yukarı tırmanmaya başladığı sırada durup, kol düğmelerine baktı. Başka bir akşam olsa Gabrielle asla fark etmezdi ama bu akşam monogram dikkatini çekmişti. Sexton'ın monogramlı eşyalarının çoğu gibi, iç içe geçmiş iki harf vardı. SS. Gabrielle, Sexton'ın ilk bilgisayar şifresini hatırladı: SSS. Takvimi gözünün önüne getirdi... POTUS... ve ekran koruyucusunda resimlerin etrafından geçen şerit.

Birleşik Devletler Başkanı Sedgewick Sexton... Birleşik Devletler Başkanı Sedgewick Sexton... Birleşik Devletler...

Gabrielle bir süre durup düşündü. *Bu kadar kendinden emin olabilir mi?*

Bunu öğrenmenin sadece bir saniyesini alacağını biliyordu. Sexton'ın ofisine koşup, bilgisayarın başına gitti ve yedi harfli şifreyi girdi.

POTUSSS

Ekran koruyucu bir anda kalkmıştı.

İnanamayan gözlerle bakakaldı.

Bir politikacının egosunu asla hafife alma.

116

Karanlığa doğru hızla yol alırken, Corky Marlinson artık Crestliner Phantom'ın dümeninde değildi. Dümeni tutsa da tutmasa da düz bir çizgide ilerleyeceğini biliyordu. *Direnci en düşük yol...*

Corky zıplayan botun arka tarafında, bacağına aldığı yarayı anlamaya çalışıyordu. İncik kemiğini sıyıran bir mermi, baldırından girmişti. Baldırın arkasında çıkış yarası yoktu, bu yüzden merminin hâlâ bacağında olduğunu biliyordu. Kanamayı durdurmak için etrafında bir şey arasa da, hiçbir şey bulamadı... paletler, bir şnorkel ve bir çift can yeleği. İlkyardım çantası yoktu. Ümitsizce küçük bir araç gereç kutusunu açan Corky bazı aletler, koli bandı, çaput bezi, yağ ve diğer bakım elemanlarını buldu. Kanlı bacağına bakıp köpekbalıklarının bölgesinden çıkmak için ne kadar uzağa gitmesi gerektiğini düşündü.

Bundan çok daha uzaklara.

Delta-Bir uzaklaşan Crestliner'ı karanlıkta ararken, Kiowa helikopterini okyanusun üstünde alçaktan uçuruyordu. Kaçan botun kıyıya yöneleceğini ve *Goya* ile arasındaki mesafeyi olabildiğince açmaya çalışacağını tahmin ederek, Crestliner'ın ilk başta çizdiği rotayı takip ediyordu.

Şimdiye kadar ona yetişmem gerekirdi.

Normalde, kaçan botu radarla takip etmek kolay olurdu ama Kiowa'nın yayın bozma sistemi millerce öteye kadar bir termal ses şemsiyesi yaydığından, radarı işe yaramayacaktı. *Goya*'daki herkesin öldüğünü duyuncaya kadar yayın bozma sistemini kapatması ihtimal dahilinde değildi. Bu gece *Goya*'dan hiçbir acil çağrı yapılmayacaktı.

Bu göktaşı sırrı gömülecek. Burada. Şimdi.

Bereket versin ki, Delta-Bir'in başka takip araçları da vardı. Bu tuhaf, ısınmış okyanus zeminine rağmen, bir sürat botunun termal izi kolayca ayırt edilebilirdi. Termal tarayıcısını açtı. Etrafındaki okyanus otuz beş dereceyi gösteriyordu. Neyse ki, 250 hp dıştan takmalı motor yüzlerce derece daha sıcaktı.

Corky Marlinson'ın bacağı ve ayağı uyuşmuştu.

Yapacak başka bir şey aklına gelmediğinden, yaralı baldırını çaputla kurulayıp üstünü kat kat koli bandıyla sardı. Yapışkan bant bittiğinde, ayak bileğinden dizine kadar sıkı bir gümüşi kılıfla sarmalanmıştı. Kanama durmuştu ama kıyafeti ve elleri hâlâ kan içindeydi.

Kaçak Crestliner'ın zeminine oturan Corky, helikopterin onu neden hâlâ bulamadığını merak ediyordu. Uzaklardaki *Goya*'yı ve yaklaşan helikopteri göreceği düşüncesiyle arkasındaki ufku gözleriyle taradı. Ne tuhaftır ki, ikisini de görmüyordu. *Goya*'nın ışıkları yok olmuştu. O kadar uzaklaşmış olamazdı, öyle değil mi?

Corky birden kaçabileceği ümidine kapıldı. Belki de karanlıkta onu kaybetmişlerdi. Belki de kıyıya varabilirdi!

Ama işte o anda botun arkasındaki dümen suyunun düz olmadığını fark etti. Dümen suyu botun arkasından kavis çizerek uzaklaşıyor, sanki düz bir çizgide değil de, bir çemberin içinde ilerliyordu. Aklı karışmıştı. Başını çevirip, kavisi takip edince okyanusta dev bir eğri çizdiğini anladı. Ve hemen sonra gördü.

Goya, yarım milden kısa bir mesafede, iskele tarafındaydı. Dehşete düşen Corky, hatasını çok geç anlamıştı. Dümeni boş bırakınca, Crestliner'ın pruvası sürekli olarak güçlü akıntının yönüne dönmüştü mega girdabın dairesel su akımı. *Büyük bir çemberin içinde hareket ediyorum!*

Kendi kendine geri dönmüştü.

Hâlâ köpekbalıklarıyla dolu mega girdabın içinde olduğunun bilinciyle, Tolland'ın ürkütücü sözlerini hatırladı. *Gelişmiş ön beyin koku alma lopları... köpekbalıkları bir damla kanın kokusunu millerce öteden alabilirler.* Corky kan içindeki bantlı bacağına ve ellerine baktı.

Helikopter yakında tepesine dikilecekti.

Kanlı kıyafetlerini çıkaran Corky, çıplak vaziyette botun arka tarafına emekledi. Köpekbalıklarının botun hızına yetişemeyeceğini biliyordu. Dümen suyunda elinden geldiğince kendini yıkadı.

Bir damla kan...

Doğrulan Corky, geriye yapacak tek bir şey kaldığını biliyordu. Bir zamanlar, hayvanların kendi bölgelerini sidikleriyle işaretlediklerini, çünkü ürik asidin vücudun ürettiği en keskin kokulu sıvı olduğunu öğrenmişti.

Kandan daha güçlü olmasını ümit ediyordu. Keşke birkaç bira daha içseydim, diye düşünen Corky, yaralı bacağını kaldırıp borda tirizine dayayıp, yapışkanlı bandın üstüne işemeye çalıştı. *Haydi!* Bekledi. *Peşinde bir helikopter varken, kendi üstüne işemek zorunda olmanın yarattığı baskı gibisi yoktur.*

Sonunda geldi. Yapışkanlı bandın üstüne sırılsıklam oluncaya kadar işedi. İdrarından geriye kalan kısımla ıslattığı çaputu, tüm vücuduna sürdü. *Çok hoş.*

Yukarıdaki karanlık gökyüzünde kırmızı bir lazer ışını belirdi. Parıldayan dev bir giyotin bıçağı gibi eğri bir çizgiyle üstüne geliyordu. Helikopter geniş açıdan yaklaşıyordu. Pilotun, Corky'nin *Goya*'ya geri dönmesine şaşırdığı anlaşılıyordu.

Çabucak bir can yeleği giyen Corky, hızla ilerleyen botun arka kenarına ilerledi. Botun kana bulanmış zemininde, Corky'nin durduğu yerin sadece bir buçuk metre arkasında, kırmızı bir nokta parladı.

Vakit gelmişti.

Goya'daki Michael Tolland, Crestliner Phantom 2100'ün alevler içinde patlayıp havaya ateş ve duman saçtığını görmedi.

Ama patlamayı duymuştu.

117

Bu saatte Batı Kanadı genellikle sakin olurdu ama Başkan'ı bornozu ve terlikleriyle yatağından kaldıran acil durum, yardımcılarıyla Beyaz Saray çalışanlarını "portatif yataklarından" ve yatakhanelerinden dışarı fırlatmıştı.

Genç bir yardımcı Oval Ofis'te peşinden koşturarak, "Onu bulamıyorum Sayın Başkan," dedi. "Bayan Tench çağrı cihazına veya cep telefonuna cevap vermiyor."

Başkan çileden çıkmış gibiydi. "Her yere baktınız mı..."

Aceleyle içeri giren bir başka yardımcı, "Binadan ayrıldı efendim," dedi. "Bir saat kadar önce dışarı çıktı. UKO'ya gitmiş olabileceğini düşünüyoruz. Santral operatörlerinden biri bu akşam Pickering ile görüştüğünü söyledi."

"*William* Pickering mi?" Başkan'ın aklı karışmış gibiydi. Tench ile Pickering'in sosyal ilişkileri iyi olmaktan çok uzaktı. "Onu aradınız mı?"

"Pickering de cevap vermiyor efendim. UKO santralı kendisine ulaşamıyor. Cep telefonunun çalmadığını söylüyorlar. Sanki dünya yüzünden ayrılmış gibi."

Bir süre yardımcılarına bakan Herney, ardından bara yürüyüp kendine bir burbon doldurdu. Bardağı dudaklarına götürdüğü sırada bir Gizli Servis çalışanı içeri girdi.

"Sayın Başkan? Sizi uyandırmayacaktım ama bu gece FDR Anıtı'nda bir arabanın bombalandığını bildirmem gerekiyordu."

"Ne!" Herney neredeyse içkisini yere düşürecekti. "Ne zaman?"

"Bir saat önce." Yüzünü ekşitmişti. "Ve FBI kurbanın kimliğini tespit etti..."

118

Delta-Üç'ün ayağı acıyla zonkladı. Sersemlemiş bir zihin haline geçmişti. *Bu ölüm mü?* Hareket etmeye çalıştı ama felç olmuş gibi hissediyor, güçlükle nefes alıyordu. Sadece bulanık şekiller görüyordu. Zihni biraz önceki olayları yokladı. Crestliner'ın denizde patlamasını, üstünde duran Michael Tolland'ın gözlerindeki öfkeyi ve patlayıcı sopayı boğazına dayadığını hatırladı.

Beni kesinlikle Tolland öldürdü...

Ama Delta-Üç'ün sağ ayağındaki can yakıcı acı, fazlasıyla canlıydı. Yavaş yavaş her şeyi hatırlıyordu. Crestliner'ın patladığını duyan Tolland, kaybettiği arkadaşının arkasından keder ve öfkeyle feryat etmişti. Sonra, perişan gözlerini Delta-Üç'e çevirerek, sanki çubuğu gırtlağına sokmaya hazırlanıyormuş gibi geriye gitmişti. Ama bunu yaparken, ahlak anlayışı kendine engel oluyormuş gibi tereddüt ediyordu. Vahşi bir asabiyet ve telaşla sopayı aşağı indirip botunu Delta-Üç'ün paramparça ayağına bastırmıştı.

Delta-Üç'ün son hatırladığı, can çekişerek küfrederken dünyasının karardığıydı. Şimdi, ne süredir baygın olduğunu tahmin edemeyen bilinci yerine gelmeye başlıyordu. Kollarının arkadan, ancak bir denizcinin atabileceği kadar sıkı bir düğümle bağlandığını hissedebiliyordu. Altına kıvrılmış ve bileklerine düğümlenmiş bacakları da bağlanmıştı. Böylece geriye doğru duran vücudu kıskıvrak yakalanmıştı. Bağırmaya çalıştı ama sesi çıkmadı. Ağzına bir şey tıkılmıştı.

Delta-Üç neler olduğunu tahmin edemiyordu. İşte o zaman soğuk rüzgârı hissetti ve parlak ışıkları gördü. *Goya*'nın ana güvertesinde olduğunu anlamıştı. Yardım bulmak için kıvrıldığında korkunç bir manzara gördü, kendi yansımasını; *Goya*'nın derin su denizaltısının pleksiglas yuvarlağındaki şekilsiz yansıması. Denizaltı tam önünde asılı duruyordu. Delta-Üç güvertedeki dev bir iner tip kapıda yattığını anladı. Ama asıl endişe verici olan bu değildi.

Eğer ben güvertedeysem... Delta-İki nerede?

Delta-İki endişelenmeye başlamıştı.

Ortağı CrypTalk mesajında iyi olduğunu söylemiş olsa da, makineli tüfeğe ait olmayan bir ateş sesi duymuştu. Tolland veya Rachel Sexton bir silah ateşlemiş olmalıydı. Delta-İki, ortağının indiği rampaya göz gezdirdiğinde kan gördü.

Silahını kaldırarak, geminin pruvasına kadar köprü boyunca ilerleyen kan izlerini takip etti. Buradaki kan izleri onu başka bir rampadan ana güverteye geri çıkartıyordu. Boştu. Delta-İki artan bir kaygıyla, yan güvertedeki uzun koyu kırmızı lekeyi geminin arka tarafına doğru takip etti. İzler buradan, aşağı indiği ilk rampaya geçiyordu.

Neler oluyor? İzler dev bir daire içinde dönüyormuş gibiydi.

Silahını önünde tutup, dikkatle hareket eden Delta-İki, geminin laboratuvar bölümüne giden girişe geçti. İzler kıç güverteye ilerliyordu. Köşeyi geniş açıyla döndü. Gözleri izleri takip etti.

Sonra onu gördü.

Aman Tanrım!

Delta-Üç orada yatıyordu; bağlanmış ve ağzı tıkanmıştı. *Goya*'nın küçük denizaltısının tam önüne tören yapılmadan atılmıştı. Delta-İki uzaktan baktığında bile, ortağının ayağının büyük bir kısmını kaybettiğini görebiliyordu.

Bir tuzak olmasından şüphelenen Delta-İki silahını kaldırıp ileri yürüdü. Şimdi Delta-Üç konuşmaya çalışarak debeleniyordu. Tuhaftır ki, adamın bağlanma şekli -dizleri arkaya kıvrılmış- büyük ihtimalle hayatını kurtarıyordu; ayağındaki kanama hafiflemiş gibiydi.

Delta-İki denizaltıya yaklaşırken, kendi arkasını görebilme lüksüne şükretti; geminin güvertesi olduğu gibi denizaltının yuvarlak pilot kabini kapağına yansıyordu. Delta-İki kıvranan ortağının yanına vardı. Gözlerindeki uyarıyı çok geç görmüştü.

Triton'ın manipülatör kıskaçlarından biri aniden öne atılarak, Delta-İki'nin sol uyluğunu ezici bir güçle sıkıştırdı. Kendini çekmeye çalıştı, ama kıskaç derine işlemişti. Kemiklerinden birinin kırıldığını hissederek, acıyla feryat etti. Gözlerini kısıp, güvertenin yansımasına bakarken onu gördü. Triton'ın içindeki karanlığa yerleşmişti.

Denizaltının içindeki Michael Tolland, kumandanın başındaydı.

Acısını bastırıp, silahını omuzlanan Delta-İki, *kötü fikir*, diye düşündü. Denizaltının pleksiglas kubbesinin diğer tarafında, sadece bir metre uzağında duran Tolland'ın göğsünün sol tarafına nişan aldı. Tetiği çekince silah kükredi. Tuzağa düşmüş olmanın öfkesiyle çılgına dönen Delta-İki son kovanını da güverteye boşaltıncaya kadar tetiğe asıldı. Nefes nefese silahı elinden bıraktı ve karşısında duran delik deşik kubbeye öfkeyle baktı.

Bacağını kıskaçtan kurtarmaya çalışırken, "Geberdin!" dedi. Kıvranırken derisini delen metal kıskaç, geniş bir kesik açtı. "Allah kahretsin!" Belindeki CrypTalk'a uzandı. Ama tam ağzına götürdüğü sırada, önünde beliren ikinci bir robot kol ileri atıldı ve sağ bacağını kavradı. CrypTalk güverteye düşmüştü.

Delta-İki o zaman, karşısında duran camdaki hayaleti gördü. Soluk bir sima yana eğilerek, sağlam camın kenarından dışarı bakıyordu. Sersemleyen Delta-İki, mermilerin kalın dış kaplamaya hiç mi hiç işlemediğini gördü. Kubbede çiçek bozuğu gibi çukurlar oluşmuştu.

Hemen ardından denizaltının üst kapısı açıldı ve Michael Tolland dışarı çıktı. Sarsılmış fakat sağlam görünüyordu. Alüminyum köprüden aşağı inip güverteye ayak bastı ve denizaltının harap olan camına göz gezdirdi.

Tolland, "Santimetre kareye sekiz yüz kilo," dedi. "Daha büyük bir silaha ihtiyacın varmış gibi görünüyor."

Sulaboratuvarındaki Rachel, vaktinin tükendiğini biliyordu. Güvertedeki silah seslerini duymuştu ve her şeyin Tolland'ın planladığı gibi yürümesine dua ediyordu. Göktaşı aldatmacasının arkasında artık kim olduğu umurunda değildi. NASA müdürü, Marjorie Tench veya Başkan'ın kendisi... artık bunlar önemli değildi.

Yanlarına kâr kalmayacak. Her kimse, gerçek açığa çıkacak.

Rachel'ın kolundaki yaranın kanaması durmuştu ve vücudunun salgıladığı adrenalin acıyı hafifletmiş, dikkatini arttırmıştı. Bir kalem kâğıt bulup, iki satırlık mesajını yazdı. Kelimeler kaba tabirli ve garipti ama şu anda süslü sözler yazmaya ayıracak zamanı yoktu. Yazdığı notu, elindeki kâğıt destesine ekledi: TAR çıktısı, *Bathynomous giganteus* resimleri, okyanus kondrullarıyla ilgili fotoğraflar ve makaleler, bir elektron mikrotarayıcı çıktısı. Göktaşı sahteydi ve bunlar da ispatıydı.

Rachel tüm kâğıtları, sulaboratuvarının faks makinesine yerleştirdi. Ezbere bildiği birkaç tane faks numarası vardı ve fazla seçeneği yoktu, ama bu sayfalarla yazdığı notun kimin eline geçeceğine çoktan karar vermişti. Nefesini tutarak, faks numarasını çevirdi.

Alıcıyı seçerken akıllıca bir seçim yapmış olmayı dileyerek, "gönder" tuşuna bastı.

Faks makinesi bipledi.

HATA: ÇEVİR SESİ YOK

Rachel bunu tahmin etmişti. *Goya*'nın haberleşme sistemleri hâlâ engelleniyordu. Makinenin kendi evindeki faks gibi çalışmasını ümit ederek, başında durup bekledi.

Haydi!

Beş saniye sonra makine tekrar bipledi.

YENİDEN ÇEVİRİYOR...

Evet! Rachel makinenin sonsuz bir döngüye girişini seyretti.

HATA: ÇEVİR SESİ YOK
YENİDEN ÇEVİRİYOR...
HATA: ÇEVİR SESİ YOK
YENİDEN ÇEVİRİYOR...

Başının üstünde helikopterin pervanesi gümbürderken, faks makinesini çalışır halde bırakarak, sulaboratuvarından dışarı fırladı.

119

Goya'dan üç yüz kilometre uzaktaki Gabrielle Ashe, Senatör Sexton'ın bilgisayar ekranına ağzı hayretten açık bakıyordu. Şüpheleri haklı çıkmıştı.

Ama bu kadarını hiç tahmin etmemişti.

Özel uzay şirketlerinden Sexton'a yazılmış banka çeklerinin dijital kopyalarına ve çek tutarlarının yatırıldığı Cayman Adaları'ndaki hesaplara bakıyordu. Gabrielle'ın gördüğü en küçük çekin üstünde on beş bin dolar yazıyordu. Pek çoğu yarım milyon doların üstündeydi.

Sexton, ona, *küçük meblağlar*, demişti. *Tüm bağışlar iki bin doların altında.*

Belli ki Sexton baştan beri yalan söylüyordu. Gabrielle, yasadışı kampanya finansmanının dev miktarlarda yapıldığını görüyordu. Uğradığı ihanet ve hayal kırıklığı kalbini yakıyordu. *Yalan söyledi.*

Kendini aptal gibi hissetti. Kirlenmiş hissetti. Ama en çok da çılgına döndüğünü hissetti.

Karanlıkta tek başına oturan Gabrielle, bundan sonra ne yapması gerektiğini bilmiyordu.

120

Goya'nın tepesindeki Kiowa kıç güvertenin üstünde yan yatarken, Delta-Bir gözlerini beklenmedik bir manzaraya sabitlemişti.

Michael Tolland küçük bir denizaltının yanında güvertede duruyordu. Denizaltının robot kollarından sarkan Delta-İki, devasa bir böceğinkini andıran iki büyük kıskaçtan kendini kurtarmak için sancılı bir mücadele veriyordu.

Tanrı aşkına neler oluyor!?

Güverteye gelip, denizaltının önünde kanlar içinde yatan adamın yanında pozisyon alan Rachel'ı görmek de bir o kadar şok ediciydi. O adam sadece Delta-Üç olabilirdi. Rachel, Delta Gücü'nün makineli tüfeklerinden birini tutmuş, saldırmaya hazırlanıyormuş gibi helikoptere bakıyordu.

Bir an için aklı karışan Delta-Bir, bu pozisyonun nasıl oluştuğunu çözemedi. Delta Gücü'nün buzullarda yaptığı hatalar seyrek oluşabilecek ama açıklanabilir hatalardı. Fakat bu, akla hayale sığmayacak türdendi.

Normal şartlarda Delta-Bir'in küçük düşmesi yeteri kadar acı bir ceza sayılırdı. Ama bu geceki utancı, helikopterdeki başka bir kişinin varlığıyla büyüyordu. Burada bulunuşu alışılmışın son derece dışında olan biri.

İdareci.

FDR Anıtı'ndaki Delta saldırısından sonra idareci, Delta-Bir'e Beyaz Saray yakınlarındaki boş bir parka inmesini emretmişti. Delta-Bir, aldığı emirler doğrultusunda ağaçların arasındaki çimenlik bir tepeciğe inmiş ve yakınlara park etmiş olan idareci karanlıktan çıkıp Kiowa'ya binmişti. Saniyeler içinde tekrar yola koyulmuşlardı.

İdarecinin bir göreve doğrudan iştiraki pek duyulmamış olsa da, Delta-Bir'in şikâyet etmeye hakkı yoktu. Milne Buzul Katmanı'ndaki cinayetleri Delta Gücü'nün ele alış biçiminden rahatsızlık duyan idareci, dışarıdan şüphe çekip, tahkikatlara yol açabileceği endişesiyle, Delta-Bir'e operasyonun son aşamasının kendi kontrolünde gerçekleşeceğini söylemişti.

Şimdi idareci, Delta-Bir'in hiç tahammül edemeyeceği bir başarısızlığa şahit oluyordu.

Bu iş bitmeli. Şimdi.

Kiowa'dan *Goya*'nın güvertesine bakan idareci, bunun nasıl meydana gelebileceğini düşündü. Hiçbir şey planlandığı gibi gitmemişti: göktaşıyla ilgili şüpheler, buzullardaki başarısız Delta cinayet girişimleri, FDR'deki hükümet yetkilisinin öldürülme mecburiyeti.

Delta-Bir, *Goya*'nın güvertesindeki vaziyete bakarken duyduğu utançla, "İdareci," diye geveledi. "Benim aklım almıyor..."

İdareci, *benim de öyle,* diye düşündü. Bu seferki avlarını hafife aldıkları anlaşılıyordu.

İdareci bakışlarını, helikopterin yansıma yapan ön camına boş gözlerle bakan Rachel Sexton'a indirdı. Rachel, CrypTalk cihazını ağzına götürüyordu. Cızırtılı sesi Kiowa'da parazit yaptığında idareci, Tolland'ın yardım isteyebilmesi için helikopterin geri çekilip, yayın bozma sistemini devre dışı bırakmasını isteyeceğini sanmıştı. Ama Rachel'ın ağzından dökülen kelimeler çok daha tüyler ürperticiydi.

"Çok geç kaldınız," dedi. "Tek bilen biz değiliz."

Sözleri bir süre helikopterin içinde yankılandı. İddiası uzak bir ihtimal gibi görünse de, gerçek olma olasılığı idareciyi tereddüde düşürdü. Projenin başarısı, gerçeği bilen herkesin ortadan kaldırılmasına bağlıydı ve bu her ne kadar kanlı bir eylem olsa da, idareci sonuçtan emin olmalıydı.

Başka biri daha biliyor...

Rachel Sexton'ın, gizli bilgilerle ilgili protokol kurallarına sıkı sıkıya bağlılığıyla tanınan biri olduğunu göz önüne alan idareci, onun bu bilgiyi dışarıdan biriyle paylaşmaya karar verdiğine inanmakta güçlük çekiyordu.

Rachel bir kez daha CrypTalk'la konuşuyordu. "Geri çekilin, yoksa adamlarınızı harcarız. Biraz daha yaklaşırsanız ölürler. Gerçek her şekilde ortaya çıkacak. Kayıp vermeyin. Geri çekilin."

Rachel Sexton'ın erdişi bir ses duyduğunu bilen idareci, "Blöf yapıyorsun," dedi. "Kimseye söylemedin."

Rachel, "Şansını denemeye hazır mısın?" diye karşılık verdi. "William Pickering'e ulaşamadım, bu yüzden başka birine haber vererek kendimi garantiye aldım."

İdareci kaşlarını çattı. Makul geliyordu.

Tolland'a bir göz atan Rachel, "Yutmadılar," dedi.

Kıskaçlara sıkışmış olan asker acıyla karışık sırıttı. "Elindeki silah boş, helikopter seni havaya uçuracak. İkiniz de öleceksiniz. Tek şansın bizi bırakmak."

Bundan sonra ne yapacaklarını düşünen Rachel, içinden, *ne demezsin*, dedi. Denizaltının önünde yerde yatan, bağlı ve ağzı kapatılmış adama baktı. Kan kaybından kendinden geçmiş gibi görünüyordu. Rachel, onun yanında çömelip, adamın sert gözlerinin içine baktı. "Ağzındakini çıkarıp CrypTalk'u sana uzatacağım; helikopteri geri çekilmeye ikna edeceksin. Anlaşıldı mı?"

Adam ciddi bir ifadeyle başını salladı.

Rachel, adamın ağzındaki tıkacı çıkardı. Asker, Rachel'ın yüzüne kanlı bir topak tükürdü.

Öksürürken, "Sürtük," diye küfretti. "Ölmeni seyredeceğim. Seni bir domuz gibi öldürecekler ve ben her saniyesini zevkle seyredeceğim."

Rachel tükürüğü yüzünden silerken, Tolland'ın elleri onu kaldırıp, geri çekti ve makineli tüfeği elinden aldı. Rachel, onun titrek dokunuşundan, artık sabrının taştığını hissedebiliyordu. Tolland birkaç metre ötedeki bir kontrol paneline gidip, elini bir kolun üstüne koydu ve gözlerini güvertede yatan adama dikti.

Tolland, "İkinci hakaret," dedi. "Ve benim gemimde, karşılığı budur."

Tolland büyük bir öfkeyle kolu aşağı indirdi. Triton'ın altındaki dev iner tip kapı açıldı. Korkuyla inleyen, eli kolu bağlı asker, delikten aşağı yuvarlanarak gözden kayboldu. Dokuz metre aşağıdaki okyanusa düşmüştü. Etrafa kırmızı sular sıçradı. Köpekbalıkları anında başına üşüşmüştü.

Kiowa'dan, teknenin altında güçlü akıntıya kapılan Delta-Üç'ten geriye kalanlara bakan idareci, öfkeyle başını iki yana salladı. Aydınlatılmış suyun rengi pembeydi. Birkaç balık, kola benzeyen bir şeyi kapışıyorlardı.

Tanrım.

İdareci yeniden güverteye baktı. Delta-İki hâlâ Triton'ın pençelerindeydi ama denizaltı artık güvertedeki büyük bir boşluğun üstünde asılı duruyordu. Delta-İki boşluğun kenarında sendeledi. Tolland'ın tek yapması gereken kıskaçları açmaktı.

İdarecinin sesi CrypTalk'tan, "Tamam," diye bağırdı. "Bekleyin. Biraz bekleyin!"

Aşağıda, güvertede duran Rachel, başını kaldırmış Kiowa'ya bakıyordu. İdareci, bu yükseklikten bile onun gözlerindeki kararlılığı görebiliyordu. Rachel CrypTalk'u ağzına götürdü. "Hâlâ blöf yaptığımızı mı düşünüyorsun?" dedi. "UKO merkez santralini ara. Jim Samiljan'ı sor. P&A'da gece vardiyasında çalışıyor. Ona göktaşı hakkında her şeyi anlattım. Doğrulayacaktır."

Bana ismini mi söylüyor? Bu pek de hayra alamet değildi. Rachel aptal değildi ve idareci blöf yapıp yapmadığını birkaç saniye içinde öğrenebilirdi. İdareci, UKO'da Jim Samiljan isimli kimseyi tanımadığı halde, büyük bir organizasyondu. Rachel doğruyu söylüyor olabilirdi. Son ölüm emrini vermeden önce, idarecinin blöf olup olmadığını öğrenmesi gerekiyordu.

Delta-Bir omzunun üstünden baktı. "Telefon edip kontrol etmek için yayın bozma sistemini devre dışı bırakmamı ister misiniz?"

İdareci, net bir şekilde görebildiği Rachel ile Tolland'a baktı. Herhangi biri cep telefonu veya telsizi eline aldığında, Delta-Bir'in sistemi devreye sokup, görüşmeyi engelleyebileceğini biliyordu. Az bir riski vardı.

Cep telefonunu çıkaran idareci, "Yayın bozucuyu kapat," dedi. "Rachel'ın yalanını ortaya çıkaracağım. Sonra da Delta-İki'yi kurtarıp bu işi bitirmenin bir yolunu buluruz."

Fairfax'de, UKO'nun merkez santralindeki operatörün sabrı tükeniyordu. "Size söylediğim gibi, Planlama ve Analiz Bölümü'nde Jim Samiljan'ın ismine rastlayamıyorum."

Arayan kişi ısrarcıydı. "Farklı yazılışları denediniz mi? Diğer bölümlere baktınız mı?"

Operatör kontrol etmişti ama bir kez daha baktı. Birkaç saniye sonra, "Jim Samiljan adında bir çalışanımız yok. Her türlü yazılışı denedim," dedi.

Arayan kişi tuhaf biçimde buna memnun olmuş gibiydi. "Yani UKO'da Jim Samil..."

Hattan sabırsız bir hayıflanma sesi geldi. Birisi bağırdı. Arayan kişi yüksek sesle küfredip hemen telefonu kapattı.

Kiowa'daki Delta-Bir, yayın bozma sistemini devreye sokarken öfkeyle çığlık atıyordu. Çok geç fark etmişti. Pilot kabinindeki ışıklı kumandalar arasında, minik bir LED ölçer, *Goya*'dan SATCOM veri sinyali gönderildiğini gösteriyordu. *Ama nasıl? Kimse güverteden ayrılmadı!* Delta-Bir sistem bozucuyu devreye sokamadan, *Goya* iletiyi göndermişti.

Sulaboratuvarındaki faks makinesi halinden memnun bir sinyal veriyordu.

TAŞIYICI BULUNDU... FAKS GÖNDERİLDİ

121

Öl ya da öldür. Rachel, hiç bilmediği bir yönünü keşfetmişti. Hayatta kalma güdüsü... korkuyla ateşlenen vahşi bir cesaret.

CrypTalk'taki ses, "Gönderilen faksta ne vardı?" diye sordu.

Rachel faksın planladığı şekilde gönderildiğini duyunca rahatlamıştı. CrypTalk'la konuşup, olduğu yerde duran helikoptere bakarken, "Bölgeyi terk edin," dedi. "Her şey bitti. Sırrınız öğrenildi." Rachel, saldırganlara az önce gönderdiği tüm bilgileri anlattı. Görüntüler ve metinlerden oluşan yarım düzine sayfa. Aksi kanıtlanamaz gerçek, göktaşının sahte olduğuydu. "Bize zarar vermek, sizi sadece daha kötü duruma sokar."

Uzun bir sessizlik oldu. "Faksı kime gönderdin?"

Bu soruyu yanıtlamaya Rachel'ın hiç niyeti yoktu. Mümkün olduğunca çok vakit kazanmaları gerekiyordu. Triton'la aynı çizgi üzerinde, güvertedeki açıklığın yanında pozisyon almışlar, denizaltının kıskaçlarında sallanan askeri vurmadan helikopterin kendilerine ateş etmesini imkânsız kılmışlardı.

Sesi her nedense ümitli gelen idareci, "William Pickering," dedi. "Faksı William Pickering'e gönderdin."

Rachel, *yanlış*, diye düşündü. Aslında ilk tercihi Pickering olurdu ama saldırganların Pickering'i çoktan ortadan kaldırmış olabileceği endişesiyle başka birini seçmek zorunda kalmıştı... düşmanın kararlılığı karşısında cüretkâr bir hareketti. Bir süre ümitsizce karar vermeye çalışan Rachel, ezbere bildiği diğer tek faks numarasını çevirmişti.

Babasının ofisi.

Annesinin ölümünün ardından babası miras işlerini Rachel'la yüz yüze görüşmeden halletmeyi tercih ettiği için, bu numara hafızasına kazınmıştı. Yardıma ihtiyacı olduğunda babasına koşacağı hiç aklına gelmezdi ama bu gece adam iki kritik özelliğe sahipti: göktaşıyla ilgili tüm verileri hiç tereddüt etmeden açıklamak için pek çok siyasi nedene ve Beyaz Saray'ı arayıp bu ölüm ekibini gönderdikleri için şantaj yapabilecek yeterli nüfuza.

Babası bu saatte kesinlikle ofiste olmayacağı halde, Rachel, onun ofisini bir mahzen gibi kilitli tuttuğunu biliyordu. Rachel aslında faksı saatli bir kasaya göndermiş sayılırdı. Saldırganlar nereye gönderdiğini öğrense bile, Philip A. Hart Senato Ofis Binası'nın sıkı güvenliğini aşıp, kimse fark etmeden bir senatörün ofisine girme ihtimalleri çok zayıftı.

Yukarıdaki kişi, "O faksı nereye gönderdiysen," dedi. "O kişiyi tehlikeye attın."

Rachel hissettiği korkuya rağmen, güçlüymüş gibi konuşması gerektiğini biliyordu. Triton'ın kıskaçlarındaki askeri işaret etti. Açıklığın üstünden sarkan bacaklarından, dokuz metre aşağıdaki okyanusa kan damlıyordu. CrypTalk'a, "Burda tehlikede olan biri varsa, o da sizin ajanınız," dedi. "Bitti. Geri çekilin. Veriler gönderildi. Kaybettiniz. Bölgeyi terk edin, yoksa bu adam ölür."

CrypTalk'tan gelen ses, "Bayan Sexton, ne kadar önemli olduğunu anlamıyorsunuz..." diye parladı.

Rachel, "Anlamak mı?" diye patladı. "Masum insanları öldürdüğünüzü biliyorum! Göktaşı hakkında yalan söylediğinizi biliyorum! Ve bunun yanınıza kâr kalmayacağını biliyorum! Hepimizi öldürseniz de, bu iş bitti!"

Uzun bir sessizlik oldu. Ses sonunda, "Aşağı iniyorum," dedi.

Rachel kaslarının gerildiğini hissetti. *Aşağı mı geliyor?*

Ses, "Silahsızım," dedi. "Düşüncesiz bir hareket yapma. Seninle yüz yüze konuşmamız gerekiyor."

Rachel'ın tepki vermesine fırsat kalmadan helikopter *Goya*'nın güvertesine indi. Gövdedeki yolcu kapısı açıldı ve aşağı biri indi. Siyah paltolu, kravat takmış sivil kıyafetli bir adamdı. Rachel bir an hiçbir şey düşünemez oldu.

William Pickering'e bakıyordu.

Goya'nın güvertesinde duran William Pickering, kederle Rachel Sexton'a bakıyordu. İşlerin bu safhaya geleceği hiç aklına gelmemişti. Ona doğru yürürken, elemanının gözlerindeki tehlikeli duygu karışımını görebiliyordu.

Şok, ihanet, şaşkınlık, öfke.

Hepsi de normal, diye düşündü. *Anlamadığı çok şey var.*

Pickering bir an için kızı Diana'yı hatırlayarak, onun ölmeden önce neler hissettiğini merak etti. Gerek Diana, gerekse Rachel, aynı savaşın şehitleriydi. Pickering'in sonsuza kadar vermeye yemin ettiği bir savaş. Bazen sonuçları acımasız olabiliyordu.

Pickering, "Rachel," dedi. "Hâlâ bunun üstesinden gelebiliriz. Açıklamam gereken çok şey var."

Rachel Sexton donup kalmış, hatta daha çok midesi bulanmış gibi görünüyordu. Tolland şimdi makineli tüfeği tutmuş, Pickering'in göğsüne nişan almıştı. O da hayret içinde gibiydi.

Tolland, "Yaklaşma!" diye seslendi.

Beş metre ileride duran Pickering, Rachel'a bakıyordu. "Baban rüşvet alıyor Rachel. Özel uzay şirketlerinden büyük paralar alıyor. NASA'yı kaldırıp, uzayı özel sektöre açmayı planlıyor. Milli güvenlik açısından durdurulması gerek."

Rachel ifadesiz bakıyordu.

Pickering içini çekti. "Tüm başarısızlıklarına rağmen NASA, bir devlet işletmesi olarak kalmalı." *Rachel bunun tehlikelerini anlayabilir.* Özelleştirme, NASA'nın en iyi beyinleriyle fikirlerinin özel sektör seline kapılmasına neden olacaktı. Danışman grubu dağılacaktı. Ordu erişimi engellenecekti.

Sermaye arttırmak isteyen özel uzay şirketleri, NASA patentleriyle fikirleri dünyada en yüksek fiyatı verenlere satmaya başlayacaktı.

Rachel'ın sesi titriyordu. "Milli güvenlik adına mı... göktaşı bulmuş gibi yapıp masum insanları öldürdünüz?"

Pickering, "Böyle olması gerekmiyordu," dedi. "Asıl plan, önemli bir hükümet kurumunu kurtarmaktı. Öldürmek, planın bir parçası değildi."

Pickering, teşkilatta üretilen çoğu fikir gibi göktaşı sahteciliğinin de bir korku ürünü olduğunu biliyordu. Üç yıl önce Pickering, UKO hidrofonlarını düşman sabotajcılarının erişemeyeceği denizin derinliklerine uzatmak amacıyla, NASA'nın yeni geliştirdiği bir maddeden faydalanan, insanları okyanusun en derin bölgelerine -Mariana Çukuru da dahil- taşıyabilen çok sağlam bir denizaltı tasarlayacak bir programa öncülük etmişti.

Yepyeni bir seramikten üretilen bu iki kişilik denizaltı, Graham Hawkes isimli Kaliforniya'lı bir mühendisin bilgisayarından aşırılan taslaklardan tasarlanmıştı. Hawkes en büyük hayali Deep Flight II adını verdiği bir ultra derin su denizaltı inşa etmek olan, dâhi bir denizaltı mühendisiydi. Ama prototip yapmak için fon bulmakta sıkıntı yaşamıştı. Öte yandan Pickering'in sınırsız bir bütçesi vardı.

Bu gizli seramik denizaltıyı kullanan Pickering, Mariana Çukuru'nun duvarlarına yeni hidrofonlar yerleştirmek için gizli bir ekibi sualtına göndermişti. Herhangi bir düşmanın bakabileceğinden çok daha derinlere. Ama sondalama işlemleri sırasında, şimdiye dek hiçbir bilim adamının görmediği jeolojik yapılar bulmuşlardı. Bu keşfe, kondrullar ve bilinmeyen pek çok fosil türü de dahildi. Elbette UKO'nun bu derinliğe inebildiği gizli tutulduğundan, bu bilgi asla paylaşılmayacaktı.

Ama Pickering ile onun UKO'daki bilim danışmalarından oluşan sessiz ekibi, yakın zaman öncesine kadar Mariana'nın benzersiz jeolojisi hakkında edindikleri bilgiyi, yine korku sebebiyle, NASA'yı kurtarmak için kullanmayı düşünmemişlerdi. Mariana taşını göktaşına çevirmek oldukça basit bir işlem olmuştu. UKO, bir GDM sıvı hidrojenle taşı kömürleştirerek, ikna edici bir füzyon kabukla kaplamışlardı. Ardından, ufak bir yük denizaltısı kullanarak Milne Buzul Katmanı'nın altına inmiş ve kömürleşmiş taşı buzun altından yerleştirmişlerdi. Yerleştirme şaftı donduktan sonra taş, üç yüz yıldan fazladır oradaymış gibi görünüyordu.

Ne yazık ki, dünyadaki gizli operasyonlarda sıkça rastlandığı gibi, en büyük planlar minicik aksaklıklar yüzünden bozulabiliyordu. Dün, birkaç biyolüminesan plankton yüzünden tüm aldatmacanın maskesi düşmüştü.

Beklemedeki Kiowa'nın pilot kabininden bakan Delta-Bir, önünde gelişen dramı seyrediyordu. Rachel ile Tolland rahatlıkla müdahale edebileceği bir mesafedeydi ve Delta-Bir, onların küçük oyununun temelsizliğine gülmemek için kendini zor tutuyordu. Tolland'ın elindeki makineli tüfeğin bir kıymeti yoktu; Delta-Bir buradan bile, şarjörün boş olduğunu işaret eden horozun geri çekildiğini görebiliyordu.

Triton'ın kıskaçlarında debelenen ortağına bakarken, acele etmesi gerektiğini biliyordu. Güvertedeki dikkatler Pickering'e çevrilmişti ve şimdi harekete geçme sırası Delta-Bir'deydi. Pervaneyi rölantide bırakıp, helikopteri siper olarak kullanarak gövdenin arka tarafından aşağı indi ve kimseye görünmeden sancak köprüsünde yürüdü. Elindeki makineli tüfeğiyle pruvaya yönelmişti. Güverteye inmeden önce Pickering, ona kesin emirler vermişti ve Delta-Bir'in bu basit görevde çuvallamaya hiç niyeti yoktu.

Birkaç dakikaya kadar her şeyin sona ereceğini biliyordu.

122

Hâlâ bornozuyla dolaşan Zach Herney, Oval Ofis'teki masasında otururken beyni zonkluyordu. Bulmacanın en yeni parçası az önce meydana çıkmıştı.

Marjorie Tench öldü.

Herney'nin yardımcıları, Tench'in William Pickering'le gizli bir görüşme yapmak üzere FDR Anıtı'na gittiğine dair bilgi aldıklarını söylemişlerdi. Şimdi Pickering de kayıp olduğundan, çalışanlar onun da ölmüş olabileceğinden endişeleniyorlardı.

Başkan ve Pickering yakın geçmişte kozlarını paylaşmışlardı. Aylar önce Herney, Pickering'in Başkan'ın güç durumdaki kampanyasını kurtarmak için onun lehine yasadışı bir işe karıştığını öğrenmişti.

UKO'nun imkânlarından faydalanan Pickering, Senatör Sexton'ın kampanyasını batırmak için onun hakkında yeterince kirli bilgi toplamıştı: Yardımcısı Gabrielle'la skandal yaratacak seks fotoğrafları, Sexton'ın özel uzay şirketlerinden rüşvet aldığını ispatlayan mali kayıtlar. Pickering ismini gizleyerek tüm delilleri Marjorie Tench'e göndermiş ve Beyaz Saray'ın bunları uygun biçimde kullanacağını düşünmüştü. Ama belgeleri gören Herney, Tench'in bunları kullanmasını yasaklamıştı. Seks skandallarıyla rüşvet iddiaları Washington'ı kemiren en kötü şeydi ve kamu önünde bir başkasını küçük düşürmek, hükümete duyulan güveni sarsmaktan başka bir işe yaramazdı.

Ahlaka değer verilmemesi bu ülkeyi mahvediyor.

Herney bu skandalla Sexton'ı yok edebilirdi fakat ABD Senatosu'nun şerefine zarar da verirdi. Bu ise, Herney'nin istemediği bir şeydi.

Artık olumsuzluk yok. Sonuçta, Herney, Senatör Sexton'ı nasılsa yenecekti.

Beyaz Saray'ın delilleri kullanmayı reddetmesine sinirlenen Pickering, Sexton'ın Gabrielle Ashe ile yattığı söylentilerini yayarak skandal çıkartmaya çalışmıştı. Ama Sexton, masumiyetini öyle ikna edici bir biçimde ifade etmişti ki, Başkan bu söylentiler için şahsen özür dilemek zorunda kalmıştı. Elbette bu işteki asıl tezat, Pickering'in Başkan Herney'den aslında hoşlanmamasıydı. UKO direktörünün Herney'nin kampanyasına yardım etme girişimleri, NASA'nın kaderi hakkında duyduğu endişeden kaynaklanıyordu. Zach Herney, onun için, kötünün iyisiydi.

Ve şimdi birisi Pickering'i mi öldürdü?

Herney'nin aklı ermiyordu.

Yardımcılarından biri, "Sayın Başkan?" dedi. "İsteğiniz üzerine Lawrence Ekstrom'u aradım ve kendisine Marjorie Tench'den bahsettim."

"Teşekkürler."

"Sizinle konuşmak istiyormuş efendim."

Herney, Ekstrom'un KYYT hakkında yalan söylemesine hâlâ kızgındı. "Onunla sabah görüşeceğimi söyle."

"Bay Ekstrom, sizinle hemen görüşmek istiyor efendim." Yardımcısı tedirgin görünüyordu. "Çok sinirli."

Sinirli mi? Herney öfkeden patlama noktasına geldiğini hissedebiliyordu. Ekstrom'un telefonuna cevap vermek için yürürken, Başkan bu gece başka hangi haltın ters gittiğini merak ediyordu.

123

Goya'nın güvertesinde duran Rachel kendini budala gibi hissediyordu. Ağır bir sis gibi etrafına çöken şaşkınlığı şimdi dağılmaya başlamıştı. Görünen acı gerçek, kendini çaresiz ve bıkkın hissettiriyordu. Karşısında duran yabancıya bakarken, sesini güçlükle duyabiliyordu.

Pickering, "NASA'nın imajını düzeltmek zorundaydık," diyordu. "Azalan popüleritesi, fonları pek çok açıdan tehlikeli olmaya başlamıştı." Pickering durup gri gözlerini Rachel'ınkilere dikti. "Rachel, NASA'nın bir zafere mutlaka ihtiyacı vardı. Birinin bunu yapması gerekiyordu."

Pickering, *bir şeyler yapılması gerekiyordu,* diye düşündü.

Göktaşı hayal kırıklığıyla başvurulan son girişim olmuştu. Pickering ile diğerleri, uzay ajansını istihbarat dünyasıyla birleştirerek fonlarını arttırmak ve daha fazla güvenlik sağlamak için lobi kurarak NASA'yı kurtarmaya çalışmışlardı ama Beyaz Saray bilime yapılan bir saldırı olarak algıladığı bu fikri sürekli geri çevirmişti. *Dar görüşlü idealizm.* Sexton'ın NASA karşıtı söylemlerinin popülaritesi artınca, Pickering ile askeri ağırlıklı çevresi zamanın daraldığını anlamışlardı. NASA'nın imajını kurtarmak ve müzayede listesinden çıkarmak için tek yolun, vergi mükellefleriyle Kongre'nin dikkatini çekmek olduğuna karar verdiler. Uzay dairesinin varlığını sürdürebilmesi için büyük bir bombaya ihtiyacı vardı... vergi mükelleflerine NASA'nın şanlı Apollo günlerini hatırlatacak bir şey. Ve Zach Herney, Senatör Sexton'ı alt edecekse, yardıma ihtiyacı olacaktı.

Marjorie Tench'e gönderdiği tüm zarar verici delilleri hatırlayan Pickering, kendi kendine, *ona yardım etmeye çalıştım*, dedi. Fakat bunların kullanımını yasaklayan Herney, Pickering'e gözü pek girişimlerde bulunmaktan başka seçenek bırakmamıştı.

Pickering, "Rachel," dedi. "Gemiden az önce faksladığın bilgiler tehlikeli. Bunu anlaman gerek. Eğer bilgi dışarı sızarsa, Beyaz Saray ve NASA suç ortağı gibi görünecek. Başkan'a ve NASA'ya gelen tepkiler büyük olacak. Başkan ve NASA bu konuda hiçbir şey bilmiyor. Onlar masum. Göktaşının gerçek olduğuna inanıyorlar."

Pickering, Herney ya da Ekstrom'u bu işe bulaştırmayı aklından bile geçirmemişti, çünkü her ikisi de, başkanlığı veya uzay dairesini kurtarma potansiyeli ne olursa olsun, herhangi bir aldatmacının içine girmeyecek kadar idealist insanlardı. Ekstrom'un tek suçu, KYYT müdürünü anomali yazılımı hakkında yalan söylemeye ikna etmekti. Ve Ekstrom bu göktaşının ne kadar ince elenip sık dokunacağını fark ettiği anda bu hareketinden pişman olmuştu.

Herney'nin temiz kampanya konusunda ısrar eden Marjorie Tench, ufak bir KYYT başarısının Sexton karşısında Başkan'a yardımcı olması umuduyla, KYYT yalanı üstünde Ekstrom ile anlaşmaya varmıştı.

Tench verdiğim fotoğraflarla rüşvet belgelerini kullansaydı, bunların hiçbiri olmayacaktı!

Rachel, Tench'i arayıp, sahtecilik suçlamalarında bulunduğu anda Tench'in öldürülmesine -her ne kadar acı da olsa- karar verilmişti. Pickering, Rachel'ın insafsız iddialarının temelini Tench'in sonuna kadar araştıracağını biliyordu ve elbette Pickering böyle bir soruşturma yapılmasına asla izin veremezdi. Ne tuhaftır ki Tench, Başkan'a en çok ölümüyle hizmette bulunmuştu. Vahşi sonu, Beyaz Saray'a sempati oyları kazandırmakla beraber, CNN'de Marjorie Tench tarafından küçük düşürülen Sexton'a karşı şüphe yaratacaktı.

Patronuna ateş püsküren gözlerle bakan Rachel, davasından vazgeçmiyordu.

Pickering, "Eğer bu sahte göktaşı hakkındaki bilgiler dışarı sızarsa, masum bir Başkan'ı ve masum bir uzay dairesini bitireceğini anlamalısın," dedi. "Ayrıca Oval Ofis'e senin yüzünden çok tehlikeli bir adam geçecek. Bilgileri nereye faksladığını öğrenmem gerekiyor."

O bunları söylerken, Rachel'ın yüzüne garip bir ifade gelmişti. Büyük bir hata yaptığını anlayan kişinin acılı bir dehşet ifadesine benziyordu.

Pruvadan dolanıp, iskele tarafına inen Delta-Bir, helikopteri indirirken Rachel'ın dışarı çıktığı sulaboratuvarında duruyordu. Laboratuvardaki bir bilgisayar ekranında huzur bozucu bir görüntü vardı... *Goya*'nın altında bir yerlerdeki okyanus tabanında dönüp duran bir derin su kasırgasının çok renkli temsili.

Hedefine doğru ilerlerken, *buradan bir an evvel gitmek için bir başka neden,* diye düşündü.

Faks makinesi duvarın sonundaki bir tezgâhın üstünde duruyordu. Faksın tepsisi, Pickering'in önceden tahmin ettiği gibi kâğıt yığınıyla doluydu. Delta-Bir kâğıtları eline aldı. En üstte Rachel'ın yazdığı bir not vardı. Sadece iki satır. Okudu.

Tam isabet, diye düşündü.

Kâğıtları karıştırırken, Tolland ile Rachel'ın göktaşı aldatmacasını nasıl çözdüğüne hem hayret etti, hem de hayran kaldı. Bu çıktıları gören kimsenin, ne olduklarına dair şüphesi kalmazdı. Bereket versin ki Delta-Bir'in çıktıların nereye gönderildiğini öğrenmek için "yeniden çevir" tuşuna bile basmasına gerek yoktu. LCD pencere hâlâ son faks gönderilen numarayı gösteriyordu.

Bir Washington D.C. kodu.

Faks numarasını dikkatle yazdı, tüm kâğıtları toplayıp laboratuvardan dışarı çıktı.

Namluyu William Pickering'in göğsüne doğrultan Tolland'ın makineli tüfeği tutarken elleri terlemişti. UKO direktörü, hâlâ faksı nereye gönderdiğini söylemesi için Rachel'a baskı yapıyor, Tolland ise onun zaman kazanmaya çalıştığını hissederek huzursuzlaşıyordu. *Ama ne için?*

Pickering, "Beyaz Saray ve NASA *masum,*" diye yineledi. "İşbirliği yapalım. Benim hatalarımın NASA'nın sahip olduğu son itibarı da zedelemesine izin verme. Eğer bu duyulursa, NASA suçlu görünecektir. Sen ve ben bir anlaşma yapabiliriz. Ülkenin bu göktaşına ihtiyacı var. Çok geç olmadan faksı nereye gönderdiğini bana söyle."

Rachel, "Sen başka birini öldür diye mi?" dedi. "Midemi bulandırıyorsun."

Tolland, Rachel'ın cesaretine hayran kalmıştı. Babasından hoşlanmıyordu ama senatörü tehlikeye atmak niyetindeymiş gibi de görünmüyordu. Ne yazık ki Rachel'ın babasından faksla yardım istemek planı geri tepmişti. Senatör ofisine gidip faksı görse, göktaşı aldatmacası haberiyle ilgili Başkan'ı arasa ve saldırıyı geri çekmesini söylese bile, Beyaz Saray'daki hiç kimse Sexton'ın neden bahsettiğini anlamayacak, hatta nerede olduklarını bile bilmeyeceklerdi.

Rachel'a tehditkâr bir bakış fırlatan Pickering, "Bunu bir kez söyleyeceğim," dedi. "Durum senin tam manasıyla anlayamayacağın kadar karışık. O bilgileri bu geminin dışına göndermekle çok büyük bir hata yaptın. Ülkeni tehlikeye atmış oldun."

Tolland artık William Pickering'in gerçekten de zaman kazandığını anlamıştı. Ve bunun sebebi serinkanlılıkla geminin sancak tarafından onlara yaklaşmaktı. Tolland, bir kâğıt tomarı ve makineli tüfekle yanlarına doğru yürüyen askeri gördüğünde korkuya kapıldı.

Tolland, kendini bile şaşırtan bir kararlılıkla hareket etti. Makineli tüfeği sıkıca kavrayarak topukları üstünde döndü ve askeri nişan alıp tetiği çekti.

Silahtan zararsız bir tıkırtı sesi geldi.

Pickering'e bir kâğıt uzatan asker, "Faks numarasını buldum," dedi. "Ve Bay Tolland'ın cephanesi bitti."

124

Sedgewick Sexton, Philip A. Hart Senato Binası'nın koridorunda hışımla yürüyordu. Bunu nasıl yaptığını bilmiyordu ama Gabrielle bir şekilde ofisinden içeri girmişti. Telefonda konuşurlarken, Jourdain saatinin arkadan gelen üçlü tiktaklarını duymuştu. Aklına tek gelen, USV toplantısına kulak misafiri olan Gabrielle'ın ona karşı olan güvenini kaybettiği ve delil toplamaya gittiğiydi.

Ofisime nasıl girdi acaba!

Sexton bilgisayar şifresini değiştirdiğine seviniyordu.

Özel ofisine vardığında, alarmı durdurmak için şifresini girdi. Ardından anahtarlarını bulup ağır kapıyı açtı ve Gabrielle'ı iş üstünde yakalama niyetiyle hışımla içeri daldı.

Ama boş ve karanlık ofisi, sadece bilgisayarının ekran koruyucusu aydınlatıyordu. Işıkları açıp gözleriyle etrafı taradı. Her şey yerli yerinde görünüyordu. Saatinin üçlü tiktakları dışında ölüm sessizliği vardı.

Peki o hangi cehennemde?

Özel tuvaletinde bir hışırtı duyunca hemen koşup ışığı açtı. Tuvalet boştu. Kapının arkasına baktı. Hiçbir şey yoktu.

Şaşkınlık içindeki Sexton, aynada kendine bakıp akşam belki de içkiyi fazla kaçırdığını düşündü. *Bir şey duydum.* Aklı karışmış bir halde ofisine geri döndü.

"Gabrielle?" diye seslendi. Koridorun sonunda, onun odasına doğru yürüdü. Gabrielle orada değildi. Ofisi karanlıktı.

Bayanlar tuvaletinden bir sifon sesi gelince Sexton dönüp, tuvaletlerin olduğu yöne yürümeye başladı. O kapıya vardığında, Gabrielle da ellerini kurulayıp dışarı çıkıyordu. Sexton'ı görünce olduğu yerde sıçradı.

"Tanrım! Beni korkuttunuz!" derken, gerçekten de korkmuş görünüyordu. "Burda ne yapıyorsunuz?"

Gabrielle'ın boş ellerine bakarak, "Ofisten NASA'yla ilgili belgeleri alacağını söylemiştin," dedi. "Nerdeler?"

"Bulamadım. Her yere baktım. Bu kadar uzun sürmesinin sebebi bu."

Doğrudan Gabrielle'ın gözlerinin içine baktı. "Benim ofisimde miydin?"

Gabrielle, *hayatımı bu faks makinesine borçluyum,* diye düşündü.

Birkaç dakika öncesine kadar Sexton'ın bilgisayarının başında oturmuş, yasadışı çeklerin yazıcı çıktılarını almaya çalışıyordu. Dosyalar bir şekilde korumalı olduğundan, çıktılarını almanın yolunu bulmak biraz vaktini alacaktı. Sexton'ın faks makinesi çalarak onu şaşırtmış ve gerçek dünyaya döndürmüş olmasaydı, herhalde hâlâ bu işi yapıyor olacaktı. Gabrielle bunu, dışarı çıkması için bir işaret kabul etmişti. Gelen faksın ne olduğuna bakmadan, Sexton'ın bilgisayarındaki oturumu kapatıp etrafı düzeltmiş ve geldiği yoldan dönmek üzere harekete geçmişti. Sexton'ın içeri girdiğini duyduğunda tam da tuvalette yukarı tırmanıyordu.

Şimdi Sexton karşısında durmuş ona bakarken, yalan söyleyip söylemediğini gözlerinden anlamaya çalıştığını hissediyordu. Sedgewick Sexton'da, Gabrielle'ın hayatında başka kimsede görmediği bir yalanın kokusunu alma yeteneği vardı. Yalan söylüyorsa, Sexton anlardı.

Arkasını dönen Gabrielle, "İçki içiyordunuz," dedi. *Ofisine girdiğimi nereden biliyor?*

Sexton ellerini omzuna koyup, onu döndürdü. "Ofisimde miydin?"

Gabrielle içindeki korkunun arttığını hissetti. Sexton gerçekten de içki içmişti. Dokunuşu kabaydı. Şaşırmış gibi gülmeye çalışarak, "Ofisinizde mi?" diye sordu. "Nasıl? *Neden?*"

"Seni aradığımda arkadan Jourdain'ın sesini duydum."

Gabrielle korkudan sinmişti. *Saati mi?* Fark etmemişti bile. "Kulağa ne kadar saçma geldiğinin farkında mısınız?"

"Tüm günümü o ofiste geçiriyorum. Saatimin sesinin neye benzediğini biliyorum."

Gabrielle buna hemen bir son vermesi gerektiğini sezinledi. *En güzel savunma iyi bir savunmadır.* En azından Yolanda Cole her zaman böyle söylerdi. Ellerini kalçalarına koyarak, tüm cesaretini toplayıp üstüne gitti. Ona doğru bir adım atıp öfkeyle yüzüne baktı. "Şunu açıklığa kavuşturayım senatör. Saat sabahın dördü, içki içiyordunuz ve telefonda bir tiktak sesi duydunuz ve buraya gelme sebebiniz bu, öyle mi?" Parmağını öfkeyle koridorun sonundaki Sexton'ın odasına çevirdi. "Beni federal alarm sistemini susturup, iki kilidi aşmak, ofisinize girmek, suç üstünde cep telefonumu açacak kadar aptal olmak, dışarı çıkarken yeniden alarm sistemini çalıştırmak ve hiçbir şey belli etmeden dışarı çıkmadan önce bayanlar tuvaletine girecek kadar serinkanlı olmakla mı suçluyorsunuz? Senaryo bu mu?"

Sexton faltaşı gibi açtığı gözlerini kırpıştırdı.

Gabrielle, "İnsanlara tek başına içki içme demekte haklılar," dedi. "Şimdi NASA'dan bahsetmek istiyor musunuz, istemiyor musunuz?"

Sexton ofisine doğru yürürken kendini budala gibi hissediyordu. Doğruca barının yanına gidip kendine bir Pepsi doldurdu. Kesinlikle sarhoşmuş gibi hissetmiyordu. Bu konuda gerçekten yanılmış olabilir miydi? Odanın karşı tarafındaki Jourdain alay eder gibi tiktak sesleri çıkartıyordu. Sexton Pepsi'nin hepsini bitirip kendine bir tane daha doldurdu ve bir tane de Gabrielle'a.

Yeniden odaya dönüp, "İçer misin Gabrielle?" diye sordu. Gabrielle peşinden içeri girmedi. Hâlâ kapı eşiğinde bekliyor, anlaşılan burnunu sürtmeye çalışıyordu. "Ah Tanrı aşkına! İçeri gir. Bana NASA'da ne öğrendiğini anlat."

Mesafeli bir sesle, "Sanırım bu gecelik bu kadarı benim için yeterli," dedi. "Yarın konuşuruz."

Sexton oyun oynayacak havada değildi. Bu bilgiye şimdi ihtiyacı vardı ve bunun için dilenmeye niyeti yoktu. Yorgun bir edayla içini çekti. *Güven bağını uzat. Her şey itimat meselesi.* "Hata ettim," dedi. "Üzgünüm. Felaket bir gündü. Ne düşündüğümü bilmiyorum."

Gabrielle hâlâ kapıda duruyordu.

Sexton masasına yürüyüp, Gabrielle'ın Pepsi'sini kendi bardak altlığının üstüne koydu. Deri koltuğunu işaret etti; iktidar koltuğu. "Otursana. Pepsi'nin tadını çıkart. Ben yüzümü yıkayıp geliyorum." Tuvalete yöneldi.

Gabrielle hâlâ kıpırdamıyordu.

Sexton tuvalete girerken omzunun üstünden, "Sanırım bir faks geldiğini gördüm," diye seslendi. *Ona güvendiğini göster.* "Benim için bir bakar mısın?"

Sexton kapıyı kapatıp lavaboyu suyla doldurdu. Suyu yüzüne çarptı ama kendini daha temiz hissetmiyordu. Bu daha önce hiç olmamıştı; bu kadar emin ama bu kadar yanılıyor olmak. Sexton içgüdülerine güvenen bir adamdı ve içgüdüleri ona, Gabrielle Ashe'ın ofisine girdiğini söylüyordu.

Ama nasıl? İmkânsızdı.

Sexton kendi kendine bunu unutmasını ve dikkatini önündeki işe vermesini söyledi. *NASA*. Şu anda Gabrielle'a ihtiyacı vardı. Onu kendinden uzaklaştırmanın vakti değildi. Onun neler bildiğini öğrenmesi gerekiyordu. *İçgüdülerini unut. Yanılıyorsun.*

Sexton yüzünü kurularken başını geri atıp derin bir nefes aldı. Kendi kendine *rahatla,* dedi. *Fazla zorlayıcı olma*. Gözlerini kapatıp yeniden derin nefes aldı ve kendini daha iyi hissetti.

Sexton tuvaletten çıktığında Gabrielle'ın razı gelip, ofisinden içeri girdiğini görünce rahatladı. *İyi,* diye düşündü. *Şimdi işimize bakabiliriz.* Gabrielle faks makinesinin başında durmuş, gelen sayfaları çeviriyordu. Onun yüzünü gördüğünde Sexton'ın aklı karıştı. Bu bir şaşkınlık ve korku işaretiydi.

Ona doğru yürüyen Sexton, "Ne o?" diye sordu.

Gabrielle bayılacakmış gibi sendeledi.

"Ne?"

Titreyen elleriyle kâğıtları ona uzatırken, zayıf bir sesle, "Göktaşı..." dedi. "Ve kızınız... tehlikede."

Afallayan Sexton yanına gidip, kâğıtları Gabrielle'ın elinden aldı. En üstte el yazısıyla yazılmış bir not vardı. Sexton el yazısını hemen tanımıştı. Basit bildiri garip ve şaşırtıcıydı.

Göktaşı sahte. Bunlar kanıtı.

NASA/Beyaz Saray, beni öldürmeye çalışıyor. İmdat!-RS

Senatörün anlamakta güçlük çekmesi çok nadir yaşadığı bir durumdu ama Rachel'ın yazdıklarını tekrar okuduğunda, ne anlam çıkartması gerektiğine karar veremedi.

Göktaşı sahte mi? NASA ile Beyaz Saray, onu öldürmeye mi çalışıyor?

Sexton yoğunlaşan belirsizlik içinde, yarım düzine sayfayı gözden geçirmeye başladı. İlk sayfa, başlığında Toprak Altı Radarı (TAR) yazan bir bilgisayar görüntüsüydü. Bir çeşit buz derinlik ölçümü resmine benziyordu. Sexton, televizyonda bahsettikleri göktaşının çıkartıldığı deliği gördü. Gözleri, şaftın içinde yüzen bir cesede benzeyen bulanık görüntüye takılmıştı. Ardından, daha da şaşırtıcı bir şey gördü: göktaşının çıkarıldığı yerin altındaki ikinci bir şaftın belirgin hatları. Sanki taş, buzun altından yerleştirilmişti.

Neler oluyor?

Diğer sayfaya geçen Sexton, *Bathynomous giganteus* denilen bir okyanus türünün fotoğrafıyla karşılaştı. Hayretle bakakalmıştı. *Göktaşı fosillerindeki hayvan bu!*

Şimdi sayfaları daha hızlı çeviriyordu. Göktaşı kabuğundaki iyonize hidrojen içeriğini gösteren bir grafik gördü. Sayfanın üstünde el yazısıyla bir şeyler yazılmıştı: *Sıvı hidrojen yanığı? NASA Genişletici Devir Motoru.*

Sexton gözlerine inanamıyordu. Oda etrafında dönmeye başladığında son sayfaya gelmişti; tıpkı göktaşında olduğu gibi metalik noktacıkları olan bir taşın fotoğrafı. Tüyler ürpertici biçimde, beraberindeki tanımlamada, taşın okyanus volkaniğinin bir ürünü olduğu yazıyordu. Sexton, *bir okyanus taşı mı*, diye düşündü. *Ama NASA kondrulların sadece uzayda oluştuğunu söylemişti!* Kâğıtları masasının üstüne bırakan Sexton, koltuğuna çöktü. Gördüğü her şeyi bir araya getirmesi sadece on beş saniyesini almıştı. Sayfaların neyi ima ettiği gün gibi ortadaydı. Azıcık aklı olan herkes bu fotoğrafların neyi ispatladığını anlayabilirdi.

NASA'nın göktaşı sahte!

Sexton'ın kariyeri boyunca hiçbir gün bu kadar inişler ve çıkışlarla dolu geçmemişti. Bugün ümit ve ümitsizlik getiren bir eğlence trenine dönmüştü. Sexton, bu düzenin siyasi açıdan kendisi için ne anlam taşıdığını fark edince, aldatmacanın nasıl ortaya çıktığına duyduğu hayret bir anda yok oldu.

Bu bilgiyi halka duyurduğumda başkanlık benim olacak!

Senatör Sedgewick Sexton zafer sevincini yaşarken, kızının tehlikede olduğu iddiasını unutuvermişti.

Gabrielle, "Rachel tehlikede," dedi. "Yazdığı notta NASA ile Beyaz Saray'ın onu..."

Sexton'ın faks makinesi yeniden çalmaya başlamıştı. Gabrielle dönüp makineye baktı. Sexton da baktığını fark etti. Rachel'ın kendisine başka ne gönderebileceğini tahmin edemiyordu. Daha fazla kanıt mı? Daha fazla ne olabilirdi ki? *Bu kadarı yeter de artar!*

Faks makinesi çağrıya cevap verdiğinde, hiçbir sayfa çıkmadı. Gönderi sinyali alamayan makine cevaplama özelliğini devreye sokmuştu.

Sexton'ın mesajı, "Alo," diye cızırdadı. "Burası Senatör Sedgewick Sexton'ın ofisi. Faks iletmeye çalışıyorsanız, istediğiniz zaman gönderebilirsiniz. Faks göndermiyorsanız, sinyal sesinden sonra mesajınızı bırakabilirsiniz."

Sexton'ın ahizeyi kaldırmasına fırsat kalmadan makine bipledi.

"Senatör Sexton?" Adamın sesinde kolay anlaşılır bir çiğlik vardı. "Ben William Pickering, Ulusal Keşif Ofisi direktörü. Herhalde bu saatte ofiste değilsinizdir, ama sizinle derhal görüşmem gerekiyor." Sanki birinin açmasını bekliyormuş gibi durdu.

Gabrielle ahizeyi kaldırmak için uzandı.

Onun elini yakalayan Sexton, sertçe geri çekti.

Gabrielle afallamıştı. "Ama bu direktör..."

Pickering, "Senatör," diye devam ederken sesi, adeta kimsenin açmaması onu rahatlatmış gibi geliyordu. "Korkarım sizi çok kaygı verici bir haber vesilesiyle arıyorum. Az önce kızınız Rachel Sexton'ın tehlikede olduğu bilgisini aldım. Biz konuşurken gönderdiğim bir ekip onu kurtarmaya çalışacak. Telefonda durumun ayrıntılarını konuşamam ama bana size NASA'nın göktaşıyla ilgili veriler fakslamış olabileceği bildirildi. Verileri görmedim ve ne olduklarını bilmiyorum ama kızınızı tehdit eden kişiler bana, siz veya bir başkası bu bilgileri halka duyuracak olursa kızınızın öleceğini söylediler. Bu kadar sözünü sakınmadan konuştuğum için üzgünüm efendim; bunu açık olmak adına yapıyorum. Kızınızın hayatı tehlikede. Size gerçekten bir şey faksladıysa, bunu hiç kimseyle *paylaşmayın.* Şimdilik. Kızınızın hayatı buna bağlı. Olduğunuz yerde kalın. Kısa süre sonra orda olacağım." Durdu. "Şansımız varsa senatör, siz uyandığınız saatlerde tüm bunlar çözüme kavuşmuş olacak. Eğer, şans eseri ben ofisinize varmadan önce bu mesajı alırsanız, olduğunuz yerde kalın ve kimseyi aramayın. Kızınızı sağ salim geri getirmek için tüm yetkimi kullanacağım."

Pickering kapattı.

Gabrielle titriyordu. "Rachel rehin mi alındı?"

Sexton, kendisi yüzünden hayal kırıklığına uğramasına rağmen, Gabrielle'ın tehlikedeki genç bir kadın için acıyla empati duyduğunu sezinlemişti. Ne tuhaftır ki, Sexton aynı duyguları paylaşmakta zorluk çekiyordu. Kendisini, en çok istediği Noel hediyesine kavuşmuş bir çocuk gibi hissediyordu ve kimsenin bunu elinden almasına izin vermeyecekti.

Pickering bu konuda sessiz kalmamı mı istiyor?

Bir süre durup, ne anlama geldiğine karar vermeye çalıştı. Sexton'ın zihninin serinkanlı, hesapçı düşünen -bir siyaset bilgisayarı, her türlü senaryoyu gözden geçiren ve tüm sonuçlarını hesaplayan- kısmında çarklar dönmeye başlamıştı. Elinde tuttuğu kâğıtlara baktı ve görüntülerin getireceği gücü hissetmeye başladı. NASA'nın göktaşı, onun başkanlık hayallerini paramparça etmişti. Ama hepsi bir yalandı. Bir düzmece. Şimdi, bunu yapanlar bedelini ödeyecekti. Düşmanlarının onu yok etmek için uydurduğu göktaşı, onu kimsenin hayal edemeyeceği kadar güçlü kılacaktı. Kızı bunu anlamıştı.

Kabul edilebilir tek bir sonuç var, diye düşündü. *Gerçek bir liderin izleyeceği tek bir yol.*

Yeniden yükseldiğini gördüğü parlak hayallerin etkisine kapılan Sexton, odanın karşı tarafına yürürken bir sis bulutunun içindeymiş gibi hissediyordu. Fotokopi makinesinin yanına gidip, açtı ve Rachel'ın gönderdiği sayfaların fotokopisini çekmeye hazırlandı.

Gabrielle hayretle, "Ne yapıyorsunuz?" diye sordu.

Sexton, "Rachel'ı öldürmeyecekler," dedi. Herhangi bir şey yanlış gitse de, Sexton kızının ölümünün düşman karşısında onu daha da güçlü kılacağını biliyordu. Her iki şekilde de o kazanacaktı. Kabul edilebilir bir riskti.

Gabrielle, "O kopyalar kim için?" diye sordu. "William Pickering kimseye anlatmamanızı söyledi!"

Fotokopi makinesine arkasını dönen Sexton, Gabrielle'a baktı ve onu artık çekici bulmadığına kendi de şaşırdı. Senatör Sexton artık bir ada gibi olmuştu. Dokunulmaz. Hayallerine kavuşmak için ihtiyacı olan her şey elindeydi. Artık onu hiçbir şey durduramazdı. Ne rüşvet iddiaları, ne de seks dedikoduları. Hiçbir şey.

"Evine git Gabrielle. Artık sana ihtiyacım yok."

125

Rachel, *her şey bitti,* diye düşündü.

O ve Tolland, güvertede yan yana oturmuş, Delta askerinin makineli tüfeğinin namlusuna bakıyorlardı. Ne yazık ki Pickering artık Rachel'ın faksı nereye gönderdiğini biliyordu. Senatör Sedgewick Sexton'ın ofisine.

Rachel, Pickering'in bıraktığı telefon mesajını babasının alacağından bile şüpheliydi. Pickering sabah herkesten önce Sexton'ın ofisine girebilirdi. Pickering içeri girip faksı usulca alabilir ve Sexton varmadan önce telefon mesajını silebilirse senatöre zarar vermeye gerek kalmayacaktı. William Pickering, tantana yaratmadan ABD senatörlük binasına girebilecek Washington'daki birkaç kişiden biriydi. "Milli güvenlik adına" neler yapılabileceği Rachel'ı her zaman hayrete düşürürdü.

Rachel, *elbette bu plan işe yaramazsa, Pickering oraya uçup, pencereden bir Hellfire füzesi gönderip faks makinesini havaya uçurabilir,* diye düşündü. İçinden bir ses buna gerek kalmayacağını söylüyordu.

Şimdi Tolland'a daha yakın oturan Rachel, onun elinin kendisininkini tuttuğunu hissedince şaşırdı. Dokunuşunda kibar bir kuvvet vardı ve parmakları öylesine doğal bir biçimde iç içe geçmişti ki, Rachel parmaklarının bu iş için yaratıldıklarını düşündü. Şu anda tek yapmak istediği, etraflarında dönen denizin boğucu gürültüsünden uzakta, onun kollarında yatmaktı.

Hiçbir zaman, diye düşündü. *Asla olmayacak.*

Michael Tolland darağacına giderken umutlanan bir adam gibi hissediyordu.

Hayat benimle dalga geçiyor.

Celia'nın ölümünden sonra, Tolland yıllarca, ölmek istediği geceler, sadece her şeye son vermekle kurtulabileceği acı ve yalnızlık içinde saatler geçirmişti. Ama yine de yaşamayı seçmiş, kendine bunu tek başına yapamayacağını söylemişti. Bugün ilk defa Tolland arkadaşlarının ona baştan beri ne anlatmaya çalıştıklarını anlıyordu.

Mike, bununla yalnız başa çıkmak zorunda değildin. Başka bir aşk bulacaksın.

Rachel'ın eli elindeyken, bu ironiyi kabullenmek daha da güçleşiyordu. Kader kötü bir zamanlama yapmıştı. Kalbini çevreleyen zırhın kat kat soyulduğunu hissediyordu. Tolland bir an için Celia'nın hayaletinin her zaman yaptığı gibi *Goya*'nın güvertesinden baktığını hissetti. Hiddetli denizin sesiyle ona sesleniyor... hayatının son anlarında ona söylediklerini tekrarlıyordu.

"Yaşamaya devam edeceksin," diye fısıldadı. "Başka bir aşk bulacağına söz ver."

Tolland, "Asla başka aşk istemeyeceğim," demişti.

Celia'nın tebessümünde anlayışlı bir bilgelik vardı. "Öğrenmek zorundasın."

Tolland şimdi *Goya*'nın güvertesinde, öğrendiğini anlıyordu. Ruhuna birden derin bir duygu yerleşmişti. Bunun mutluluk olduğunu fark etti.

Ve beraberinde güçlü bir yaşama isteği vardı.

Pickering iki tutsağına doğru yürürken, kendini tuhaf biçimde kaygısız hissetti. Rachel'ın önüne gelip durduğunda, bunun kendisi için zor olmadığını görmek onu şaşırtmıştı.

"Bazen," dedi. "Şartlar imkânsız kararları gerektirebilir."

Rachel boyun eğmez gözlerle bakıyordu. "O şartları sen yarattın."

Sesi şimdi biraz daha sert çıkan Pickering, "Savaşlarda şehit verilir," dedi. *İstersen Diana Pickering'e veya bu ülkeyi savunmak için her yıl ölenlerden birine sor.* "Bunu herkesten çok senin anlaman gerekir Rachel." Gözlerini onunkilere dikti. "*Iactura paucourm serva multos.*"

Rachel'ın bu sözü hatırladığını görebiliyordu; milli güvenlik çevrelerinde artık bir klişe sayılırdı. *Çoğu kurtarmak için azı feda et.*

Rachel, ona bariz bir tiksintiyle baktı. "Ve şimdi o *az* grubuna Michael ile beni de ekliyorsun?"

Pickering bunu düşündü. Başka yolu yoktu. Delta-Bir'e döndü. "Ortağını kurtar ve bu işi bitir."

Delta-Bir başını salladı.

Rachel'a son bir kez uzun uzun baktıktan sonra Pickering geminin iskele tarafındaki parmaklıklara yürüdü ve bakışlarını azgın denize çevirdi. Bu, görmek istediği türden bir şey değildi.

Delta-Bir silahını tutup, kıskaçlardan sarkan ortağına baktığında kendini güçlü hissetti. Geriye kalan tek iş, Delta-İki'nin ayakları altındaki iner tip kapıyı kapatmak, onu kıskaçtan kurtarmak ve Rachel Sexton ile Michael Tolland'ı ortadan kaldırmaktı.

Fakat Delta-Bir, iner tip kapının yanında kontrol panelinin ne kadar karmaşık olduğunu görmüştü; iner tip kapıyı, vinci ve sayısız başka kumandaları kontrol ettiği anlaşılan bir dizi işaretsiz kollar ve kadranlar. Yanlış kolu çekip de denizaltıyı kazara denize düşürerek, ortağının hayatını tehlikeye atmak niyetinde değildi.

Tüm riskleri ortadan kaldır. Acele etme.

Kurtarma işlemini yapması için Tolland'ı zorlayacaktı. Ve tehlikeli bir şey yapmamasını garantiye almak için Delta-Bir kendi işinde "biyolojik tamamlayıcı" denilen şeyi yaptıracaktı.

Düşmanlarını birbirine karşı kullan.

Delta-Bir silahının namlusunu Rachel'ın yüzüne doğrultup, alnından birkaç santim geride durdu. Rachel gözlerini kapattı. Delta-Bir, Tolland'ın koruyucu bir öfkeyle yumruklarını sıktığını görebiliyordu.

Delta-Bir, "Bayan Sexton ayağa kalkın," dedi.

Rachel dediğini yaptı.

Silahı sırtına bastırıp, onu Triton denizaltısına arka tarafından çıkan alüminyum merdivene yürüttü. "Tırman ve denizaltının tepesinde dur."

Rachel korkmuş ve şaşırmış görünüyordu.

Delta-Bir, "Dediğimi yap," dedi.

Rachel, Triton'ın arkasındaki merdivenden çıkarken kendini bir kâbusun içindeymiş gibi hissediyordu. Tepeye gelince durdu. Boşluğun üstünden aşıp, havada asılı duran Triton'a çıkmaya hiç niyeti yoktu.

Tolland'a dönüp, silahı alnına dayayan Delta-Bir, "Denizaltının tepesine çık," dedi.

Kıskaçlara takılmış asker, Rachel'ın önünde acıyla kıvranıyor, belli ki kurtulmak için sabırsızlanıyordu. Rachel, şimdi alnına bir silah namlusu dayanmış Tolland'a baktı. *Denizaltının tepesine çık.* Başka şansı yoktu.

Bir kanyonun kenarındaki uçuruma yaklaştığını hissederek, Triton'ın arkasındaki düz bir bölüm olan motor kapağının üstüne çıktı. Denizaltı, açık iner tip kapının üstünden sarkan dev bir çeküle benziyordu. Vincin kablosuna asılı olduğu halde, dokuz tonluk denizaltı Rachel'ın ağırlığıyla birkaç milimetre sallandı.

Asker, Tolland'a, "Tamam, gidelim," dedi. "Kontrol paneline yürü ve iner tip kapıyı kapat."

Namlunun ucundaki Tolland, arkasındaki askerle kontrol paneline doğru yürümeye başladı. Tolland, ona yaklaşırken yavaş hareket ediyor, sanki bakışlarıyla bir mesaj vermek istiyormuş gibi Rachel'ın gözlerinin içine bakıyordu. Tolland önce ona, sonra da Triton'ın tepesindeki açık kaportaya baktı.

Rachel bakışlarını aşağı indirdi. Ayaklarının altındaki kaporta açıktı. Aşağıdaki tek kişilik pilot kabinini görebiliyordu. *İçine girmemi mi istiyor?* Yanlış anladığını düşünen Rachel, bir kez daha Tolland'a baktı. Kontrol paneline varmak üzereydi. Tolland gözlerini ona dikti. Kolay anlaşıldığı zamanlardan biri değildi.

Dudaklarını kıpırdattı. "İçine atla! Şimdi!"

Göz ucuyla Rachel'ın hareketini gören Delta-Bir, içgüdüsel olarak döndü ve ateş açtı. Rachel bu sırada, kurşun yağmurunun tam altındaki hizada kaportadan içeri düştü. Mermiler dairesel kapaktan sekerken açık kaporta çınladı ve etrafa kıvılcımlar saçılırken kapak üstüne kapandı.

Tolland, sırtındaki silahın kalktığını hissettiği anda harekete geçmişti. İner tip kapıdan uzaklaşarak sola atladı ve asker, ona doğru dönüp ateş ederken, güverteye düşüp yuvarlandı. Tolland geminin çapa makarasının arkasında siper almak için yerde süründü; çapaya bağlı binlerce metre çelik kablonun sarılı olduğu dev bir motorlu silindir.

Tolland'ın bir planı vardı ve hızlı davranması gerekiyordu. Asker peşinden fırladığı sırada Tolland uzanıp iki eliyle çapa kilidini kavradı ve aşağı çekti. Çapa makarası bir anda kabloyu geri sarmaya başlayınca, *Goya* kuvvetli akıntıyla sallandı. Ani salınım, güvertedeki herkesi ve her şeyi silkelemişti. Tekne, akıntının tersi yönde hızlanırken, çapa makarası gittikçe daha hızlı sarıyordu.

Tolland içinden sabırsızlıkla, *hadi bebeğim*, diye geçirdi.

Dengesini tekrar bulan asker, Tolland'ın peşine düştü. Son ana kadar bekleyen Tolland sıkıca tutundu, kolu tekrar yukarı kaldırdı ve makarayı kilitledi. İyice gerilen zincir gemiyi birdenbire durdurdu ve *Goya*'nın sarsılmasına sebep oldu. Güvertedeki her şey yerinden fırlamıştı. Asker sendeleyip, Tolland'ın yanında dizlerinin üstüne çöktü. Pickering parmaklıklardan arkaüstü güverteye düştü. Kablosundan sarkan Triton sertçe sallandı.

Hasar gören destek elemanı sonunda koparken, geminin altından deprem gibi bir metal uğultusu geldi. *Goya*'nın sağ kıç köşesi kendi ağırlığı altında ezilmeye başlamıştı. Gemi, dört bacağından birini kaybeden dev bir masa gibi, yalpaladı. Aşağıdan gelen ses sağır ediciydi; bir bükülme iniltisi, parçalanan metal sesi ve çarpan dalgalar.

Triton'ın pilot kabininde yumruklarını sımsıkı kapatan Rachel, dokuz tonluk makine artık yana yatmış dik güvertedeki iner tip kapının üstünde sallanırken tutunuyordu. Cam kubbenin zemininden, aşağıda kuduran denizi görebiliyordu. Başını kaldırıp baktı ve gözleri güvertede Tolland'ı ararken saniyeler içinde yaşanan tuhaf bir dram seyretti.

Sadece bir metre ötede, Triton'ın kıskaçlarına yakalanmış Delta askeri, sopanın ucundaki kukla gibi hoplarken acıyla inliyordu. William Pickering yerde sürünerek Rachel'ın görüş alanına girdi ve güvertedeki çengellerden birine tutundu. Çapa kolunun yanındaki Tolland da tutunuyor, kayıp denize düşmemeye çalışıyordu. Rachel, makineli tüfeği tutan askerin dengesini sağladığını görünce denizaltının içinden seslendi. "Mike, dikkat et!"

Ama Delta-Bir, Tolland'a aldırış etmiyordu bile. Asker ağzı dehşetten açık kalmış bir halde rölantideki helikoptere bakıyordu. Rachel, onun bakışlarını takip ederek başını çevirdi. Kiowa savaş helikopteri, dev pervaneleri hâlâ dönerken yana yatık güvertede yavaşça kaymaya başlamıştı. Uzun metal patenleri, tepeden aşağı inen kayak gibi hareket ediyordu. Rachel bundan sonra, dev makinenin, doğruca Triton'ın üstüne doğru kaydığını fark etti.

Eğimli güverteden yukarı, hava aracına doğru sürünerek tırmanan Delta-Bir, pilot kabinine çıktı. Tek kaçış vasıtalarının güverteden kayıp gitmesine izin verecek hali yoktu. Kiowa'nın kumandasını kavrayan Delta-Bir kolu geri çekti. *Havalan!* Tepedeki pervaneler sağır edici bir gürültüyle hızlanarak, ağır silahlı savaş helikopterini güverteden kaldırmaya çalışırken zorlandı. *Yukarı, lanet olası!* Helikopter doğruca Triton'a ve onun kıskacında sallanan Delta-İki'ye doğru kayıyordu.

Burnu öne doğru yatan Kiowa'nın pervane kanatları da yan yatmıştı ve helikopter güvertede hareket ettiğinde yukarı havalanmak yerine, daire testere gibi Triton'a doğru savruldu. *Yukarı!* Kumanda kolunu çeken Delta-Bir, helikopteri aşağı çeken yarım tonluk Hellfire savaş başlıklarından kurtulabilmeyi diledi. Pervane kanatları Triton denizaltısının ve Delta-İki'nin başının hemen üstünden geçti ama helikopter çok hızlı hareket ediyordu. Triton'ın vinç kablosundan kurtaramayacaktı.

Kiowa'nın 300-rpm çelik kanatları, denizaltının on beş ton kapasiteli vinç kablosuna çarptığında, metalin metale sürtünme sesi, geceyi bir çığlıkla inletti. Sesler destansı savaşları çağrıştırdı. Helikopterin zırhlı pilot kabinindeki Delta-Bir, pervanenin çelik zincir üstünde hareket eden dev bir çim biçme makinesi gibi denizaltının kablosunu hırpaladığını gördü. Başının üstünde göz alıcı kıvılcımlar saçılırken, Kiowa'nın pervaneleri patladı. Delta-Bir paten demirleri sertçe güverteye vuran helikopterin, iyice aşağı indiğini hissetti. Aracı kontrol etmeye çalıştı ama kalkamıyordu. Helikopter eğimli güvertede iki kez sıçradıktan sonra kaydı ve geminin punteline bindirdi.

Delta-Bir bir an için parmaklıkların tutacağını sandı.

Ardından çatırtıyı duydu. Ağır yüklü helikopter kenardan devrilip denize düştü.

Triton'ın içindeki Rachel Sexton denizaltının koltuğuna iyice dayanmış ve olduğu yerde donakalmıştı. Helikopterin pervanesi kabloya dolandığında mini denizaltı sert bir şekilde sallanmış ama Rachel tutmayı başarmıştı. Pervane kanatları bir şekilde denizaltının ana gövdesini ıskalamıştı ama kabloya büyük zarar verdiğini tahmin edebiliyordu. Bu noktada Rachel'ın tek düşünebildiği denizaltıdan mümkün olduğunca çabuk çıkmaktı. Kıskaçlara takılıp kalan askeri şarapnel parçaları yakmıştı, kanlar içindeydi ve cinnet geçiriyormuş gibi ona bakıyordu. Rachel, askerin arkasındaki William Pickering'in yana yatık güvertedeki bir çengele hâlâ tutunuyor olduğunu gördü.

Michael nerede? Onu göremedi. Kısa bir an süren bu panik yerini yeni bir korkuya bıraktı. Başının üstündeki Triton'ın yıpranmış vinç kablosundan gelen uğursuz bir şaklama sesiyle, çelik örgüler söküldü. Ardından parçalanma sesini duyan Rachel kablonun koptuğunu anladı.

Bir an için ağırlıksız kalan Rachel, denizaltı aşağı doğru inerken, pilot kabinindeki koltuğundan havalandı. Başının üstündeki güverte görünürden kaybolmuştu, hızla *Goya*'nın altındaki dar köprülere yaklaşıyordu. Kıskaçla takılı asker korkudan bembeyaz olmuş, denizaltı aşağı düşerken gözlerini Rachel'a dikmişti.

Düşüş sonsuz gibi geldi.

Denizaltı, *Goya*'nın altında denize çarptığında, akıntıyla dibe çöktü ve Rachel'ı koltuğunda aşağı bastırdı. Aydınlık okyanus kubbenin tepesini hızla örterken, belkemiği basınçla sıkışmıştı. Triton suyun altında yavaşlayarak durup, ardından tekrar mantar gibi yüzeye çıkarken Rachel nefes alamadığını hissetti.

Köpekbalıkları anında üşüşmüşlerdi. Rachel en öndeki koltuğundan, birkaç metre ötede yaşanan temsili, donmuş bir halde izledi.

Delta-İki, köpekbalığının dörtgen kafasının akıl almaz bir güçle çarptığını hissetti. Üst koluna yapışan jilet gibi keskin bir çene, kemiğine saplandı. Köpekbalığı güçlü vücudunu döndürüp kafasını sallarken Delta-İki'nin kolu vücudundan büyük bir acıyla koptu. Diğer köpekbalıkları yaklaştılar. Bacaklarına bıçaklar saplanıyordu. Göğsüne. Boynuna. Köpekbalıkları, bedeninden büyük lokmalar kopartırlarken Delta-İki'nin feryat edecek nefesi kalmamıştı. Son gördüğü şey, ay şeklinde bir ağız ve sıra sıra dişlerin yüzünde kapanması oldu.

Sonra dünya karardı.

Triton'ın kubbesine toslayan kıkırdaklı kafaların çıkarttığı çarpma sesleri sonunda hafiflemişti. Rachel gözlerini açtı. Adam yoktu. Cama çarpan sular kıpkırmızıydı.

Altüst olan Rachel, dizlerini göğsüne çekerek koltuğunda büzüştü. Denizaltının hareket ettiğini hissedebiliyordu. Akıntıya kapılmış sürükleniyor, *Goya*'nın aşağı dalış güvertesine sürtünüyordu. Rachel, Triton'ın aynı zamanda başka bir yöne de hareket ettiğini hissetti. Aşağı.

Dışarıda, safra tanklarına vuran suyun çağıltı sesleri yükselmişti. Okyanus önündeki pencerede giderek yükseliyordu.

Batıyorum!

Bir anda dehşete kapılan Rachel, hemen ayağa kalktı. Yukarıya uzanıp, kaporta mekanizmasını kavradı. Denizaltının üstüne tırmanabilirse, hâlâ *Goya*'nın dalış güvertesine atlayacak kadar zamanı vardı. Sadece bir metre kadar uzaktaydı.

Dışarı çıkmalıyım!

Kaporta mekanizmasının üstünde ne yöne doğru çevirince açılacağını gösteren anlaşılır bir işaret vardı. Kaldırdı. Kaporta kımıldamıyordu. Tekrar denedi. Hiçbir şey olmadı. Kapı sıkışmıştı. Eğrilmişti. Damarlarındaki korku, etrafındaki deniz gibi yükselirken, Rachel son bir kez daha kaldırdı.

Kaporta yerinden oynamıyordu.

Triton bir metre kadar daha derine gitti. Parçalanmış gövdenin altından açık denize doğru sürüklenmeden önce... son bir kez daha *Goya*'ya çarptı.

126

Senatör, fotokopi makinesindeki işini bitirirken Gabrielle, "Bunu yapmayın," dedi. "Kendi kızınızın hayatını tehlikeye atıyorsunuz!"

Masasına on set fotokopiyle dönen Sexton, onun sesini duymazdan geldi. Her bir sette, Rachel'ın ona gönderdiği kâğıtların kopyalarıyla beraber, göktaşının sahte olduğunu ve NASA ile Beyaz Saray'ın kendisini öldürmek istediğini el yazısıyla yazdığı not da vardı.

Fotokopi setlerini dikkatle ayrı ayrı beyaz zarflara yerleştiren Sexton, *şimdiye dek bir araya getirilmiş en şok edici medya malzemesi*, diye düşündü. Zarfların üstünde kendi ismi, ofis adresi ve senatörlük mührü vardı. Bu inanılmaz bilginin nereden geldiğine hiç şüphe kalmayacaktı. Sexton, *yüzyılın siyaset skandalı*, diye düşündü. *Ve bunu ortaya çıkaran kişi ben olacağım!*

Gabrielle hâlâ Rachel'ın güvenliği için yalvarıyordu ama Sexton sessizlikten başka hiçbir şey duymuyordu. Zarfları düzenlerken, kendi dünyasına kaptırmıştı. *Her siyasi kariyerin belirleyici bir noktası vardır. Şimdi sıra bende.*

William Pickering bıraktığı telefon mesajında, eğer Sexton halka duyuracak olursa Rachel'ın hayatının tehlikeye gireceğini söylemişti. Ama Sexton, NASA'nın sahteciliğini halka duyurduğunda, bu cesur hareketle Amerikan siyaset tarihinde rastlanmamış bir kararlılık ve siyaset sanatıyla Beyaz Saray'a yükseleceğini biliyordu, ki bu Rachel açısından kötüydü.

Hayat zor kararlarla doludur, diye düşündü. *Ve kazananlar, bu zor kararları verenlerdir.*

Gabrielle Ashe, Sexton'ın gözlerindeki bu bakışı daha önce de görmüştü. *Kör ihtiras.* Bundan korktu. Ve artık anlıyordu. Sexton, NASA aldatmacasını ilk duyuran kişi olmak için kendi kızının hayatını tehlikeye atmaya hazırlanıyordu.

Gabrielle, "Zaten kazandığınızı anlamıyor musunuz?" diye sordu. "Zach Herney ile NASA'nın bu skandaldan sıyrılmasına imkân yok. Halka kimin duyurduğu hiç önemli değil! Ne zaman duyulacağı da önemli değil! Rachel'ın güvende olduğunu öğrenene kadar bekleyin. Pickering ile konuşana kadar bekleyin!"

Sexton'ın artık onu dinlemediği belli oluyordu. Masasının çekmecesini açarak, üstünde adının başharflerini taşıyan, beş sent çapında kendinden yapışkanlı mühürlerin bulunduğu bir folyo yaprağı çıkardı. Gabrielle, bunları genellikle resmi davetler için kullandığını biliyordu ama görünüşe göre Sexton, kırmızı balmumu mühürlerin zarflara daha çarpıcı bir görünüm kazandıracağını düşünüyordu. Mühürleri folyodan sıyırarak çıkaran Sexton, zarf kapaklarına bastırarak yapıştırıyor ve mektupları monogramla mühürlüyordu.

Artık Gabrielle'ın kalbi öfkeyle çarpıyordu. Sexton'ın bilgisayarındaki yasadışı çeklerin dijital resimlerini düşündü. Bir şey söyleyecek olursa, Sexton'ın delilleri sileceğini biliyordu. "Bunu yapma," dedi. "Yoksa ilişkimizi ilan ederim."

Sexton balmumu mühürleri yapıştırırken yüksek sesle kahkaha attı. "Sahi mi? Peki inanacaklar mı sanıyorsun; gözünü iktidar hırsı bürümüş genç bir yardımcı, yönetimimde görev verilmeyince, her ne pahasına olursa olsun intikam almaya çalışıyor. İlişkimizi daha önce bir kez inkâr ettim ve bütün dünya bana inandı. Yine inkâr ederim."

Gabrielle, "Beyaz Saray'ın elinde fotoğraflar var," dedi.

Sexton bakmadı bile. "Ellerinde fotoğraf falan yok. Olsa bile hiçbir anlamı yok." Son mührü yapıştırdı. "Benim kalkanım var. Bu zarflar, herhangi birinin bana atabileceği her türlü iftirayı savuşturur."

Gabrielle, onun haklı olduğunu biliyordu. Sexton sanat eserine hayranlıkla bakarken, o kendini çaresiz hissetti. Masasının üstünde, her biri adı, adresi ve adının başharflerini taşıyan kırmızı mühürle emniyete alınmış on adet şık, beyaz zarf duruyordu. Kraliyet mektuplarına benziyorlardı. Çok daha önemsiz bilgiler sayesinde taç giydirilen krallar olmalıydı.

Sexton zarfları eline alıp çıkmaya hazırlandı. Gabrielle önüne çıkıp yolunu kesti. "Bir hata yapıyorsun. Bu bekleyebilir."

Sexton'ın bakışları gözlerini deliyordu. "Seni yaptım, Gabrielle, şimdi de eski haline getiriyorum."

"Rachel'ın gönderdiği faks seni başkanlığa yükseltecek. Ona borçlusun."

"Ona çok şey verdim."

"Ya başına bir şey gelirse!"

"O zaman bana sempati oyları kazandırır."

Gabrielle bu düşüncenin aklından bile geçtiğine inanmıyordu, değil ki dudaklarından dökülsün. Nefretle telefona uzandı. "Beyaz Saray'ı arayaca..."

Sexton dönüp yüzüne sert bir tokat indirdi.

Geriye sendeleyen Gabrielle dudağının yarıldığını hissediyordu. Masaya tutunup, denge sağlayarak, hayretle bir zamanlar taptığı adama baktı.

Sexton, ona uzun ve sert bir bakış fırlattı. "Eğer bana bu konuda engel çıkartmaya çalışırsan, seni bu yaptığına hayatının sonuna kadar pişman ederim." Gözünü bile kırpmadan, koltukaltına sıkıştırdığı zarflarla ayakta duruyordu. Gözlerinde tehlikeli bir parıltı vardı.

Gabrielle ofis binasından gece ayazına çıktığında dudağı hâlâ kanıyordu. Bir taksi çevirip içeri atladı. Sonra, Gabrielle Ashe Washington'a geldiğinden beri ilk defa kendinden geçercesine ağladı.

127

Triton düştü...

Yan yatmış güvertede sendeleyerek ayağa kalkan Michael Tolland, çapa makarasının arkasından gözlerini kısarak, bir zamanlar Triton'ın asılı durduğu parçalanmış vinç kablosuna baktı. Kıç tarafa dönüp, gözleriyle denizi taradı. *Goya*'nın altındaki Triton şimdi yüzey akıntısının üstünde belirmişti. En azından denizaltıya bir şey olmadığını görerek rahatlayan Tolland, kaportaya baktı. Açıldığını ve içinden Rachel'ın sağ salim çıktığını görmekten başka bir şey istemiyordu. Ama kaporta kapalıydı. Tolland, Rachel'ın sert düşüş yüzünden bayılmış olabileceğini düşündü.

Tolland güverteden bakarken, Triton'ın beklenmedik bir şekilde suyun altına indiğini fark etti; normal dalış su çizgisinin çok altındaydı. *Ba-*

tıyor. Tolland nedenini tahmin edemiyordu ama şu anda önemli de değildi.

Rachel'ı çıkartmalıyım. Hemen.

Tolland güvertenin kenarına fırlamak üzereyken, başının üstünden gelen makineli tüfek yağmuru, ağır çapa makarasında kıvılcımlar çıkarttı. Yeniden dizlerinin üstüne çöktü. *Kahretsin!* Makaranın arkasından baktığında Pickering'in üst güvertede, bir tetikçi gibi nişan aldığını gördü. Delta askeri helikoptere tırmanırken makineli tüfeğini bırakmış ve görünüşe göre Pickering yerden almıştı. Şimdi direktör daha yukarıda duruyordu.

Makaranın arkasında kapana kısılan Tolland arkasını dönüp, batan Triton'a baktı. *Hadi Rachel! Dışarı çık!* Kaportanın açılmasını bekledi. Hiçbir şey olmadı.

Gözlerini yeniden *Goya*'nın güvertesine çeviren Tolland, kıç parmaklıklarıyla arasındaki mesafeyi ölçmeye çalıştı. Yaklaşık altı metre. Sipersiz kat edilemeyecek kadar uzundu.

Tolland derin bir nefes alıp kararını verdi. Gömleğini çıkarıp sağ taraftaki açık güverteye doğru fırlattı. Pickering gömleği delik deşik ederken, Tolland yana yatık güvertenin aşağı tarafına fırlayıp kıç tarafa indi. Hızla sıçrayıp parmaklıkları aştı ve geminin arkasından kendini bıraktı. Havada kavis çizen Tolland etrafında vızıldayan mermileri duyabiliyor ve tek bir sıyrığın bile suya çarptığı anda köpekbalığı ziyafetine neden olacağını biliyordu.

Rachel Sexton kendini kafese kapatılmış vahşi bir hayvan gibi hissetti. Defalarca kapağı kaldırmaya çalışmış ama hiç işe yaramamıştı. Aşağılardaki bir tankın suyla dolduğunu duymuş ve denizaltının ağırlığının arttığını hissetmişti. Şeffaf kubbenin üstündeki okyanus yukarı çıktıkça aydınlanıyor, aşağıda ise tam tersine siyah bir perde yükseliyordu.

Rachel camın alt yarısından, okyanus boşluğunun kendisini mezar gibi beklediğini görebiliyordu. Aşağıdaki engin boşluk onu yutmakla tehdit ediyordu. Kaporta mekanizmasını kavrayıp bir kez daha çevirmeye çalıştı ama yerinden oynamayacaktı. Ciğerleri zorlanmaya başlamıştı. Fazla karbondioksitin küf kokusu burun deliklerini yakmaya başlamıştı. Tüm bunları yaşarken, tek bir düşünce onu esir aldı.

Suyun altında tek başıma öleceğim.

Yardımı olabilecek bir şey bulmak için Triton'ın kumanda paneline ve kollarına baktı ama tüm göstergeler siyahtı. Elektrik yoktu. Denizin dibine doğru batan çelik bir mahzene kilitlenmişti.

Tanklardaki çağıltı sesleri artmıştı ve okyanus camın bir metre kadar yukarısına yükselmişti. Sonsuz düzlüğün karşı tarafında, uzaklardan kızıl bir şerit ufukta yükseliyordu. Sabah olmak üzereydi. Rachel, bunun göreceği son ışık olmasından korkuyordu. Yaklaşan sonunu düşünmemek için gözlerini kapatan Rachel'ın, dehşet verici çocukluk hatıraları gözünün önünden geçti.

Buzdan düşmek. Suyun altına batmak.

Nefessiz kalmak. Kendini yukarı çekememek. Batmak.

Annesinin ona seslenmesi. "Rachel! Rachel!"

Denizaltının dışından gelen bir vurma sesi Rachel'ı kapıldığı hezeyandan ayırdı. Gözleri aniden açılmıştı.

"Rachel!" Ses boğuktu. Hayalet gibi bir yüz baş aşağı cama dayanmıştı, siyah saçları dalgalanıyordu. Karanlıkta onu güçlükle tanıdı.

"Michael!"

Rachel'ın içeride hareket ettiğini görünce rahatlayan Tolland, nefes almak için yüzeye çıktı. *Yaşıyor.* Tolland, güçlü kulaçlarla Triton'ın arkasına yüzüp, suyun altında kalan motor platformuna tırmandı. Dairesel kapının vidasını kavramaya çalışırken sıcak ve kuvvetli okyanus akıntısını hissediyor, Pickering'in silah menzilinin dışında olmayı ümit ederek, başını aşağıda tutuyordu.

Triton'ın gövdesi artık tamamıyla suyun altındaydı ve Tolland, kaportayı açıp Rachel'ı dışarı çıkartacaksa, acele etmesi gerektiğini biliyordu. Çok az bir nefesi kalmıştı ve hızla tükeniyordu. Kaporta suyun altına indikten sonra açarsa, deniz suyu Triton'ın içine dolacak, Rachel içeride hapis kalacak ve denizaltı dibe doğru serbest düşüşe geçecekti.

"Ya şimdi ya hiç," diyerek nefesini tuttu ve kaporta dümenini kavrayıp saatin ters yönünde çevirdi. Hiçbir şey olmamıştı. Var gücüyle bir kez daha denedi. Kaporta yine dönmeyi reddetmişti.

Kapının diğer tarafında, Rachel'ın içeriden gelen sesini duyabiliyordu. Sesi boğuk geliyordu ama dehşete kapıldığını sezebiliyordu. "Denedim!" diye seslendi. "Çeviremedim!"

Sular şimdi kapağı sarmaya başlamıştı. Tolland, ona, "Birlikte döndürelim!" diye bağırdı. "Sen ordan *saat yönünde* çevireceksin!" Kadranın açık biçimde işaretlendiğini biliyordu. "Tamam, şimdi!"

Tolland safra tanklarına dayanarak tüm gücüyle asıldı. Rachel'ın da aşağıda aynını yaptığını duyabiliyordu. Kadran bir santim kadar dönüp aniden durdu.

Tolland şimdi anlamıştı. Kapak açıklığa düzgün oturmamıştı. Yamuk oturtulup sıkıca kapatılan bir reçel kavanozu kapağı gibi sıkışmıştı. Lastik conta düz durduğu halde, tutamaçlar eğrilmişti. Bu da kapının ancak bir kaynak hamlacıyla açılabileceği anlamına geliyordu.

Denizaltının tepesi su yüzeyinin altına inerken, Tolland aniden korkuya kapıldı. Rachel Sexton Triton'dan çıkamayacaktı.

Altı yüz metre aşağıda, yerçekimi ile güçlü derin su girdabının tutsağı olan bomba yüklü Kiowa helikopteri hızla dibe batıyordu. Pilot kabinindeki Delta-Bir'in cansız bedeni, derinlik basıncıyla deforme olduğundan artık tanınır halde değildi.

Hâlâ Hellfire füzeleri üstünde duran helikopter aşağı doğru spiral çizerek inerken, magma kubbesi okyanus tabanının üstünde kızgın bir iniş pisti gibi bekliyordu. Üç metre kalınlığındaki kabuğun altında bin santigrat derecede lavlar kaynıyor, bir volkan patlamaya hazırlanıyordu.

128

Batan Triton'ın motor kutusunun üstünde dizine kadar suyun içinde duran Tolland, Rachel'ı kurtarmanın bir yolunu bulmaya çalışıyordu.

Denizaltının batmasına izin verme!

Geriye dönüp *Goya*'ya bakarken, yüzeye yakın seviyede tutmak için Triton'a bir vinç bağlanabilir mi, diye düşünüyordu. İmkânsızdı. Artık arada elli metre vardı ve köprünün üstünde duran Pickering, kanlı bir arena gösterisi seyretmek üzere kraliyet koltuğuna geçen Roma imparatorlarına benziyordu.

Tolland kendi kendine, *düşün,* dedi. *Denizaltı neden batıyor?*

Denizaltı batmazlığı mekaniği oldukça basitti: su ya da hava pompalayan safra tankları, suda aşağı yukarı hareket ettirecek şekilde denizaltının batmazlığını ayarlıyordu.

Safra tanklarının dolduğu anlaşılıyordu.

Ama öyle olmamalıydı.

Bütün denizaltı safra tanklarının hem üstte, hem de alt tarafta delikleri olurdu. "Taşırma delikleri" denilen aşağıdaki delikler daima açık dururken, "boşaltma valfı" denilen yukarıdaki delikler, içeri suyun girmesi için hava kaçıracak şekilde açılıp ya da kapanırdı.

Bir sebepten ötürü Triton'ın boşaltma valfı açık olabilir miydi? Tolland nedenini tahmin edemiyordu. Motor platformunun üstünde ilerleyerek, Triton'ın safra tanklarından birini yokladı. Boşaltma valfları kapalıydı. Ama valfları incelerken, parmakları başka bir şey bulmuştu.

Mermi delikleri.

Kahretsin! Rachel içine atladığında Triton, mermilerle delik deşik olmuştu. Hemen dalıp denizaltının aşağısında yüzen Tolland, elini Triton'ın daha önemli bir safra tankında gezdirdi; negatif tank. İngilizler buna "aşağı ekspres", Almanlarsa "kurşun ayakkabı giymek" diyorlardı. Her iki şekilde de anlamı açıktı. Negatif tank dolduğunda, denizaltıyı *aşağı* indiriyordu.

Tolland'ın elleri tankın kenarlarında dolaşırken, düzinelerce mermi deliğine rastladı. Suyun içeri aktığını hissedebiliyordu. Tolland'ın hoşuna gitse de gitmese de Triton dalmaya hazırlanıyordu.

Denizaltı artık yüzeyin bir metre altındaydı. Pruvaya yönelen Tolland yüzünü cama bastırıp, kubbeden içeri baktı. Rachel cama vurup bağırıyordu. Onun sesindeki korku Tolland'ın kendini güçsüz hissetmesine neden oldu. Bir an için soğuk hastaneye geri dönmüştü, sevdiği kadının ölmesini izlerken yapacak hiçbir şey olmadığını biliyordu. Dibe batan denizaltının önünde duran Tolland kendine bunun tekrar yaşanmayacağını söyledi. Celia, ona, *sen yaşayacaksın*, demişti ama Tolland artık geride kalan olmak istemiyordu... tekrar bunu yaşayamazdı.

Tolland'ın ciğerleri havasızlıktan yanıyordu ama yine de Rachel'ın yanında kaldı. Rachel cama her vurduğunda Tolland hava balonlarının yukarı çıktığını duyuyor ve denizaltı biraz daha batıyordu. Rachel, camdan içeri su girdiğiyle ilgili bir şeyler sesleniyordu.

Cam su alıyordu.

Camda bir mermi deliği mi var? Pek mümkün görünmüyordu. Ciğerleri patlayacak gibi olunca, Tolland yüzeye çıkmaya hazırlandı. Büyük akrilik cama tutunup yukarı çıkarken, eline bir parça kopmuş macun geldi. Anlaşıldığı kadarıyla çevre contası düşüş sırasında yerinden oynamıştı. Pilot kabininin su alma sebebi buydu. *Bir kötü haber daha.*

Yüzeye çıkan Tolland üç derin nefes alıp her şeyi baştan düşünmeye çalıştı. Pilot kabininden içeri su sızması, Triton'ın inişini hızlandıracaktı.

Denizaltı zaten suyun bir buçuk metre altına inmişti ve Tolland'ın ayakları zor değiyordu. Rachel'ın ümitsizce gövdeyi yumrukladığını duyabiliyordu.

Tolland'ın aklına yapılabilecek tek bir şey geliyordu. Triton'ın motor kutusuna dalıp, yüksek basınçlı hava silindirini bulabilirse, negatif safra tankını boşaltmak için kullanabilirdi. Hasarlı tankı boşaltmanın faydası dokunmayacağı halde, yeniden dolana kadar Triton'ı birkaç dakika yüzeyde tutabilirdi.

Peki sonra?

Aklına başka seçenek gelmeyen Tolland dalmaya hazırlandı. Çok derin bir nefes alıp ciğerlerini normal sınırlarının ötesinde, acıyacak kadar genişletti. *Daha büyük ciğer kapasitesi. Daha fazla oksijen. Daha uzun dalış.* Ama ciğerleri göğüs kafesini sıkıştırarak genişlerken, aklına garip bir fikir geldi.

Peki denizaltının içindeki basıncı artırırsa ne olurdu? Ön camın contası zarar görmüştü. Belki de, Tolland pilot kabinindeki basıncı arttırabilirse, denizaltının kubbe camı yerinden çıkardı ve Rachel'ı dışarı çıkartabilirdi.

Aldığı nefesi verip bir süre yüzeyde kaldı ve bu fikrin olabilirliğini gözden geçirdi. Son derece mantıklıydı, öyle değil mi? Her şeyin ötesinde denizaltı, tek bir yönde güçlü olmak üzere tasarlanmıştı. Çok yüksek dış basınca dayanmak zorundaydı ama içeridekine değil.

Ayrıca Triton, *Goya*'nın taşımak zorunda olduğu yedek parçaların sayısını indirmek için standart regülatör valfleri kullanıyordu. Tolland yüksek basınç silindirinin besleme hortumunu çıkarıp denizaltının iskele tarafındaki acil havalandırma regülatörüne bağlayabilirdi. Kabin basıncını arttırmak Rachel'a fiziksel bir acı verecekti ama dışarı çıkmasına da yardımcı olabilirdi.

Tolland nefes alıp daldı.

Denizaltı artık iki buçuk metre kadar batmıştı. Karanlık ve akıntı yüzünden yönünü bulmakta zorlanıyordu. Basınç tankını bulduktan sonra Tolland hemen hortumun yerini değiştirip, pilot kabinine hava pompalamaya hazırlandı. Kapama supabını kavradığında, tankın yan tarafındaki sarı yazı ona bu manevranın ne kadar tehlikeli olduğunu hatırlattı: DİKKAT: BASINÇLI HAVA- 3000 PSI.

Tolland, *santimetre kareye beş yüz kilo*, diye düşündü. Kabin basıncı Rachel'ın ciğerlerini ezmeden, Triton'ın kubbe camının denizaltıdan ayrılacağını ümit ediyordu. Tolland bir bakıma, su balonuna itfaiye hortumu bağlayarak, balonun bir an önce patlamasını bekliyor sayılırdı.

Kapama supabını kavrayıp kararını verdi. Batan Triton'ın arkasındaki kapama supabını çevirerek, valfı açtı. Hortum hemen şişerek sertleşmişti ve Tolland pilot kabininin içine muazzam bir güçle dolan havayı duyabiliyordu.

Triton'ın içindeki Rachel, başını delen ani bir acı hissetti. Çığlık atmak için ağzını açtı ama hava ciğerlerini o kadar acı veren bir basınçla zorluyordu ki, göğsünün patlayacağını sandı. Gözleri kafatasının içine doğru itiliyormuş gibi geliyordu. Kulak zarlarını delen sağır edici bir gürültü, onu kendinden geçmenin kıyısına getirmişti. İçgüdüsel olarak gözlerini sımsıkı kapattı ve ellerini kulaklarına bastırdı. Acı artıyordu.

Rachel tam önünden gelen bir vurma sesi duydu. Kendini zorlayıp gözlerini açtığında, Michael Tolland'ın karanlık sudaki siluetini gördü. Yüzünü cama dayamıştı. Rachel'a bir şey yapmasını işaret ediyordu.

Ama ne?

Karanlıkta onu hayal meyal görebiliyordu. Görüşü bulanıklaşmış, gözyuvarları basınçtan şekil değiştirmişti. Buna rağmen denizaltının, *Goya*'nın sualtı ışıklarının ulaşabildiği son sınırın altına indiğini anlayabiliyordu. Etrafını sonsuz bir karanlık boşluk çevreliyordu.

Tolland vücudunu, Triton'ın camına yaymış vurmaya devam ediyordu. Havasızlıktan göğsü daralınca, birkaç saniye içinde tekrar yüzeye çıkması gerektiğini anladı.

İçinden, *camı it*, diye geçiriyordu. Camın etrafından baloncuklar çıkartarak kaçan basınçlı havayı görebiliyordu. Contalar bir yerinden gevşemişti. Tolland'ın elleri, parmaklarını geçirebileceği bir tırtıklı kenar aradı, ama bulamadı.

Oksijeni tükenirken artık yanları göremiyordu. Son bir kez daha camı yumrukladı. Artık Rachel'ı bile göremiyordu. Fazlasıyla karanlıktı. Ciğerlerinde kalan son havayla suyun altında bağırdı.

"Rachel... camı... it!"

Sözleri, baloncuklar çıkartan boğuk bir gurultu şeklinde duyuldu.

129

Triton'ın içindeki Rachel, başı bir çeşit ortaçağ işkence aletiyle sıkıştırılıyormuş gibi hissetti. Pilot kabinindeki koltuğun yanında kamburunu çıkartmış dururken, ölümün yaklaştığını hissedebiliyordu. Tam önündeki yarıküre şeklindeki cam boştu. Karanlıktı. Cama vurma sesleri durmuştu.

Tolland gitmişti. Onu bırakmıştı.

Başının üstünden sızan basınçlı havanın tıslaması, ona Milne'deki sağır edici katabatik rüzgârını hatırlattı. Şimdi denizaltının zemini bir karış suyla dolmuştu. *Beni dışarı çıkarın!* Binlerce düşünce ve hatıra gözlerinin önünden film şeridi gibi geçmeye başlamıştı.

Karanlıktaki denizaltı yan yatınca Rachel sendeleyip dengesini kaybetti. Koltuğun üstünden ileri doğru düşerken, yarıküre şeklindeki cama sertçe çarptı. Omzuna şiddetli bir acı saplandı. Camın üstüne paldır küldür devrilirken, garip bir şey hissetti; denizaltının içindeki basınçta ani bir düşüş. Rachel'ın kulaklarındaki zonklama belirgin biçimde azalmıştı. Denizaltıdan dışarı kaçan havanın gurultusunu duyuyordu.

Neler olduğunu anlamak bir saniyesini almıştı. Camın üstüne düştüğünde, ağırlığı bir şekilde, iç basıncı contanın etrafından sızdıracak kadar yuvarlak yüzeyi dışarı doğru zorlamıştı. Yuvarlak camın gevşek durduğu anlaşılıyordu. Rachel birden, içerideki basıncı arttırarak Tolland'ın ne yapmaya çalıştığını fark etti.

Camı patlatmaya çalışıyor!

Triton'ın basınç silindiri, başının üstünde pompalamaya devam ediyordu. Boğucu basınç onu tehlikeli biçimde şuursuzluğa doğru sürüklediği halde, bu kez bunu duymak adeta hoşuna gitmişti. Sendeleyerek ayağa kalkan Rachel, tüm kuvvetiyle camı içeriden dışarı doğru itti.

Bu sefer gurultu sesleri çıkmamıştı. Cam biraz yerinden oynadı.

Ağırlığını tekrar cama verdi. Hiçbir şey olmadı. Omzundaki yara acıyınca başını indirip baktı. Kan kurumuştu. Bir kez daha denemek için hazırlandı ama vakti olmadı. Denizaltı geriye doğru yatıyordu. Ağır motor kutuları destek tanklarının üstüne çıkarken, Triton geriye devrilip arka üstü batmaya başlamıştı.

Rachel, pilot kabininin arka duvarına sırtüstü devrildi. Çalkalanan suyun içine yarı batmış bir haldeyken, gözlerini başının üstünde dev bir tavan penceresi gibi duran, su sızdıran cama dikti.

Dışarıda sadece karanlık vardı... ve aşağı doğru basınç uygulayan binlerce ton okyanus.

Rachel ayağa kalkmaya çalıştı ama vücudu ölü gibi ağırdı. Zihni bir kez daha zamanda geri giderken, donmuş nehirdeki buzlu görüntüleri hatırladı.

Onu sudan çıkartmak için aşağı eğilen annesi, "Mücadele et Rachel!" diye bağırıyordu. "Tutun!"

Rachel gözlerini kapattı. *Batıyorum.* Patenleri kurşun ağırlıklar gibi onu aşağı çekiyordu. Ağırlığını dağıtmak için buzun üstünde kollarını ve bacaklarını açan annesinin ona doğru uzandığını görebiliyordu.

"*Bacaklarını çırp Rachel! Çırp!*"

Rachel var gücüyle çırpıyordu. Vücudu buz deliğinin içinde biraz yukarı çıkmıştı. Bir ümit. Annesi, onu yakaladı.

Annesi, "Evet!" diye bağırdı. "Seni kaldırmama yardım et! Bacaklarını çırp!"

Annesi yukarıdan çekerken, Rachel son enerjisini kullanarak patenli ayaklarını çırptı. Annesi sırılsıklam olmuş Rachel'ı karlı nehir kenarına çekip, gözyaşlarına boğuldu.

Şimdi denizaltının artan nem ve ısısının içindeki Rachel, gözlerini etrafını kuşatan karanlığa açtı. Annesinin mezardan yükselen sesini duydu. Batan Triton'ın içinde bile çok net duyuluyordu.

Tekmele.

Rachel başını kaldırıp yukarıdaki kubbe cama baktı. Kalan tüm cesaretini toplayıp, şimdi dişçi koltuğu gibi yatay pozisyonda duran pilot koltuğuna çıktı. Sırtüstü yatarak dizlerini kırdı ve ayak tabanlarını yukarı çevirerek, bacaklarını mümkün olduğunca ileri uzatıp itti. Çaresizlik ve zorlanma sebebiyle attığı acı bir çığlık eşliğinde, ayaklarını akrilik kubbenin ortasına indirdi. İncik kemiğine saplanan acı, Rachel'ı sersemletmişti. Birden kulakları uğuldadı ve ani bir püskürmeyle içerideki basıncın dengelendiğini hissetti. Kubbenin sol tarafındaki conta ayrılmıştı ve kısmen yerinden çıkan dev lens, ambar kapısı gibi sallanıyordu.

İçeri giren tazyikli su Rachel'ı koltuğuna geri yapıştırdı. Okyanus, etrafında uğuldayıp arkasından dolanırken, onu koltuğundan yukarı kaldırarak çamaşır makinesindeki çorap gibi baş aşağı silkmeye başlamıştı. Rachel kör gibi el yordamıyla tutunacak bir şey aradı ama hızla dönüyordu. Pilot kabini suyla dolduğunda, denizaltının dibe doğru hızlı bir serbest düşüşe geçtiğini hissetti. Vücudu kabinin içinde yukarı toslamıştı ve kendini çivilenmiş gibi hissediyordu. Etrafını baloncuklar sarmıştı, sular onu döndürüp sola ve yukarı doğru sürüklüyordu. Kalçasına sert bir akrilik yüzeyi çarptı.

Birden serbest kalmıştı.

Sıcak ve ıslak sonsuzlukta dönüp yuvarlanırken Rachel ciğerlerinin nefessiz kaldığını hissetti. *Yüzeye çık!* Işık aradı ama göremiyordu. Dünyası nereye bakarsa baksın aynı görünüyordu. Karanlık. Yerçekimi yoktu. Aşağı ya da yukarı kavramı yoktu.

O dehşet dolu anda Rachel, ne yöne gideceğini bilmediğini fark etmişti.

Binlerce metre aşağıdaki Kiowa helikopteri, artan basıncın etkisi altında eziliyordu. Basınca karşı direnerek hâlâ helikopterde duran, tahrip gücü yüksek on beş tanksavar AGM-114 Hellfire füzesinin bakır astarlı konileriyle yaylı-patlama başlıkları, tehlikeli biçimde içeri çekiliyordu.

Okyanus tabanının otuz metre yukarısında, mega girdabın güçlü döngüsü helikopterden geriye kalanları alıp, magma kubbesinin akkor halindeki kabuğuna doğru döndürerek aşağı çekti. Art arda parlayan kibrit çöpleri gibi patlayan Hellfire füzeleri, magma kubbesinin tepesinde koca bir delik açtılar.

Nefes almak için yüzeye çıkıp ümitsizlik içinde tekrar dalan Michael Tolland, Hellfire füzeleri patladığında suyun dört buçuk metre altında, gözleriyle karanlığı tarıyordu. Yukarı doğru yayılan beyaz ışık, şaşırtıcı bir görüntüyü aydınlatmıştı; Tolland'ın sonsuza kadar hatırlayacağı bir sahneyi.

Rachel Sexton üç metre aşağıda, sarkıtılan bir kukla gibi duruyordu. Onun altında hızla dibe batan Triton denizaltısının cam kubbesi gevşekçe sallanıyordu. Açık denize kaçışan köpekbalıklarının, bölgede meydana gelecek tehlikeyi sezdikleri anlaşılıyordu.

Rachel'ın denizaltıdan çıktığını görünce duyduğu neşe, bundan sonra olacakları fark edince anında kayboldu. Işık azalırken Rachel'ın bulunduğu pozisyonu ezberine alan Tolland, hemen dalıp ona doğru yüzdü.

Binlerce metre aşağıdaki magma kubbesinin yırtılan kabuğu açılınca, sualtı volkanı patlayarak, bin iki yüz santigrat derecedeki magmayı denize püskürttü. Yakıcı lavlar değdiği anda suyu buharlaştırarak, mega girdabın merkez eksenine yoğun bir buhar kolonu gönderdi. Kasırgalara güç veren aynı akışkan dinamiği kinematik özellikleriyle hareketlenen buharın dikey enerji transferini, enerjiyi ters yöne taşıyan bir antisiklonik girdap sarmalıyla dengeleniyordu.

Bu yükselen gaz kolonunun etrafını sarmalayan okyanus akıntısı, aşağı doğru dönerek yoğunlaştı. Kaçan buhar, milyonlarca galon deniz suyunu aşağıdaki magmaya doğru çeken bir vakum etkisi yaratmıştı.Yeni sular dibe çarptıkça, onlar da buharlaşarak, büyüyen kolona katılıyor ve aşağı daha çok su çekiyordu. Yerini daha fazla su doldurdukça, girdap daha da büyüyordu. Hidrotermal mega girdap uzuyor ve her geçen saniye güçlenerek büyürken, üst kenarı sabit bir hızla yüzeye doğru tırmanıyordu.

Bir okyanus kara deliği doğmak üzereydi.

Rachel kendini ana rahmindeki bir bebek gibi hissetti. Sıcak ve ıslak karanlık onu kuşatmıştı. Sıcak karanlığın içinde beyni bulanmıştı. *Nefes al.* Bu refleksle mücadele etti. Gördüğü aydınlanmalar sadece yüzeyden geliyor olabilirdi ama çok uzak görünüyordu. *Bir hayal. Yüzeye çık.* Rachel güçsüzce, ışığın geldiğini gördüğü yöne doğru yüzmeye başladı. Artık daha fazla ışık görüyordu... uzaklardaki esrarengiz kırmızı bir parlama. *Gün ışığı mı?* Daha kuvvetli yüzdü.

Bir el onu ayak bileğinden yakaladı.

Suyun altında çığlık atmak için ağzını açan Rachel, ciğerlerinde kalan son havayı da vermişti.

El onu geri çekiyor, döndürerek aksi istikameti gösteriyordu. Onu kavrayan el Rachel'a tanıdık gelmişti. Michael Tolland oradaydı, onu kendisiyle beraber diğer yöne çekiyordu.

Rachel'ın zihni Tolland'ın onu aşağı çektiğini söylüyordu. Kalbiyse, Michael'ın ne yaptığını bildiğini.

Annesinin sesi, *bacaklarını çırp*, diye fısıldadı.

Rachel elinden geldiğince kuvvet sarf ederek bacaklarını çırptı.

130

Tolland, Rachel'la birlikte yüzeye çıkarken her şeyin bittiğini biliyordu. *Magma kubbesi yırtıldı.* Girdap yüzeye ulaştığı anda dev sualtı kasırgası her şeyi aşağı çekmeye başlayacaktı. Fakat tuhaftır ki, yüzeydeki dünya az önce bıraktığı kadar sakin değildi. Sesler sağır ediciydi. Sanki o suyun altındayken bir fırtına patlamışçasına, yüzüne rüzgâr çarpıyordu.

Tolland oksijensiz kalmaktan sersemlemişti. Suda Rachel'a destek olmaya çalıştı ama bir şey onu kollarından çekiyordu. *Akıntı!* Tolland, onu tutmaya çalıştı ama görünmeyen güç daha da şiddetle çekerek, onu kendisinden ayırmaya başlıyordu. Birden eli kaydı ve Rachel'ın vücudu kollarının arasından kayıp gitti, ama *yukarı* doğru.

Tolland hayret içinde Rachel'ın sudan yükselişini seyretti.

Başının üstündeki Sahil Güvenlik Osprey çekici pervaneli uçak alçalıp Rachel'ı yukarı çekmişti. Yirmi dakika önce Sahil Güvenlik, denizden gelen bir patlama haberi almıştı. Bölgede bulunması gereken Dolphin helikopterin izini kaybedince, bir kaza olmasından korkmuşlardı. Seyrüsefer sistemlerine helikopterin bilinen son koordinatlarını girip, kötü bir şeyle karşılaşmamayı dilemişlerdi.

Işıkları yanan *Goya*'dan yarım mil kadar açıkta, akıntıya kapılıp yüzen, alevler içinde bir enkaz gördüler. Bir sürat teknesine benziyordu. Onun yakınındaki bir adam suyun içinden heyecanla kollarını sallıyordu. Onu yukarı çektiler. Çırılçıplaktı; yapışkanlı bantla kapattığı tek bacağı hariç.

Gücü tükenen Tolland, başını kaldırıp gürültülü uçağın karınaltına baktı. Yatay pervaneleri aşağı doğru sağır edici bir rüzgâr estiriyordu. Rachel yukarı çıktığında, bir sürü el onu uçak gövdesinden içeri aldı. Tolland, onun güvenliğe alınmasını seyrederken, kapı eşiğinde çömelmiş yarı çıplak bir adam gözüne ilişti.

Corky? Tolland'ın kalbi yerinden fırlayacaktı. *Yaşıyorsun!*

Bel kuşağı hemen tekrar aşağı sarkıtıldı. Üç metre kadar uzağına düşmüştü. Tolland, ona doğru yüzmek istedi ama mega girdabın çekici gücünü hissetmeye başlamıştı. Etrafını kuşatan amansız deniz gitmesine izin vermiyordu.

Akıntı onu aşağı çekti. Yüzeye doğru çırpındı ama fazlasıyla yorulmuştu. Birisi, *sen yaşayacaksın*, diyordu. Yüzeye ulaşmaya çalışarak bacaklarını çırptı. Yeniden hırpalayıcı rüzgâra çıktığında, bel kuşağı hâlâ erişemeyeceği bir mesafedeydi. Akıntı onu aşağı çekmek için uğraşıyordu. Başını kaldırıp yukarıdan gelen sese ve rüzgâra bakınca Rachel'ı gördü. Bakışlarını aşağı dikmiş, gözleriyle Tolland'ın kendisine doğru yukarı gelmesi için yalvarıyordu.

Tolland dört güçlü kulaçta bel kuşağına ulaştı. Kalan son gücüyle kolunu ve başını halkanın içinden geçirip kendini bıraktı.

Okyanus birden altında uzaklaşmaya başlamıştı.

Geniş girdap açılırken, Tolland aşağı bakıyordu. Mega girdap sonunda yüzeye ulaşmıştı.

William Pickering *Goya*'nın köprüsünden, etrafında gelişen manzarayı afallamış bir halde izliyordu. *Goya*'nın kıç tarafının sancak kısmında, deniz yüzeyinde çanak benzeri dev bir çukurluk oluşuyordu. Yüzlerce metre çapındaki girdap, gittikçe büyüyordu. Girdabın içine akan okyanus, kenarlarda ürkütücü bir kayganlıkla dönüyordu. Etrafında, derinliklerden gelen gırtlaksı bir uğultu sesi yankılanıyordu. Pickering çukurun, kurban almak için sabırsızlanan destansı bir tanrının açılan ağzı gibi üstüne doğru gelerek genişlemesini seyretti.

Pickering, *rüya görüyorum,* diye düşündü.

Aniden *Goya*'nın camlarını kıran bir patlamayla, mega girdabın buharı ortasından yukarı yükseldi. Göklere kadar fışkıran gayzerin tepesi karanlık gökyüzünde kayboldu.

Bacanın duvarları birden dikleşti. Hızla genişleyen girdap, okyanusu içine çekerek üstüne doğru ilerliyordu. *Goya*'nın kıçı genişleyen çukura doğru hızla savruldu. Dengesini kaybeden Pickering, dizlerinin üstüne düşmüştü. Dua eden bir çocuk gibi bakışlarını aşağı, büyüyen boşluğa indirdi.

Hayatının son saniyelerinde Diana'yı düşündü. Ölürken böylesine bir korkuyu yaşamamış olmasına dua ediyordu.

Kaçan buharın şok dalgası Osprey'i yana savurdu. Pilotlar yeniden denge sağlayıp, *Goya*'nın üstünde alçalırken Tolland ile Rachel birbirlerine tutundular. Dışarı baktıklarında, kaderine mahkûm geminin parmaklıklarının yanında siyah paltosu ve kravatıyla diz çökmüş William Pickering'i gördüler.

Geminin kıçı dev kasırganın dış kenarına kapıldığında, çapa zinciri sonunda koptu. Pruvası havaya kalkan *Goya,* arkaya doğru devrilerek, sarmal su duvarının içine battı. Denizin altında kaybolurken, ışıkları hâlâ parlıyordu.

131

Washington'da sabah hava açık ve soğuktu.

Esen bir rüzgâr Washington Anıtı'nın zeminindeki yaprakları döndürdü. Dünyanın en büyük dikilitaşı, genellikle her sabah havuza yansıyan kendi huzurlu görüntüsüne uyanırdı, ama bu sabah etrafta itişip kakışan ve anıtın etrafında beklenti içinde toplanan gazetecilerin kargaşasını beraberinde getirmişti.

Senatör Sedgewick Sexton, limuzinden inerken kendini Washington'dan bile daha büyük hissetti ve anıtın girişinde kendisini bekleyen basın alanına bir aslan gibi ilerledi. Buraya ülkenin en büyük on medya yayın ağını davet etmiş ve onlara son on yılın en büyük skandalını vaat etmişti.

Sexton, *hiçbir şey, akbabaları ölümün kokusu kadar kendine çekemez,* diye düşündü.

Scxton, hcr biri isminin başharflcriylc zarif bir şckildc mühürlcnmiş elindeki beyaz zarfları sıkıca kavradı. Eğer, bilgi güç demekse, o zaman Sexton şu anda elinde nükleer bir savaş başlığı taşıyordu.

Podyuma yaklaşırken, başının döndüğünü hissetti, iki "şöhret çerçevesi"nden -podyumun iki tarafında koyu mavi perdeler gibi duran, büyük, ayaklı bölmeler- oluşan kondurma sahneyi görünce memnun olmuştu, bu sanki bir sahne perdesinin önünde duruyormuş hissini veren eski bir Ronald Reagan hilesiydi.

Sexton kulisten çıkan bir aktör gibi bölmenin arkasından çıkarak, sahneye sağ taraftan girdi. Gazeteciler hemen sahneye bakan açılır kapanır sandalye sıralarında yerlerini aldılar. Doğuda, güneş ABD Kongre Binası'nın üzerinde henüz yükselmeye başlamıştı, pembe ve altın renkli ışınları sanki cennetten gelen ışınlar gibi Sexton'ın üzerine yansıyordu.

Dünyanın en güçlü adamı olmak için mükemmel bir gün.

Sexton önündeki kürsünün üzerine zarfları yayarken, "Günaydın, bayanlar ve baylar," dedi. "Mümkün olduğu kadar kısa keseceğim. Açıkçası, sizinle paylaşacağım bilgi, oldukça rahatsız edici. Bu zarflar, hükümetin üst kademelerindeki bir düzenbazlıkla ilgili kanıtları içeriyor. Başkan'ın yarım saat önce beni arayıp, bu kanıtı halka açıklamamam için bana yalvardığını -evet, *yalvardığını-* bildirmekten utanç duyuyorum." Kederle başını iki yana salladı. "Ama, ben gerçeğe inanan bir adamım. Ne kadar acı verici olursa olsun."

Sexton zarfları havaya kaldırarak, ara verdi, karşısında oturan kalabalığı ayartmaya çalışıyordu. Gazeteciler, lezzetli bir yiyecek karşısında salyalarını akıtan köpekler gibi gözleriyle zarfları takip ediyorlardı.

Başkan yarım saat önce Sexton'ı arayıp, her şeyi açıklamıştı. Herney, güvenli bir şekilde uçakla bir yere giden Rachel'la konuşmuştu. Beyaz Saray ve NASA, inanılmayacak şekilde, bu fiyaskoda William Pickering tarafından planlanan entrikanın masum izleyicileri gibi görünüyorlardı.

Sexton, *hiç fark etmez,* diye düşündü. *Zach Herney yine de yere fena çakılacak.*

Sexton, halka duyuru yapacağını öğrendiğinde Başkan'ın yüz ifadesini görmek için, şu anda Beyaz Saray duvarlarında bir sinek olmayı diliyordu. Sexton, göktaşını ulusa en iyi nasıl anlatacağını tartışmak için Herney ile Beyaz Saray'da görüşmeyi kabul etmişti. Herney şu anda televizyonun karşısında sersem sepet bir halde oturup, Beyaz Saray'ın artık kaderi engelleyebilecek hiçbir şey yapamayacağını düşünüyor olmalıydı.

Kalabalıkla göz teması kuran Sexton, "Dostlarım," dedi. "Bunu uzun uzadıya düşündüm. Başkan'ın bu bilgiyi gizli tutma arzusunu yerine getirmeyi düşündüm ama kalbimin sesini dinlemek zorundayım." Sexton içini çekip hikâyenin tuzağına düşmüş bir adam gibi başını öne eğdi. "Gerçek gerçektir. Bu gerçekler hakkında yapacağınız yorumları hiçbir şekilde yönlendirmeyeceğim. Sizlere eldeki verileri olduğu gibi anlatacağım."

Sexton uzaklardan gelen dev bir helikopter pervanesinin sesini duydu. Bir an için Başkan'ın basın konferansını durdurmak ümidiyle, panik içinde Beyaz Saray'dan oraya geldiğini sandı. Sexton neşeyle, *ekmeğime yağ sürer*, diye düşündü. *Asıl o zaman çok daha suçlu görünür.*

Sexton, "Bunu yapmaktan zevk almıyorum," diye devam ederken zamanlamasının mükemmel olduğunu fark etti. "Ama Amerikan halkına yalan söylendiğini açıklamak benim görevim."

Gürültüyle yaklaşan helikopter, sağ taraftaki düzlüğe indi. Sexton dönüp baktığında bunun başkanlık helikopteri olmadığını görünce şaşırdı. Bir Osprey pervaneli uçağıydı.

Gövdenin üstünde BİRLEŞİK DEVLETLER SAHİL GÜVENLİK yazıyordu.

Afallayan Sexton, kabin kapılarının açılıp içinden bir kadının inmesini seyretti. Üstünde turuncu bir Sahil Güvenlik parkası vardı ve sanki savaştan çıkmış gibi darmadağın görünüyordu. Basın alanına yürüdü. Sexton bir an için onu tanıyamamıştı. Sonra dank etti.

Rachel? Şaşkınlıkla yutkundu. *Burada ne işi var?*

Kalabalıktan mırıltılar yükseldi.

Sexton yüzünde geniş bir tebessümle basına döndü ve özür diliyormuş gibi parmağını havaya kaldırdı. "Bir saniye izninizi istiyorum. Çok üzgünüm." Yorgun ve iyi huylu bir adam edasıyla içini çekti. "Önce aile."

Muhabirlerden birkaçı güldü.

Kızı sağ taraftan hızla yanına yaklaşırken Sexton, bir baba-kız kavuşması için özel bir yerin daha uygun olacağını düşünüyordu. Ne yazık ki şu anda böyle bir gizliliğe imkân yoktu. Sexton'ın gözleri sağ taraftaki bölme duvarına takıldı.

Hâlâ serinkanlı bir şekilde gülümseyen Sexton, kızına el sallayıp mikrofondan uzaklaştı. Öyle bir açıyla döndü ki, Rachel yanına ulaşmak için bu bölme duvarının arkasından geçmek zorunda kalacaktı. Sexton, onu basının gözlerinden ve kulaklarından uzakta, yarı yolda karşıladı.

Rachel, ona doğru yaklaşırken gülümseyerek kollarını açıp, "Tatlım?" dedi. "Bu ne sürpriz!"

Rachel yanına gelip, suratına bir tokat indirdi.

Bölme duvarının arkasında babasıyla baş başa kalan Rachel nefretle ateş püskürüyordu. Ona gayet sert vurmuştu ama Sexton kılını bile kıpırdatmamıştı. Tüyler ürpertici bir hâkimiyetle sahte tebessümü gitmiş, yerini azarlayıcı bir öfke almıştı.

Sesi şeytani bir fısıltıya dönüştü. "Burda olmamalıydın."

Rachel, onun gözlerindeki gazabı gördü ama hayatında ilk defa korkmadı. "Senden yardım istedim ama sen beni sattın! Az kalsın öldürülüyordum!"

"Gayet iyi görünüyorsun." Adeta bundan ötürü hayal kırıklığına uğramış gibi konuşmuştu.

Rachel, "NASA *masum!*" dedi. "Başkan, sana bunu açıkladı. Burda ne yapıyorsun?" Rachel'ın Sahil Güvenlik Osprey'i ile yaptığı uçuş yolculuğu Beyaz Saray, babası ve hatta çılgına dönmüş Gabrielle Ashe arasında yaptığı telefon görüşmeleriyle geçmişti. "Zach Herney'ye Beyaz Saray'a gideceğine dair söz vermiştin!"

"Gideceğim." Sırıttı. "Seçim günü."

Bu adamın babası olduğunu düşünmek Rachel'ın midesini bulandırıyordu. "Yapmak üzere olduğun şey delilik."

Sexton, "Ah," diyerek güldü. Dönüp, bölme duvarının sonundan görünen arkasındaki kürsüyü işaret etti. Kürsünün üstünde bir dizi beyaz zarf duruyordu. "O zarflarda *senin*, bana gönderdiğin bilgiler var Rachel. *Senin*. Başkan'ın kanı eline bulaştı."

"O bilgileri yardımına ihtiyacım varken yollamıştım! NASA ile Beyaz Saray'ın suçlu olduğunu düşündüğüm zaman!"

"Kanıtlar gözönüne alınacak olursa, NASA kesinlikle suçlu görünüyor."

"Ama değil! Yaptıkları hatayı itiraf etmek için bir şans hak ediyorlar. Bu seçimi zaten sen kazandın. Zach Herney'nin işi bitti! Bunu *biliyorsun*. Adamın onurunu kurtarmasına izin ver."

Sexton homurdandı. "Ne kadar naif. Bu işin seçimi kazanmakla ilgisi yok Rachel, *iktidarla* ilgisi var. Bu işin kesin zafer, büyüklüğünü göstermek, muhalefeti ezmek ve işini yaptırabilmek için Washington'daki güçleri elinde tutmakla ilgisi var."

"Ne pahasına?"

"Bu kadar kendini beğenmiş olma. Ben sadece kanıtları sunuyorum. Kimin suçlu olduğuna insanlar kendileri karar verirler."

"Ama bunun nasıl görüneceğini biliyorsun."

Omuzlarını silkti. "Belki de NASA'nın suyu ısınmıştır."

Senatör Sexton bölmenin arkasındaki basının sabırsızlandığını sezmişti ve tüm sabah burada durup, kızından vaaz dinlemeye hiç niyeti yoktu. Zafer anı onu bekliyordu.

"Yeteri kadar konuştuk," dedi. "Basın konferansı beni bekliyor."

Rachel, "Senden bunu kızın olarak istiyorum," diye yalvardı. "Bunu yapma. Ne yaptığını iyi düşün. Daha iyi bir yol var."

"Benim için yok."

Arkasındaki mikrofon düzeneğinden bir uğultu yankılanınca Sexton geriye dönüp, geç gelen bir kadın muhabirin kürsüsüne bükümlü bir televizyon kanalı mikrofonu yerleştirdiğini gördü.

Sexton öfkeyle, *bu salaklar neden vaktinde gelemezler,* diye düşündü.

Muhabir acele ederken Sexton'ın zarflarını yere düşürmüştü.

Tanrı'nın cezası! Kürsüye yürüyen Sexton, dikkatini dağıttığı için, içinden kızına küfretti. Kürsüye vardığında, elleriyle dizlerinin üstündeki

F: 32

kadın yerden zarfları topluyordu. Sexton, onun yüzünü göremedi ama bir kanaldan geldiği belliydi. Uzun bir kaşmir palto giymiş ve uyumlu bir eşarpla üstünde ABC basın kartı iliştirilmiş moher bere takmıştı.

Sexton, *aptal sürtük,* diye düşündü. Elini zarflara doğru uzatarak, "Onları ben alayım," dedi.

Geri kalan zarfları da yerden toplayan kadın, başını kaldırmadan Sexton'a uzattı. Bariz bir mahcubiyetle, "Affedersiniz..." diye mırıldandı. Utançla kamburunu çıkararak, kalabalığın arasına daldı.

Sexton hızla zarfları saydı. *On. Güzel.* Bugün elde edeceği zaferi kimse engelleyemezdi. Yeniden toparlanıp, kalabalığa neşeyle gülümsedi. "Sanırım birilerinin canı yanmadan bu zarfları dağıtsam iyi olacak!"

Sabırsız görünen kalabalık güldü.

Sexton, bölmenin arkasındaki kızının sahnenin hemen başlangıcında durduğunu hissediyordu.

Rachel, "Bunu yapma," dedi. "Pişman olacaksın."

Sexton, onu duymazdan geldi.

Sesini biraz daha yükselten Rachel, "Bana güvenmeni istiyorum," dedi. "Bu bir hata."

Sexton zarfları kaldırıp kenarlarını düzeltti.

Rachel sabırsız ve yalvaran bir sesle, "Baba," dedi. "Doğru olanı yapmak için bu son şansın."

Doğru olanı yapmak mı? Sexton mikrofonu kapatıp boğazını temizliyormuş gibi başını çevirdi. Kızına kendinden emin bir bakış fırlattı. "Tıpkı annen gibisin: idealist ve küçük. Kadınlar iktidarın gerçek doğasını anlamıyorlar."

Sedgewick Sexton itişip kakışan medyaya yeniden döndüğünde, kızını çoktan unutmuştu. Başını yukarıda tutarak, kürsünün etrafından yürüdü ve zarfları, bekleşen basının ellerine uzattı. Zarfların kalabalığın arasında bölüştürülmesini seyretti. Mühürlerin kırıldığını ve zarfların Noel hediyesi gibi yırtılıp açıldığını duyabiliyordu.

Kalabalığa aniden bir sessizlik çökmüştü.

Sexton bu sessizlikte, kariyerinin dönüm noktasının sesini duyabiliyordu.

Göktaşı sahte. Ve bunu ortaya çıkaran adam benim.

Sexton, baktıkları şeyin gerçekte neyi ima ettiğini basının hemen anlayacağını biliyordu: buzdaki bir yerleştirme şaftının TAR görüntüleri; NASA fosillerinin neredeyse aynısı olan, yaşayan okyanus türleri; yeryüzünde kondrul oluştuğunun ispatı. Bunların hepsi tek bir şok edici sonuca götürüyordu.

Elindeki zarfa bakarken oldukça şaşkın bir sesle konuşan bir muhabir, "Efendim?" diye geveledi. "Bu gerçek mi?"

Sexton bu işe canı sıkılıyormuş gibi içini çekti. "Evet, korkarım ki kesinlikle gerçekler."

Şimdi kalabalık şaşkınlık içinde mırıldanıyordu.

Sexton, "Sayfaları herkesin gözden geçirmesi için biraz zaman veriyorum," dedi. "Sonra soruları kabul edip, gördüklerinize biraz ışık tutmaya çalışacağım."

Bir başka muhabir, sersemlemiş bir halde, "Senatör?" dedi. "Bu görüntüler gerçek mi?... Rötuşlanmamış mı?"

Artık daha kesin konuşan Sexton, "Yüzde yüz," dedi. "Yoksa bu delilleri size sunmazdım."

Kalabalığın şaşkınlığı artar gibi olmuştu. Hatta Sexton birkaç kişinin kahkaha attığını duydu; hiç de beklediği türden bir tepki değildi. Medyanın parçaları birleştirmekteki yeteneğini gözünde fazla büyüttüğünden korkmaya başlıyordu.

Sesi tuhaf biçimde neşeli gelen biri, "Ee, senatör?" dedi. "Acaba bu görüntülerin gerçekliğinin arkasında duracak mısınız?"

Sexton hayal kırıklığına uğramıştı. "Dostlarım, bunu son kez söylüyorum, ellerinizdeki deliller yüzde yüz doğrudur. Ve biri bunun aksini ispatlarsa kellemi keserim!"

Sexton kahkahaları bekledi ama duyamadı.

Ölüm sessizliği. Boş bakışlar.

Az önce konuşan muhabir, Sexton'a doğru yürüdü. Ona doğru yaklaşırken elindeki fotokopileri karıştırıyordu. "Haklısınız senatör. Bunlar skandal yaratacak bilgiler." Muhabir durup başını kaşıdı. "Bunu bizimle neden bu şekilde paylaştığınızı anlayamadık, özellikle de daha önce hararetle inkâr etmişken."

Sexton'ın adamın neden bahsettiğine dair hiçbir fikri yoktu. Muhabir fotokopileri ona uzattı. Sexton sayfalara baktı ve bir an için tüm dünyası karardı.

Konuşamıyordu.

Daha önce hiç görmediği fotoğraflara bakıyordu. Siyah beyaz görüntüler. İki insan. Çıplak. Birbirine geçmiş kol ve bacaklar. Sexton ilk başta neye baktığını anlayamadı. Ama sonra jetonu düştü. Midesine gülle yemişti.

Sexton'ın başı dehşetle kalkıp kalabalığa baktı. Şimdi gülüyorlardı. Yarısı haber masasına telefonda hikâyeyi anlatmaya başlamıştı bile.

Sexton birinin omzuna hafifçe vurduğunu hissetti.

Afallamış bir haldeyken arkasını döndü.

Rachel karşısında duruyordu. "Seni durdurmaya çalıştık," dedi. "Her türlü şansı sana tanıdık." Yanında bir kadın duruyordu.

Sexton gözlerini Rachel'ın yanındaki kadına çevirirken titriyordu. Kaşmir paltolu ve moher bereli muhabir kadındı... zarfları deviren kadın. Sexton, onu gördüğünde kanı dondu.

Paltosunu açıp kolunun altına sıkıştırdığı beyaz zarfları gösterirken, Gabrielle'ın siyah gözleri onu delip geçiyordu.

132

Başkan Zach Herney'nin masasındaki bakır lambanın yumuşak ışığıyla aydınlanan Oval Ofis karanlıktı. Gabrielle Ashe, Başkan'ın karşısında dikilirken başını dik tutuyordu. Başkan'ın arkasındaki pencerede akşam karanlığı çökmeye başlamıştı.

Herney hayal kırıklığına uğramış bir sesle, "Bizi terk ettiğini duydum," dedi.

Gabrielle başını salladı. Başkan, ona basından uzakta, Beyaz Saray'ın içinde sınırsız sığınma hakkı vermiş olmasına rağmen Gabrielle bu fırtına sırasında en göze batan yerde saklanmak istemiyordu. Mümkün olduğunca uzakta olmak istiyordu. En azından bir süreliğine.

Masasının arkasından ona bakan Herney etkilenmiş görünüyordu. "Bu sabah verdiğin karar Gabrielle..." Sanki söyleyecek kelime bulamıyormuş gibi durdu. Bakışları doğal ve masumdu. Gabrielle'ı bir zamanlar Sedgewick Sexton'a çeken derin, esrarengiz gözlerle mukayese kabul etmezdi. Ama bu güçlü yerin oluşturduğu fonun önünde bile, Gabrielle, onun bakışlarındaki gerçek nezaketi görebiliyordu; uzun süre unutmayacağı bir onur ve asalet.

Sonunda Gabrielle, "Bunu biraz da kendim için yaptım," dedi.

Herney başını salladı. "Sana teşekkür borçluyum." Ayağa kalkıp, Gabrielle'a koridorda kendisini takip etmesini işaret etti. "Sana bütçe kadrosunda bir iş teklif edene kadar buralarda kalırsın diye ümit ediyordum."

Gabrielle, ona şüpheyle baktı. "Harcamayı bırakın, iyileştirmeye başlayın?"

Herney kendi kendine güldü. "Onun gibi bir şey."

"Sanırım şu anda sizin için fayda getirmekten çok bir külfet olacağımı ikimiz de biliyoruz efendim."

Herney omuzlarını silkti. "Birkaç ay geçsin. Hepsi unutulur gider. Pek çok kadın ve erkek aynı sıkıntılara katlandıktan sonra, çok büyük yerlere geldiler." Göz kırptı. "İçlerinden bazıları ABD Başkanı oldular."

Gabrielle, onun haklı olduğunu biliyordu. Sadece birkaç saattir işsiz olan Gabrielle iki teklif almıştı bile. Biri ABC'deki Yolanda Cole'dan, diğeri, eğer her şeyi anlattığı bir biyografi yayınlamayı kabul ederse yüklü bir meblağ teklif eden St. Martin's Press'ten. *Hayır teşekkürler.*

Başkan'la birlikte koridorda yürürlerken, Gabrielle şu anda televizyonlarda yayınlanan kendi resimlerini düşündü.

Kendi kendine, *ülkeye vereceği zarar çok daha büyük olabilirdi*, dedi. *Çok daha kötü.*

Yolanda Cole'un basın kartını almak için ABC'ye giden Gabrielle, aynı zarflardan aşırmak için Sexton'ın ofisine sızmıştı. İçerideyken Sexton'ın bilgisayarındaki bağış çeklerinin de yazıcıdan kopyalarını çıkartmıştı. Washington Anıtı'nın önündeki yüzleşmeden sonra Gabrielle çeklerin kopyalarını afallayan Senatör Sexton'a uzatmış ve taleplerini bildirmişti. *Göktaşı hakkındaki hatayı açıklaması için Başkan'a bir şans ver, yoksa tüm bu bilgiler halka duyurulur.* Finansal delillere bir kez bakan Sexton kendini limuzinine kilitleyip oradan uzaklaşmıştı. O saatten sonra da bir daha ondan haber almamıştı.

Şimdi Başkan'la birlikte Brifing Salonu'nun arka kapısına yaklaşırlarken, Gabrielle içeride bekleşen kalabalığın sesini duyabiliyordu. Yirmi dört saat içinde dünya ikinci defa bir başkanlık yayınını dinlemek için toplanmıştı.

Gabrielle, "Onlara ne anlatacaksınız?" diye sordu.

Herney son derece serinkanlı bir ifadeyle içini çekti. "Yıllar içinde bir şeyi çok iyi öğrendim..." Elini omzuna koyup gülümsedi. "Gerçeğin yerini hiçbir şey tutamaz."

Gabrielle, onun sahneye doğru ilerleyişini seyrederken beklenmedik bir gurur duydu. Zach Herney hayatında yaptığı en büyük hatayı itiraf etmek üzereydi ve tuhaf şekilde, daha önce hiç bu kadar başkanlığa layık görünmemişti.

133

Rachel uyandığında oda karanlıktı.

Bir saat 22.14'ü gösteriyordu. Kendi yatağı değildi. Bir süre boyunca, nerede olduğunu düşünerek hiç kıpırdamadan yattı. Yavaş yavaş hatırlamaya başlıyordu... mega girdap... bu sabah Washington Anıtı'nın önü... Başkan'ın Beyaz Saray'da kalmaya davet etmesi.

Rachel kendine, *Beyaz Saray'dayım*, dedi. *Bütün gün burada uyudum.*

Sahil Güvenlik helikopteri Başkan'ın emriyle, yorgunluktan tükenen Michael Tolland, Corky Marlinson ve Rachel Sexton'ı Washington Anıtı'ndan Beyaz Saray'a götürmüş, onlar da orada mükellef bir kahvaltı yapmış, doktorlar tarafından muayene edilmiş ve binanın on dört odasından diledikleri birinde istirahat etmeleri teklif edilmişti.

Hepsi de kabul etmişti.

Rachel bu kadar uzun süredir uyuduğuna inanamıyordu. Televizyonu açtığında, Başkan Herney'nin basın konferansını bitirmiş olduğunu görünce şaşırdı. Göktaşı yanılgısını dünyaya açıklarken, Rachel ile diğerleri Başkan'ın yanında durmayı teklif etmişlerdi. *Hatayı hep birlikte yaptık.* Ama Herney yükü tek başına omuzlamak konusunda ısrar etmişti.

Televizyondaki siyaset yorumcularından biri, "NASA'nın hiçbir şekilde uzayda yaşam izine rastlamamış olması üzücü," diyordu. "NASA son on yıl içinde ikinci defa bir göktaşını, dünya dışı yaşam izleri taşıyormuş gibi yanlış sınıflandırmış oldu. Ama bu kez aldatılanlar arasında son derece saygın sivil bilim adamları da vardı."

Lafa giren ikinci yorumcu, "Normalde Başkan'ın bu akşam düştüğü büyük yanılgı kariyeri açısından yıkıcı olurdu..." dedi. "Ama Washington Anıtı'nda geçen sabahki gelişmeleri dikkate alınca, Zach Herney'nin başkanlığı alması her zamankinden daha yakın görünüyor."

İlk yorumcu başını sallıyordu. "Yani uzayda hayat yok, ama Senatör Sexton'ın kampanyasında da hayat kalmadı. Ve şimdi senatörün düştüğü mali sıkıntılarla ilgili yeni bilgiler ortaya..."

Kapının vurulması Rachel'ın dikkatini dağıttı.

Michael, diye umut ederek, hemen televizyonu kapattı. Onu kahvaltıdan beri görmüyordu. Beyaz Saray'a vardıklarında Rachel'ın, onun kollarında uyumak kadar istediği bir şey yoktu. Michael'ın da aynı hisleri paylaştığından emindi ama Corky araya girmiş ve Tolland'ın yatağına demir atıp, kendi üstüne işeyerek, günü nasıl kurtardığının hikâyesini defalarca anlatıp durmuştu. Sonunda feci şekilde bitap düşmüş olan Rachel ile Tolland vazgeçmişler ve uyumak için kendi yatak odalarına yönelmişlerdi.

Şimdi kapıya doğru yürüyen Rachel aynada kendine baktı ve ne kadar aptal bir kıyafet giymiş olduğunu gördü. Yatmadan önce dolapta bulabildiği tek şey, eski bir Penn State futbol forması üstüydü. Gecelik gibi dizlerine kadar uzanıyordu.

Kapının vurulması devam etti.

Kapıyı açan Rachel, ABD Gizli Servis kadın ajanını görünce hayal kırıklığına uğradı. Formda ve sevimli görünen ajan mavi bir ceket giyiyordu. "Bayan Sexton, Lincoln Yatak Odası'nda kalan bey televizyonunuzun sesini duymuş. Uyanmış olduğunuzu düşünerek benden rica etti..." Durup kaşlarını yukarı kaldırırken, Beyaz Saray'ın üst katlarındaki gece oyunlarına yabancı olmadığı anlaşılıyordu.

Heyecanlanan Rachel kızardı. "*Teşekkürler.*"

Ajan, Rachel'ı kusursuz döşenmiş koridordan, yakınlardaki bir kapının önüne götürdü.

Ajan, "Lincoln Yatak Odası," dedi. "Ve bu kapının dışında her zaman söylediğim gibi. 'İyi uykular ve hayaletlere dikkat edin.'"

Rachel başını salladı. Lincoln Yatak Odası'ndaki hayaletlere ilişkin efsaneler Beyaz Saray kadar eskiydi. Winston Churchill'in burada Lincoln'ın hayaletini gördüğü söylenirdi. Eleanor Roosevelt, Amy Carter, aktör Richard Dreyfus ve hizmetçilerle uşaklar da dahil olmak üzere diğerlerinin de öyle. Başkan Reagan'ın köpeğinin bu kapının arkasında saatlerce havladığı rivayet ediliyordu.

Tarihi hayaletler düşüncesi Rachel'ın bu odanın ne kadar kutsal bir yer olduğunu fark etmesini sağladı. Birden utanmıştı. Orada uzun futbol forması üstüyle, bacakları çıplak bir halde dururken, kendini bir oğlanın odasına girerken yakalanmış öğrenci gibi hissediyordu. Ajana, "Bu kurallara uygun mu?" diye sordu. "Yani burası Lincoln'ın yatak odası öyle değil mi?"

Ajan göz kırptı. "Bu kattaki politikamız, 'ne sor, ne söyle'dir."

Rachel gülümsedi. "Teşekkürler." Ardında neler beklediğini tahmin ederek, kapı koluna uzandı.

"Rachel!" Gırtlaksı ses koridorda daire testere gibi duyuldu.

Rachel ve ajan dönüp baktılar. Artık bacağı profesyonelce bandajlanmış olan Corky Marlinson, koltuk değnekleriyle topallayarak yanlarına geliyordu. "Ben de uyuyamadım!"

Romantik randevusunun bozulduğunu hisseden Rachel, adeta yıkılmıştı.

Corky'nin gözleri sevimli Gizli Servis ajanını inceledi. Ona bakarken gülümsemesi tüm ağzına yayıldı. "Üniformalı kadınları severim."

Ajan ceketini yana çekip, öldürücü görünen tabancasını gösterdi.

Corky geriledi. "Anlaşıldı." Rachel'a döndü. "Mike da uyandı mı? İçeri mi giriyorsun?" Corky partiye katılmak için sabırsız görünüyordu.

Rachel homurdandı. "Aslında Corky..."

Ceketinden bir not kâğıdı çıkaran Gizli Servis ajanı, "Dr. Marlinson," diyerek araya girdi. "Bay Tolland tarafından verilen elimdeki bu nota göre, size mutfağa kadar eşlik etmek, şefe her istediğinizi pişirtmek ve kendinizi ölümden nasıl kurtardığınızı bana en küçük ayrıntılarına kadar..." Ajan duraksadı. Notu tekrar okurken yüzünü buruşturmuştu. "Üstünüze nasıl işediğinizi anlatmanızı istemek için kesin emirler aldım."

Görünüşe bakılırsa, ajan sihirli kelimeyi söylemişti. Corky koltuk değneklerini bırakarak, destek almak için kolunu kadının omzuna attı ve, "Mutfağa gidelim aşkım," dedi.

Keyfi kaçan ajan, Corky'yi koridorun aşağısına taşırken, Corky Marlinson'ın kendini cennette hissettiğine Rachel'ın hiç şüphesi yoktu. Onun, "İşin anahtarı sidik," dediğini duydu. "Çünkü lanet olası ön beyin koku alma loplarıyla her şeyin kokusunu alabiliyorlar!"

Rachel içeri girdiğinde Lincoln Yatak Odası karanlıktı. Yatağın boş ve bozulmamış olduğunu görünce şaşırdı. Michael Tolland görünürde yoktu.

Yatağın yanında antika bir gaz lambası yanıyordu ve Rachel lambadan yayılan yumuşak ışıkta Brüksel halısını... ünlü oymalı gül ağacı yatağı... Lincoln'ın eşi Mary Todd'un portresini... hatta Lincoln'ın Kölelerin Azat Edilmesi Bildirisi'ni imzaladığı masayı seçebiliyordu.

Rachel kapıyı arkasından kaparken, çıplak bacaklarında bir ürperti hissetti. *Michael nerede?* Pencereyi kapatmak üzere yürürken, dolaptan gelen bir fısıltı duydu.

"Maaaaarrrrrrry..."

Rachel olduğu yerde döndü.

Ses yeniden, "Maaaarrrry?" diye fısıldadı. "Sen misin?... Mary Todd Liiiincoln?"

Rachel hemen pencereyi kapatıp yeniden dolaba döndü. Aptalca olduğunu bildiği halde kalbi hızla atıyordu. "Mike, sen olduğunu biliyorum."

Ses, "Hayıııır," diye devam etti. "Ben Mike değilim... Ben... Aaaabe."

Rachel ellerini kalçasına koydu. "Ah gerçekten mi? *Dürüst* Abe mi?"

Boğuk bir kahkaha. "Orta karar dürüst Abe... evet."

Şimdi Rachel da gülüyordu.

Dolaptan gelen ses, "Koooork," diye uğuldadı. "Çok korkmalıııısın."

"Korkmuyorum."

Ses, "Lütfen kooork," diye inledi. "İnsan türlerinde korku ve cinsel dürtü çok yakından bağlıdır."

Rachel kahkahaya boğulmuştu. "Senin tahrik olmaktan anladığın bu mu?"

Ses, "Beni bağışlaaaa," dedi. "Bir kadınla birlikte olmayalı yıllar geçtiiii."

Kapıyı hızlıca çekip açan Rachel, "Anlaşılıyor," dedi.

Michael Tolland çarpık ve çapkın tebessümüyle karşısında duruyordu. Giydiği koyu mavi saten pijamaların içinde karşı konulmaz görünüyordu. Rachel göğsündeki başkanlık armasını görünce gözlerini faltaşı gibi açtı.

"Başkanlık pijamaları mı?"

Omuzlarını silkti. "Çekmecede duruyorlardı."

"Benimse tek bulabildiğim bu futbol üniforması oldu."

"Lincoln Yatak Odası'nı seçmeliydin!"

"Sen önermeliydin!"

"Yatağın kötü olduğunu duydum. Antika at kılı." Tolland göz kırptı ve mermer tezgâhlı masanın üstünde duran hediye paketini gösterdi. "Yaptığın iyiliğin karşılığı."

Rachel etkilenmişti. "Benim için mi?"

"Başkanlık yardımcılarından birini gönderip, bunu senin için aldırdım. Yeni geldi. Sallama."

Rachel paketi dikkatle açıp içindeki ağır şeyi çıkardı. Geniş kristal bir kâsenin içinde iki çirkin turuncu akvaryum balığı yüzüyordu. Rachel hayal kırıklığına uğramış bir şaşkınlıkla bakıyordu. "Şaka yapıyorsun öyle değil mi?"

Tolland gururla, "*Helostoma temmincki,*" dedi.

"Bana *balık* mı aldın?"

"Ender bulunan öpüşen Çin balıkları. Çok romantik."

"Balıklar romantik değildir Mike."

"Bunu bir de balıklara anlat. Saatlerce öpüşüyorlar."

"Bu da başka bir tahrik mi?"

"Romantikliği sahiden unutmuşum. Bana gayret göstermekten kanaat notu verir misin?"

"Gelecekte aklında bulunsun Mike, balıklar kesinlikle tahrik edici *değiller*. Çiçekleri dene."

Tolland arkasından bir demet beyaz zambak çıkardı. "Kırmızı gül vermek istedim," dedi. "Ama Gül Bahçesi'nden aşırmaya kalkarken az kalsın vuruluyordum."

Tolland, Rachel'ın vücudunu kendininkine çekerken, saçının yumuşak kokusunu içine çekti. İçindeki yıllardır inzivaya çekilmiş yanının yavaşça kabuğundan sıyrıldığını hissediyordu. Onu ihtirasla öperken, Rachel'ın vücudunun yakınlaştığını hissetti. Beyaz zambaklar ayaklarına düştü ve Tolland'ın ördüğünün farkında olmadığı duvarlar erimeye başladı.

Hayaletler gitti.

Rachel'ın kendisini yatağa doğru çektiğini hissetti. Yumuşak bir sesle kulağına fısıldıyordu. "Gerçekten de balıkların romantik olduğunu düşünmüyorsun, öyle değil mi?"

"İnanıyorum," deyip onu bir daha öptü. "Denizanalarının çiftleşme ritüelini görmelisin. Son derece erotik."

Rachel, onu at kılı yatağın üstüne sırtüstü yatırıp, üstüne çıktı.

Tolland, "Ve denizatları..." derken, saten pijamasına dokunuşlarının keyfini çıkartıyordu. "Denizatları... inanılmaz şehvetli bir aşk dansı yaparlar."

Pijamalarının düğmelerini açan Rachel, "Balıklardan yeterince bahsettik," dedi. "Bana gelişmiş hayvanların çiftleşme ritüelleri hakkında ne anlatabilirsin?"

Tolland içini çekti. "Korkarım ben gelişmiş hayvanlardan pek anlamıyorum."

Rachel futbol üniformasını çıkarıp attı. "Pekâlâ doğa adamı, hızlı öğrenmeni tavsiye ederim."

SON SÖZ

NASA nakil uçağı Atlantik üzerinde uçuyordu.

Uçaktaki Müdür Lawrence Ekstrom kargo kısmındaki kömürleşmiş dev taşa son bir kez daha baktı. *Denize geri döneceksin,* diye düşündü. *Seni buldukları yere.*

Ekstrom'un emri üzerine pilot kargo kapılarını açıp, taşı bıraktı. Devasa taşın uçağın altından aşağı yuvarlanıp, güneşin aydınlattığı okyanusun üstünde kavis çizerek, yukarı sıçrayan gümüşi su kolonunun oluşturduğu dalgaların altında kayboluşunu seyrettiler.

Kocaman taş hızla batmıştı.

Suyun doksan metre altına indiğinde, yuvarlanarak düşen siluetini aydınlatacak az bir ışık kalmıştı. Yüz elli metreye ulaştığında, taş kör karanlığa boğulmuştu.

Hızla aşağı indi.

Daha derine.

Yaklaşık on iki dakika boyunca düştü.

Sonra taş, ayın karanlık yüzüne çarpan bir meteorit gibi, okyanus tabanındaki çamur düzlüğüne çarparak, bir alüvyon bulutu kaldırdı. Bulut dağılırken, okyanusun bilinmeyen binlerce türünden biri tuhaf yabancıyı incelemek üzere yanına yüzdü.

Etkilenmemişe benzeyen yaratık, yoluna devam etti.